普通高等教育"十一五"国家级规划教材

离 散 数 学

Lisan Shuxue

（第 2 版）

屈婉玲　　耿素云　　张立昂

高等教育出版社·北京

内容提要

本书是普通高等教育"十一五"国家级规划教材。本书在原有基础上进行了更新，增加了一些典型的应用实例，并对例题和习题进行了补充。本书分为数理逻辑、集合论、代数结构、组合数学、图论、初等数论 6 个部分，既有严谨、系统的理论阐述，也有丰富的、面向计算机科学技术发展的应用实例，同时配有大量的典型例题与练习。各章内容按照模块化结构组织，可以适应不同的教学要求。本书配套有电子教案和学习指导与习题解析。

本书可以作为普通高等学校计算机科学与技术、软件工程、信息与计算科学等专业本科生离散数学课程教材，也可以供其他专业学生和科技人员参考。

图书在版编目（CIP）数据

离散数学/屈婉玲,耿素云,张立昂编著.--2 版.--北京:高等教育出版社,2015.3
ISBN 978-7-04-041908-5

Ⅰ.①离… Ⅱ.①屈… ②耿… ③张… Ⅲ.①离散数学-高等学校-教材 Ⅳ.①O158

中国版本图书馆 CIP 数据核字(2015)第 026582 号

策划编辑	刘 艳	责任编辑	刘 艳	封面设计	于文燕	版式设计	马敬茹
插图绘制	郝 林	责任校对	殷 然	责任印制	刘思涵		

出版发行	高等教育出版社	网　　址	http://www.hep.edu.cn
社　　址	北京市西城区德外大街 4 号		http://www.hep.com.cn
邮政编码	100120	网上订购	http://www.landraco.com
印　　刷	唐山市润丰印务有限公司		http://www.landraco.com.cn
开　　本	787mm×1092mm　1/16		
印　　张	26	版　　次	2008 年 3 月第 1 版
			2015 年 3 月第 2 版
字　　数	580 千字	印　　次	2015 年 3 月第 1 次印刷
购书热线	010-58581118	定　　价	41.10 元
咨询电话	400-810-0598		

本书如有缺页、倒页、脱页等质量问题,请到所购图书销售部门联系调换
版权所有　侵权必究
物 料 号　41908-00

第 2 版前言

本书的第一版于 2008 年出版,起源于高等教育出版社 1998 年出版的普通高等教育"九五"国家级规划教材《离散数学》和 2004 年出版的普通高等教育"十五"国家级规划教材《离散数学(修订版)》。目前距第一版出版已有 6 年的时间了。在这 6 年中,随着计算机科学与技术飞速发展和广泛应用,一些新的教育理念不断提出,其中最重要的是"计算思维"(computational thinking)。计算思维是数学思维与工程思维的互补与融合,不但是从事计算机科学与技术工作的人员所需要的专业素质,而且对其他学科的发展产生了深远的影响,计算思维的培养已经成为大学计算机专业的重要目标之一。

离散数学是研究离散结构及其性质的学科,大量用于计算机科学与技术领域的建模及分析。离散数学对培养计算思维起着重要的作用,是计算机专业的核心课程之一。实际上,离散数学在自然科学(如物理、化学、生物),工程技术(如电子工程),社会科学,经济管理等领域都有广泛的应用,一些相关的专业(如经济学等)也都在教学中引入了离散数学的内容。如何在离散系统建模中体现计算思维是本次修订的指导思想。

本次修订保持了原书的基本结构和主要内容,增加了消解证明法和中国邮递员问题,并对文字做了进一步的加工。此外,还补充了有关加法器设计、进程代数建模、全同态加密等重要的应用实例,更新和补充了部分例题和习题。

与本书同步更新的有配套的教学辅导用书《离散数学学习指导与习题解析》(第 2 版)。

本书第 1 章 ~ 第 5 章、第 14 章 ~ 第 18 章由耿素云完成,第 6 章 ~ 第 13 章由屈婉玲完成,第 19 章由张立昂完成。对广大读者所提出的建议和意见,我们表示衷心的感谢!

作　者

2014 年 12 月于燕园

第 1 版前言

本书是面向 21 世纪课程教材,是在《离散数学(修订版)》(耿素云、屈婉玲编著,高等教育出版社,2004 年)的基础上修改而成的。《离散数学》于 1998 年作为普通高等教育"九五"国家级规划教材出版,2004 年以普通高等教育"十五"国家级规划教材立项进行了修订,至今也已经 3 年了。在近 10 年里,计算机科学技术有了飞速的发展,在生产和生活的各个领域都发挥着越来越大的作用,一个崭新的信息时代正在来临。面对这样一个巨大的变化,国内外对计算机专业教育的改革也进行了大量的研讨和有益的实践。当前,计算机专业教育面临着更多的挑战,一方面是新技术、新知识的爆炸性增长,另一方面是社会对多种不同类型和层次人才的需求。因此,有必要把培养目标和专业方向进一步细分,相关的教学计划和课程体系也需要更新和调整。美国计算机学会的《ACM IEEE Computing Curricula 2004》就是针对这个问题提出的系统的研究报告,我国教育部计算机科学与技术专业教学指导委员会也提出了相应的《计算机科学与技术专业规范》(CCC2005)。根据 CCC2005 的意见,计算机科学与技术专业将划分为计算机科学、计算机工程、软件工程和信息技术 4 个专业方向,本书主要是根据前 3 个专业方向的教学要求而编写的。

与修订版相比,本书在以下内容上进行了比较大的更新。

1. 根据 CCC2005 中关于离散数学核心内容的要求,对有些章节进行了调整。增加了组合数学中关于递推方程、生成函数等组合计数方法的内容,并重点说明了这些方法在计算机算法分析中的应用。增加了有关初等数论基础知识的介绍,并讲述了它们在计算机加密技术中的应用。同时,删减了关于集合基数以及代数结构中群、环、域、格的部分内容。重新组织了图论中的部分知识点,以使得整个教材的中心更突出,知识体系更清晰,知识点的分布更合理。

2. 重写了数理逻辑中的一阶逻辑推理理论。

3. 补充了和计算机科学技术应用背景紧密结合的实例。在语言文字方面做了进一步的加工，同时订正了部分疏漏之处。

本书采用模块化的结构，适用于计算机科学、计算机工程、软件工程等不同的专业方向和不同的学校。教师可以根据自己的教学计划对相关内容进行取舍。根据一般经验，完成全部内容的教学需要两个学期，即 108 ~ 144 学时。如果只有一个学期，可以选择数理逻辑、集合论、图论的部分章节，如第 1 章 ～ 第 4 章，第 6 章 ～ 第 8 章，第 14 章 ～ 第 16 章等。

与本书配套的《离散数学学习指导与习题解析》和电子教案将陆续推出，为使用本书的教师和学生提供参考。

本书的出版得到高等教育出版社的大力支持，也得到许多教师的帮助，特别是朱洪教授认真审阅了书稿，提出了宝贵的修改意见，对此我们表示衷心的感谢。本书的第 1 章 ～ 第 5 章、第 14 章 ～ 第 18 章由耿素云完成，第 6 章 ～ 第 13 章由屈婉玲完成，第 19 章由张立昂完成。由于水平所限，书中难免存在疏漏和不足之处，恳请读者指正。

作 者
2007 年 10 月

目录

第1部分 数 理 逻 辑

第2部分 集 合 论

第 3 部分 代 数 结 构

第 4 部分 组 合 数 学

第 5 部分 图 论

第 6 部分　初 等 数 论

第 1 部分　数 理 逻 辑

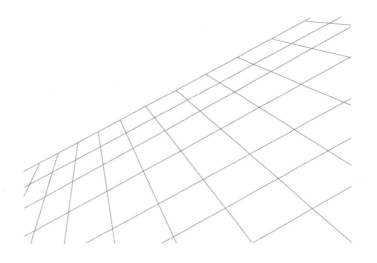

第 1 章
命题逻辑的基本概念

1.1 命题与联结词

数理逻辑是研究推理的数学分支,推理由一系列的陈述句组成.例如,因为 3>2,所以 3≠2.在这里"3>2"和"3≠2"是两个陈述句,整个"因为 3>2,所以 3≠2"也是一个陈述句.这 3 个陈述句都成立,即为真.这种非真即假的陈述句称作命题.

作为命题的陈述句所表达的判断结果称作命题的真值,真值只取两个值:真或假.真值为真的命题称作真命题,真值为假的命题称作假命题.真命题表达的判断正确,假命题表达的判断错误.任何命题的真值都是唯一的.

命题"因为 3>2,所以 3≠2"由两个更简单的命题"3>2"和"3≠2"组成."3>2"和"3≠2"不能再分解成更简单的命题了.这种不能被分解成更简单的命题称作简单命题或原子命题.在命题逻辑中,简单命题是最小的基本单位,对它不再细分.但在各种论述和推理中,所出现的命题多数不是简单命题,如上面的"因为 3>2,所以 3≠2".由简单命题通过联结词联结而成的命题,称作复合命题.

判断给定句子是否为命题,应该分两步:首先判定它是否为陈述句,其次判断它是否有唯一的真值.

例 1.1 判断下列句子是否为命题.

(1) 4 是素数.

（2）$\sqrt{5}$ 是无理数.

（3）x 大于 y,其中 x 和 y 是任意的两个数.

（4）火星上有水.

（5）2050 年元旦是晴天.

（6）π 大于 $\sqrt{2}$ 吗?

（7）请不要吸烟!

（8）这朵花真美丽啊!

（9）我正在说假话.

解   本题的 9 个句子中,(6)是疑问句,(7)是祈使句,(8)是感叹句,因而这 3 个句子都不是命题.剩下的 6 个句子都是陈述句,但(3)与(9)不是命题.(3)的真值不确定,根据 x 和 y 的不同取值情况它可真可假,即无唯一的真值,因而不是命题.(9)特别有意思,若(9)为真,即"我正在说假话"是真的,则我正在说真话,因而(9)的真值应为假,矛盾;反之,若(9)为假,即"我正在说假话"是假的,则我正在说假话,因而(9)的真值应为真,同样也矛盾.因而(9)既不能为真,也不能为假,故它也不是命题.像(9)这样由真能推出假、又由假能推出真,从而既不能为真,也不能为假的陈述句称作悖论.悖论不是命题.

本例中,(1),(2),(4),(5)是命题.(1)为假命题,(2)为真命题.虽然至今还不知道火星上是否有水,但火星上是否有水是客观存在的,并且要么是有、要么是没有,只是现在人类还不知道而已.也就是说,(4)的真值是客观存在的,而且是唯一的,因此它是命题.根据同样的道理,(5)也是命题.作为命题,是否知道它的真值是不重要的,重要的是它有唯一的真值.

在本书中,用小写英文字母表示命题,用"1"表示真,用"0"表示假,于是命题的真值为 0 或 1.下面用 p,q,r,s 分别表示例 1.1 中(1),(2),(4),(5)的命题.

p：4 是素数.

q：$\sqrt{5}$ 是无理数.

r：火星上有水.

s：2050 年元旦是晴天.

它们称为这些命题的符号化.其中,p 的真值为 0,q 的真值为 1,r 和 s 的真值现在还不知道.这 4 个命题都是简单命题.

例 1.2   先将下面各陈述句中出现的原子命题符号化,并指出它们的真值,然后再写出这些陈述.

（1）$\sqrt{2}$ 是有理数是不对的.

（2）2 是偶素数.

（3）2 或 4 是素数.

（4）如果 2 是素数,则 3 也是素数.

（5）2 是素数当且仅当 3 也是素数.

解　在(1)中"$\sqrt{2}$是有理数"是原子命题;(2)~(5)中各有两个原子命题,它们分别是"2 是素数"和"2 是偶数","2 是素数"和"4 是素数","2 是素数"和"3 是素数"以及"2 是素数"和"3 是素数".共有 5 个原子命题,将它们分别符号化为

p:$\sqrt{2}$是有理数.

q:2 是素数.

r:2 是偶数.

s:3 是素数.

t:4 是素数.

p,t 的真值为 0,其余的真值为 1.将原子命题的符号代入,上述各陈述句可以表示成:

(1) 非 p(p 不成立);(2) q 并且(与)r;(3) q 或 t;(4) 如果 q,则 s;(5) q 当且仅当 s.

这 5 个命题都是复合命题.不妨称上述表述方式为半形式化的,这种半形式化的表述形式不能令人满意.数理逻辑研究方法的主要特征是将论述或推理中的各种要素都符号化,即构造各种符号语言来代替自然语言,完全由符号构成的语言称为形式语言.为了达到这个目的,就要求进一步抽象化,即将联结词也符号化.在例 1.2 中出现的联结词有 5 个:"非""并且""或""如果……,则……""当且仅当",这些联结词是自然语言中常用的联结词.但自然语言中出现的联结词有的具有二义性,因而在数理逻辑中必须给出联结词的严格定义,并且将它们符号化.

定义 1.1　设 p 为命题,复合命题"非 p"(或"p 的否定")称作 p 的否定式,记作 $\neg p$.符号 $\neg$ 称作否定联结词.规定 $\neg p$ 为真当且仅当 p 为假.

由定义可知,$\neg p$ 的逻辑关系为 p 不成立,因而当 p 为真时,$\neg p$ 为假;反之当 p 为假时,$\neg p$ 为真.

在例 1.2 中,"非 p"可符号化为 $\neg p$.由于 p 的真值为 0,所以 $\neg p$ 的真值为 1.

定义 1.2　设 p,q 为两个命题,复合命题"p 并且 q"(或"p 与 q")称为 p 与 q 的合取式,记作 $p \wedge q$.$\wedge$ 称作合取联结词.规定 $p \wedge q$ 为真当且仅当 p 与 q 同时为真.

由定义可知,$p \wedge q$ 的逻辑关系为 p 与 q 同时成立,因而只有当 p 与 q 同时为真时,$p \wedge q$ 才为真,其他情况 $p \wedge q$ 均为假.

在例 1.2 中,"q 并且 r"符号化为 $q \wedge r$.由于 q 与 r 的真值全为 1,所以 $q \wedge r$ 的真值为 1.

使用联结词 $\wedge$ 需要注意两点:其一是 $\wedge$ 的灵活性.自然语言中的"既……,又……""不但……,而且……""虽然……,但是……""一面……,一面……"等都表示两件事情同时成立,因而可以符号化为 $\wedge$.其二,不要见到"与""和"就使用联结词 $\wedge$,见下面的例子.

例 1.3　将下列命题符号化.

(1) 吴颖既用功又聪明.

(2) 吴颖不仅用功而且聪明.

(3) 吴颖虽然聪明,但不用功.

(4) 张辉与王丽都是三好生.

(5) 张辉与王丽是同学.

解　先给出(1)~(4)中的原子命题,并将其符号化.

p：吴颖用功.

q：吴颖聪明.

r：张辉是三好生.

s：王丽是三好生.

(1)~(4)都是复合命题,它们使用的联结词表面看来各不相同,但都是合取的意思,分别符号化为 $p \wedge q, p \wedge q, q \wedge \neg p, r \wedge s$.

在(5)中,虽然也使用了"与",但这个"与"是联结该句主语中的两个人的,而整个句子仍是简单陈述句,所以(5)是原子命题,符号化为 t:张辉与王丽是同学.

定义 1.3   设 p, q 为两个命题,复合命题"p 或 q"称作 p 与 q 的析取式,记作 $p \vee q$. $\vee$ 称作析取联结词.规定 $p \vee q$ 为假当且仅当 p 与 q 同时为假.

由定义可知,当 p 与 q 中有一个为真时, $p \vee q$ 为真.只有当 p 与 q 同时为假时, $p \vee q$ 才为假.

在例 1.2 中,"q 或 t"符号化为 $q \vee t$. 由于 q 为真,所以 $q \vee t$ 为真。

以上定义的析取联结词 $\vee$ 与自然语言中的"或"不完全一样.自然语言中的"或"具有二义性,用它有时具有相容性(即它联结的两个命题可以同时为真),有时具有排斥性(即只有当一个为真、另一个为假时,才为真),对应的分别称作相容或和排斥或.

例 1.4   将下列命题符号化.

(1)张晓静爱唱歌或爱听音乐.

(2)张晓静只能挑选 202 或 203 房间.

(3)张晓静是江西人或安徽人.

解   先给出原子命题,并将其符号化,然后再将整个(复合)命题符号化.

(1) p：张晓静爱唱歌.

  q：张晓静爱听音乐.

显然这个"或"为相容或,即当 p 与 q 同时为真时,这个命题为真.符号化为 $p \vee q$.

(2) r：张晓静挑选 202 房间.

  s：张晓静挑选 203 房间.

由题意可知,这个"或"应为排斥或. r, s 的取值有 4 种可能:同真,同假,一真一假(两种).如果符号化为 $r \vee s$,则当 r 和 s 都为真时为真,这意味着张晓静可能同时得到 202 和 203 两个房间,这不符合原意.原意是张晓静只能挑选 202 和 203 中的一间.如何达到只能挑选一个房间的要求呢? 可以使用多个联结词,符号化为 $(r \wedge \neg s) \vee (\neg r \wedge s)$. 不难验证,此复合命题为真当且仅当 r, s 中一个为真,一个为假,它准确地表达了原意.当 r 为真 s 为假时,张晓静得到 202 房间;当 r 为假 s 为真时,张晓静得到 203 房间,其他情况下,都是不允许的.

(3) t：张晓静是江西人.

  u：张晓静是安徽人.

这个"或"也应为排斥或.和上面一样,可以形式化为 $(t \wedge \neg u) \vee (\neg t \wedge u)$. 但是,在这里张晓静不可能既是江西人又是安徽人,即 t 与 u 实际上不能同时为真,因而也可以符号化为 $t \vee u$.

定义 1.4　设 p,q 为两个命题,复合命题"如果 p,则 q"称为 p 与 q 的蕴涵式,记作 $p \to q$,并称 p 是蕴涵式的前件,q 为蕴涵式的后件.$\to$ 称作蕴涵联结词.并规定 $p \to q$ 为假当且仅当 p 为真 q 为假.

$p \to q$ 的逻辑关系为 q 是 p 的必要条件.

在例 1.2 中,"如果 q,则 s"应符号化为 $q \to s$.由于 q 与 s 的真值均为 1,所以 $q \to s$ 的真值也为 1.

在使用联结词 $\to$ 时,要特别注意以下几点.

1. 在自然语言里,特别是在数学中,q 是 p 的必要条件有许多不同的叙述方式,例如,"只要 p,就 q""因为 p,所以 q""p 仅当 q""只有 q 才 p""除非 q 才 p""除非 q,否则非 p",等等.以上各种叙述方式表面看来有所不同,但都表示 q 是 p 的必要条件,因而都应使用 $\to$,符号化为 $p \to q$.

2. 作为推理"如果 p,则 q"的形式化,当 p 为真、q 为真时,$p \to q$ 显然为真;当 p 为真、q 为假时,$p \to q$ 显然为假.问题是当 p 为假时,为什么规定无论 q 是真是假,$p \to q$ 均为真?其实平常人们也会采用这种思维方式.譬如,说"如果太阳从西边出来,我就不姓张."其实,不管"我"是否姓张,这句话都是对的,因为太阳不可能从西边出来.也就是说,前件"太阳从西边出来"为假,不论后件"我不姓张"是真是假,这句话都是对的.

3. 在自然语言中,"如果 p,则 q"中的前件 p 与后件 q 往往具有某种内在联系.而数理逻辑是研究抽象的推理,p 与 q 可以无任何内在联系.譬如,"因为 $2<3$,所以 $1+1=2$."在通常的意义下是不对的,或者认为它是毫无意义的.但在数理逻辑中,设 $p:2<3$,$q:1+1=2$,这句话可形式化为 $p \to q$.而且因为 p 和 q 都为真,故 $p \to q$ 为真.由此可见,$p \to q$ 为真仅表示 p 与 q 的取值关系(当 p 为真时,q 必为真;当 q 为假时,p 必为假.)而与 p 与 q 是否有什么内在联系无关.

例 1.5　将下列命题符号化,并指出它们的真值.

(1) 如果 $3+3=6$,则雪是白色的.

(2) 如果 $3+3 \neq 6$,则雪是白色的.

(3) 如果 $3+3=6$,则雪不是白色的.

(4) 如果 $3+3 \neq 6$,则雪不是白色的.

(5) 只要 a 能被 4 整除,则 a 一定能被 2 整除.

(6) a 能被 4 整除,仅当 a 能被 2 整除.

(7) 除非 a 能被 2 整除,a 才能被 4 整除.

(8) 除非 a 能被 2 整除,否则 a 不能被 4 整除.

(9) 只有 a 能被 2 整除,a 才能被 4 整除.

(10) 只有 a 能被 4 整除,a 才能被 2 整除.

其中 a 是一个给定的正整数.

解　令 $p:3+3=6$,p 的真值为 1.

$\qquad q$:雪是白色的,q 的真值也为 1.

(1) ~ (4)的符号化形式分别为 $p \to q$,$\neg p \to q$,$p \to \neg q$,$\neg p \to \neg q$.这 4 个复合命题的真值分别

为 1,1,0,1. 这 4 个蕴涵式的前件与后件没有内在联系.

令　r：a 能被 4 整除.

　　s：a 能被 2 整除.

仔细分析可知,(5)~(9)叙述的都是 a 能被 2 整除是 a 能被 4 整除的必要条件,因而都符号化为 $r \to s$. 由于 a 是给定的正整数,因而 r 与 s 的真值是客观存在的,但是真是假与 a 的值有关,现在并不知道. 可是 r 与 s 是有内在联系的,当 r 为真(a 能被 4 整除)时,s 必为真(a 能被 2 整除),于是 $r \to s$ 不会出现前件真后件假的情况,因而 $r \to s$ 的真值为 1.

而(10)叙述的是 a 能被 4 整除是 a 能被 2 整除的必要条件,因而应符号化为 $s \to r$,它的真值与 a 的值有关. 例如,当 $a = 8$ 时为真,当 $a = 6$ 时为假. 而通常认为(10)是错的,这再一次提醒人们要正确地理解命题逻辑中的联结词,不能简单地与自然语言中的联结词等同起来. 如何正确地表示我们通常理解的(10),这要到第 4 章一阶逻辑中介绍.

定义 1.5　设 p,q 为两个命题,复合命题"p 当且仅当 q"称作 p 与 q 的等价式,记作 $p \leftrightarrow q$,$\leftrightarrow$ 称作等价联结词. 规定 $p \leftrightarrow q$ 为真当且仅当 p 与 q 同时为真或同时为假.

$p \leftrightarrow q$ 的逻辑关系为 p 与 q 互为充分必要条件.

在例 1.2 中,"q 当且仅当 s"应符号化为 $q \leftrightarrow s$. 由于 q 与 s 同为真,所以 $q \leftrightarrow s$ 为真.

不难看出 $(p \to q) \wedge (q \to p)$ 与 $p \leftrightarrow q$ 的逻辑关系完全一样,即都表示 p 与 q 互为充分必要条件.

例 1.6　将下列命题符号化,并讨论它们的真值.

(1) $\sqrt{3}$ 是无理数当且仅当加拿大位于亚洲.

(2) $2+3 = 5$ 的充要条件是 $\sqrt{3}$ 是无理数.

(3) 若两圆 O_1, O_2 的面积相等,则它们的半径相等;反之亦然.

(4) 当王小红心情愉快时,她就唱歌;反之,当她唱歌时,一定心情愉快.

解　令　p：$\sqrt{3}$ 是无理数,真值为 1.

　　　　　　q：加拿大位于亚洲,真值为 0.

(1) 可符号化为 $p \leftrightarrow q$,其真值为 0.

令　r：$2+3 = 5$,其真值为 1,

(2) 可符号化为 $r \leftrightarrow p$,真值为 1.

令　s：两圆 O_1, O_2 面积相等.

　　t：两圆 O_1, O_2 的半径相等.

(3) 可符号化为 $s \leftrightarrow t$. 虽然不知道 s, t 的真值,但知道当 O_1, O_2 的面积相等时,O_1, O_2 的半径也相等;当 O_1, O_2 的面积不相等时,O_1, O_2 的半径也不相等. 即当 s 为真时,t 也为真;当 s 为假时,t 也为假. 故 $s \leftrightarrow t$ 的真值为 1.

令　u：王小红心情愉快.

　　v：王小红唱歌.

（4）可符号化为 $u \leftrightarrow v$，其真值要由具体情况而定，这里不再详述.

以上定义了 5 个基本、常用，也是重要的联结词，它们组成一个联结词集 $\{\neg, \wedge, \vee, \rightarrow, \leftrightarrow\}$，其中 $\neg$ 为一元联结词，其余 4 个是二元联结词. 现将它们汇总如表 1.1 所示.

表 1.1　联结词 $\neg, \wedge, \vee, \rightarrow, \leftrightarrow$ 的定义

p	q	$\neg p$	$p \wedge q$	$p \vee q$	$p \rightarrow q$	$p \leftrightarrow q$
0	0	1	0	0	1	1
0	1	1	0	1	1	0
1	0	0	0	1	0	0
1	1	0	1	1	1	1

使用多个联结词可以组成更复杂的复合命题，此外还可以使用圆括号（和），（和）必须成对出现. 在求这种复杂的复合命题的真值时，除依据表 1.1 外，还要规定联结词的优先顺序. 将圆括号计算在内，规定优先顺序为（），$\neg, \wedge, \vee, \rightarrow, \leftrightarrow$；对同一优先级，从左到右顺序进行.

例 1.7　令　p：北京比天津人口多.

　　　　　　q：$2+2=4$.

　　　　　　r：乌鸦是白色的.

求下列复合命题的真值.

（1）$((\neg p \wedge q) \vee (p \wedge \neg q)) \rightarrow r$

（2）$(q \vee r) \rightarrow (p \rightarrow \neg r)$

（3）$(\neg p \vee r) \leftrightarrow (p \wedge \neg r)$

解　p, q, r 的真值分别为 1，1，0，容易算出（1），（2），（3）的真值分别为 1，1，0.

1.2　命题公式及其赋值

上节讨论了简单命题（原子命题）和复合命题以及它们的符号化形式. 简单命题是命题逻辑中最基本的研究单位，其真值是确定的，又称作命题常项或命题常元. 命题常项相当于初等数学中的常数. 初等数学中还有变量，对应地，这里有命题变项. 取值 1（真）或 0（假）的变元称作命题变项或命题变元. 可以用命题变项表示真值可以变化的陈述句. 命题变项不是命题，命题变项与命题常项的关系如同初等数学中变量与常量的关系. 今后也用 p, q, r 等表示命题变项. 这样一来，p, q, r 等既可以表示命题常项，又可以表示命题变项，通常可以由上下文确定.

将命题变项用联结词和圆括号按照一定的逻辑关系联结起来的符号串称作合式公式. 当使用联结词集 $\{\neg, \wedge, \vee, \rightarrow, \leftrightarrow\}$ 时，合式公式定义如下.

定义 1.6　（1）单个命题变项和命题常项是合式公式，并称为原子命题公式.

（2）若 A 是合式公式，则 $(\neg A)$ 是合式公式.

（3）若 A,B 是合式公式,则 $(A \wedge B),(A \vee B),(A \rightarrow B),(A \leftrightarrow B)$ 是合式公式.

（4）有限次地应用（1）~（3）形成的符号串是合式公式.

合式公式也称作命题公式或命题形式,简称为公式.

设 A 为合式公式, B 为 A 中一部分,若 B 也是合式公式,则称 B 为 A 的子公式.

对于定义 1.6,要做以下说明.

1. 定义 1.6 给出的合式公式的定义方式称作归纳定义或递归定义方式,下文中还将多次出现这种定义方式.

2. 定义中引进了 A,B 等符号,用它们表示任意的合式公式,称作元语言符号.而某个具体的公式,如 $p,p \wedge q,(p \wedge q) \rightarrow r$ 等称作对象语言符号.所谓对象语言是指用来描述研究对象的语言,而元语言是指用来描述对象语言的语言,这两种语言是不同层次的语言.做一个不完全恰当的类比,中国人学英语,常用汉语描述英语,英语是对象语言,而汉语就成了元语言.

3. 为方便起见, $(\neg A)$,当 $(A \wedge B)$ 等公式单独出现时,外层括号可以省去,写成 $\neg A,A \wedge B$ 等.另外,公式中不影响运算次序的括号也可以省去,如公式 $(p \vee q) \vee (\neg r)$ 可以写成 $p \vee q \vee \neg r$.

由定义可知, $(p \rightarrow q) \wedge (q \leftrightarrow r),(p \wedge q) \wedge \neg r,p \wedge (q \wedge \neg r)$ 等都是合式公式,而 $pq \rightarrow r$, $p \rightarrow (r \rightarrow q)$ 等都不是合式公式.

下面给出公式层次的定义.

定义 1.7　（1）若公式 A 是单个的命题变项,则称 A 为 0 层公式.

（2）称 A 是 $n+1(n \geqslant 0)$ 层公式是指下面情况之一.

（a） $A = \neg B$[①], B 是 n 层公式;

（b） $A = B \wedge C$,其中 B,C 分别为 i 层和 j 层公式,且 $n = \max(i,j)$[②];

（c） $A = B \vee C$,其中 B,C 的层次及 n 同（b）;

（d） $A = B \rightarrow C$,其中 B,C 的层次及 n 同（b）;

（e） $A = B \leftrightarrow C$,其中 B,C 的层次及 n 同（b）.

（3）若公式 A 的层次为 k.则称 A 是 k 层公式.

例如, $(\neg p \wedge q) \rightarrow r,(\neg(p \rightarrow \neg q)) \wedge ((r \vee s) \leftrightarrow \neg p)$ 分别为 3 层和 4 层公式.

在命题公式中,由于有命题变项的出现,因而真值是不确定的.用命题常项替换公式中的命题变项称作解释.在将公式中出现的全部命题变项都解释成具体的命题常项之后,公式就成了真值确定的命题.例如,在公式 $(p \vee q) \rightarrow r$ 中,若将 p 解释成:2 是素数, q 解释成:3 是偶数, r 解释成: $\sqrt{2}$ 是无理数,则公式 $(p \vee q) \rightarrow r$ 被解释成:若 2 是素数或 3 是偶数,则 $\sqrt{2}$ 是无理数.这是一个真命题.若 p,q 的解释不变, r 被解释为: $\sqrt{2}$ 是有理数,则 $(p \vee q) \rightarrow r$ 被解释成:若 2 是素数或 3 是偶数,则 $\sqrt{2}$ 是有理数.这是一个假命题.还可以给出这个公式各种不同的解释,其结果不是得到

---

① "="为普通意义下的等号,在这里 = 为元语言符号.

② 设 x,y 为实数, $\max(x,y)$ 等于 x,y 中较大的数.

真命题就是得到假命题. 其实,将命题变项 p 解释成真命题,相当于指定 p 的真值为 1,解释成假命题,相当于指定 p 的真值为 0.

定义 1.8 设 $p_1, p_2, \cdots, p_n$ 是出现在公式 A 中的全部命题变项,给 $p_1, p_2, \cdots, p_n$ 各指定一个真值,称为对 A 的一个赋值或解释. 若指定的一组值使 A 为 1,则称这组值为 A 的成真赋值;若使 A 为 0,则称这组值为 A 的成假赋值.

在本书中,对含 n 个命题变项的公式 A 的赋值采用下述记法.

1. 若 A 中出现的命题变项为 $p_1, p_2, \cdots, p_n$,A 的赋值 $\alpha_1 \alpha_2 \cdots \alpha_n$ 是指 $p_1 = \alpha_1, p_2 = \alpha_2, \cdots, p_n = \alpha_n$.

2. 若 A 中出现的命题变项(按照字母顺序)为 $p, q, r, \cdots$,A 的赋值 $\alpha_1 \alpha_2 \cdots \alpha_n$ 是指 $p = \alpha_1, q = \alpha_2, \cdots$,最后字母赋值 α_n. 其中 α_i 为 0 或 1,$i = 1, 2, \cdots, n$.

例如,在公式 $(\neg p_1 \wedge \neg p_2 \wedge \neg p_3) \vee (p_1 \wedge p_2)$ 中,$000(p_1 = 0, p_2 = 0, p_3 = 0)$,$110(p_1 = 1, p_2 = 1, p_3 = 0)$ 都是成真赋值,而 $001(p_1 = 0, p_2 = 0, p_3 = 1)$,$011(p_1 = 0, p_2 = 1, p_3 = 1)$ 都是成假赋值. 在 $(p \wedge \neg q) \rightarrow r$ 中,$011(p = 0, q = 1, r = 1)$ 为成真赋值,$100(p = 1, q = 0, r = 0)$ 为成假赋值.

不难看出,含 $n(n \geqslant 1)$ 个命题变项的公式共有 2^n 个不同的赋值.

定义 1.9 将命题公式 A 在所有赋值下取值情况列成表,称作 A 的真值表.

构造真值表的具体步骤如下.

(1) 找出公式中所含的全体命题变项 $p_1, p_2, \cdots, p_n$(若无下角标就按照字母顺序排列),列出 2^n 个赋值. 赋值从 $00 \cdots 0$ 开始,然后按照二进制加法每次加 1,依次写出每个赋值,直到 $11 \cdots 1$ 为止.

(2) 按照从低到高的顺序写出公式的各个层次.

(3) 对应各个赋值计算出各层次的真值,直到最后计算出公式的真值.

如果两个公式 A 与 B 的真值表对所有赋值最后一列都相同,即最后结果都相同,则称这两个真值表相同,而不考虑构造真值表的中间过程.

例 1.8 写出下列公式的真值表,并求它们的成真赋值和成假赋值.

(1) $(\neg p \wedge q) \rightarrow \neg r$

(2) $(p \wedge \neg p) \leftrightarrow (q \wedge \neg q)$

(3) $\neg(p \rightarrow p) \wedge q \wedge r$

解 公式(1)是含 3 个命题变项的 3 层合式公式. 它的真值表如表 1.2 所示.

表 1.2 $(\neg p \wedge q) \rightarrow \neg r$ 的真值表

p	q	r	$\neg p$	$\neg r$	$\neg p \wedge q$	$(\neg p \wedge q) \rightarrow \neg r$
0	0	0	1	1	0	1
0	0	1	1	0	0	1
0	1	0	1	1	1	1
0	1	1	1	0	1	0
1	0	0	0	1	0	1
1	0	1	0	0	0	1
1	1	0	0	1	0	1
1	1	1	0	0	0	1

　　从表 1.2 可知公式(1)的成假赋值为 011,其余 7 个赋值都是成真赋值.

　　公式(2)是含 2 个命题变项的 3 层合式公式,它的真值表如表 1.3 所示.从表 1.3 可以看出,该公式的 4 个赋值全是成真赋值,即无成假赋值.

表 1.3　$(p \wedge \neg p) \leftrightarrow (q \wedge \neg q)$ 的真值表

p　q	$\neg p$	$\neg q$	$p \wedge \neg p$	$q \wedge \neg q$	$(p \wedge \neg p) \leftrightarrow (q \wedge \neg q)$
0　0	1	1	0	0	1
0　1	1	0	0	0	1
1　0	0	1	0	0	1
1　1	0	0	0	0	1

　　公式(3)是含 3 个命题变项的 4 层合式公式,它的真值表如表 1.4 所示.不难看出,该公式的 8 个赋值全是成假赋值,无成真赋值.

表 1.4　$\neg(p \rightarrow q) \wedge q \wedge r$ 的真值表

p　q　r	$p \rightarrow q$	$\neg(p \rightarrow q)$	$\neg(p \rightarrow q) \wedge q$	$\neg(p \rightarrow q) \wedge q \wedge r$
0　0　0	1	0	0	0
0　0　1	1	0	0	0
0　1　0	1	0	0	0
0　1　1	1	0	0	0
1　0　0	0	1	0	0
1　0　1	0	1	0	0
1　1　0	1	0	0	0
1　1　1	1	0	0	0

　　表 1.2~表 1.4 都是按照构造真值表的步骤一步一步地构造出来的,这样构造真值表不易出错.若构造的思路比较清楚,则有些层次可以省略.

　　根据公式在各种赋值下的取值情况,可以按照下述定义将命题公式进行分类.

　　定义 1.10　设 A 为任一命题公式.

　　(1) 若 A 在它的各种赋值下取值均为真,则称 A 为*重言式*或*永真式*.

　　(2) 若 A 在它的各种赋值下取值均为假,则称 A 为*矛盾式*或*永假式*.

　　(3) 若 A 不是矛盾式,则称 A 为*可满足式*.

　　从定义不难看出以下几点.

　　1. A 是可满足式的等价定义是:A 至少存在一个成真赋值.

　　2. 重言式一定是可满足式,但反之不真.若公式 A 是可满足式,且它至少存在一个成假赋值,

则称 A 为非重言式的可满足式.

3. 真值表可用来判断公式的类型.

(1) 若真值表最后一列全为 1,则公式为重言式.

(2) 若真值表最后一列全为 0,则公式为矛盾式.

(3) 若真值表最后一列中至少有一个为 1,则公式为可满足式.

从表 1.2~表 1.4 可知,例 1.8 中,公式(1)$(\neg p \wedge q) \rightarrow \neg r$ 为非重言式的可满足式,公式(2)$(p \wedge \neg p) \leftrightarrow (q \wedge \neg q)$ 为重言式,而公式(3)$\neg(p \rightarrow q) \wedge q \wedge r$ 为矛盾式.

从以上的讨论可知,真值表不但能准确地给出公式的成真赋值和成假赋值,而且能判断公式的类型.

给定 n 个命题变项,按照合式公式的形成规则,可以形成无穷多种形式各异的公式. 现在要问:这些公式的真值表是否也有无穷多种不同的情况呢?答案是否定的. n 个命题变项共产生 2^n 个不同的赋值,而任何公式在每个赋值下只能取两个值,0 或 1,于是含 n 个命题变项的公式的真值表只有 2^{2^n} 种不同的情况,因而必有无穷多个公式具有相同的真值表.

例 1.9 下列各公式均含两个命题变项 p 与 q,它们中哪些具有相同的真值表?

(1) $p \rightarrow q$

(2) $p \leftrightarrow q$

(3) $\neg(p \wedge \neg q)$

(4) $(p \rightarrow q) \wedge (q \rightarrow p)$

(5) $\neg q \vee p$

解 构造过程略去不写,表 1.5 给出了 5 个公式的真值表. 从表中可看出,(1)与(3)具有相同的真值表,(2)与(4)具有相同的真值表.

表 1.5　5 个公式的真值表

p	q	$p \rightarrow q$	$p \leftrightarrow q$	$\neg(p \wedge \neg q)$	$(p \rightarrow q) \wedge (q \rightarrow p)$	$\neg q \vee p$
0	0	1	1	1	1	1
0	1	1	0	1	0	0
1	0	0	0	0	0	1
1	1	1	1	1	1	1

设公式 A,B 中共含有命题变项 $p_1, p_2, \cdots, p_n$,而 A 或 B 不全含这些命题变项,例如,A 中不含 $p_i, p_{i+1}, \cdots, p_n, i \geqslant 2$,称这些命题变项为 A 的哑元. A 的取值与哑元无关,因而在讨论 A 与 B 是否有相同的真值表时,可以将 A,B 都看成含 $p_1, p_2, \cdots, p_n$ 的命题公式.

例 1.10 下列公式中,哪些具有相同的真值表?

(1) $p \rightarrow q$

(2) $\neg q \vee r$

（3）$(\neg p \vee q) \wedge ((p \wedge r) \rightarrow p)$

（4）$(q \rightarrow r) \wedge (p \rightarrow p)$

解   本例中给出的 4 个公式,总共有 3 个命题变项 p, q 和 r, r 是公式（1）的哑元, p 是公式（2）的哑元,在讨论它们是否有相同的真值表时,均按照 3 个命题变项写出它们的真值表. 表 1.6 列出 4 个公式的真值表,中间过程省略了. 从表中看出,公式（1）与公式（3）有相同的真值表,公式（2）与公式（4）有相同的真值表.

表 1.6   4 个公式的真值表

p	q	r	$p \rightarrow q$	$\neg q \vee r$	$(\neg p \vee q) \wedge ((p \wedge r) \rightarrow p)$	$(q \rightarrow r) \wedge (p \rightarrow p)$
0	0	0	1	1	1	1
0	0	1	1	1	1	1
0	1	0	1	0	1	0
0	1	1	1	1	1	1
1	0	0	0	1	0	1
1	0	1	0	1	0	1
1	1	0	1	0	1	0
1	1	1	1	1	1	1

习 题 1

1. 下列句子中,哪些是命题? 在是命题的句子中,哪些是简单命题? 哪些是真命题? 哪些命题的真值现在还不知道?

（1）中国有四大发明.

（2）$\sqrt{5}$ 是无理数.

（3）3 是素数或 4 是素数.

（4）$2x+3<5$,其中 x 是任意实数.

（5）你去图书馆吗?

（6）2 与 3 都是偶数.

（7）刘红与魏欣是同学.

（8）这朵玫瑰花多美丽呀!

（9）吸烟请到吸烟室去!

（10）圆的面积等于半径的平方乘 π.

（11）只有 6 是偶数,3 才能是 2 的倍数.

（12）8 是偶数的充分必要条件是 8 能被 3 整除.

（13）2025 年元旦下大雪.

2. 将上题中是简单命题的命题符号化.

3. 写出下列命题的否定式,并将原命题及其否定式都符号化,最后指出各否定式的真值.

（1）$\sqrt{5}$ 是有理数.

（2）$\sqrt{25}$ 不是无理数.

（3）2.5 是自然数.

（4）ln 1 是整数.

4. 将下列命题符号化,并指出各命题的真值.

（1）2 与 5 都是素数.

（2）不但 π 是无理数,而且自然对数的底 e 也是无理数.

（3）虽然 2 是最小的素数,但 2 不是最小的自然数.

（4）3 是偶素数.

（5）4 既不是素数,也不是偶数.

5. 将下列命题符号化,并指出各命题的真值.

（1）2 或 3 是偶数.

（2）2 或 4 是偶数.

（3）3 或 5 是偶数.

（4）3 不是偶数或 4 不是偶数.

（5）3 不是素数或 4 不是偶数.

6. 将下列命题符号化.

（1）小丽只能从筐里拿一个苹果或一个梨.

（2）这学期,刘晓月只能选学英语或日语中的一门外语课.

7. 设 p:王冬生于 1971 年,q:王冬生于 1972 年,说明命题"王冬生于 1971 年或 1972 年"既可以符号化为"$(p\wedge\neg q)\vee(\neg p\wedge q)$",又可以符号化为"$p\vee q$"的理由.

8. 将下列命题符号化,并指出各命题的真值.

（1）只要 2<1,就有 3<2.

（2）如果 2<1,则 3≥2.

（3）只有 2<1,才有 3≥2.

（4）除非 2<1,才有 3≥2.

（5）除非 2<1,否则 3<2.

（6）2<1 仅当 3<2.

9. 设 p:俄罗斯位于南半球,q:亚洲人口最多. 将下面命题用自然语言表述,并指出各命题的真值.

（1）$p\rightarrow q$

（2）$q\rightarrow p$

（3）$\neg p\rightarrow q$

（4）$p\rightarrow\neg q$

（5）$\neg q\rightarrow p$

（6）$\neg p\rightarrow\neg q$

（7）$\neg q\rightarrow\neg p$

10. 设 p:9 是 3 的倍数,q:英国与土耳其相邻. 将下列命题用自然语言表述,并指出各命题的真值.

（1）$p \leftrightarrow q$

（2）$p \leftrightarrow \neg q$

（3）$\neg p \leftrightarrow q$

（4）$\neg p \leftrightarrow \neg q$

11. 将下列命题符号化,并给出各命题的真值.

（1）若 $2+2=4$,则地球是静止不动的.

（2）若 $2+2=4$,则地球是运动不止的.

（3）若地球上没有树木,则人类不能生存.

（4）若地球上没有水,则 $\sqrt{3}$ 是无理数.

12. 将下列命题符号化,并给出各命题的真值.

（1）$2+2=4$ 当且仅当 $3+3=6$.

（2）$2+2=4$ 的充要条件是 $3+3 \neq 6$.

（3）$2+2 \neq 4$ 与 $3+3=6$ 互为充要条件.

（4）若 $2+2 \neq 4$,则 $3+3 \neq 6$;反之亦然.

13. 将下列命题符号化,并讨论各命题的真值.

（1）若今天是星期一,则明天是星期二.

（2）只有今天是星期一,明天才是星期二.

（3）今天是星期一当且仅当明天是星期二.

（4）若今天是星期一,则明天是星期三.

14. 将下列命题符号化.

（1）刘晓月跑得快,跳得高.

（2）老王是山东人或河北人.

（3）因为天气冷,所以我穿了羽绒服.

（4）王欢与李乐组成一个小组.

（5）李辛与李末是兄弟.

（6）王强与刘威都学过法语.

（7）他一面吃饭,一面听音乐.

（8）如果天下大雨,他就乘班车上班.

（9）只有天下大雨,他才乘班车上班.

（10）除非天下大雨,否则他不乘班车上班.

（11）下雪路滑,他迟到了.

（12）2 与 4 都是素数,这是不对的.

（13）"2 或 4 是素数,这是不对的"是不对的.

15. 设 p:$2+3=5$.

　　　　q:大熊猫产在中国.

　　　　r:太阳从西方升起.

求下列复合命题的真值.

(1) $(p \leftrightarrow q) \rightarrow r$

(2) $(r \rightarrow (p \wedge q)) \leftrightarrow \neg p$

(3) $\neg r \rightarrow (\neg p \vee \neg q \vee r)$

(4) $(p \wedge q \wedge \neg r) \leftrightarrow ((\neg p \vee \neg q) \rightarrow r)$

16. 当 p, q 的真值为 0, r, s 的真值为 1 时, 求下列公式的真值.

(1) $p \vee (q \wedge r)$

(2) $(p \leftrightarrow r) \wedge (\neg q \vee s)$

(3) $(\neg p \wedge \neg q \wedge r) \leftrightarrow (p \wedge q \wedge \neg r)$

(4) $(\neg r \wedge s) \rightarrow (p \wedge \neg q)$

17. 判断下面一段论述是否为真:"π 是无理数. 并且, 如果 3 是无理数, 则 $\sqrt{2}$ 也是无理数. 另外, 只有 6 能被 2 整除, 6 才能被 4 整除."

18. 在什么情况下, 下面一段论述是真的:"说小王不会唱歌或小李不会跳舞是正确的, 而说如果小王会唱歌, 小李就会跳舞是不正确的."

19. 用真值表判断下列公式的类型.

(1) $p \rightarrow (p \vee q \vee r)$

(2) $(p \rightarrow \neg p) \rightarrow \neg q$

(3) $\neg (q \rightarrow r) \wedge r$

(4) $(p \rightarrow q) \rightarrow (\neg q \rightarrow \neg p)$

(5) $(p \wedge r) \leftrightarrow (\neg p \wedge \neg q)$

(6) $((p \rightarrow q) \wedge (q \rightarrow r)) \rightarrow (p \rightarrow r)$

(7) $(p \rightarrow q) \leftrightarrow (r \leftrightarrow s)$

20. 求下列公式的成真赋值.

(1) $\neg p \rightarrow q$

(2) $p \vee \neg q$

(3) $(p \wedge q) \rightarrow \neg p$

(4) $\neg (p \vee q) \rightarrow q$

21. 求下列公式的成假赋值.

(1) $\neg (\neg p \wedge q) \vee \neg r$

(2) $(\neg q \vee r) \wedge (p \rightarrow q)$

(3) $(p \rightarrow q) \wedge (\neg (p \wedge r) \vee p)$

22. 已知公式 $\neg (q \rightarrow p) \wedge p$ 是矛盾式, 求公式 $\neg (q \rightarrow p) \wedge p \wedge \neg r$ 的成真赋值和成假赋值.

23. 已知公式 $(p \wedge q) \rightarrow p$ 是重言式, 求公式 $((p \wedge q) \rightarrow p) \vee r$ 的成真赋值和成假赋值.

24. 已知 $(p \rightarrow (p \vee q)) \wedge ((p \wedge q) \rightarrow p)$ 是重言式, 试判断公式 $p \rightarrow (p \vee q)$ 及 $(p \wedge q) \rightarrow p$ 的类型.

25. 已知 $(\neg (p \rightarrow q) \wedge q) \vee (\neg (\neg q \vee p) \wedge p)$ 是矛盾式, 试判断公式 $\neg (p \rightarrow q) \wedge q$ 及 $(\neg q \vee p) \wedge p$ 的类型.

26. 已知 $p \rightarrow (p \vee q)$ 是重言式, $\neg (p \rightarrow q) \wedge q$ 是矛盾式, 试判断 $(p \rightarrow (p \vee q)) \wedge (\neg (p \rightarrow q) \wedge q)$ 及 $(p \rightarrow (p \vee q)) \vee (\neg (p \rightarrow q) \wedge q)$ 的类型.

27. 设 A, B 都是含命题变项 $p_1, p_2, \cdots, p_n$ 的公式, 证明: $A \wedge B$ 是重言式当且仅当 A 与 B 都是重言式.

28. 设 A, B 都是含命题变项 $p_1, p_2, \cdots, p_n$ 的公式, 已知 $A \wedge B$ 是矛盾式, 能得出 A 与 B 都是矛盾式的结论吗?

为什么?

29. 设 A,B 都是含命题变项 $p_1,p_2,\cdots,p_n$ 的公式,证明:$A \vee B$ 为矛盾式当且仅当 A 与 B 都是矛盾式.

30. 设 A,B 都是含命题变项 $p_1,p_2,\cdots,p_n$ 的公式.已知 $A \vee B$ 是重言式,能得出 A 与 B 都是重言式的结论吗?

第 2 章
命题逻辑等值演算

2.1 等　值　式

设公式 A,B 共同含有 n 个命题变项，A 或 B 可能有哑元. 若 A 与 B 有相同的真值表，则说明在所有 2^n 个赋值下，A 与 B 的真值都相同，因而等价式 $A \leftrightarrow B$ 为重言式.

定义 2.1　设 A,B 是两个命题公式，若 A,B 构成的等价式 $A \leftrightarrow B$ 为重言式，则称 A 与 B 是等值的，记作 $A \Leftrightarrow B$.

定义中的符号 $\Leftrightarrow$ 不是联结符，它是用来说明 A 与 B 等值（$A \leftrightarrow B$ 是重言式）的一种记法，因而 $\Leftrightarrow$ 是元语言符号. 不要将 $\Leftrightarrow$ 与 $\leftrightarrow$ 混为一谈，同时也要注意它与一般等号" = "的区别.

下面讨论判断两个公式 A 与 B 是否等值的方法，其中最直接的方法是用真值表法判断 $A \leftrightarrow B$ 是否为重言式.

例 2.1　判断下面两个公式是否等值.

$$\neg(p \lor q) \quad \text{与} \quad \neg p \land \neg q$$

解　用真值表法判断 $\neg(p \lor q) \leftrightarrow (\neg p \land \neg q)$ 是否为重言式. 此等价式的真值表如表 2.1 所示，从表 2.1 可知它是重言式，因而 $\neg(p \lor q)$ 与 $\neg p \land \neg q$ 等值，即 $\neg(p \lor q) \Leftrightarrow (\neg p \land \neg q)$.

表 2.1　$\neg(p \lor q) \leftrightarrow (\neg p \land \neg q)$ 的真值表

p q	$\neg p$	$\neg q$	$p \lor q$	$\neg(p \lor q)$	$\neg p \land \neg q$	$\neg(p \lor q) \leftrightarrow (\neg p \land \neg q)$
0　0	1	1	0	1	1	1
0　1	1	0	1	0	0	1
1　0	0	1	1	0	0	1
1　1	0	0	1	0	0	1

其实,在用真值表法判断 $A \leftrightarrow B$ 是否为重言式时,真值表的最后一列(即 $A \leftrightarrow B$ 的真值表的最后结果)可以省略.若 A 与 B 的真值表相同,则 $A \Leftrightarrow B$;否则, $A \not\Leftrightarrow B$(用来表示 A 与 B 不等值, $\not\Leftrightarrow$ 也是常用的元语言符号).

例 2.2　判断下列各组公式是否等值.

(1) $p \rightarrow (q \rightarrow r)$ 与 $(p \land q) \rightarrow r$

(2) $(p \rightarrow q) \rightarrow r$ 与 $(p \land q) \rightarrow r$

解　表 2.2 中列出了 $p \rightarrow (q \rightarrow r)$, $(p \land q) \rightarrow r$ 和 $(p \rightarrow q) \rightarrow r$ 的真值表.不难看出 $p \rightarrow (q \rightarrow r)$ 与 $(p \land q) \rightarrow r$ 等值,即

$$p \rightarrow (q \rightarrow r) \Leftrightarrow (p \land q) \rightarrow r$$

而 $(p \rightarrow q) \rightarrow r$ 与 $(p \land q) \rightarrow r$ 的真值表不同,因而它们不等值,即

$$(p \rightarrow q) \rightarrow r \not\Leftrightarrow (p \land q) \rightarrow r$$

表 2.2　3 个公式的真值表

p q r	$p \rightarrow (q \rightarrow r)$	$(p \land q) \rightarrow r$	$(p \rightarrow q) \rightarrow r$
0　0　0	1	1	0
0　0　1	1	1	1
0　1　0	1	1	0
0　1　1	1	1	1
1　0　0	1	1	1
1　0　1	1	1	1
1　1　0	0	0	0
1　1　1	1	1	1

虽然用真值表法可以判断任何两个命题公式是否等值,但当命题变项较多时,工作量是很大的.证明公式等值的另一个方法是利用已知的等值式通过代换得到新的等值式.例如,用真值表很容易验证 $p \leftrightarrow \neg\neg p$ 是重言式.如果用任意一个命题公式替换式子中的 p,如用 $p \land q$ 替换 p 得

到 $p \wedge q \leftrightarrow \neg \neg (p \wedge q)$，直觉上所得到的新式子也是重言式. 事实上，有下述命题：

设 A 是一个命题公式，含有命题变项 $p_1, p_2, \cdots, p_n$，又设 $A_1, A_2, \cdots, A_n$ 是任意的命题公式. 对每一个 $i(i=1, 2, \cdots, n)$，把 p_i 在 A 中的所有出现都替换成 A_i，所得到的新命题公式记作 B. 那么，如果 A 是重言式，则 B 也是重言式.

这是显然的. 事实上，对任意的真值赋值，把在这个真值赋值下 $A_1, A_2, \cdots, A_n$ 的真值代入 A 中的命题变项 $p_1, p_2, \cdots, p_n$，与把这个真值赋值直接代入 B 是一回事. 如果 A 是重言式，A 必为 1，B 也必为 1. 从而，B 也是重言式.

根据这个命题和 $p \leftrightarrow \neg \neg p$ 是重言式，得到 $A \Leftrightarrow \neg \neg A$，其中 A 是任意的命题公式，称这个式子为**等值式模式**. 下面给出 16 组常用的重要等值式模式，以它们为基础进行演算，可以证明公式等值.

1. 双重否定律
$$A \Leftrightarrow \neg \neg A \tag{2.1}$$

2. 幂等律
$$A \Leftrightarrow A \vee A, \quad A \Leftrightarrow A \wedge A \tag{2.2}$$

3. 交换律
$$A \vee B \Leftrightarrow B \vee A, \quad A \wedge B \Leftrightarrow B \wedge A \tag{2.3}$$

4. 结合律
$$(A \vee B) \vee C \Leftrightarrow A \vee (B \vee C)$$
$$(A \wedge B) \wedge C \Leftrightarrow A \wedge (B \wedge C) \tag{2.4}$$

5. 分配律
$$A \vee (B \wedge C) \Leftrightarrow (A \vee B) \wedge (A \vee C) \quad (\vee 对 \wedge 的分配律)$$
$$A \wedge (B \vee C) \Leftrightarrow (A \wedge B) \vee (A \wedge C) \quad (\wedge 对 \vee 的分配律) \tag{2.5}$$

6. 德摩根律
$$\neg (A \vee B) \Leftrightarrow \neg A \wedge \neg B, \quad \neg (A \wedge B) \Leftrightarrow \neg A \vee \neg B \tag{2.6}$$

7. 吸收律
$$A \vee (A \wedge B) \Leftrightarrow A, \quad A \wedge (A \vee B) \Leftrightarrow A \tag{2.7}$$

8. 零律
$$A \vee 1 \Leftrightarrow 1, \quad A \wedge 0 \Leftrightarrow 0 \tag{2.8}$$

9. 同一律
$$A \vee 0 \Leftrightarrow A, \quad A \wedge 1 \Leftrightarrow A \tag{2.9}$$

10. 排中律
$$A \vee \neg A \Leftrightarrow 1 \tag{2.10}$$

11. 矛盾律
$$A \wedge \neg A \Leftrightarrow 0 \tag{2.11}$$

12. 蕴涵等值式

$$A \rightarrow B \Leftrightarrow \neg A \vee B \tag{2.12}$$

13. 等价等值式

$$A \leftrightarrow B \Leftrightarrow (A \rightarrow B) \wedge (B \rightarrow A) \tag{2.13}$$

14. 假言易位

$$A \rightarrow B \Leftrightarrow \neg B \rightarrow \neg A \tag{2.14}$$

15. 等价否定等值式

$$A \leftrightarrow B \Leftrightarrow \neg A \leftrightarrow \neg B \tag{2.15}$$

16. 归谬论

$$(A \rightarrow B) \wedge (A \rightarrow \neg B) \Leftrightarrow \neg A \tag{2.16}$$

以上 16 组等值式模式共包含了 24 个重要等值式,它们都是用元语言符号书写的. 等值式模式中的 A,B,C 可以替换成任意的公式,每个等值式模式都可以给出无穷多个同类型的具体的等值式. 例如,在蕴涵等值式(2.12)中,取 $A=p,B=q$ 时,得到等值式

$$p \rightarrow q \Leftrightarrow \neg p \vee q$$

当取 $A=p \vee q \vee r,B=p \wedge q$ 时,得到等值式

$$(p \vee q \vee r) \rightarrow (p \wedge q) \Leftrightarrow \neg (p \vee q \vee r) \vee (p \wedge q)$$

这些具体的等值式称为等值式模式的代入实例.

由已知的等值式推演出另外一些等值式的过程称作等值演算. 等值演算是布尔代数或逻辑代数的重要组成部分.

在等值演算过程中,要使用下述重要规则.

置换规则 设 $\Phi(A)$ 是含公式 A 的命题公式,$\Phi(B)$ 是用公式 B 置换 $\Phi(A)$ 中 A 的所有出现后得到的命题公式. 若 $B \Leftrightarrow A$,则 $\Phi(A) \Leftrightarrow \Phi(B)$.

这也是显然的,因为如果 $B \Leftrightarrow A$,那么在任意的真值赋值下 B 和 A 的真值相同,把它们代入 $\Phi(\cdot)$ 得到的结果当然也相同,从而 $\Phi(A) \Leftrightarrow \Phi(B)$.

例如,在公式 $(p \rightarrow q) \rightarrow r$ 中,可以用 $\neg p \vee q$ 置换其中的 $p \rightarrow q$,由蕴涵等值式可知,$p \rightarrow q \Leftrightarrow \neg p \vee q$,所以,有

$$(p \rightarrow q) \rightarrow r \Leftrightarrow (\neg p \vee q) \rightarrow r$$

在这里,使用了置换规则. 如果再一次地用蕴涵等值式及置换规则,又会得到

$$(\neg p \vee q) \rightarrow r \Leftrightarrow \neg (\neg p \vee q) \vee r$$

再用德摩根律及置换规则,又会得到

$$\neg (\neg p \vee q) \vee r \Leftrightarrow (p \wedge \neg q) \vee r$$

再用分配律及置换规则,又会得到

$$(p \wedge \neg q) \vee r \Leftrightarrow (p \vee r) \wedge (\neg q \vee r)$$

将以上过程连在一起,得到

$$(p \rightarrow q) \rightarrow r$$

$$\Leftrightarrow (\neg p \lor q) \rightarrow r \qquad （蕴涵等值式、置换规则）$$

$$\Leftrightarrow \neg (\neg p \lor q) \lor r \qquad （蕴涵等值式、置换规则）$$

$$\Leftrightarrow (p \land \neg q) \lor r \qquad （德摩根律、置换规则）$$

$$\Leftrightarrow (p \lor r) \land (\neg q \lor r) \qquad （分配律、置换规则）$$

公式之间的等值关系具有自反性、对称性和传递性,所以上述演算中得到的 5 个公式彼此之间都是等值的.在演算的每一步都用到了置换规则,因而在以后的演算中,置换规则均不必写出.

下面用实例说明等值演算的用途.

例 2.3　用等值演算法验证等值式

$$(p \lor q) \rightarrow r \Leftrightarrow (p \rightarrow r) \land (q \rightarrow r)$$

证　可以从左边开始演算,也可以从右边开始演算.现在从右边开始演算.

$$(p \rightarrow r) \land (q \rightarrow r)$$

$$\Leftrightarrow (\neg p \lor r) \land (\neg q \lor r) \qquad （蕴涵等值式）$$

$$\Leftrightarrow (\neg p \land \neg q) \lor r \qquad （分配律）$$

$$\Leftrightarrow \neg (p \lor q) \lor r \qquad （德摩根律）$$

$$\Leftrightarrow (p \lor q) \rightarrow r \qquad （蕴涵等值式）$$

所以,原等值式成立.读者亦可从左边开始演算验证之.

例 2.3 说明,用等值演算法可以验证两个公式等值.但一般情况下,不能用等值演算法直接验证两个公式不等值.

例 2.4　证明:

$$(p \rightarrow q) \rightarrow r \not\Leftrightarrow p \rightarrow (q \rightarrow r)$$

证　方法一:真值表法.读者自己证明.

方法二:观察法.只要给出一个赋值使得这两个命题公式的真值不同,就表明它们不等值.容易看出,010 是 $(p \rightarrow q) \rightarrow r$ 的成假赋值,是 $p \rightarrow (q \rightarrow r)$ 的成真赋值,两个公式不等值得证.

方法三:当两个公式比较复杂,一时看不出使它们一个成真另一个成假的赋值时,可以先通过等值演算将它们化成容易观察真值的情况,再进行判断.

$$A = (p \rightarrow q) \rightarrow r$$

$$\Leftrightarrow (\neg p \lor q) \rightarrow r \qquad （蕴涵等值式）$$

$$\Leftrightarrow \neg (\neg p \lor q) \lor r \qquad （蕴涵等值式）$$

$$\Leftrightarrow (p \land \neg q) \lor r \qquad （德摩根律）$$

$$B = p \rightarrow (q \rightarrow r)$$

$$\Leftrightarrow \neg p \lor (\neg q \lor r) \qquad （蕴涵等值式）$$

$$\Leftrightarrow \neg p \lor \neg q \lor r \qquad （结合律）$$

容易观察到,000,010 是 A 的成假赋值,B 的成真赋值.

例 2.5　用等值演算法判断下列公式的类型.

(1) $(p \rightarrow q) \wedge p \rightarrow q$

(2) $\neg(p \rightarrow (p \vee q)) \wedge r$

(3) $p \wedge (((p \vee q) \wedge \neg p) \rightarrow q)$

解 在以下的演算中没有写出所用的基本等值式,请读者自己填上.

(1) $(p \rightarrow q) \wedge p \rightarrow q$

$\Leftrightarrow (\neg p \vee q) \wedge p \rightarrow q$

$\Leftrightarrow \neg((\neg p \vee q) \wedge p) \vee q$

$\Leftrightarrow (\neg(\neg p \vee q) \vee \neg p) \vee q$

$\Leftrightarrow ((p \wedge \neg q) \vee \neg p) \vee q$

$\Leftrightarrow ((p \vee \neg p) \wedge (\neg q \vee \neg p)) \vee q$

$\Leftrightarrow (1 \wedge (\neg q \vee \neg p)) \vee q$

$\Leftrightarrow (\neg q \vee \neg p) \vee q$

$\Leftrightarrow (\neg q \vee q) \vee \neg p$

$\Leftrightarrow 1 \vee \neg p$

$\Leftrightarrow 1$

最后结果说明(1)是重言式.

(2) $\neg(p \rightarrow (p \vee q)) \wedge r$

$\Leftrightarrow \neg(\neg p \vee p \vee q) \wedge r$

$\Leftrightarrow (p \wedge \neg p \wedge \neg q) \wedge r$

$\Leftrightarrow (0 \wedge \neg q) \wedge r$

$\Leftrightarrow 0 \wedge r$

$\Leftrightarrow 0$

最后结果说明(2)是矛盾式.

(3) $p \wedge (((p \vee q) \wedge \neg p) \rightarrow q)$

$\Leftrightarrow p \wedge (((p \wedge \neg p) \vee (q \wedge \neg p)) \rightarrow q)$

$\Leftrightarrow p \wedge ((0 \vee (q \wedge \neg p)) \rightarrow q)$

$\Leftrightarrow p \wedge ((q \wedge \neg p) \rightarrow q)$

$\Leftrightarrow p \wedge (\neg(q \wedge \neg p) \vee q)$

$\Leftrightarrow p \wedge (\neg q \vee p \vee q)$

$\Leftrightarrow p \wedge 1$

$\Leftrightarrow p$

最后结果说明(3)不是重言式,00,01是成假赋值;也不是矛盾式,10,11是成真赋值.

等值演算中各步得出的等值式所含命题变项可能不一样多,如(3)中最后一步不含 q,此时将 q 看成它的哑元,考虑赋值时应将哑元也算在内,因而赋值的长度为2. 这样,可以将(3)中各步的公式都看成含命题变项 p,q 的公式,在写真值表时已经讨论过类似的问题.

下面举一个如何利用等值演算解决实际问题的例子.

例 2.6　在某次研讨会的中间休息时间,3 名与会者根据王教授的口音对他是哪个省市的人判断如下:

甲:王教授不是苏州人,是上海人.

乙:王教授不是上海人,是苏州人.

丙:王教授既不是上海人,也不是杭州人.

听完这 3 人的判断后,王教授笑着说,你们 3 人中有一人说得全对,有一人说对了一半,另一人说得全不对.试用逻辑演算分析王教授到底是哪里人.

解　设命题

p:王教授是苏州人.

q:王教授是上海人.

r:王教授是杭州人.

p, q, r 中必有一个真命题,两个假命题,要通过逻辑演算将真命题找出来.

甲的判断为 $\neg p \wedge q$

乙的判断为 $p \wedge \neg q$

丙的判断为 $\neg q \wedge \neg r$

于是

甲的判断全对为　　　　　　$B_1 = \neg p \wedge q$

甲的判断一半对为　　　　　$B_2 = (\neg p \wedge \neg q) \vee (p \wedge q)$

甲的判断全错为　　　　　　$B_3 = p \wedge \neg q$

乙的判断全对为　　　　　　$C_1 = p \wedge \neg q$

乙的判断一半对为　　　　　$C_2 = (p \wedge q) \vee (\neg p \wedge \neg q)$

乙的判断全错为　　　　　　$C_3 = \neg p \wedge q$

丙的判断全对为　　　　　　$D_1 = \neg q \wedge \neg r$

丙的判断一半对为　　　　　$D_2 = (\neg q \wedge r) \vee (q \wedge \neg r)$

丙的判断全错为　　　　　　$D_3 = q \wedge r$

由王教授所说

$$E = (B_1 \wedge C_2 \wedge D_3) \vee (B_1 \wedge C_3 \wedge D_2) \vee (B_2 \wedge C_1 \wedge D_3) \vee$$
$$(B_2 \wedge C_3 \wedge D_1) \vee (B_3 \wedge C_1 \wedge D_2) \vee (B_3 \wedge C_2 \wedge D_1)$$

为真命题.而

$$
\begin{aligned}
B_1 \wedge C_2 \wedge D_3 &= (\neg p \wedge q) \wedge ((p \wedge q) \vee (\neg p \wedge \neg q)) \wedge (q \wedge r) \\
&\Leftrightarrow (\neg p \wedge q) \wedge ((p \wedge q \wedge q \wedge r) \vee (\neg p \wedge \neg q \wedge q \wedge r)) \\
&\Leftrightarrow (\neg p \wedge q) \wedge ((p \wedge q \wedge r) \vee 0) \\
&\Leftrightarrow (\neg p \wedge q) \wedge (p \wedge q \wedge r) \\
&\Leftrightarrow 0
\end{aligned}
$$

$$
\begin{aligned}
B_1 \wedge C_3 \wedge D_2 &= (\neg p \wedge q) \wedge (\neg p \wedge q) \wedge ((\neg q \wedge r) \vee (q \wedge \neg r)) \\
&\Leftrightarrow (\neg p \wedge q \wedge \neg q \wedge r) \vee (\neg p \wedge q \wedge q \wedge \neg r) \\
&\Leftrightarrow \neg p \wedge q \wedge \neg r \\
B_2 \wedge C_1 \wedge D_3 &= ((\neg p \wedge \neg q) \vee (p \wedge q)) \wedge (p \wedge \neg q) \wedge (q \wedge r) \\
&\Leftrightarrow ((\neg p \wedge \neg q) \vee (p \wedge q)) \wedge (p \wedge \neg q \wedge q \wedge r) \\
&\Leftrightarrow ((\neg p \wedge \neg q) \vee (p \wedge q)) \wedge 0 \\
&\Leftrightarrow 0
\end{aligned}
$$

类似可得

$$
B_2 \wedge C_3 \wedge D_1 \Leftrightarrow 0
$$
$$
B_3 \wedge C_1 \wedge D_2 \Leftrightarrow p \wedge \neg q \wedge r
$$
$$
B_3 \wedge C_2 \wedge D_1 \Leftrightarrow 0
$$

于是,由同一律可知

$$
E \Leftrightarrow (\neg p \wedge q \wedge \neg r) \vee (p \wedge \neg q \wedge r)
$$

但因为王教授不能既是苏州人,又是杭州人,因而 p, r 必有一个假命题,即 $p \wedge r \Leftrightarrow 0$. 于是

$$
E \Leftrightarrow \neg p \wedge q \wedge \neg r
$$

为真命题,因而必有 p, r 为假命题, q 为真命题,即王教授是上海人. 甲说得全对,丙说对了一半,而乙全说错了.

2.2　析取范式与合取范式

本节给出命题公式的两种规范表示方法,这种规范的表达式能表达真值表所能提供的一切信息.

定义 2.2　命题变项及其否定统称作文字. 仅由有限个文字构成的析取式称作简单析取式. 仅由有限个文字构成的合取式称作简单合取式.

$p, \neg q; p \vee \neg p, \neg p \vee q$ 和 $\neg p \vee \neg q \vee r, p \vee \neg p \vee r$ 都是简单析取式,分别由 1 个文字,2 个文字和 3 个文字构成.

$\neg p, q; p \wedge \neg p, p \wedge \neg q$ 和 $p \wedge q \wedge \neg r, \neg p \wedge p \wedge q$ 都是简单合取式,分别由 1 个文字,2 个文字和 3 个文字构成. 注意,一个文字既是简单析取式,又是简单合取式.

设 A_i 是含 n 个文字的简单析取式,若 A_i 中既含某个命题变项 p_j,又含它的否定式 $\neg p_j$,则由交换律、排中律和零律可知, A_i 为重言式. 反之,若 A_i 为重言式,则它必同时含某个命题变项及它的否定式. 否则,若将 A_i 中的不带否定符的命题变项都取 0 值,带否定符的命题变项都取 1 值,此赋值为 A_i 的成假赋值,这与 A_i 是重言式相矛盾. 类似地,设 A_i 是含 n 个命题变项的简单合取式,若 A_i 中既含某个命题变项 p_j,又含它的否定式 $\neg p_j$,则 A_i 为矛盾式. 反之,若 A_i 为矛盾式,则 A_i 中必同时含某个命题变项及它的否定式. 于是,得到下面的定理.

定理 2.1　（1）一个简单析取式是重言式当且仅当它同时含某个命题变项及它的否定式.

（2）一个简单合取式是矛盾式当且仅当它同时含某个命题变项及它的否定式.

定义 2.3　由有限个简单合取式的析取构成的命题公式称作析取范式. 由有限个简单析取式的合取构成的命题公式称作合取范式. 析取范式与合取范式统称作范式.

析取范式的一般形式为 $A_1 \vee A_2 \vee \cdots \vee A_s$，其中 $A_i (i=1,2,\cdots,s)$ 为简单合取式；合取范式的一般形式为 $B_1 \wedge B_2 \wedge \cdots \wedge B_t$，其中 $B_j (j=1,2,\cdots,t)$ 为简单析取式. 例如，$(p \wedge \neg q) \vee (\neg q \wedge \neg r) \vee p$ 为析取范式，$(p \vee q \vee r) \wedge (\neg p \vee \neg q) \wedge r \wedge (\neg p \vee \neg r \vee s)$ 为合取范式. $\neg p \wedge q \wedge r$ 既是由一个简单合取式构成的析取范式，又是由 3 个简单析取式构成的合取范式；类似地，$p \vee \neg q \vee r$ 既是由 3 个简单合取式构成的析取范式，又是由一个简单析取式构成的合取范式.

析取范式和合取范式具有下述性质.

定理 2.2　（1）一个析取范式是矛盾式当且仅当它的每个简单合取式都是矛盾式.

（2）一个合取范式是重言式当且仅当它的每个简单析取式都是重言式.

到现在为止，我们研究的命题公式中含有 5 个联结词 $\{\wedge, \vee, \neg, \rightarrow, \leftrightarrow\}$，如何把这样的命题公式化成等值的析取范式和合取范式？

首先，可以利用蕴涵等值式与等价等值式

$$\left. \begin{array}{l} A \rightarrow B \Leftrightarrow \neg A \vee B \\ A \leftrightarrow B \Leftrightarrow (A \rightarrow B) \wedge (B \rightarrow A) \end{array} \right\} \tag{2.17}$$

消去任何公式中的联结词 $\rightarrow$ 和 $\leftrightarrow$.

其次，在范式中不出现如下形式.

$$\neg \neg A, \neg(A \wedge B), \neg(A \vee B)$$

对其利用双重否定律和德摩根律，可得

$$\left. \begin{array}{l} \neg \neg A \Leftrightarrow A \\ \neg(A \wedge B) \Leftrightarrow \neg A \vee \neg B \\ \neg(A \vee B) \Leftrightarrow \neg A \wedge \neg B \end{array} \right\} \tag{2.18}$$

再次，在析取范式中不出现如下形式.

$$A \wedge (B \vee C)$$

在合取范式中不出现如下形式：

$$A \vee (B \wedge C)$$

利用分配律，可得

$$\left. \begin{array}{l} A \wedge (B \vee C) \Leftrightarrow (A \wedge B) \vee (A \wedge C) \\ A \vee (B \wedge C) \Leftrightarrow (A \vee B) \wedge (A \vee C) \end{array} \right\} \tag{2.19}$$

由上述 3 步，可将任一公式化成与之等值的析取范式和合取范式. 于是，得到下述定理.

定理 2.3（范式存在定理）　任一命题公式都存在与之等值的析取范式与合取范式.

求给定公式范式的步骤为：

1. 消去联结词 $\rightarrow$, $\leftrightarrow$.

2. 用双重否定律消去双重否定符,用德摩根律内移否定符.

3. 使用分配律:求析取范式时使用 $\wedge$ 对 $\vee$ 的分配律,求合取范式时使用 $\vee$ 对 $\wedge$ 的分配律.

例 2.7   求下面公式的析取范式与合取范式.

$$(p \rightarrow q) \leftrightarrow r$$

解   为了清晰和无误,利用交换律使每个简单析取式和简单合取式中命题变项都按照字典顺序出现.

(1) 先求合取范式

$(p \rightarrow q) \leftrightarrow r$

$\Leftrightarrow (\neg p \vee q) \leftrightarrow r$ （消去 $\rightarrow$）

$\Leftrightarrow ((\neg p \vee q) \rightarrow r) \wedge (r \rightarrow (\neg p \vee q))$ （消去 $\leftrightarrow$）

$\Leftrightarrow (\neg(\neg p \vee q) \vee r) \wedge (\neg r \vee \neg p \vee q)$ （消去 $\rightarrow$）

$\Leftrightarrow ((p \wedge \neg q) \vee r) \wedge (\neg p \vee q \vee \neg r)$ （否定符内移）

$\Leftrightarrow (p \vee r) \wedge (\neg q \vee r) \wedge (\neg p \vee q \vee \neg r)$ （$\vee$ 对 $\wedge$ 的分配律）

这是含 3 个简单析取式的合取范式.

(2) 求析取范式

求析取范式与求合取范式的前两步是相同的,只是在利用分配律时有所不同,因而前 4 步与 (1) 相同,接着使用 $\wedge$ 对 $\vee$ 的分配律.

$(p \rightarrow q) \leftrightarrow r$

$\Leftrightarrow ((p \wedge \neg q) \vee r) \wedge (\neg p \vee q \vee \neg r)$

$\Leftrightarrow (p \wedge \neg q \wedge \neg p) \vee (p \wedge \neg q \wedge q) \vee (p \wedge \neg q \wedge \neg r)$

    $\vee (r \wedge \neg p) \vee (r \wedge q) \vee (r \wedge \neg r)$ （$\wedge$ 对 $\vee$ 的分配律）

$\Leftrightarrow (p \wedge \neg q \wedge \neg r) \vee (\neg p \wedge r) \vee (q \wedge r)$ （矛盾律和同一律）

最后两步的结果都是析取范式. 一般地,命题公式的析取范式是不唯一的.同样,合取范式也是不唯一的.为了使命题公式的范式唯一,进一步将简单合取式和简单析取式规范化,定义如下.

定义 2.4   在含有 n 个命题变项的简单合取式(简单析取式)中,若每个命题变项和它的否定式恰好出现一个且仅出现一次,而且命题变项或它的否定式按照下标从小到大或按照字典顺序排列,称这样的简单合取式(简单析取式)为*极小项(极大项)*.

由于每个命题变项在极小项中以原形或否定形式出现且仅出现一次,因而 n 个命题变项共可以产生 2^n 个不同的极小项. 每个极小项都有且仅有一个成真赋值.若极小项的成真赋值所对应的二进制数等于十进制数 i,就将这个极小项记作 m_i. 类似地,n 个命题变项共可产生 2^n 个不同的极大项,每个极大项只有一个成假赋值,将其对应的十进制数 i 做极大项的角标,记作 M_i.

表 2.3 和表 2.4 分别列出含 p, q 与 p, q, r 的全部极小项和极大项.

表 2.3 含 p, q 的极小项与极大项

极小项			极大项		
公　式	成真赋值	名　称	公　式	成假赋值	名　称
$\neg p \wedge \neg q$	0　0	m_0	$p \vee q$	0　0	M_0
$\neg p \wedge q$	0　1	m_1	$p \vee \neg q$	0　1	M_1
$p \wedge \neg q$	1　0	m_2	$\neg p \vee q$	1　0	M_2
$p \wedge q$	1　1	m_3	$\neg p \vee \neg q$	1　1	M_3

表 2.4 含 p, q, r 的极小项与极大项

极小项			极大项		
公　式	成真赋值	名　称	公　式	成假赋值	名　称
$\neg p \wedge \neg q \wedge \neg r$	0　0　0	m_0	$p \vee q \vee r$	0　0　0	M_0
$\neg p \wedge \neg q \wedge r$	0　0　1	m_1	$p \vee q \vee \neg r$	0　0　1	M_1
$\neg p \wedge q \wedge \neg r$	0　1　0	m_2	$p \vee \neg q \vee r$	0　1　0	M_2
$\neg p \wedge q \wedge r$	0　1　1	m_3	$p \vee \neg q \vee \neg r$	0　1　1	M_3
$p \wedge \neg q \wedge \neg r$	1　0　0	m_4	$\neg p \vee q \vee r$	1　0　0	M_4
$p \wedge \neg q \wedge r$	1　0　1	m_5	$\neg p \vee q \vee \neg r$	1　0　1	M_5
$p \wedge q \wedge \neg r$	1　1　0	m_6	$\neg p \vee \neg q \vee r$	1　1　0	M_6
$p \wedge q \wedge r$	1　1　1	m_7	$\neg p \vee \neg q \vee \neg r$	1　1　1	M_7

根据表 2.3 和表 2.4 可以直接验证极小项与极大项之间有下述关系.

定理 2.4 设 m_i 与 M_i 是命题变项含 $p_1, p_2, \cdots, p_n$ 的极小项和极大项,则

$$\neg m_i \Leftrightarrow M_i, \quad \neg M_i \Leftrightarrow m_i$$

定义 2.5 所有简单合取式(简单析取式)都是极小项(极大项)的析取范式(合取范式)称为主析取范式(主合取范式).

下面讨论如何求出与给定公式等值的主析取范式和主合取范式.首先证明它的存在性和唯一性,再给出它的求法.

定理 2.5 任何命题公式都存在与之等值的主析取范式和主合取范式,并且是唯一的.

证 这里只证主析取范式的存在性和唯一性.

首先证明存在性.设 A 是任一含 n 个命题变项的公式.由定理 2.3 可以知道,存在与 A 等值的析取范式 A',即 $A \Leftrightarrow A'$.若 A' 的某个简单合取式 A_i 中既不含命题变项 p_j,也不含它的否定式 $\neg p_j$,则将 A_i 展开成如下等值的形式:

$$A_i \wedge (p_j \vee \neg p_j) \Leftrightarrow (A_i \wedge p_j) \vee (A_i \wedge \neg p_j)$$

继续这个过程,直到所有的简单合取式都含有所有的命题变项或它的否定式.

若在演算过程中出现重复出现的命题变项以及极小项和矛盾式,就应"消去". 例如,用 p 代替 $p \land p$,用 m_i 代替 $m_i \lor m_i$,用 0 代替矛盾式等. 最后就将 A 化成与之等值的主析取范式 A''.

下面再证明唯一性. 假设命题公式 A 等值于两个不同的主析取范式 B 和 C,那么必有 $B \Leftrightarrow C$. 由于 B 和 C 是不同的主析取范式,不妨设极小项 m_i 只出现在 B 中而不出现在 C 中. 于是,角标 i 的二进制表示为 B 的成真赋值,C 的成假赋值,这与 $B \Leftrightarrow C$ 矛盾.

主合取范式的存在性和唯一性可类似证明.

在证明定理 2.5 的过程中,已经给出了求主析取范式的步骤. 为了醒目和便于记忆,求出某公式的主析取范式(主合取范式)后,将极小项(极大项)都用名称写出,并且按照极小项(极大项)名称的下标由小到大顺序排列.

例 2.8 求例 2.7 中公式的主析取范式和主合取范式.

解 (1) 求主析取范式.

在例 2.7 中已给出公式的析取范式,即

$$(p \to q) \leftrightarrow r$$
$$\Leftrightarrow (p \land \neg q \land \neg r) \lor (\neg p \land r) \lor (q \land r)$$

在此析取范式中,第一项 $p \land \neg q \land \neg r$ 是极小项 m_4,另外两个简单合取式 $\neg p \land r$,$q \land r$ 都不是极小项. 下面先分别求出它们派生的极小项. 注意,因为公式含有 3 个命题变项,所以极小项均由 3 个文字组成.

$$\neg p \land r$$
$$\Leftrightarrow \neg p \land (\neg q \lor q) \land r$$
$$\Leftrightarrow (\neg p \land \neg q \land r) \lor (\neg p \land q \lor r)$$
$$\Leftrightarrow m_1 \lor m_3$$
$$q \land r$$
$$\Leftrightarrow (\neg p \lor p) \land q \land r$$
$$\Leftrightarrow (\neg p \land q \land r) \lor (p \land q \land r)$$
$$\Leftrightarrow m_3 \lor m_7$$

于是

$$(p \to q) \leftrightarrow r \Leftrightarrow m_1 \lor m_3 \lor m_4 \lor m_7$$

(2) 求主合取范式.

由例 2.7 已求出公式的合取范式为

$$(p \to q) \leftrightarrow r$$
$$\Leftrightarrow (p \lor r) \land (\neg q \lor r) \land (\neg p \lor q \lor \neg r)$$

其中 $\neg p \lor q \lor \neg r$ 已是极大项 M_5. 利用矛盾律和同一律将另两个简单析取式化成极大项.

$$p \lor r$$
$$\Leftrightarrow p \lor (q \land \neg q) \lor r$$
$$\Leftrightarrow (p \lor q \lor r) \land (p \lor \neg q \lor r)$$
$$\Leftrightarrow M_0 \land M_2$$
$$\neg q \lor r$$
$$\Leftrightarrow (p \land \neg p) \lor \neg q \lor r$$
$$\Leftrightarrow (p \lor \neg q \lor r) \land (\neg p \lor \neg q \lor r)$$
$$\Leftrightarrow M_2 \land M_6$$

于是

$$(p \to q) \leftrightarrow r \Leftrightarrow M_0 \land M_2 \land M_5 \land M_6$$

例 2.9　求命题公式 $p \to q$ 的主析取范式与主合取范式.

解　本公式中含两个命题变项,所以极小项和极大项均含两个文字.

（1）　$p \to q$
$$\Leftrightarrow \neg p \lor q$$
$$\Leftrightarrow M_2 \qquad\qquad\qquad\qquad\qquad\qquad\qquad（主合取范式）$$

（2）　$p \to q$
$$\Leftrightarrow \neg p \lor q$$
$$\Leftrightarrow (\neg p \land (\neg q \lor q)) \lor ((\neg p \lor p) \land q)$$
$$\Leftrightarrow (\neg p \land \neg q) \lor (\neg p \land q) \lor (\neg p \land q) \lor (p \land q)$$
$$\Leftrightarrow (\neg p \land \neg q) \lor (\neg p \land q) \lor (p \land q)$$
$$\Leftrightarrow m_0 \lor m_1 \lor m_3 \qquad\qquad\qquad\qquad\qquad（主析取范式）$$

由例 2.8 与例 2.9 可知,在求给定公式的主析取范式(主合取范式)时,一定要根据公式中命题变项的个数决定极小项(极大项)中文字的个数.

下面讨论主析取范式的用途(主合取范式可以进行类似讨论). 主析取范式像真值表一样,可以表达出公式以及公式之间关系的一切信息.

1. 求公式的成真赋值与成假赋值.

若公式 A 中含 n 个命题变项,A 的主析取范式含 $s(0 \leqslant s \leqslant 2^n)$ 个极小项,则 A 有 s 个成真赋值,它们是所含极小项角标的二进制表示,其余 $2^n - s$ 个赋值都是成假赋值. 例如,例 2.8 中,$(p \to q) \leftrightarrow r \Leftrightarrow m_1 \lor m_3 \lor m_4 \lor m_7$. 这里有 3 个命题变项,将主析取范式中各极小项的角标 1,3,4,7 写成长为 3 的二进制数,它们分别为 001,011,100,111. 这 4 个赋值即为该公式的成真赋值. 而主析取范式中未出现的极小项 m_0, m_2, m_5, m_6 的角标的二进制表示 000,010,101,110 为该公式的成假赋值. 又如例 2.9 中,$p \to q \Leftrightarrow m_0 \lor m_1 \lor m_3$,含两个命题变项,极小项的角标的二进制表示 00,01,11 为该公式的成真赋值,而 10 是它的成假赋值.

2. 判断公式的类型.

设公式 A 中含 n 个命题变项,容易看出:

（1）A 为重言式当且仅当 A 的主析取范式含全部 2^n 个极小项.

（2）A 为矛盾式当且仅当 A 的主析取范式不含任何极小项. 此时, 记 A 的主析取范式为 0.

（3）A 为可满足式当且仅当 A 的主析取范式中至少含一个极小项.

例 2.10　用公式的主析取范式判断下述公式的类型.

（1）$\neg(p \rightarrow q) \wedge q$

（2）$p \rightarrow (p \vee q)$

（3）$(p \vee q) \rightarrow r$

解　注意,（1）,（2）中公式含两个命题变项, 极小项含两个文字, 而（3）中公式含 3 个命题变项, 因而极小项中应含 3 个文字.

（1）　$\neg(p \rightarrow q) \wedge q$

$\Leftrightarrow \neg(\neg p \vee q) \wedge q$

$\Leftrightarrow (p \wedge \neg q) \wedge q$

$\Leftrightarrow 0$

这说明该公式是矛盾式.

（2）　$p \rightarrow (p \vee q)$

$\Leftrightarrow \neg p \vee p \vee q$

$\Leftrightarrow (\neg p \wedge (\neg q \vee q)) \vee (p \wedge (\neg q \vee q)) \vee ((\neg p \vee p) \wedge q)$

$\Leftrightarrow (\neg p \wedge \neg q) \vee (\neg p \wedge q) \vee (p \wedge \neg q) \vee (p \wedge q) \vee (\neg p \wedge q) \vee (p \wedge q)$

$\Leftrightarrow (\neg p \wedge \neg q) \vee (\neg p \wedge q) \vee (p \wedge \neg q) \vee (p \wedge q)$

$\Leftrightarrow m_0 \vee m_1 \vee m_2 \vee m_3$

由于主析取范式含两个命题变项的全部 $2^2 = 4$ 个极小项, 故该公式为重言式.

其实, 以上演算在第一步就已知该公式等值于 1, 因而它为重言式. 如果要写出它的主析取范式, 由 1 可直接写出全部极小项.

$\qquad p \rightarrow (p \vee q)$

$\Leftrightarrow \neg p \vee p \vee q$

$\Leftrightarrow 1$

$\Leftrightarrow m_0 \vee m_1 \vee m_2 \vee m_3$

（3）　$(p \vee q) \rightarrow r$

$\Leftrightarrow \neg(p \vee q) \vee r$

$\Leftrightarrow (\neg p \wedge \neg q) \vee r$

$\Leftrightarrow (\neg p \wedge \neg q \wedge (\neg r \vee r)) \vee (((\neg p \vee p) \wedge (\neg q \vee q)) \wedge r)$

$\Leftrightarrow (\neg p \wedge \neg q \wedge \neg r) \vee (\neg p \wedge \neg q \wedge r) \vee (\neg p \wedge q \wedge r) \vee (p \wedge \neg q \wedge r) \vee (p \wedge q \wedge r)$

$\Leftrightarrow m_0 \vee m_1 \vee m_3 \vee m_5 \vee m_7$

该公式是可满足的, 但不是重言式, 因为它的主析取范式没含全部 8 个极小项.

3. 判断两个命题公式是否等值.

设公式 A,B 共含有 n 个命题变项,按 n 个命题变项求出 A 与 B 的主析取范式 A' 与 B'. 若 $A'=B'$,则 $A\Leftrightarrow B$,否则 $A\not\Leftrightarrow B$.

例 2.11　判断下面两组公式是否等值.

（1）p 与 $(p\wedge q)\vee(p\wedge\neg q)$

（2）$(p\to q)\to r$ 与 $(p\wedge q)\to r$

解　（1）这里有 2 个命题变项,因而极小项含 2 个文字.

$$p$$
$$\Leftrightarrow p\wedge(\neg q\vee q)$$
$$\Leftrightarrow(p\wedge\neg q)\vee(p\wedge q)$$
$$\Leftrightarrow m_2\vee m_3$$
$$(p\wedge q)\vee(p\wedge\neg q)$$
$$\Leftrightarrow m_2\vee m_3$$

所以

$$p\Leftrightarrow(p\wedge q)\vee(p\wedge\neg q)$$

（2）这里有 3 个命题变项,因而极小项含 3 个文字.经过演算得到

$$(p\to q)\to r$$
$$\Leftrightarrow m_1\vee m_3\vee m_4\vee m_5\vee m_7$$
$$(p\wedge q)\to r$$
$$\Leftrightarrow m_0\vee m_1\vee m_2\vee m_3\vee m_4\vee m_5\vee m_7$$

两者的主析取范式不同,所以

$$(p\to q)\to r\not\Leftrightarrow(p\wedge q)\to r$$

最后举一个应用主析取范式分析和解决实际问题的例子.

例 2.12　某科研所要从 3 名科研骨干 A,B,C 中挑选 $1\sim2$ 名出国进修.由于工作需要,选派时要满足以下条件:

（1）若 A 去,则 C 同去.

（2）若 B 去,则 C 不能去.

（3）若 C 不去,则 A 或 B 可以去.

问所里有哪些选派方案?

解　设 p:派 A 去.

　　　　q:派 B 去.

　　　　r:派 C 去.

由已知条件可得公式

$$(p\to r)\wedge(q\to\neg r)\wedge(\neg r\to(p\vee q))$$

该公式的成真赋值即为可行的选派方案.经过演算得到

$$(p \rightarrow r) \wedge (q \rightarrow \neg r) \wedge (\neg r \rightarrow (p \vee q))$$
$$\Leftrightarrow (\neg p \wedge \neg q \wedge r) \vee (\neg p \wedge q \wedge \neg r) \vee (p \wedge \neg q \wedge r)$$
$$\Leftrightarrow m_1 \vee m_2 \vee m_5$$

故有 3 种选派方案：

(a) C 去，A，B 都不去.

(b) B 去，A，C 都不去.

(c) A，C 同去，B 不去.

例 2.13 二进制半加器和二进制全加器.

二进制半加器和二进制全加器是计算机运算器中的部件，实现二进制位的相加. 二进制半加器有 2 个输入 x 和 y，2 个输出 h 和 d，其中 x 和 y 是被加数，h 是半和，d 是半进位. 半加器没有考虑上一位的进位，输出的不是最终的结果. h，d 与 x，y 的关系如表 2.5 所示. 二进制全加器有 3 个输入 x，y 和 c'，2 个输出 s 和 c，其中 x 和 y 是被加数，c' 是上一位的进位，s 是和，c 是进位. s，c 与 x，y，c' 的关系如表 2.6 所示.

表 2.5

x	y	h	d
0	0	0	0
0	1	1	0
1	0	1	0
1	1	0	1

表 2.6

x	y	c'	s	c
0	0	0	0	0
0	0	1	1	0
0	1	0	1	0
0	1	1	0	1
1	0	0	1	0
1	0	1	0	1
1	1	0	0	1
1	1	1	1	1

根据表 2.5，h 和 d 的主析取范式如下.

$$h = (\neg x \wedge y) \vee (x \wedge \neg y)$$
$$d = x \wedge y$$

根据表 2.6，s 和 c 的主析取范式如下.

$$s = (\neg x \wedge \neg y \wedge c') \vee (\neg x \wedge y \wedge \neg c') \vee (x \wedge \neg y \wedge \neg c') \vee (x \wedge y \wedge c')$$
$$c = (\neg x \wedge y \wedge c') \vee (x \wedge \neg y \wedge c') \vee (x \wedge y \wedge \neg c') \vee (x \wedge y \wedge c')$$

化简如下：

$$s \Leftrightarrow (((\neg x \wedge y) \vee (x \wedge \neg y)) \wedge \neg c') \vee (((\neg x \wedge \neg y) \vee (x \wedge y)) \wedge c')$$
$$\Leftrightarrow (h \wedge \neg c') \vee (\neg ((x \vee y) \wedge (\neg x \vee \neg y)) \wedge c')$$
$$\Leftrightarrow (h \wedge \neg c') \vee (\neg ((x \wedge \neg y) \vee (\neg x \wedge y)) \wedge c')$$
$$\Leftrightarrow (h \wedge \neg c') \vee (\neg h \wedge c')$$

$$c \Leftrightarrow ((\neg x \wedge y) \vee (x \wedge \neg y) \wedge c') \vee (x \wedge y)$$
$$\Leftrightarrow (h \wedge c') \vee d$$

根据以上两式可以用 2 个二进制半加器和一个或门实现二进制全加器, 如图 2.1 所示.

以上讨论了主析取范式的求法与用途, 也可以对主合取范式做类似的讨论. 关于主合取范式, 还要说明以下两点.

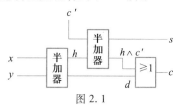

图 2.1

1. 由主析取范式求主合取范式.

设公式 A 含 n 个命题变项. A 的主析取范式含 $s (0 < s < 2^n)$ 个极小项, 即

$$A = m_{i_1} \vee m_{i_2} \vee \cdots \vee m_{i_s}, \quad 0 \leqslant i_j \leqslant 2^n - 1, \quad j = 1, 2, \cdots, s.$$

没出现的极小项为 $m_{j_1}, m_{j_2}, \cdots, m_{j_{2^n-s}}$, 它们的角标的二进制表示为 $\neg A$ 的成真赋值, 因而 $\neg A$ 的主析取范式为

$$\neg A = m_{j_1} \vee m_{j_2} \vee \cdots \vee m_{j_{2^n-s}}$$

由定理 2.4 可知

$$A \Leftrightarrow \neg \neg A$$
$$\Leftrightarrow \neg (m_{j_1} \vee m_{j_2} \vee \cdots \vee m_{j_{2^n-s}})$$
$$\Leftrightarrow \neg m_{j_1} \wedge \neg m_{j_2} \wedge \cdots \wedge \neg m_{j_{2^n-s}}$$
$$\Leftrightarrow M_{j_1} \wedge M_{j_2} \wedge \cdots \wedge M_{j_{2^n-s}}$$

这就由公式的主析取范式直接求出它的主合取范式.

例 2.14　利用公式的主析取范式, 求主合取范式.

(1) $A \Leftrightarrow m_1 \vee m_2$　　(A 中含 2 个命题变项 p, q)

(2) $B \Leftrightarrow m_1 \vee m_2 \vee m_3$　　(B 中含 3 个命题变项 p, q, r)

解　(1) 由题可知, 没出现在主析取范式中的极小项为 m_0 和 m_3, 所以 A 的主合取范式中含 2 个极大项 M_0 与 M_3, 故

$$A \Leftrightarrow M_0 \wedge M_3$$

(2) B 的主析取范式中没出现的极小项为 m_0, m_4, m_5, m_6, m_7, 因而

$$B \Leftrightarrow M_0 \wedge M_4 \wedge M_5 \wedge M_6 \wedge M_7$$

反之, 也可由公式的主合取范式给出主析取范式.

2. 重言式与矛盾式的主合取范式.

矛盾式无成真赋值, 因而矛盾式的主合取范式含全部 2^n (n 为公式中命题变项个数) 个极大项. 而重言式无成假赋值, 主合取范式不含任何极大项, 规定重言式的主合取范式为 1. 至于可满足式, 它的主合取范式中极大项的个数一定小于 2^n.

最后, 要问: n 个命题变项的主析取范式 (主合取范式) 共有多少个? n 个命题变项共可产生 2^n 个极小项 (极大项), 因而共可产生

$$C_{2^n}^0 + C_{2^n}^1 + \cdots + C_{2^n}^{2^n} = 2^{2^n}$$

个不同的主析取范式 (主合取范式). 这与在 1.2 节中对真值表个数的讨论情况是一样的.

事实上，$A \Leftrightarrow B$ 当且仅当 A 与 B 有相同的真值表，又当且仅当 A 与 B 有相同的主析取范式（主合取范式）. 因而可以说，真值表与主析取范式（主合取范式）是描述命题公式的两种等价的不同标准形式，两者可以相互确定，由 A 的主析取范式（主合取范式）可以立刻确定 A 的真值表，由 A 的真值表也可以立刻确定 A 的主析取范式（主合取范式）.

2.3　联结词的完备集

定义 2.6　称 $F:\{0,1\}^n \to \{0,1\}$ 为 n 元真值函数.

在这个定义中，F 的自变量为 n 个命题变项，定义域 $\{0,1\}^n = \{00\cdots0, 00\cdots1, \cdots, 11\cdots1\}$，即由 $0,1$ 组成的长为 n 的符号串的全体，值域为 $\{0,1\}$. n 个命题变项共可构成 2^{2^n} 个不同的真值函数. 1 元真值函数共有 4 个，如表 2.7 所示；2 元真值函数共有 16 个，如表 2.8 所示；3 元真值函数共有 $2^{2^3} = 256$ 个.

表 2.7　1 元真值函数

p	$F_0^{(1)}$	$F_1^{(1)}$	$F_2^{(1)}$	$F_3^{(1)}$
0	0	0	1	1
1	0	1	0	1

表 2.8　2 元真值函数

p	q	$F_0^{(2)}$	$F_1^{(2)}$	$F_2^{(2)}$	$F_3^{(2)}$	$F_4^{(2)}$	$F_5^{(2)}$	$F_6^{(2)}$	$F_7^{(2)}$
0	0	0	0	0	0	0	0	0	0
0	1	0	0	0	0	1	1	1	1
1	0	0	0	1	1	0	0	1	1
1	1	0	1	0	1	0	1	0	1

p	q	$F_8^{(2)}$	$F_9^{(2)}$	$F_{10}^{(2)}$	$F_{11}^{(2)}$	$F_{12}^{(2)}$	$F_{13}^{(2)}$	$F_{14}^{(2)}$	$F_{15}^{(2)}$
0	0	1	1	1	1	1	1	1	1
0	1	0	0	0	0	1	1	1	1
1	0	0	0	1	1	0	0	1	1
1	1	0	1	0	1	0	1	0	1

每个真值函数都与唯一的一个主析取范式（主合取范式）等值. 例如 $F_0^{(2)} \Leftrightarrow 0$（矛盾式），$F_1^{(2)}$

$\Leftrightarrow (p \land q) \Leftrightarrow m_3, F_2^{(2)} \Leftrightarrow (p \land \neg q) \Leftrightarrow m_2, F_3^{(2)} \Leftrightarrow (p \land \neg q) \lor (p \land q) \Leftrightarrow m_2 \lor m_3$，等等. 而每个主析取范式对应无穷多个等值的命题公式，每一个命题公式又都有唯一等值的主析取范式，所以每个真值函数对应无穷多个等值的命题公式，每个命题公式又都对应唯一的等值的真值函数.

定义 2.7　设 S 是一个联结词集合，如果任何 $n(n \geq 1)$ 元真值函数都可以由仅含 S 中的联结词构成的公式表示，则称 S 是联结词完备集.

定理 2.6　$S = \{\neg, \land, \lor\}$ 是联结词完备集.

证　因为任何 $n(n \geq 1)$ 元真值函数都与唯一的一个主析取范式等值，而在主析取范式中仅含联结词 $\neg, \land, \lor$，所以 $S = \{\neg, \land, \lor\}$ 是联结词完备集.

推论　以下联结词集都是联结词完备集.

（1）$S_1 = \{\neg, \land, \lor, \to\}$

（2）$S_2 = \{\neg, \land, \lor, \to, \leftrightarrow\}$

（3）$S_3 = \{\neg, \land\}$

（4）$S_4 = \{\neg, \lor\}$

（5）$S_5 = \{\neg, \to\}$

证　（1），（2）是显然的.

（3）由于 $S = \{\neg, \land, \lor\}$ 是联结词完备集，因而只需证 $\lor$ 可以用 $\neg$ 和 $\land$ 表示. 事实上，$p \lor q \Leftrightarrow \neg\neg(p \lor q) \Leftrightarrow \neg(\neg p \land \neg q)$，所以 S_3 是联结词完备集.

（4），（5）的证明留作习题.

可以证明恒取 0 值的真值函数（即与矛盾式等值的真值函数）不能用仅含 $\land, \lor, \to, \leftrightarrow$ 的公式表示，因而 $\{\land, \lor, \to, \leftrightarrow\}$ 不是联结词完备集，进而它的任何子集都不是联结词完备集，因此 $\{\land\}, \{\lor\}, \{\land, \to\}, \{\land, \lor, \to\}, \{\land, \lor, \leftrightarrow\}$ 等也都不是联结词完备集.

在计算机硬件设计中，用与非门或者用或非门设计逻辑电路. 这是两个新的联结词，并且它们各自能构成联结词完备集.

定义 2.8　设 p, q 是两个命题，复合命题"p 与 q 的否定式"称作 p, q 的与非式，记作 $p \uparrow q$. 即 $p \uparrow q \Leftrightarrow \neg(p \land q)$. 符号 $\uparrow$ 称作与非联结词.

复合命题"p 或 q 的否定式"称作 p, q 的或非式，记作 $p \downarrow q$. 即 $p \downarrow q \Leftrightarrow \neg(p \lor q)$. 符号 $\downarrow$ 称作或非联结词.

由定义不难看出，$p \uparrow q$ 为真当且仅当 p 与 q 不同时为真，$p \downarrow q$ 为真当且仅当 p 与 q 同时为假.

定理 2.7　$\{\uparrow\}, \{\downarrow\}$ 都是联结词完备集.

证　已知 $\{\neg, \land\}$ 为联结词完备集，因而只需证明其中的每个联结词都可以由 $\uparrow$ 表示即可. 事实上

$$\neg p$$
$$\Leftrightarrow \neg(p \land p)$$
$$\Leftrightarrow p \uparrow p \tag{2.20}$$
$$p \land q$$

$$\Leftrightarrow \neg\neg(p \land q)$$

$$\Leftrightarrow \neg(p \uparrow q) \qquad\qquad (定义)$$

$$\Leftrightarrow (p \uparrow q) \uparrow (p \uparrow q) \qquad (由式(2.20)) \qquad\qquad (2.21)$$

得证 ∤↑∤ 是联结词完备集, 此外,

$$p \lor q$$

$$\Leftrightarrow \neg\neg(p \lor q)$$

$$\Leftrightarrow \neg(\neg p \land \neg q)$$

$$\Leftrightarrow (\neg p) \uparrow (\neg q) \qquad\qquad (定义)$$

$$\Leftrightarrow (p \uparrow p) \uparrow (q \uparrow q) \qquad (由式(2.20)) \qquad\qquad (2.22)$$

类似可证 ∤↓∤ 是联结词完备集.

$$\neg p \Leftrightarrow p \downarrow p$$

$$p \lor q \Leftrightarrow (p \downarrow q) \downarrow (p \downarrow q)$$

$$p \land q \Leftrightarrow (p \downarrow p) \downarrow (q \downarrow q)$$

2.4　可满足性问题与消解法

命题公式的可满足性问题是算法理论的核心问题之一. 这个问题可以用真值表、主析取范式或主合取范式解决, 但这两个方法的计算量都很大. 本节将介绍一个新的方法——消解法.

由于任一公式都能化成等值的合取范式, 因而一般的命题公式的可满足性问题可以归结为合取范式的可满足性问题.

不失一般性, 假设一个简单析取式中不同时出现某个命题变项和它的否定, 否则它为永真式, 可以把它从合取范式中消去. 称不含任何文字的简单析取式为空简单析取式, 记作 λ. 规定空简单析取式是不可满足的.（因为对任何赋值, 空简单析取式中都没有文字为真.）因而, 含有空简单析取式的合取范式是不可满足的.

设 l 是一个文字, 记

$$l^c = \begin{cases} \neg p, & 若 \ l = p \\ p, & 若 \ l = \neg p \end{cases}$$

称作文字 l 的补.

下面用 S 表示合取范式, 用 C 表示简单析取式, 用 l 表示文字. 设 α 是关于 S 中命题变项的赋值, 用 $\alpha(l)$, $\alpha(C)$ 和 $\alpha(S)$ 分别表示在 α 下 l, C 和 S 的值. 又设 S 和 S' 是两个合取范式, 用 $S \approx S'$ 表示 S 是可满足的当且仅当 S' 是可满足的.

下面给出消解规则及其性质.

定义 2.9　设 C_1, C_2 是两个简单析取式, C_1 含文字 l, C_2 含 l^c. 从 C_1 中删去 l, 从 C_2 中删去 l^c, 然后再将所得到的结果析取成一个简单析取式, 称这样得到的简单析取式为 C_1, C_2 的（以 l 和

l^c 为消解文字的)消解式或消解结果,记为 $\mathrm{Res}(C_1,C_2)$. 即设 $C_1 = C_1' \vee l$, $C_2 = C_2' \vee l^c$, $\mathrm{Res}(C_1,C_2) = C_1' \vee C_2'$.

根据上述定义由 C_1,C_2 得到 $\mathrm{Res}(C_1,C_2)$ 的规则称作消解规则.

可以证明,如果 C_1,C_2 可对多对文字消解,其消解结果都是等值的(见本章习题第 34 题). 例如,$C_1 = \neg p \vee q \vee r$,$C_2 = p \vee \neg r \vee \neg s \vee t$ 可以消解为 $q \vee r \vee \neg r \vee \neg s \vee t$(以 p 和 $\neg p$ 为消解文字),或者消解为 $\neg p \vee q \vee p \vee \neg s \vee t$(以 r 和 $\neg r$ 为消解文字),都是永真式.

定理 2.8　$C_1 \wedge C_2 \approx \mathrm{Res}(C_1,C_2)$.

证　记 $C = \mathrm{Res}(C_1,C_2)$,设消解文字为 l,l^c. 不妨设 $C_1 = C_1' \vee l$,$C_2 = C_2' \vee l^c$,于是 $C = C_1' \vee C_2'$.

假设 $C_1 \wedge C_2$ 是可满足的,α 是满足它的赋值,不妨设 $\alpha(l) = 1$. 由于 α 满足 C_2,C_2 必含有文字 $l' \neq l$ 且 $\alpha(l') = 1$. 而 C 中含 l',故 α 满足 C.

反之,假设 C 是可满足的,α 是满足它的赋值. 要把 α 扩张到 $l(l^c)$ 上. 若 α 满足 C_1',则令 $\alpha(l^c) = 1$;否则令 $\alpha(l) = 1$. 扩张后的 α 满足 $C_1 \wedge C_2$.

注意:$C_1 \wedge C_2$ 与 $\mathrm{Res}(C_1,C_2)$ 具有相同的可满足性,但它们不一定等值. 任何满足 $C_1 \wedge C_2$ 的赋值都满足 $\mathrm{Res}(C_1,C_2)$,但满足 $\mathrm{Res}(C_1,C_2)$ 的赋值不一定满足 $C_1 \wedge C_2$. 例如,$p \vee q \vee r$,$p \vee \neg r$ 可消解为 $p \vee q$,$\alpha = 011$ 满足 $p \vee q$,但不满足 $(p \vee q \vee r) \wedge (p \vee \neg r)$. $\alpha' = 010$ 是后者的满足赋值.

给定一个合取范式 S,从 S 的简单析取式开始,重复使用消解规则可以得到一个简单析取式序列. 根据定理 2.8,如果 S 是可满足的,得到的所有简单析取式都是可满足的. 如果最后得到空简单析取式 λ,则 S 不是可满足的.

定义 2.10　设 S 是一个合取范式,$C_1,C_2,\cdots,C_n$ 是一个简单析取式序列. 如果对每一个 i $(1 \leqslant i \leqslant n)$,$C_i$ 是 S 中的一个简单析取式或者 C_i 是它之前的某两个简单析取式 $C_j,C_k(1 \leqslant j < k < i)$ 的消解结果,则称此序列是由 S 导出 C_n 的消解序列. 当 $C_n = \lambda$ 时,称此序列是 S 的一个否证.

根据这个定义和定义上面的那一段话,有

推论　如果合取范式 S 有否证,则 S 不是可满足的.

现在的问题是,如果合取范式 S 不是可满足的,S 是否一定有否证? 回答是肯定的.

引理 2.9　设 S 含有简单析取式 l,从 S 中删去所有包含 l 的简单析取式,再从剩下的简单析取式中删去 l^c,把这样得到的合取范式记作 S',则 $S \approx S'$.

证　假设 S 是可满足的,α 是满足 S 的赋值,必有 $\alpha(l) = 1$,$\alpha(l^c) = 0$. 对 S' 中的任一简单析取式 C',S 中有一个简单析取式 C 使得 $C = C'$ 或 $C = C' \vee l^c$. 因为 α 使 C 为真且 $\alpha(l^c) = 0$,故 α 使 C' 为真. 得证 S' 是可满足的.

反之,假设 S' 是可满足的,α 是满足 S' 的赋值. 把 α 扩张到 S 上,令 $\alpha(l) = 1$ 且对除 l 之外 S' 中没有出现的变项任取一个值(如取 1). 于是,对 S 中的任一简单析取式 C,若 C 含 l,则扩张后的 α 满足 C;若 C 不含 l,则 S' 中有 C' 使得 $C = C'$ 或 $C = C' \vee l^c$. 而 α 满足 C',扩张后仍满足 C',从而满足 C. 得证 S 是可满足的.

定理 2.10(消解的完全性) 如果合取范式 S 是不可满足的,则 S 有否证.

证 设 S 中含有 k 个命题变项,用数学归纳法证明.

当 $k=1$ 时,S 中只有一个命题变项,设为 p. 由于 S 是不可满足的,S 中必同时含有简单析取式 p 和 $\neg p$,从而 S 有否证.

假设当 $k<n(n \geqslant 2)$ 时定理成立,要证 $k=n$ 时定理也成立.

任意取定 S 中的一个命题变项 p,令 S_1 表示 S 中所有含 p 的简单析取式,S_2 表示 S 中所有含 $\neg p$ 的简单析取式,S_3 表示 S 中所有既不含 p 又不含 $\neg p$ 的简单析取式. S' 是如下得到的合取范式:先删去 S 中所有含 p 的简单析取式,然后再从剩下的简单析取式中删去文字 $\neg p$. S' 是 2 个子合取范式 S_2' 和 S_3 的合取范式,其中 S_2' 是删去 S_2 的所有简单析取式中的 $\neg p$ 后得到合取范式. 令 S'' 是如下得到的子句集:先删去 S 中所有含 $\neg p$ 的简单析取式,然后再从剩下的简单析取式中删去文字 p. S'' 也是 2 个子合取范式 S_1' 和 S_3 的合取范式,其中 S_1' 是删去 S_1 的所有简单析取式中的 p 后得到合取范式. 由引理 2.9,$S \wedge p \approx S'$,$S \wedge (\neg p) \approx S''$. 由于 S 是不可满足的,$S \wedge p$ 和 $S \wedge (\neg p)$ 都是不可满足的,故 S' 和 S'' 也是不可满足的. 而 S' 和 S'' 中的命题变项个数都小于 n,根据归纳假设,存在从 S' 和 S'' 导出 λ 的消解序列 $C_1, C_2, \cdots, C_i$ 和 $D_1, D_2, \cdots, D_j$,其中 $C_i = D_j = \lambda$. 如果 C_t $(1 \leqslant t \leqslant i)$ 是仅由 S_3 中的简单析取式消解得到的,则称 C_t 是与 S_2' 无关的;否则称 C_t 是与 S_2' 有关的. 可类似地定义 $D_t (1 \leqslant t \leqslant j)$ 是与 S_1' 无关的和是与 S_1' 有关的. 分两种情况讨论如下.

(1) C_i 是与 S_2' 无关的,或者 D_j 是与 S_1' 无关的. 此时可以由 S_3 中的简单析取式消解得到 λ,这个消解序列也是 S 的一个否证.

(2) C_i 是与 S_2' 有关的且 D_j 是与 S_1' 有关的. 对每一个 $1 \leqslant t \leqslant i$,令

$$C_t' = \begin{cases} C_t \vee (\neg p), & \text{若 } C_t \text{ 与 } S_2' \text{ 有关} \\ C_t, & \text{若 } C_t \text{ 与 } S_2' \text{ 无关} \end{cases}$$

对每一个 $1 \leqslant t \leqslant j$,令

$$D_t' = \begin{cases} D_t \vee p, & \text{若 } D_t \text{ 与 } S_1' \text{ 有关} \\ D_t, & \text{若 } D_t \text{ 与 } S_1' \text{ 无关} \end{cases}$$

不难看出 $C_1', C_2', \cdots, C_i'$ 和 $D_1', D_2', \cdots, D_j'$ 都是 S 的消解序列,分别得到 $C_i' = \neg p$ 和 $D_j' = p$,而 $\text{Res}(C_i', D_j') = \lambda$. 因此,$C_1', C_2', \cdots, C_i', D_1', D_2', \cdots, D_j', \lambda$ 是 S 的一个否证.

当 $k=n$ 时,定理成立得证.

根据定理 2.8 的推论与定理 2.10,可以得到下述结论.

推论 合取范式 S 是不可满足的当且仅当它有否证.

下面给出判断合式公式是否是可满足的消解算法.

消解算法:

输入:合式公式 A

输出:若 A 是可满足的,则回答"yes";否则回答"no".

1. 求 A 的合取范式 S

2. 令 S_0 和 S_2 为不含任何元素的集合, S_1 为 S 的所有简单析取式组成的集合

3. 对 S_0 中的每一个简单析取式 C_1 与 S_1 中的每一个简单析取式 C_2

4.　　如果 C_1, C_2 可以消解, 则

5.　　　计算 $C = \mathrm{Res}(C_1, C_2)$

6.　　　如果 $C = \lambda$, 则

7.　　　　输出"no", 计算结束

8.　　　如果 S_0 与 S_1 都不包含 C, 则

9.　　　　把 C 加入 S_2

10. 对 S_1 中的每一对子句 C_1, C_2

11.　　如果 C_1, C_2 可以消解, 则

12.　　　计算 $C = \mathrm{Res}(C_1, C_2)$

13.　　　如果 $C = \lambda$, 则

14.　　　　输出"no", 计算结束

15.　　　如果 S_0 与 S_1 都不包含 C, 则

16.　　　　把 C 加入 S_2

17. 如果 S_2 中没有任何元素, 则

18.　　输出"yes", 计算结束

19. 否则把 S_1 加入 S_0, 令 S_1 等于 S_2, 清空 S_2, 返回 3

由于 S 中只有有限个命题变项, 有限个命题变项只能构成有限个不同的简单析取式, 算法 3～19 的循环至多进行有限次, 从而算法必在有限步内终止. 如果计算结束在步骤 7 或步骤 14, 此时已得到一个空简单析取式. 根据定理 2.8 的推论, 公式是不可满足的, 算法回答正确; 如果计算结束在步骤 18, 此时已计算出 S 能够通过消解产生的所有简单析取式, 这些简单析取式中没有空简单析取式, 因而 S 没有否证. 根据定理 2.10, 公式是可满足的, 算法回答正确. 算法是正确的得证.

例 2.15　用消解法判断下列公式是否是可满足的.

(1) $(\neg p \vee q) \wedge (p \vee q) \wedge (\neg q)$

(2) $p \wedge (p \vee q) \wedge (p \vee \neg q) \wedge (q \vee \neg r) \wedge (q \vee r)$

解　(1) 这已经是合取范式, $S = (\neg p \vee q) \wedge (p \vee q) \wedge (\neg q)$

第 1 次循环: $S_0 = \varnothing$, $S_1 = \{\neg p \vee q, p \vee q, \neg q\}$, $S_2 = \varnothing$

$\neg p \vee q, p \vee q$ 消解得到 q

$\neg p \vee q, \neg q$ 消解得到 $\neg p$

$p \vee q, \neg q$ 消解得到 p

$S_2 = \{p, \neg p, q\}$

第 2 次循环: $S_0 = \{\neg p \vee q, p \vee q, \neg q\}$, $S_1 = \{p, \neg p, q\}$, $S_2 = \varnothing$

$\neg p \vee q, p$ 消解得到 q

$p \vee q, \neg p$ 消解得到 q

$\neg q, q$ 消解得到 λ

输出"no",计算结束

（2） $S = p \wedge (p \vee q) \wedge (p \vee \neg q) \wedge (q \vee \neg r) \wedge (q \vee r)$

第 1 次循环: $S_0 = \varnothing$, $S_1 = \{p, p \vee q, p \vee \neg q, q \vee \neg r, q \vee r\}$, $S_2 = \varnothing$

$p \vee q, p \vee \neg q$ 消解得到 p

$p \vee \neg q, q \vee \neg r$ 消解得到 $p \vee \neg r$

$p \vee \neg q, q \vee r$ 消解得到 $p \vee r$

$q \vee \neg r, q \vee r$ 消解得到 q

$S_2 = \{p \vee r, p \vee \neg r, q\}$

第 2 次循环: $S_0 = \{p, p \vee q, p \vee \neg q, q \vee \neg r, q \vee r\}$, $S_1 = \{p \vee r, p \vee \neg r, q\}$, $S_2 = \varnothing$

$p \vee \neg q, q$ 消解得到 p

$q \vee \neg r, p \vee r$ 消解得到 $p \vee q$

$q \vee r, p \vee \neg r$ 消解得到 $p \vee q$

$p \vee r, p \vee \neg r$ 消解得到 p

$S_2 = \varnothing$

输出"yes",计算结束

习　题　2

1. 设公式 $A = p \rightarrow q$, $B = p \wedge \neg q$, 用真值表验证公式 A 和 B 适合德摩根律:
$$\neg(A \vee B) \Leftrightarrow \neg A \wedge \neg B$$

2. 公式 A 与 B 同第 1 题, 用真值表验证公式 A 和 B 适合蕴涵等值式:
$$A \rightarrow B \Leftrightarrow \neg A \vee B$$

3. 用等值演算法判断下列公式的类型, 对不是重言式的可满足式, 再用真值表法求出成真赋值.

（1） $\neg(p \wedge q \rightarrow q)$

（2） $(p \rightarrow (p \vee q)) \vee (p \rightarrow r)$

（3） $(p \vee q) \rightarrow (p \wedge r)$

4. 用等值演算法证明下列等值式.

（1） $p \Leftrightarrow (p \wedge q) \vee (p \wedge \neg q)$

（2） $((p \rightarrow q) \wedge (p \rightarrow r)) \Leftrightarrow (p \rightarrow (q \wedge r))$

（3） $\neg(p \leftrightarrow q) \Leftrightarrow (p \vee q) \wedge \neg(p \wedge q)$

（4） $(p \wedge \neg q) \vee (\neg p \wedge q) \Leftrightarrow (p \vee q) \wedge \neg(p \wedge q)$

5. 求下列公式的主析取范式, 并求成真赋值.

（1） $(\neg p \rightarrow q) \rightarrow (\neg q \vee p)$

（2） $(\neg p \rightarrow q) \wedge (q \wedge r)$

（3）$(p \vee (q \wedge r)) \rightarrow (p \vee q \vee r)$

6. 求下列公式的主合取范式,并求成假赋值.

（1）$\neg (q \rightarrow \neg p) \wedge \neg p$

（2）$(p \wedge q) \vee (\neg p \vee r)$

（3）$(p \rightarrow (p \vee q)) \vee r$

7. 求下列公式的主析取范式,再用主析取范式求主合取范式.

（1）$(p \wedge q) \vee r$

（2）$(p \rightarrow q) \wedge (q \rightarrow r)$

8. 求下列公式的主合取范式,再用主合取范式求主析取范式.

（1）$(p \wedge q) \rightarrow q$

（2）$(p \leftrightarrow q) \rightarrow r$

（3）$\neg (r \rightarrow p) \wedge p \wedge q$

9. 用真值表求下列公式的主析取范式.

（1）$(p \vee q) \vee (\neg p \wedge r)$

（2）$(p \rightarrow q) \rightarrow (p \leftrightarrow \neg q)$

10. 用真值表求下列公式的主合取范式.

（1）$(p \wedge q) \vee r$

（2）$(p \rightarrow q) \wedge (q \rightarrow r)$

11. 用真值表求下列公式的主析取范式和主合取范式.

（1）$(p \vee q) \wedge r$

（2）$p \rightarrow (p \vee q \vee r)$

（3）$\neg (q \rightarrow \neg p) \wedge \neg p$

12. 已知公式 A 含 3 个命题变项 p, q, r,并且它的成真赋值为 $000, 011, 110$,求 A 的主合取范式和主析取范式.

13. 已知公式 A 含 3 个命题变项 p, q, r,并且它的成假赋值为 $010, 011, 110, 111$,求 A 的主析取范式和主合取范式.

14. 已知公式 A 含 n 个命题变项 $p_1, p_2, \cdots, p_n$,并且无成假赋值,求 A 的主合取范式.

15. 用主析取范式判断下列公式是否等值.

（1）$(p \rightarrow q) \rightarrow r$ 与 $q \rightarrow (p \rightarrow r)$

（2）$\neg (p \wedge q)$ 与 $\neg (p \vee q)$

16. 用主合取范式判断下列公式是否等值.

（1）$p \rightarrow (q \rightarrow r)$ 与 $\neg (p \wedge q) \vee r$

（2）$p \rightarrow (q \rightarrow r)$ 与 $(p \rightarrow q) \rightarrow r$

17. 将下列公式化成与之等值且仅含 $\{\neg, \wedge, \vee\}$ 中联结词的公式.

（1）$\neg (p \rightarrow (q \leftrightarrow (q \wedge r)))$

（2）$(p \wedge q) \vee \neg r$

（3）$p \leftrightarrow (q \leftrightarrow r)$

18. 将下列公式化成与之等值且仅含 $\{\neg, \wedge\}$ 中联结词的公式.

(1) $p \vee \neg q \vee \neg r$

(2) $(p \leftrightarrow r) \wedge q$

(3) $(p \rightarrow (q \wedge r)) \vee p$

19. 将下列公式化成与之等值且仅含 $\{\neg, \vee\}$ 中联结词的公式.

(1) $(\neg p \vee \neg q) \wedge r$

(2) $(p \rightarrow (q \wedge \neg p)) \wedge q \wedge r$

(3) $p \wedge q \wedge \neg r$

20. 将下列公式化成与之等值且仅含 $\{\neg, \rightarrow\}$ 中联结词的公式.

(1) $(p \wedge q) \vee r$

(2) $(p \rightarrow \neg q) \wedge r$

(3) $(p \wedge q) \leftrightarrow r$

21. 证明:

(1) $(p \uparrow q) \Leftrightarrow (q \uparrow p), (p \downarrow q) \Leftrightarrow (q \downarrow p)$

(2) $((p \uparrow q) \uparrow r) \Leftrightarrow (p \uparrow (q \uparrow r)), ((p \downarrow q) \downarrow r) \Leftrightarrow (p \downarrow (q \downarrow r))$

22. 从表 2.8 中找出与下列公式等值的真值函数.

(1) $p \uparrow q$

(2) $p \downarrow q$

(3) $(p \wedge \neg q) \vee (\neg p \wedge q)$

(4) $\neg (p \rightarrow q)$

23. 设 A, B, C 为任意的命题公式. 证明等值关系有

(1) 自反性: $A \Leftrightarrow A$

(2) 对称性: 若 $A \Leftrightarrow B$, 则 $B \Leftrightarrow A$.

(3) 传递性: 若 $A \Leftrightarrow B$ 且 $B \Leftrightarrow C$, 则 $A \Leftrightarrow C$.

24. 设 A, B 为任意的命题公式, 证明:

$$\neg A \Leftrightarrow \neg B \text{ 当且仅当 } A \Leftrightarrow B$$

25. 设 A, B, C 为任意的命题公式, 有

(1) 若 $A \vee C \Leftrightarrow B \vee C$, 举例说明 $A \Leftrightarrow B$ 不一定成立.

(2) 若 $A \wedge C \Leftrightarrow B \wedge C$, 举例说明 $A \Leftrightarrow B$ 不一定成立.

由此可知, 联结词 $\vee$ 与 $\wedge$ 不满足消去律.

26. 在上题中, 若已知 $A \vee C \Leftrightarrow B \vee C$, 在什么条件下 $A \Leftrightarrow B$ 一定成立? 又若已知 $A \wedge C \Leftrightarrow B \wedge C$, 在什么条件下, $A \Leftrightarrow B$ 一定成立?

27. 要设计由一个灯泡和 3 个开关 A, B, C 组成的电路, 要求在且仅在下述 4 种情况下灯亮:

(1) C 的扳键向上, A, B 的扳键向下.

(2) A 的扳键向上, B, C 的扳键向下.

(3) B, C 的扳键向上, A 的扳键向下.

(4) A, B 的扳键向上, C 的扳键向下.

设 F 为 1 表示灯亮, p, q, r 分别表示 A, B, C 的扳键向上.

(a) 求 F 的主析取范式.

（b）在联结词完备集$\{\neg, \wedge\}$上构造 F.

（c）在联结词完备集$\{\neg, \to, \leftrightarrow\}$上构造 F.

28. 一个排队线路, 输入为 A, B, C, 输出为 F_A, F_B, F_C. 在同一时间只能输出一个信号; 当同时有 2 个或 2 个以上信号申请输出时, 按 A, B, C 的顺序输出. 试写出 F_A, F_B, F_C 在联结词完备集$\{\neg, \wedge\}$中的表达式.

29. 在某班班委成员的选举中, 已知王小红、李强、丁金生三位同学被选进了班委会. 该班的甲, 乙, 丙三名学生预言如下.

甲说: 王小红为班长, 李强为生活委员.

乙说: 丁金生为班长, 王小红为生活委员.

丙说: 李强为班长, 王小红为学习委员.

班委会分工名单公布后发现, 甲、乙、丙三人都恰好猜对了一半. 问: 王小红、李强、丁金生各任何职（用等值等演求解）?

30. 某公司要从赵、钱、孙、李、周五名新毕业的大学生中选派一些人出国学习. 选派必须满足以下条件:

（1）若赵去, 则钱也去.

（2）李、周两人中必有一人去.

（3）钱、孙两人中去且仅去一人.

（4）孙、李两人同去或同不去.

（5）若周去, 则赵、钱也同去.

用等值演算法分析该公司如何选派他们出国.

31. 给出下述每一对 C_1, C_2 的消解结果.

（1）$C_1 = \neg p \vee \neg q \vee r, C_2 = \neg q \vee \neg r \vee s \vee \neg t$

（2）$C_1 = p \vee \neg q \vee r \vee \neg s, C_2 = s$

（3）$C_1 = \neg p \vee q \vee r, C_2 = p \vee \neg r \vee \neg s$

32. 用消解原理证明下列公式是矛盾式.

（1）$(\neg p \vee q) \wedge (\neg p \vee r) \wedge (\neg q \vee \neg r) \wedge (p \vee \neg r) \wedge r$

（2）$\neg((p \vee q) \wedge \neg p \to q)$

33. 用消解法判断下列公式是否是可满足的.

（1）$p \wedge (\neg p \vee \neg q) \wedge q$

（2）$(p \vee q) \wedge (p \vee \neg q) \wedge (\neg p \vee r)$

34. 如果 C_1, C_2 可对多对文字消解, 则其消解结果都是等值的.

35. 设文字 l 在合取范式 S 中出现, 而 l^c 不在 S 中出现. 把删去 S 中所有含 l 的简单析取式后得到的合取范式记作 S', 则 $S \approx S'$.

36. 设 S 是一个合取范式, U 是一个命题变项集合, $R_U(S)$ 表示如下得到的合取范式: 对 S 中出现的每一个文字 l, 如果 l 的命题变项属于 U, 则将它换成 l^c. 证明: $R_U(S) \approx S$.

第3章
命题逻辑的推理理论

3.1 推理的形式结构

数理逻辑的主要任务是用数学的方法研究推理. 所谓推理是指从前提出发推出结论的思维过程, 而前提是已知的命题公式集合, 结论是从前提出发应用推理规则推出的命题公式. 为此, 首先应该明确什么样的推理是正确的.

定义 3.1 设 $A_1, A_2, \cdots, A_k$ 和 B 都是命题公式, 若对于 $A_1, A_2, \cdots, A_k$ 和 B 中出现的命题变项的任意一组赋值, 或者 $A_1 \wedge A_2 \wedge \cdots \wedge A_k$ 为假, 或者当 $A_1 \wedge A_2 \wedge \cdots \wedge A_k$ 为真时 B 也为真, 则称由前提 $A_1, A_2, \cdots, A_k$ 推出结论 B 的推理是有效的或正确的, 并称 B 为有效的结论.

关于定义 3.1 还需做以下几点说明.

1. 由前提 $A_1, A_2, \cdots, A_k$ 推出结论 B 的推理是否正确与诸前提的排列次序无关, 前提是一个有限的公式集合. 设前提为集合 Γ, 将由 Γ 推出 B 的推理记为 $\Gamma \vdash B$. 若推理是正确的, 则记为 $\Gamma \models B$, 否则记为 $\Gamma \nvDash B$. 这里称 $\Gamma \vdash B$ 或 $\{A_1, A_2, \cdots, A_k\} \vdash B$ 为推理的形式结构.

2. 设 $A_1, A_2, \cdots, A_k, B$ 中共出现 n 个命题变项, 对于任一组赋值 $\alpha_1 \alpha_2 \cdots \alpha_n$ ($\alpha_i = 0$ 或 1, $i = 1, 2, \cdots, n$), 前提和结论的取值情况有以下 4 种.

(1) $A_1 \wedge A_2 \wedge \cdots \wedge A_k$ 为 0, B 为 0;

(2) $A_1 \wedge A_2 \wedge \cdots \wedge A_k$ 为 0, B 为 1;

(3) $A_1 \wedge A_2 \wedge \cdots \wedge A_k$ 为 1, B 为 0;

(4) $A_1 \wedge A_2 \wedge \cdots \wedge A_k$ 为 1, B 为 1.

由定义 3.1 可知,只要不出现情况(3),推理就是正确的,因而判断推理是否正确,就是判断是否会出现情况(3).

3. 由上面的讨论可知,推理正确并不能保证结论 B 一定成立,因为前提可能就不成立. 这与人们通常对推理的理解是不同的,通常认为只有在正确的前提下推出正确的结论才是正确的推理. 而在这里,如果前提不正确,不论结论正确与否,都说推理正确.

例 3.1 判断下列推理是否正确.

(1) $\{p, p \rightarrow q\} \vdash q$.

(2) $\{p, q \rightarrow p\} \vdash q$.

解 写出前提的合取式与结论的真值表,看是否出现前提合取式为真,而结论为假的情况.

(1) 由表 3.1,没有出现前提合取式为真,结论为假的情况,因而推理正确,即 $\{p, p \rightarrow q\} \models q$.

(2) 由表 3.1,当赋值为 10 时,前提的合取式为真,而结论为假,因而推理不正确, 即 $\{p, q \rightarrow p\} \not\models q$.

表 3.1

p q	$p \wedge (p \rightarrow q)$	q	$p \wedge (q \rightarrow p)$	q
0 0	0	0	0	0
0 1	0	1	0	1
1 0	0	0	1	0
1 1	1	1	1	1

对于例 3.1 中这样简单的推理,不难通过直接观察判断推理是否正确. 如在(1)中,当 q 为假时,无论 p 是真还是假,$p \wedge (p \rightarrow q)$ 均为假,因而不会出现前提合取式为真,结论为假的情况,故推理正确. 而在(2)中,当 q 为假,p 为真时,出现了前提合取式为真,结论为假的情况,因而推理不正确.

下面给出推理形式结构另一种等价的形式. 为此,首先证明下面定理.

定理 3.1 命题公式 $A_1, A_2, \cdots, A_k$ 推出 B 的推理正确当且仅当

$$A_1 \wedge A_2 \wedge \cdots \wedge A_k \rightarrow B$$

为重言式.

证 必要性. 若 $A_1, A_2, \cdots, A_k$ 推出 B 的推理正确,则对于 $A_1, A_2, \cdots, A_k$ 和 B 中所含命题变项的任意一组赋值,不会出现 $A_1 \wedge A_2 \wedge \cdots \wedge A_k$ 为真且 B 为假的情况,因而在任何赋值下,蕴涵式 $A_1 \wedge A_2 \wedge \cdots \wedge A_k \rightarrow B$ 均为真,故它为重言式.

充分性. 若蕴涵式 $A_1 \wedge A_2 \wedge \cdots \wedge A_k \rightarrow B$ 为重言式,则对于任何赋值此蕴涵式均为真,因而不会出现前件为真后件为假的情况,即在任何赋值下,或者 $A_1 \wedge A_2 \wedge \cdots \wedge A_k$ 为假,或者 $A_1 \wedge A_2 \wedge \cdots \wedge A_k$ 和 B 同时为真,故 $A_1, A_2, \cdots, A_k$ 推 B 的推理正确.

由定理 3.1,由前提 $A_1,A_2,\cdots,A_k$ 推出 B 的推理的形式结构

$$\{A_1,A_2,\cdots,A_k\} \vdash B \qquad\qquad (3.1)$$

等同于蕴涵式

$$A_1 \wedge A_2 \wedge \cdots \wedge A_k \to B \qquad\qquad (3.2)$$

其中推理前提的合取式成了蕴涵式的前件,结论成了蕴涵式的后件.推理正确

$$\{A_1,A_2,\cdots,A_k\} \vDash B \qquad\qquad (3.3)$$

等同于

$$A_1 \wedge A_2 \wedge \cdots \wedge A_k \Rightarrow B \qquad\qquad (3.4)$$

其中 $\Rightarrow$ 同 $\Leftrightarrow$ 一样是一种元语言符号,表示蕴涵式为重言式.

今后把推理的形式结构写成

前提: $A_1,A_2,\cdots,A_k$

结论: B $\qquad\qquad (3.5)$

并且也把式(3.2)称作推理的形式结构,通过判断式(3.2)是否为重言式来确定推理是否正确.根据前 2 章的讨论,判断式(3.2)是否为重言式有下面 3 种方法.

1. 真值表法.

2. 等值演算法.

3. 主析取范式法.

现在可以将例 3.1 中的两个推理写成式(3.5)的形式.

(1)

前提: $p,p \to q$

结论: q

推理的形式结构: $(p \wedge (p \to q)) \to q$

(2)

前提: $p,q \to p$

结论: q

推理的形式结构: $(p \wedge (q \to p)) \to q$

由例 3.1 已知,(1)正确,即 $(p \wedge (p \to q)) \Rightarrow q$;而(2)不正确,记为 $(p \wedge (q \to p)) \nRightarrow q$.

例 3.2 判断下面推理是否正确.

(1)若 a 能被 4 整除,则 a 能被 2 整除. a 能被 4 整除. 所以,a 能被 2 整除.

(2)若 a 能被 4 整除,则 a 能被 2 整除. a 能被 2 整除. 所以,a 能被 4 整除.

(3)下午马芳或去看电影或去游泳. 她没去看电影. 所以,她去游泳了.

(4)若下午气温超过 30℃,则王小燕必去游泳. 若她去游泳,她就不去看电影了. 所以,若王小燕没去看电影,下午气温必超过了 30℃.

解 解上述类型的推理问题,首先应将简单命题符号化. 然后分别写出前提、结论、推理的形式结构,接着进行判断.

（1）设

p：a 能被 4 整除.

q：a 能被 2 整除.

前提：$p \rightarrow q, p$

结论：q

推理的形式结构：$(p \rightarrow q) \wedge p \rightarrow q$ 　　　　　　　　　　　　　　　　　　　（3.6）

由例 3.1 已知此推理正确，即 $(p \rightarrow q) \wedge p \Rightarrow q$.

（2）设 p, q 的含义同（1）.

前提：$p \rightarrow q, q$

结论：p

推理的形式结构：$(p \rightarrow q) \wedge q \rightarrow p$ 　　　　　　　　　　　　　　　　　　　（3.7）

当然可以用真值表法、等值演算、主析取范式等方法来判断式（3.7）是否为重言式. 但在此推理中，容易看出，01 是式（3.7）的成假赋值，所以此推理不正确.

（3）设

p：马芳下午去看电影.

q：马芳下午去游泳.

前提：$p \vee q, \neg p$

结论：q

推理的形式结构：$((p \vee q) \wedge \neg p) \rightarrow q$ 　　　　　　　　　　　　　　　　　（3.8）

用等值演算法来判断式（3.8）是否为重言式.

$$((p \vee q) \wedge \neg p) \rightarrow q$$
$$\Leftrightarrow ((p \wedge \neg p) \vee (q \wedge \neg p)) \rightarrow q$$
$$\Leftrightarrow (q \wedge \neg p) \rightarrow q$$
$$\Leftrightarrow \neg (q \wedge \neg p) \vee q$$
$$\Leftrightarrow \neg q \vee p \vee q$$
$$\Leftrightarrow 1$$

得证式（3.8）为重言式，所以推理正确.

（4）设

p：下午气温超过 30℃.

q：王小燕去游泳.

r：王小燕去看电影.

前提：$p \rightarrow q, q \rightarrow \neg r$

结论：$\neg r \rightarrow p$

推理的形式结构：$((p \rightarrow q) \wedge (q \rightarrow \neg r)) \rightarrow (\neg r \rightarrow p)$ 　　　　　　　　　（3.9）

用主析取范式法判式（3.9）是否为重言式.

$$((p \to q) \land (q \to \neg r)) \to (\neg r \to p)$$

$$\Leftrightarrow \neg((\neg p \lor q) \land (\neg q \lor \neg r)) \lor (r \lor p)$$

$$\Leftrightarrow ((p \land \neg q) \lor (q \land r)) \lor (r \lor p)$$

$$\Leftrightarrow p \lor r \qquad\qquad\qquad\qquad (用两次吸收律)$$

$$\Leftrightarrow (p \land \neg q \land \neg r) \lor (p \land \neg q \land r) \lor (p \land q \land \neg r)$$

$$\qquad \lor (p \land q \land r) \lor (\neg p \land \neg q \land r) \lor (\neg p \land q \land r)$$

$$\qquad \lor (p \land \neg q \land r) \lor (p \land q \land r)$$

$$\Leftrightarrow m_1 \lor m_3 \lor m_4 \lor m_5 \lor m_6 \lor m_7 \qquad (重排了序)$$

可见式(3.9)不是重言式(主析取范式中缺 2 个极小项 m_0 和 m_2),所以推理不正确.

有一些重要的重言蕴涵式,称作推理定律.下面给出 9 条推理定律,它们是:

1. $A \Rightarrow (A \lor B)$　　　　　　　　　　　　　　　附加律

2. $(A \land B) \Rightarrow A$　　　　　　　　　　　　　　　化简律

3. $(A \to B) \land A \Rightarrow B$　　　　　　　　　　　　假言推理

4. $(A \to B) \land \neg B \Rightarrow \neg A$　　　　　　　　　拒取式

5. $(A \lor B) \land \neg B \Rightarrow A$　　　　　　　　　析取三段论

6. $(A \to B) \land (B \to C) \Rightarrow (A \to C)$　　　假言三段论

7. $(A \leftrightarrow B) \land (B \leftrightarrow C) \Rightarrow (A \leftrightarrow C)$　　等价三段论

8. $(A \to B) \land (C \to D) \land (A \lor C) \Rightarrow (B \lor D)$　　构造性二难

　　$(A \to B) \land (\neg A \to B) \Rightarrow B$　　　　　构造性二难(特殊形式)

9. $(A \to B) \land (C \to D) \land (\neg B \lor \neg D) \Rightarrow (\neg A \lor \neg C)$　破坏性二难

其中 A, B, C, D 等是元语言符号,表示任意的命题公式.

把具体的命题公式代入某条推理定律后就得到这条推理定律的一个代入实例.例如, $p \Rightarrow p \lor q, p \to q \Rightarrow (p \to q) \lor r, p \Rightarrow p \lor q \lor r$ 等都是附加定律的代入实例.推理定律的每一个代入实例都是重言式,可以使用这些推理定律证明推理正确.在 3.2 节将看到,由这 9 条推理定律产生9 条推理规则,构成一个推理系统中的推理规则集.

除上述 9 条推理定律外,2.1 节给出的 24 个等值式中的每一个都能产生出两条推理定律.例如,双重否定律 $A \Leftrightarrow \neg\neg A$ 产生两条推理定律 $A \Rightarrow \neg\neg A$ 和 $\neg\neg A \Rightarrow A$.

3.2　自然推理系统 P

本节将对由前提 $A_1, A_2, \cdots, A_k$ 推出结论 B 的正确推理的证明给出严格的形式描述.证明是一个描述推理过程的命题公式序列,其中的每个公式或者是已知前提,或者是由前面的公式应用推理规则得到的结论(中间结论或推理中的结论).

定义 3.2　一个形式系统 I 由下面 4 个部分组成.

（1）非空的字母表 $A(I)$.

（2）$A(I)$ 中符号构造的合式公式集 $E(I)$.

（3）$E(I)$ 中一些特殊的公式组成的公理集 $A_x(I)$.

（4）推理规则集 $R(I)$.

将 I 记为 4 元组 $<A(I),E(I),A_x(I),R(I)>$. 其中 $<A(I),E(I)>$ 是 I 的 *形式语言系统*，而 $<A_x(I),R(I)>$ 为 I 的 *形式演算系统*.

形式系统一般分为两类. 一类是 *自然推理系统*，它的特点是从任意给定的前提出发，应用系统中的推理规则进行推理演算，最后得到的命题公式是推理的结论（它是有效的结论，可能是重言式，也可能不是重言式）. 另一类是 *公理推理系统*，它只能从若干条给定的公理出发，应用系统中的推理规则进行推理演算，得到的结论是系统中的重言式，称为系统中的 *定理*. 本书只介绍自然推理系统 P，它的定义中无公理部分，因而只有 3 个部分.

定义 3.3　自然推理系统 P 定义如下.

1. 字母表

（1）命题变项符号：$p,q,r,\cdots,p_i,q_i,r_i,\cdots(i\geqslant 1)$.

（2）联结词符号：$\neg,\wedge,\vee,\rightarrow,\leftrightarrow$.

（3）括号与逗号：$(\ ,\ )\ ,\ ,$.

2. 合式公式

同定义 1.6.

3. 推理规则

（1）前提引入规则：在证明的任何步骤都可以引入前提.

（2）结论引入规则：在证明的任何步骤所得到的结论都可以作为后继证明的前提.

（3）置换规则：在证明的任何步骤，命题公式中的子公式都可以用等值的公式置换，得到公式序列中的又一个公式.

由 9 条推理定律和结论引入规则可以导出以下各条推理规则.

（4）假言推理规则（或分离规则）：若证明的公式序列中已出现过 $A\rightarrow B$ 和 A，则由假言推理定律 $(A\rightarrow B)\wedge A\Rightarrow B$ 可知，B 是 $A\rightarrow B$ 和 A 的有效结论. 由结论引入规则可知，可以将 B 引入命题序列. 用图式表示为如下形式.

$$\frac{\begin{array}{c} A\rightarrow B \\ A \end{array}}{\therefore B}$$

以下各条推理规则直接以图式给出，不再加以说明.

（5）附加规则：

$$\frac{A}{\therefore A\vee B}$$

（6）化简规则：

$$\frac{A \wedge B}{\therefore A}$$

（7）拒取式规则：

$$A \rightarrow B$$
$$\underline{\neg B}$$
$$\therefore \neg A$$

（8）假言三段论规则：

$$A \rightarrow B$$
$$\underline{B \rightarrow C}$$
$$\therefore A \rightarrow C$$

（9）析取三段论规则：

$$A \vee B$$
$$\underline{\neg B}$$
$$\therefore A$$

（10）构造性二难推理规则：

$$A \rightarrow B$$
$$C \rightarrow D$$
$$\underline{A \vee C}$$
$$\therefore B \vee D$$

（11）破坏性二难推理规则：

$$A \rightarrow B$$
$$C \rightarrow D$$
$$\underline{\neg B \vee \neg D}$$
$$\therefore \neg A \vee \neg C$$

（12）合取引入规则：

$$A$$
$$\underline{B}$$
$$\therefore A \wedge B$$

设前提 $A_1, A_2, \cdots, A_k$，结论 B 和公式序列 $C_1, C_2, \cdots, C_l$. 如果每一个 $i(i=1,2,\cdots,l)$，C_i 是某个 A_j，或者可由序列中前面的公式应用推理规则得到，并且 $C_l=B$，则称公式序列 $C_1, C_2, \cdots, C_l$ 是由 $A_1, A_2, \cdots, A_k$ 推出 B 的证明.

例 3.3 在自然推理系统 P 中构造下面推理的证明.

（1）前提：$p \vee q, q \rightarrow r, p \rightarrow s, \neg s$

结论：$r \wedge (p \vee q)$

（2）前提：$\neg p \vee q, r \vee \neg q, r \rightarrow s$

结论：$p \rightarrow s$

解 （1）证明：

① $p \to s$ 前提引入

② $\neg s$ 前提引入

③ $\neg p$ ①②拒取式

④ $p \vee q$ 前提引入

⑤ q ③④析取三段论

⑥ $q \to r$ 前提引入

⑦ r ⑤⑥假言推理

⑧ $r \wedge (p \vee q)$ ⑦④合取引入

此证明的序列长为 8,最后一步为推理的结论,所以推理正确,$r \wedge (p \vee q)$ 是有效的结论.

（2）证明:

① $\neg p \vee q$ 前提引入

② $p \to q$ ①置换

③ $r \vee \neg q$ 前提引入

④ $q \to r$ ③置换

⑤ $p \to r$ ②④假言三段论

⑥ $r \to s$ 前提引入

⑦ $p \to s$ ⑤⑥假言三段论

得证 $p \to s$ 是有效结论.

可以在自然推理系统 P 中构造数学和日常生活中的一些推理,所得结论都是有效的. 当所有前提为真时,结论必为真.

例 3.4   在自然推理系统 P 中构造下面推理的证明:

若数 a 是实数,则它不是有理数就是无理数. 若 a 不能表示成分数,则它不是有理数. a 是实数且它不能表示成分数. 所以 a 是无理数.

解   设简单命题

  p: a 是实数.

  q: a 是有理数.

  r: a 是无理数.

  s: a 能表示成分数.

前提:$p \to (q \vee r)$,$\neg s \to \neg q$,$p \wedge \neg s$

结论:r

证明:

① $p \wedge \neg s$ 前提引入

② p ①化简

③ $\neg s$ ①化简

④ $p \to (q \vee r)$ 前提引入

⑤	$q \vee r$	②④假言推理
⑥	$\neg s \rightarrow \neg q$	前提引入
⑦	$\neg q$	③⑥假言推理
⑧	r	⑤⑦析取三段论

下面介绍两种构造证明方法.

1. 附加前提证明法

设推理的形式结构具有如下形式

$$(A_1 \wedge A_2 \wedge \cdots \wedge A_k) \rightarrow (A \rightarrow B) \tag{3.10}$$

其结论也为蕴涵式. 此时可以将结论中的前件也作为推理的前提, 使结论为 B, 即把推理的形式结构改写为

$$(A_1 \wedge A_2 \wedge \cdots \wedge A_k \wedge A) \rightarrow B \tag{3.11}$$

两者的等价性证明如下.

$$(A_1 \wedge A_2 \wedge \cdots \wedge A_k) \rightarrow (A \rightarrow B)$$

$$\Leftrightarrow \neg (A_1 \wedge A_2 \wedge \cdots \wedge A_k) \vee (\neg A \vee B)$$

$$\Leftrightarrow \neg (A_1 \wedge A_2 \wedge \cdots \wedge A_k \wedge A) \vee B$$

$$\Leftrightarrow (A_1 \wedge A_2 \wedge \cdots \wedge A_k \wedge A) \rightarrow B$$

因为式(3.10)与式(3.11)是等值的, 因而若能证明式(3.11)是重言式, 则式(3.10)也是重言式. 在证明式(3.10)时采用形式结构式(3.11), 称作附加前提证明法, 并将 A 称作附加前提.

例 3.5　在自然推理系统 P 中构造下面推理的证明.

如果小张和小王去看电影, 则小李也去看电影; 小赵不去看电影或小张去看电影; 小王去看电影. 所以, 当小赵去看电影时, 小李也去.

解　设简单命题

p: 小张去看电影.

q: 小王去看电影.

r: 小李去看电影.

s: 小赵去看电影.

前提: $(p \wedge q) \rightarrow r, \neg s \vee p, q$

结论: $s \rightarrow r$

证明: 用附加前提证明法.

①	s	附加前提引入
②	$\neg s \vee p$	前提引入
③	p	①②析取三段论
④	$(p \wedge q) \rightarrow r$	前提引入
⑤	q	前提引入
⑥	$p \wedge q$	③⑤合取引入

⑦　r　　　　　　　　　　④⑥假言推理

如果不用附加前提证明法证明,那么又应该如何证明呢? 请读者自行证明,并比较这两种证明方法.

2. 归谬法

在构造形式结构为

$$(A_1 \wedge A_2 \wedge \cdots \wedge A_k) \to B$$

的推理证明中,若将$\neg B$作为前提能推出矛盾来,比如说得出$(A \wedge \neg A)$,则说明推理正确. 其原因如下.

$$(A_1 \wedge A_2 \wedge \cdots \wedge A_k) \to B$$
$$\Leftrightarrow \neg(A_1 \wedge A_2 \wedge \cdots \wedge A_k) \vee B$$
$$\Leftrightarrow \neg(A_1 \wedge A_2 \wedge \cdots \wedge A_k \wedge \neg B)$$

若$(A_1 \wedge A_2 \wedge \cdots \wedge A_k \wedge \neg B)$为矛盾式,则说明$(A_1 \wedge A_2 \wedge \cdots \wedge A_k) \to B$为重言式,即

$$(A_1 \wedge A_2 \wedge \cdots \wedge A_k) \Rightarrow B$$

故推理正确.

这种将结论的否定式作为附加前提引入并推出矛盾式的证明方法称作归谬法. 数学上经常使用的反证法就是归谬法.

例 3.6　在自然推理系统 P 中构造下面推理的证明.

如果小张守第一垒并且小李向 B 队投球,则 A 队取胜;或者 A 队未取胜,或者 A 队成为联赛第一名;A 队没有成为联赛的第一名;小张守第一垒. 因此,小李没向 B 队投球.

解　设简单命题

　　p:小张守第一垒.

　　q:小李向 B 队投球.

　　r:A 队取胜.

　　s:A 队成为联赛第一名.

前提:$(p \wedge q) \to r, \neg r \vee s, \neg s, p$

结论:$\neg q$

证明:用归谬法

①	q	结论的否定引入
②	$\neg r \vee s$	前提引入
③	$\neg s$	前提引入
④	$\neg r$	②③析取三段论
⑤	$(p \wedge q) \to r$	前提引入
⑥	$\neg(p \wedge q)$	④⑤拒取式
⑦	$\neg p \vee \neg q$	⑥置换
⑧	p	前提引入

⑨　¬q　　　　　　　　　　⑦⑧析取三段论

⑩　q∧¬q　　　　　　　　①⑨合取

由于最后一步 $q \wedge \neg q \Rightarrow 0$,即 $(((p \wedge q) \rightarrow r) \wedge (\neg r \vee s) \wedge \neg s \wedge p) \wedge q \Rightarrow 0$,所以推理正确. 请读者不用归谬法证明之.

3.3　消解证明法

消解证明法是根据归谬法的思想,采用消解规则构造证明的方法. 它的基本做法是,把前提中的公式和结论的否定都化成等值的合取范式,以这些合取范式中的所有简单析取式作为前提,用消解规则构造证明. 如果能得到空式,则证明推理是正确的. 消解证明法除准备工作外,只使用前提引入和消解两条规则.

例 3.7　用消解证明法证明下面推理.

前提:$q \rightarrow p, q \leftrightarrow s, s \leftrightarrow t, t \wedge r$

结论:$p \wedge q \wedge s$

解　先求前提中各式和结论否定的合取范式.

$q \rightarrow p \Leftrightarrow \neg q \vee p$, $q \leftrightarrow s \Leftrightarrow (\neg q \vee s) \wedge (\neg s \vee q)$, $s \leftrightarrow t \Leftrightarrow (\neg s \vee t) \wedge (\neg t \vee s)$, $t \wedge r$,

$\neg(p \wedge q \wedge s) \Leftrightarrow \neg p \vee \neg q \vee \neg s$

将推理的前提改成下述形式.

前提:$\neg q \vee p, \neg q \vee s, \neg s \vee q, \neg s \vee t, \neg t \vee s, t, r, \neg p \vee \neg q \vee \neg s$

证明:①$\neg t \vee s$　　　　　　　前提引入

　　　②t　　　　　　　　　　前提引入

　　　③s　　　　　　　　　　①②归结

　　　④$\neg s \vee q$　　　　　　前提引入

　　　⑤q　　　　　　　　　　③④归结

　　　⑥$\neg q \vee p$　　　　　　前提引入

　　　⑦p　　　　　　　　　　⑤⑥归结

　　　⑧$\neg p \vee \neg q \vee \neg s$　前提引入

　　　⑨$\neg q \vee \neg s$　　　　　⑦⑧归结

　　　⑩$\neg s$　　　　　　　　　⑤⑨归结

　　　⑪λ　　　　　　　　　③⑩归结

习　题　3

1. 从日常生活或数学中的各种推理中,构造两个满足附加律的推理定律,并将它们符号化. 例如,"若 2 是

偶数,则 2 是偶数或 3 是奇数". 令 p:2 是偶数,q:3 是奇数,则该附加律符号化为

$$p \Rightarrow p \vee q$$

2. 从日常生活或数学的各种推理中,构造两个满足化简律的推理定律,并将它们符号化. 例如,"我去过海南岛和新疆,所以我去过海南岛". 令 p:我去过海南岛,q:我去过新疆,则该化简律符号化为

$$p \wedge q \Rightarrow p$$

3. 构造 3 个满足假言推理定律的推理,并将它们符号化. 例如,"如果 2 是素数,则雪是黑色的;2 是素数. 所以雪是黑色的". 令 p:2 是素数,q:雪是黑色的,该假言推理定律符号化为

$$(p \rightarrow q) \wedge p \Rightarrow q$$

4. 参照第 1,2,3 题,构造满足拒取式、析取三段论、假言三段论、等价三段论、构造性二难等推理定律的实例各一个,并将它们符号化.

5. 分别写出由德摩根律、吸收律所产生的推理定律(每个等值式产生两条推理定律).

6. 判断下面推理是否正确. 先将简单命题符号化,再写出前提、结论、推理的形式结构(以蕴涵式的形式给出)和判断过程(至少给出两种判断方法).

(1) 若今天是星期一,则明天是星期三. 今天是星期一. 所以明天是星期三.

(2) 若今天是星期一,则明天是星期二. 明天是星期二. 所以今天是星期一.

(3) 若今天是星期一,则明天是星期三. 明天不是星期三. 所以今天不是星期一.

(4) 若今天是星期一,则明天是星期二. 今天不是星期一. 所以明天不是星期二.

(5) 若今天是星期一,则明天是星期二或星期三. 今天是星期一. 所以明天是星期二.

(6) 今天是星期一当且仅当明天是星期三. 今天不是星期一. 所以明天不是星期三.

7. 对下面的每个前提给出两个结论,要求一个是有效的,而另一个不是有效的.

(1) 前提:$p \rightarrow q, q \rightarrow r$

(2) 前提:$(p \wedge q) \rightarrow r, \neg r, q$

(3) 前提:$p \rightarrow (q \rightarrow r), p, q$

8. 对下面的每个前提给出两个结论,要求一个是有效的,而另一个不是有效的.

(1) 只有天气热,我才去游泳. 我正在游泳. 所以……

(2) 只要天气热,我就去游泳. 我没去游泳. 所以……

(3) 除非天气热并且我有时间,我才去游泳. 天气不热或我没有时间. 所以……

9. 用 3 种方法(真值表法、等值演算法、主析取范式法)证明下面推理是正确的.

若 a 是奇数,则 a 不能被 2 整除. 若 a 是偶数,则 a 能被 2 整除. 因此,如果 a 是偶数,则 a 不是奇数.

10. 用真值表法和主析取范式法证明下面推理不正确.

如果 a 和 b 之积是负数,则 a 和 b 中恰有一个是负数. a 和 b 之积不是负数. 所以 a 和 b 都不是负数.

11. 填充下面推理证明中没有写出的推理规则.

前提:$\neg p \vee q, \neg q \vee r, r \rightarrow s, p$

结论:s

证明:

①　p　　　　　　　　　　　　前提引入

②　$\neg p \vee q$　　　　　　　　　前提引入

③　q

④　$\neg q \lor r$　　　　　　　　　前提引入

⑤　r

⑥　$r \to s$　　　　　　　　　前提引入

⑦　s

12. 填充下面推理证明中没有写出的推理规则.

前提:$p \to (q \to r), q \to (r \to s)$

结论:$(p \land q) \to s$

证明:

①　$p \land q$

②　p

③　q

④　$p \to (q \to r)$　　　　　　　　　前提引入

⑤　$q \to r$

⑥　r

⑦　$q \to (r \to s)$　　　　　　　　　前提引入

⑧　$r \to s$

⑨　s

13. 前提:$\neg(p \to q) \land q, p \lor q, r \to s$

结论 1:r

结论 2:s

结论 3:$r \lor s$

(1) 证明从此前提出发,推出结论 1、结论 2、结论 3 的推理都是正确的.

(2) 证明从此前提出发,推出任何结论的推理都是正确的.

14. 在自然推理系统 P 中构造下面推理的证明.

(1) 前提:$p \to (q \to r), p, q$

　　结论:$r \lor s$

(2) 前提:$p \to q, \neg(q \land r), r$

　　结论:$\neg p$

(3) 前提:$p \to q$

　　结论:$p \to (p \land q)$

(4) 前提:$q \to p, q \leftrightarrow s, s \leftrightarrow t, t \land r$

　　结论:$p \land q$

(5) 前提:$p \to r, q \to s, p \land q$

　　结论:$r \land s$

(6) 前提:$\neg p \lor r, \neg q \lor s, p \land q$

　　结论:$t \to (r \land s)$

15. 在自然推理系统 P 中用附加前提法证明下面推理.

(1) 前提:$p \to (q \to r), s \to p, q$

　　　　结论：$s \rightarrow r$

（2）前提：$(p \vee q) \rightarrow (r \wedge s), (s \vee t) \rightarrow u$

　　　　结论：$p \rightarrow u$

16. 在自然推理系统 P 中用归谬法证明下面推理.

（1）前提：$p \rightarrow \neg q, \neg r \vee q, r \wedge \neg s$

　　　　结论：$\neg p$

（2）前提：$p \vee q, p \rightarrow r, q \rightarrow s$

　　　　结论：$r \vee s$

17. 在自然推理系统 P 中构造下面推理的证明.

　　只要 A 曾到过受害者房间并且 11 点以前没离开，A 就是谋杀嫌犯. A 曾到过受害者房间. 如果 A 在 11 点以前离开，看门人就会看见他. 看门人没有看见他. 所以 A 是谋杀嫌犯.

18. 在自然推理系统 P 中构造下面推理的证明.

　　（1）如果今天是星期六，我们就要到颐和园或圆明园去玩. 如果颐和园游人太多，我们就不去颐和园玩. 今天是星期六. 颐和园游人太多. 所以我们去圆明园玩.

　　（2）如果小王是理科生，则他的数学成绩一定很好. 如果小王不是文科生，则他一定是理科生. 小王的数学成绩不好. 所以小王是文科生.

19. 用消解证明法构造下列推理的证明.

　　（1）前提：$p \rightarrow (q \rightarrow r), p, q$

　　　　结论：$r \vee s$

　　（2）前提：$p \rightarrow q$

　　　　结论：$p \rightarrow (p \wedge q)$

　　（3）前提：$q \rightarrow p, q \leftrightarrow s, s \leftrightarrow t, t \wedge r$

　　　　结论：$p \wedge q$

　　（4）前提：$\neg p \vee r, \neg q \vee s, p \wedge q$

　　　　结论：$t \rightarrow (r \wedge s)$

　　（5）前提：$p \vee q, p \rightarrow r, q \rightarrow s$

　　　　结论：$r \vee s$

第 4 章
一阶逻辑基本概念

命题逻辑具有一定的局限性,甚至无法判断一些常见的简单推理.例如,考虑下面的推理:

凡偶数都能被 2 整除. 6 是偶数. 所以 6 能被 2 整除.

这个推理是数学中的真命题,但在命题逻辑中却无法判断它的正确性.在命题逻辑中只能将推理中出现的 3 个简单命题依次符号化为 p,q,r,将推理的形式结构符号化为

$$(p \wedge q) \rightarrow r$$

由于上式不是重言式,所以不能由它判断推理的正确性.问题出在"凡"字,在命题逻辑中不能很好地描述"凡偶数都能被 2 整除"的本意,只能把它作为一个简单命题.为克服命题逻辑的这种局限性,需要引入量词,以期达到表达出个体与总体之间的内在联系和数量关系,这就是一阶逻辑所研究的内容.一阶逻辑也称作一阶谓词逻辑或谓词逻辑.

4.1 一阶逻辑命题符号化

个体词、谓词和量词是一阶逻辑命题符号化的 3 个基本要素.下面讨论这 3 个要素.

1. 个体词

个体词是指所研究对象中可以独立存在的具体的或抽象的客体.例如,小王,小李,中国,$\sqrt{2}$,3 等都可作为个体词.将表示具体或特定的客体的个体词称作个体常项,一般用小写英文字母 a,b,c 等表示,而将表示抽象或泛指的个体词称作个体变项,常用 x,y,z 等表示.并称个体变项的取值范围为个体域(或称作论域).个体域可以是有穷集合,例如,$\{1,2,3\}$,$\{a,b,c,d\}$,

$\{a,b,c,\cdots,x,y,z\}$ 等,也可以是无穷集合,如自然数集合 **N**、实数集合 **R** 等.有一个特殊的个体域,它是由宇宙间一切事物组成的,称作全总个体域.本书在论述或推理中如不指明所采用的个体域,都是使用全总个体域.

2.谓词

谓词是用来刻画个体词性质及个体词之间相互关系的词,常用 F,G,H 等表示.考虑下面 4 个陈述句.

(1) $\sqrt{2}$ 是无理数.

(2) x 是有理数.

(3) 小王与小李同岁.

(4) x 与 y 具有关系 L.

在(1)中,$\sqrt{2}$ 是个体常项,"……是无理数"是谓词,记为 F.整个陈述句可以表示成 $F(\sqrt{2})$.在(2)中,x 是个体变项,"……是有理数"是谓词,记作 G.这个陈述句可以表示成 $G(x)$.在(3)中,小王,小李都是个体常项,"……与……同岁"是谓词,记作 H,这个陈述句可符号化为 $H(a,b)$,其中 a 表示小王,b 表示小李.在(4)中,x,y 为两个个体变项,L 是谓词,这个陈述句的符号化形式为 $L(x,y)$.

同个体词一样,谓词也有常项与变项之分.表示具体性质或关系的谓词称作谓词常项,表示抽象的或泛指的性质或关系的谓词称作谓词变项.无论是谓词常项或变项都用大写英文字母 F,G,H 等表示,要根据上下文区分.在上面 4 个陈述句中,(1),(2),(3)中谓词 F,G,H 是常项,而(4)中谓词 L 是变项.

一般地,含 $n(n\geqslant 1)$ 个个体变项 $x_1,x_2,\cdots,x_n$ 的谓词 P 称作 n 元谓词,记作 $P(x_1,x_2,\cdots,x_n)$.当 $n=1$ 时,$P(x_1)$ 表示 x_1 具有性质 P;当 $n\geqslant 2$ 时,$P(x_1,x_2,\cdots,x_n)$ 表示 $x_1,x_2,\cdots,x_n$ 具有关系 P.n 元谓词是以个体域为定义域,以 $\{0,1\}$ 为值域的 n 元函数或关系.

有时将不带个体变项的谓词称作 0 元谓词.例如,$F(a),G(a,b),P(a_1,a_2,\cdots,a_n)$ 等都是 0 元谓词.当 F,G,P 为谓词常项时,0 元谓词为命题.反之,任何命题均可以表示成 0 元谓词,因而可以将命题看成特殊的谓词.

例 4.1 将下列命题在一阶逻辑中用 0 元谓词符号化,并讨论它们的真值.

(1) 只有 2 是素数,4 才是素数.

(2) 如果 5 大于 4,则 4 大于 6.

解 (1) 设 1 元谓词 $F(x):x$ 是素数,命题可符号化为
$$F(4)\rightarrow F(2)$$
由于此蕴涵式的前件为假,所以命题为真.

(2) 设 2 元谓词 $G(x,y):x>y$,命题可符号化为
$$G(5,4)\rightarrow G(4,6)$$
由于 $G(5,4)$ 为真,而 $G(4,6)$ 为假,所以命题为假.

3.量词

表示个体常项或变项之间数量关系的词称作量词. 有两种量词.

（1）全称量词. 日常生活和数学中常用的"一切的""所有的""每一个""任意的""凡""都"等词统称作全称量词, 用符号"∀"表示, ∀x 表示个体域里的所有个体 x, 其中个体域是事先约定的. 例如, ∀xF(x) 表示个体域里所有个体 x 都有性质 F, ∀x∀yG(x,y) 表示个体域里的所有个体 x 和 y 有关系 G, 其中 F 和 G 是谓词.

（2）存在量词. 日常生活和数学中常用的"存在""有一个""有的""至少有一个"等词统称作存在量词, 用符号"∃"表示. ∃x 表示个体域里有一个个体 x. 例如, 用 ∃xF(x) 表示在个体域里存在个体 x 具有性质 F, ∃x∃yG(x,y) 表示在个体域里存在个体 x 和 y 有关系 G.

全称量词和存在量词可以联合使用. 例如, ∀x∃yG(x,y) 表示对个体域里所有个体 x, 存在 y 使得 x 和 y 有关系 G; 而 ∃x∀yG(x,y) 表示个体域里存在个体 x 使得其和所有的个体 y 有关系 G.

下面举例说明一阶逻辑中的命题符号化.

例 4.2　在个体域分别限制为（a）和（b）条件时, 将下面两个命题符号化.

（1）凡人都呼吸.

（2）有的人用左手写字.

其中:（a）个体域 D_1 为人类集合;

　　（b）个体域 D_2 为全总个体域.

解　（a）令 $F(x)$:x 呼吸. $G(x)$:x 用左手写字.

在 D_1 中除人外, 再无别的东西, 因而

（1）符号化为

$$\forall xF(x) \tag{4.1}$$

（2）符号化为

$$\exists xG(x) \tag{4.2}$$

（b）D_2 中除有人外, 还有万物, 因而在符号化时必须考虑将人先分离出来. 为此引入谓词 $M(x)$:x 是人. 在 D_2 中, 把（1）,（2）分别说得更清楚些:

（1）对于宇宙间一切个体而言, 如果个体是人, 则他呼吸.

（2）在宇宙间存在用左手写字的人（或者更清楚地, 在宇宙间存在这样的个体, 它是人且用左手写字）.

于是,（1）,（2）的符号化形式应分别为

$$\forall x(M(x) \rightarrow F(x)) \tag{4.3}$$

和

$$\exists x(M(x) \wedge G(x)) \tag{4.4}$$

其中 $F(x)$ 与 $G(x)$ 的含义同（a）.

由例 4.2 可知, 命题（1）,（2）在不同的个体域中符号化的形式可能不一样. 当使用全总个体域 D_2 时, 为了将人与其他事物区别出来, 引进了谓词 $M(x)$. 这样的谓词称作特性谓词. 在命题符号化时一定要注意正确使用特性谓词.

这里要提醒初学者注意一个常见的错误:不能正确地使用→与∧. 例如, 有些初学者, 在 D_2 中将(1)符号化为下面形式:

$$\forall x(M(x)\land F(x)) \tag{4.5}$$

这是不对的. 若将它翻译成自然语言, 则应该是"宇宙间的所有个体都是人并且都呼吸", 这显然不是(1)的原意. 另一方面, 还有人将(2)符号化为

$$\exists x(M(x)\to G(x)) \tag{4.6}$$

这也是不对的. 将它翻译成自然语言应该为"在宇宙间存在个体, 如果这个体是人, 则他用左手写字", 这显然也不是(2)的原意.

当 F 是谓词常项时, $\forall xF(x)$ 是一个命题. 如果把个体域中的任何一个个体 a 代入, $F(a)$ 都为真, 则 $\forall xF(x)$ 为真; 否则 $\forall xF(x)$ 为假. $\exists xF(x)$ 也是一个命题. 如果个体域中存在一个个体 a, 使得 $F(a)$ 为真, 则 $\exists xF(x)$ 为真; 否则 $\exists xF(x)$ 为假.

例 4.3　在个体域限制为(a)和(b)条件时, 将下列命题符号化, 并给出它们的真值.

(1) 对于任意的 x, 均有 $x^2-3x+2=(x-1)(x-2)$.

(2) 存在 x, 使得 $x+5=3$.

其中:(a) 个体域 $D_1=\mathbf{N}$

(b) 个体域 $D_2=\mathbf{R}$

解　(a) 令 $F(x):x^2-3x+2=(x-1)(x-2)$, $G(x):x+5=3$. 命题(1)的符号化形式为

$$\forall xF(x) \tag{4.7}$$

命题(2)的符号化形式为

$$\exists xG(x) \tag{4.8}$$

显然(1)为真命题, 而(2)为假命题.

(b) 在 D_2 内, (1)与(2)的符号化形式还分别是式(4.7)和式(4.8), (1)仍然是真命题, 而此时(2)也为真命题.

从例 4.2 和例 4.3 可以看出以下两点.

1. 在不同个体域内, 同一个命题的符号化形式可能不同, 也可能相同.

2. 同一个命题, 在不同个体域中的真值也可能不同.

另外, 作为一种约定, 今后若没有特别指明个体域, 都是采用全总个体域.

例 4.4　将下列命题符号化, 并讨论它们的真值.

(1) 所有的人都长着黑头发.

(2) 有的人登上过月球.

(3) 没有人登上过木星.

(4) 在美国留学的学生未必都是亚洲人.

解　由于本题没指明个体域, 因而应采用全总个体域. 令 $M(x):x$ 为人.

(1) 令 $F(x):x$ 长着黑头发. 命题(1)符号化形式为

$$\forall x(M(x)\to F(x)) \tag{4.9}$$

设 a 为某金发姑娘,则 $M(a)$ 为真,而 $F(a)$ 为假,所以 $M(a){\to}F(a)$ 为假,故式(4.9)为假.

（2）令 $G(x)$:x 登上过月球.命题（2）符号化形式为

$$\exists x(M(x)\land G(x)) \tag{4.10}$$

设 a 是 1969 年登上月球完成阿波罗计划的美国宇航员阿姆斯特朗,$M(a)\land G(a)$ 为真,所以式(4.10)为真.

（3）令 $H(x)$:x 登上过木星.命题（3）符号化形式为

$$\lnot\exists x(M(x)\land H(x)) \tag{4.11}$$

到目前为止,还没有人登上过木星,所以对任何个体 a,要么 $M(a)$ 为假(a 不是人),要么 $H(a)$ 为假(a 没有登上过木星),故 $M(a)\land H(a)$ 均为假,因而 $\exists x(M(x)\land H(x))$ 为假,式(4.11)为真.

（4）令 $F(x)$:x 是在美国留学的学生,$G(x)$:x 是亚洲人.命题（4）符号化形式为

$$\lnot\forall x(F(x){\to}G(x)) \tag{4.12}$$

此命题为真.

下面的问题要使用 $n(n{\geqslant}2)$ 元谓词.

例 4.5　将下列命题符号化.

（1）兔子比乌龟跑得快.

（2）有的兔子比所有的乌龟跑得快.

（3）并不是所有的兔子都比乌龟跑得快.

（4）不存在跑得同样快的两只兔子.

解　因为本题没有指明个体域,因而采用全总个体域.“……比……跑得快”是 2 元谓词,需引入两个个体变项 x 与 y.令 $F(x)$:x 是兔子,$G(y)$:y 是乌龟,$H(x,y)$:x 比 y 跑得快,$L(x,y)$:x 与 y 跑得同样快,$N(x,y)$:$x=y$.这 4 个命题分别符号化为

$$\forall x\forall y(F(x)\land G(y){\to}H(x,y)) \tag{4.13}$$

$$\exists x(F(x)\land\forall y(G(y){\to}H(x,y))) \tag{4.14}$$

$$\lnot\forall x\forall y(F(x)\land G(y){\to}H(x,y)) \tag{4.15}$$

$$\lnot\exists x\exists y(F(x)\land F(y)\land N(x,y)\land L(x,y)) \tag{4.16}$$

对于含 n 元谓词的命题,在符号化时应该注意以下几点.

1. 命题中表示性质和关系的谓词,分别符号化为一元和 $n(n{\geqslant}2)$ 元谓词.

2. 根据命题的实际意义选用全称量词或存在量词.

3. 一般说来,当多个量词出现时,它们的顺序不能随意调换.例如,考虑个体域为实数集,$H(x,y)$ 表示 $x+y=10$,则命题“对于任意的 x,都存在 y,使得 $x+y=10$”的符号化形式为

$$\forall x\exists yF(x,y) \tag{4.17}$$

所给命题显然为真命题.但如果改变两个量词的顺序,则得

$$\exists y\forall xH(x,y) \tag{4.18}$$

它的意思是“存在 y 使得,对所有的 x 都有 $x+y=10$”,这是一个假命题.式(4.18)与式(4.17)表达的是两个不同的意思.

4. 命题的符号化形式不唯一. 例如,在例 4.5 中,(3)还可以符号化为

$$\exists x \exists y (F(x) \wedge G(y) \wedge \neg H(x,y)) \qquad (4.19)$$

(4)还可以符号化为

$$\forall x \forall y (F(x) \wedge F(y) \wedge N(x,y) \rightarrow \neg L(x,y)) \qquad (4.20)$$

第 5 章可以证明式(4.15)和式(4.19)、式(4.16)与式(4.20)是等值的.

由于引进了个体词、谓词和量词的概念,现在可以将本章开始时讨论的推理"凡偶数都能被 2 整除. 6 是偶数. 所以 6 能被 2 整除. "在一阶逻辑中可符号化为

$$(\forall x (F(x) \rightarrow G(x))) \wedge F(6) \rightarrow G(6) \qquad (4.21)$$

其中,$F(x):x$ 是偶数,$G(x):x$ 能被 2 整除. 第 5 章可以证明式(4.21)是永真式,即恒真.

4.2 一阶逻辑公式及其解释

4.1 节中给出的(4.1)~(4.21)各式都是具体命题或推理在一阶逻辑中的符号化形式. 与在命题逻辑中一样,为在一阶逻辑中进行演算和推理,还必须给出一阶逻辑中公式的抽象定义以及它们的解释. 为此,首先给出一阶语言的概念. 所谓一阶语言,是用于一阶逻辑的形式语言,而一阶逻辑是建立在一阶语言上的逻辑体系. 一阶语言本身是由抽象符号构成的,可以根据需要被解释成各种具体的含义. 有多种形式的一阶语言,本书介绍一阶语言 $\mathscr{L}$,用它可以方便地将自然语言中的命题符号化.

在描述对象和形式化时要使用个体常项、个体变项、函数、谓词、量词、联结词和括号与逗号. 个体常项符号、函数符号和谓词符号称作非逻辑符号,个体变项符号、量词符号、联结词符号和括号与逗号称作逻辑符号.

定义 4.1 设 L 是一个非逻辑符号集合,由 L 生成的一阶语言 $\mathscr{L}$ 的字母表包括下述符号.

非逻辑符号

(1) L 中的个体常项符号,常用 $a,b,c,\cdots$ 或 $a_i,b_i,c_i,\cdots(i \geqslant 1)$ 表示.

(2) L 中的函数符号,常用 $f,g,h,\cdots$ 或 $f_i,g_i,h_i,\cdots(i \geqslant 1)$ 表示.

(3) L 中的谓词符号,常用 $F,G,H,\cdots$ 或 $F_i,G_i,H_i,\cdots(i \geqslant 1)$ 表示.

逻辑符号

(4) 个体变项符号:$x,y,z,\cdots,x_i,y_i,z_i,\cdots(i \geqslant 1)$.

(5) 量词符号:$\forall,\exists$.

(6) 联结词符号:$\neg,\wedge,\vee,\rightarrow,\leftrightarrow$.

(7) 括号与逗号:$(,),,$.

定义 4.2 $\mathscr{L}$ 的项定义如下.

(1) 个体常项符号和个体变项符号是项.

（2）若 $\varphi(x_1,x_2,\cdots,x_n)$ 是 n 元函数符号，$t_1,t_2,\cdots,t_n$ 是 n 个项，则 $\varphi(t_1,t_2,\cdots,t_n)$ 是项．

（3）所有的项都是有限次使用（1），（2）得到的．

定义 4.3 设 $R(x_1,x_2,\cdots,x_n)$ 是 $\mathscr{L}$ 的 n 元谓词符号，$t_1,t_2,\cdots,t_n$ 是 $\mathscr{L}$ 的 n 个项，则称 $R(t_1,t_2,\cdots,t_n)$ 是 $\mathscr{L}$ 的原子公式．

例 4.5 中的 1 元谓词 $F(x)$，$G(y)$，2 元谓词 $H(x,y)$，$L(x,y)$ 等都是原子公式．

定义 4.4 $\mathscr{L}$ 的合式公式定义如下．

（1）原子公式是合式公式．

（2）若 A 是合式公式，则 $(\neg A)$ 也是合式公式．

（3）若 A,B 是合式公式，则 $(A\wedge B)$，$(A\vee B)$，$(A\rightarrow B)$，$(A\leftrightarrow B)$ 也是合式公式．

（4）若 A 是合式公式，则 $\forall xA$，$\exists xA$ 也是合式公式．

（5）只有有限次地应用（1）～（4）构成的符号串才是合式公式．

$\mathscr{L}$ 的合式公式也称作谓词公式，简称为公式．

为方便起见，公式 $(\neg A)$，$(A\wedge B)$，$\cdots$ 的最外层括号可以省去，写成 $\neg A$，$A\wedge B$ 等．在定义中出现的字母 A,B 是元语言符号，表示任意的合式公式．例如，可以是 $F(x)$，$G(x)$ 等原子公式，也可以是 $F(x)\rightarrow\exists yG(y)$，$\forall x(F(x,y)\wedge G(x,z))$ 等形式比较复杂的公式．式（4.1）～式（4.21）都是合式公式．

不同的一阶语言使用不同的非逻辑符号集合 L，但它们构造合式公式的规则是一样的．一阶逻辑研究一阶语言的一般性质，而不是针对某个特定的一阶语言．对一个具体的应用而言，L 通常是不言自明的，由使用的全部非逻辑符号组成．因此，今后除特殊需要外，不再特别指明 L，而简称为一阶语言 $\mathscr{L}$．

L 不一定要包含全部 3 类非逻辑符号，可以只包含其中的 1 种或 2 种，甚至等于空集 $\varnothing$．当 $L=\varnothing$ 时，$\mathscr{L}$ 中没有任何公式，也就没有任何意义．当 L 不包含谓词符号时，$\mathscr{L}$ 退化成命题逻辑中的语言．因此，通常总假设 L 中至少包含一个谓词符号．下面的讨论均在一阶语言中进行，也常常不再指明．

定义 4.5 在公式 $\forall xA$ 和 $\exists xA$ 中，称 x 为指导变元，A 为量词的辖域．在 $\forall x$ 和 $\exists x$ 的辖域中，x 的所有出现都称作约束出现，A 中不是约束出现的其他变项均称作自由出现．

例 4.6 指出下列各公式中的指导变元，各量词的辖域，自由出现以及约束出现的个体变项．

（1）$\forall x(F(x,y)\rightarrow G(x,z))$ （4.22）

（2）$\forall x(F(x)\rightarrow G(y))\rightarrow\exists y(H(x)\wedge L(x,y,z))$ （4.23）

解 （1）x 是指导变元．量词 $\forall$ 的辖域 $A=(F(x,y)\rightarrow G(x,z))$．在 A 中，x 是约束出现，而且约束出现两次，y 和 z 均为自由出现，各自由出现一次．

（2）公式中含 2 个量词，前件上的量词 $\forall$ 的指导变元为 x，$\forall$ 的辖域 $(F(x)\rightarrow G(y))$，其中 x 是约束出现，y 是自由出现．后件中的量词 $\exists$ 的指导变元为 y，$\exists$ 的辖域为 $(H(x)\wedge L(x,y,z))$，其中 y 是约束出现，x,z 均为自由出现．在整个公式中，x 约束出现一次，自由出现两次，y 自由出现一次,约束出现一次,z 自由出现一次.

注意:在式(4.23)中前件中的 x(它在 $\forall$ 的辖域中)与后件中的 x(它不在 $\forall$ 的辖域中,而在 $\exists$ 的辖域中)不是一个东西,而是两个不同的东西使用了同一个符号,如同两个人都叫张强,是两个不同的人起了同一个名字.

为方便起见,本书用 $A(x_1,x_2,\cdots,x_n)$ 表示含 $x_1,x_2,\cdots,x_n$ 自由出现的公式,并用 Δ 表示任意的量词($\forall$ 或 $\exists$).例如, $\Delta x_1 A(x_1,x_2,\cdots,x_n)$ 是含 $x_2,x_3,\cdots,x_n$ 自由出现的公式,可以记作 $A_1(x_2,x_3,\cdots,x_n)$.类似地, $\Delta x_2 \Delta x_1 A(x_1,x_2,\cdots,x_n)$ 可以记作 $A_2(x_3,x_4,\cdots,x_n)$, $\Delta x_{n-1}\Delta x_{n-2}\cdots$ $\Delta x_1 A(x_1,x_2,\cdots,x_n)$ 中只有 x_n 是自由出现的个体变项,记作 $A_{n-1}(x_n)$,而 $\Delta x_n \cdots$ $\Delta x_1 A(x_1,x_2,\cdots,x_n)$ 已无自由出现的个体变项了.

可以将例 4.6(1)中公式记作 $A(y,z)$,表明它含自由出现的个体变项 y,z .而 $\forall y A(y,z)$ 中只有 z 为自由出现, $\exists z \forall y A(y,z)$ 中已无自由出现的个体变项了,此时的公式为

$$\exists z \forall y \forall x (F(x,y) \rightarrow G(x,y,z)) \tag{4.24}$$

定义 4.6　设 A 是任意的公式,若 A 中不含自由出现的个体变项,则称 A 为*封闭的公式*,简称作*闭式*.

易知式(4.1)~式(4.21)以及式(4.24)都是闭式,而式(4.22)和式(4.23)则不是闭式.要想使含 $r(r \geq 1)$ 个自由出现的个体变项的公式变成闭式至少要加上 r 个量词.将式(4.22)加 2 个量词就变成闭式(4.24).类似地,也可以用加量词的方法将式(4.23)变成闭式.

$\mathscr{L}$ 中的合式公式是按照形成规则生成的符号串,没有实际的含义.只有将其中的变项(个体变项、谓词变项等)用指定的常项代替后,所得公式才具有特定的实际含义.

例 4.7　(1) $\exists x F(f(x),a)$

下面指定个体域和个体常项符号 a ,函数符号 f 及谓词符号 F 的含义.

(a) 个体域为实数集 $\mathbf{R}$, $a=0$, $f(x)=2x+1$, $F(x,y):x=y$.公式的含义是:存在实数 x ,使得 $2x+1=0$.这是真命题.

(b) $a,f(x),F(x,y)$ 的含义同上,个体域改为自然数集 $\mathbf{N}$.公式的含义是:存在自然数 x ,使得 $2x+1=0$.这是假命题.

(2) $\forall x G(x,y)$

指定个体域为自然数集 $\mathbf{N}$, $G(x,y):x \geq y$.公式的含义是:所有的自然数大于等于 y .这不是命题.为使公式成为命题,需要指定自由出现的个体变项 y 的值.若指定 $y=0$,则公式的含义是:所有的自然数大于等于 0.这是真命题.若指定 $y=1$,则公式的含义是:所有的自然数大于等于 1.这是假命题.

上面对公式中个体域及个体常项符号、函数符号、谓词符号的指定称作*解释*,指定自由出现的个体变项的值称作*赋值*.定义如下.

定义 4.7　设 $\mathscr{L}$ 是由 L 生成的一阶语言, $\mathscr{L}$ 的*解释* I 由下面 4 部分组成.

(a) 非空个体域 D_I

(b) 对每一个个体常项符号 $a \in L$,有一个 $\bar{a} \in D_I$,称 $\bar{a}$ 为 a 在 I 中的解释.

（c）对每一个 n 元函数符号 $f \in L$，有一个 D_I 上的 n 元函数 $\bar{f}: D_I^n \to D_I$，称 $\bar{f}$ 为 f 在 I 中的解释.

（d）对每一个 n 元谓词符号 $F \in L$，有一个 D_I 上的 n 元谓词常项 $\bar{F}$，称 $\bar{F}$ 为 F 在 I 中的解释.

I 下的赋值 σ：对每一个个体变项符号 x 指定 D_I 中的一个值 $\sigma(x)$.

设公式 A，规定：在解释 I 和赋值 σ 下，

1. 取个体域 D_I，

2. 若 A 中含个体常项符号 a 就将它替换成 $\bar{a}$，

3. 若 A 中含函数符号 f 就将它替换成 $\bar{f}$，

4. 若 A 中含谓词符号 F 就将它替换成 $\bar{F}$，

5. 若 A 中含自由出现的个体变项符号 x 就将它替换成 $\sigma(x)$，

把这样所得到的公式记作 A'. 称 A' 为 A 在 I 下的解释，或 A 在 I 下被解释成 A'.

例 4.8 给定解释 I 和 I 下的赋值 σ 如下.

（a）个体域 $D = \mathbf{N}$.

（b）$\bar{a} = 0$.

（c）$\bar{f}(x,y) = x + y$，$\bar{g}(x,y) = x \cdot y$.

（d）$\bar{F}(x,y)$ 为 $x = y$.

（e）$\sigma(x) = 1, \sigma(y) = 2, \sigma(z) = 3$.

写出下列公式在 I 及 σ 下的解释，并指出哪些公式为真？哪些为假？哪些真值不能确定？

（1）$F(f(x,y), g(x,y))$

（2）$F(f(x,a), y) \to F(g(x,y), z)$

（3）$\neg F(g(x,y), g(y,z))$

（4）$\forall x F(g(x,y), z)$

（5）$\forall x F(g(x,a), x) \to F(x,y)$

（6）$\forall x F(g(x,a), x)$

（7）$\forall x \forall y (F(f(x,a), y) \to F(f(y,a), x))$

（8）$\forall x \forall y \exists z F(f(x,y), z)$

（9）$\exists x F(f(x,x), g(x,x))$

解 （1）在 I 下，该公式被解释成"$1 + 2 = 1 \times 2$"，假命题.

（2）公式被解释成"$(1 + 0 = 2) \to (1 \times 2 = 3)$"，真命题.

（3）公式被解释成"$1 \times 2 \neq 2 \times 3$"，真命题.

（4）公式被解释成"$\forall x (2x = 3)$"，假命题.

（5）公式被解释成"$\forall x (x \cdot 0 = x) \to (1 = 2)$"，由于蕴涵式的前件为假，所以为真.

（6）公式被解释成"$\forall x (x \cdot 0 = x)$"，假命题.

（7）公式被解释成"$\forall x \forall y ((x + 0 = y) \to (y + 0 = x))$"，真命题.

（8）公式被解释成"$\forall x \forall y \exists z(x+y=z)$"，真命题.

（9）公式被解释成"$\exists x(x+x=x \cdot x)$"，真命题.

给定解释 I 和 I 下的赋值 σ，任何公式都被解释成命题. 特别地，对于闭式，由于没有自由出现的个体变项符号，所以不要赋值，只需要解释就够了.

有的公式在任何解释和任何赋值下均为真，有些公式在任何解释和任何赋值下均为假，而又有些公式既存在成真的解释和赋值，又存在成假的解释和赋值. 为了区别这 3 种不同的公式类型，定义如下.

定义 4.8　设 A 为一公式，若 A 在任何解释和该解释下的任何赋值下均为真，则称 A 为 *永真式*（或称作 *逻辑有效式*）. 若 A 在任何解释和该解释下的任何赋值下均为假，则称 A 为 *矛盾式*（或 *永假式*）. 若至少存在一个解释和该解释下的一个赋值使 A 为真，则称 A 是 *可满足式*.

根据定义，永真式一定是可满足式，但是可满足式不一定是永真式. 在例 4.8 中，公式（2），（3），（5），（7），（8），（9）都是可满足的，因为在那里已给出它们的成真的解释和赋值；而公式（1），（4），（6）不是永真式，因为已有解释和赋值使它成假.

在命题逻辑中可以用真值表等方法判断任意给定的公式是否是可满足的（重言式、矛盾式）. 但在一阶逻辑中，情况就完全不同了. 由于公式中的谓词和函数可以有各种不同的解释，使得情况变得异常复杂，结果是判断任意给定的公式是否是可满足的（永真式、矛盾式）的问题是不可判定的，即不存在一个算法能够在有限步内判断任意给定的公式是否是可满足的（永真式、矛盾式）. 下面仅讨论某些简单的情况.

定义 4.9　设 A_0 是含命题变项 $p_1, p_2, \cdots, p_n$ 的命题公式，$A_1, A_2, \cdots, A_n$ 是 n 个谓词公式，用 $A_i(1 \leqslant i \leqslant n)$ 处处代替 A_0 中的 p_i，所得公式 A 称为 A_0 的 *代换实例*.

例如，$F(x) \to G(x)$，$\forall xF(x) \to \exists yG(y)$ 都是 $p \to q$ 的代换实例.

定理 4.1　重言式的代换实例都是永真式，矛盾式的代换实例都是矛盾式.

证明略.

例 4.9　判断下列公式中，哪些是永真式，哪些是矛盾式？

（1）$\forall x(F(x) \to G(x,y))$

（2）$\exists x(F(x) \wedge G(x,y))$

（3）$\forall xF(x) \to (\exists x \exists yG(x,y) \to \forall xF(x))$

（4）$\neg(\forall xF(x) \to \exists yG(y)) \wedge \exists yG(y)$

解　为方便起见，用 A, B, C, D 分别记（1），（2），（3），（4）中的公式.

（1）A 是闭式，只需要考虑解释. 取解释 I_1：个体域为实数集合 $\mathbf{R}$，$F(x)$：x 是整数，$G(x)$：x 是有理数. 在 I_1 下 A 为真，因而 A 是可满足式. 取解释 I_2：个体域仍为 $\mathbf{R}$，$F(x)$：x 是无理数，$G(x)$：x 能表示成分数. 在 I_2 下 A 为假，A 不是永真式. 所以 A 是非永真式的可满足式.

（2）取解释 I：个体域为实数集合 $\mathbf{R}$，$F(x)$：x 是自然数，$G(x,y)$：$x=y$. 赋值 $\sigma_1(y)=1$. 在 I 和 σ_1 下 B 成为真命题. 若取赋值 $\sigma_2(y)=-1$，则在 I 和 σ_2 下 B 成为假命题. 所以 B 是非永真式的可满足式.

（3）C 是 $p \rightarrow (q \rightarrow p)$ 的代换实例，而该命题公式是重言式，所以 C 是永真式.

（4）D 是 $\neg(p \rightarrow q) \wedge q$ 的代换实例，而该命题公式是矛盾式，所以 D 是矛盾式.

例 4.10 证明下列公式是永真式.

（1）$\forall x F(x) \rightarrow \exists x F(x)$

（2）$\forall x F(x) \rightarrow F(y)$

（3）$\forall x F(x) \rightarrow F(c)$

（4）$F(y) \rightarrow \exists x F(x)$

（5）$F(c) \rightarrow \exists x F(x)$

解 （1）这是闭式，只需考虑解释. 设 I 为任意一个解释，个体域为 D. 若在 I 下后件 $\exists x F(x)$ 为假，则对所有的 $x \in D$，$F(x)$ 为假. 于是，$\forall x F(x)$ 为假. 从而公式为真. 由 I 的任意性，得证公式是永真式.

（2）设 I 为任意一个解释，σ 是 I 下的任意一个赋值，个体域为 D. 若在 I 和 σ 下前件 $\forall x F(x)$ 为真，即对所有的 $x \in D$，$F(x)$ 为真，那么后件 $F(\sigma(y))$ 也为真. 从而，公式为真. 得证公式是永真式.

（3）可类似（2）证明.

（4）设 I 为任意一个解释，σ 是 I 下的任意一个赋值，个体域为 D. 若在 I 和 σ 下前件 $F(y)$ 为真，即 $F(\sigma(y))$ 为真，则后件 $\exists x F(x)$ 在 I 和 σ 下也为真. 从而，公式为真. 得证公式是永真式.

（5）可类似（4）证明.

习　题　4

1. 将下列命题用 0 元谓词符号化.

（1）小王学过英语和法语.

（2）除非李健是东北人，否则他一定怕冷.

（3）2 大于 3 仅当 2 大于 4.

（4）3 不是偶数.

（5）2 或 3 是素数.

2. 在一阶逻辑中，分别在（a），（b）时将下列命题符号化，并讨论各命题的真值.

（1）凡整数都能被 2 整除.

（2）有的整数能被 2 整除.

其中：

（a）个体域为整数集.

（b）个体域为实数集.

3. 在一阶逻辑中，分别在（a），（b）时将下列命题符号化，并讨论各命题的真值.

（1）对于任意的 x，均有 $x^2 - 2 = (x + \sqrt{2})(x - \sqrt{2})$.

（2）存在 x，使得 $x + 5 = 9$.

其中:

(a) 个体域为自然数集合.

(b) 个体域为实数集合.

4. 在一阶逻辑中将下列命题符号化.

(1) 没有不能表示成分数的有理数.

(2) 在北京卖菜的人不全是外地人.

(3) 乌鸦都是黑色的.

(4) 有的人天天锻炼身体.

5. 在一阶逻辑中将下列命题符号化.

(1) 火车都比轮船快.

(2) 有的火车比有的汽车快.

(3) 不存在比所有火车都快的汽车.

(4) 说凡是汽车就比火车慢是不对的.

6. 将下列命题符号化, 个体域为实数集合 **R**, 并指出各命题的真值.

(1) 对所有的 x, 都存在 y 使得 $x \cdot y = 0$.

(2) 存在 x, 使得对所有 y 都有 $x \cdot y = 0$.

(3) 对所有的 x, 都存在 y 使得 $y = x + 1$.

(4) 对所有的 x 和 y, 都有 $x \cdot y = y \cdot x$.

(5) 对任意的 x 和 y, 都有 $x \cdot y = x + y$.

(6) 对于任意的 x, 存在 y 使得 $x^2 + y^2 < 0$.

7. 将下列公式翻译成自然语言, 并判断各命题的真假, 其中个体域为整数集 **Z**.

(1) $\forall x \forall y \exists z (x - y = z)$

(2) $\forall x \exists y (x \cdot y = 1)$

(3) $\exists x \forall y \forall z (x + y = z)$

8. 指出下列公式中的指导变元, 量词的辖域, 各个体变项的自由出现和约束出现.

(1) $\forall x (F(x) \rightarrow G(x,y))$

(2) $\forall x F(x,y) \rightarrow \exists y G(x,y)$

(3) $\forall x \exists y (F(x,y) \wedge G(y,z)) \vee \exists x H(x,y,z)$

9. 给定解释 I 和 I 下的赋值 σ 如下.

(a) 个体域为实数集合 **R**.

(b) 特定元素 $\bar{a} = 0$.

(c) 函数 $\bar{f}(x,y) = x - y, x, y \in \mathbf{R}$.

(d) 谓词 $\bar{F}(x,y): x = y, \bar{G}(x,y): x < y, x, y \in \mathbf{R}$.

(e) $\sigma(x) = 1, \sigma(y) = -1$.

给出下列公式在 I 与 σ 下的解释, 并指出它们的真值.

(1) $\forall x (G(x,y) \rightarrow \exists y F(x,y))$

(2) $\forall y (F(f(x,y),a) \rightarrow \forall x G(x,y))$

(3) $\exists x G(x,y) \rightarrow \forall y F(f(x,y),a)$

（4）$\forall yG(f(x,y),a)\rightarrow\exists xF(x,y)$

10. 给定解释 I 和 I 下的赋值 σ 如下.

（a）个体域 $D=\mathbf{N}$.

（b）特定元素 $\bar{a}=2$.

（c）$\mathbf{N}$ 上的函数 $\bar{f}(x,y)=x+y,\bar{g}(x,y)=x\cdot y$.

（d）$\mathbf{N}$ 上的谓词 $\bar{F}(x,y):x=y$.

（e）$\sigma(x)=2,\sigma(y)=3,\sigma(z)=4$.

给出下列各式在 I 与 σ 下的解释，并讨论它们的真值.

（1）$\forall xF(g(x,a),y)$

（2）$\exists xF(f(x,a),y)\rightarrow\exists yF(f(y,a),x)$

（3）$\forall x\forall y\exists zF(f(x,y),z)$

（4）$\exists xF(f(x,y),g(x,z))$

11. 判断下列公式的类型.

（1）$F(x,y)\rightarrow(G(x,y)\rightarrow F(x,y))$

（2）$\forall x(F(x)\rightarrow F(x))\rightarrow\exists y(G(y)\wedge\neg G(y))$

（3）$\forall x\exists yF(x,y)\rightarrow\exists x\forall yF(x,y)$

（4）$\exists x\forall yF(x,y)\rightarrow\forall y\exists x F(x,y)$

（5）$\forall x\forall y(F(x,y)\rightarrow F(y,x))$

（6）$\neg(\forall xF(x)\rightarrow\exists yG(y))\wedge\exists yG(y)$

12. 判断下列各式的类型.

（1）$F(x)\rightarrow\forall xF(x)$

（2）$\exists xF(x)\rightarrow F(x)$

（3）$\forall x(F(x)\rightarrow G(x))\rightarrow(\forall xF(x)\rightarrow\forall xG(x))$

（4）$(\forall xF(x)\rightarrow\forall xG(x))\rightarrow\forall x(F(x)\rightarrow G(x))$

13. 给出下列公式的一个成真解释和一个成假解释.

（1）$\forall x(F(x)\vee G(x))$

（2）$\exists x(F(x)\wedge G(x)\wedge H(x))$

（3）$\exists x(F(x)\wedge\forall y(G(y)\wedge H(x,y)))$

14. 证明下列公式既不是永真式也不是矛盾式.

（1）$\forall x(F(x)\rightarrow\exists y(G(y)\wedge H(x,y)))$

（2）$\forall x\forall y(F(x)\wedge G(y)\rightarrow H(x,y))$

第 5 章
一阶逻辑等值演算与推理

5.1 一阶逻辑等值式与置换规则

在一阶逻辑中,有些命题可以有不同的符号化形式. 例如,命题"没有不犯错误的人",取全总个体域时有下面两种不同的符号化形式.

(1) $\neg \exists x(F(x) \wedge \neg G(x))$

(2) $\forall x(F(x) \rightarrow G(x))$

其中,$F(x):x$ 是人,$G(x):x$ 犯错误. 与命题逻辑的情况一样,称(1)与(2)是等值的,下面给出等值式的定义.

本章仍然使用一阶语言 $\mathscr{L}$,在下面的讨论中不再一一说明.

定义 5.1 设 A,B 是一阶逻辑中任意两个公式,若 $A \leftrightarrow B$ 是永真式,则称 A 与 B 等值,记作 $A \Leftrightarrow B$. 称 $A \Leftrightarrow B$ 是等值式.

由定义 5.1 可知,判断公式 A 与 B 是否等值,等价于判断公式 $A \leftrightarrow B$ 是否为永真式. 同命题逻辑中一样,证明了一些常用的重要等值式,并用这些等值式推演出更多的等值式,这就是一阶逻辑等值演算的内容.

下面给出一阶逻辑中的基本等值式.

第 1 组

由于命题逻辑中的重言式的代换实例都是一阶逻辑中的永真式,因而第 2 章 16 组等值式模

式给出的代换实例都是一阶逻辑的等值式. 例如:

$$\forall xF(x) \Leftrightarrow \neg\neg\forall xF(x)$$

$$\forall x\exists y(F(x,y)\to G(x,y)) \Leftrightarrow \neg\neg\forall x\exists y(F(x,y)\to G(x,y))$$

等都是式(2.1)的代换实例. 又如:

$$F(x)\to G(x) \Leftrightarrow \neg F(x)\lor G(y)$$

$$\forall x(F(x)\to G(y))\to\exists zH(z) \Leftrightarrow \neg\forall x(F(x)\to G(y))\lor\exists zH(z)$$

等都是式(2.12)的代换实例.

第 2 组

1. 消去量词等值式

设个体域为有限集 $D=\{a_1,a_2,\cdots,a_n\}$, 则有

(1) $\forall xA(x)\Leftrightarrow A(a_1)\land A(a_2)\land\cdots\land A(a_n)$

(2) $\exists xA(x)\Leftrightarrow A(a_1)\lor A(a_2)\lor\cdots\lor A(a_n)$ (5.1)

2. 量词否定等值式

设公式 $A(x)$ 含自由出现的个体变项 x, 则

(1) $\neg\forall xA(x)\Leftrightarrow\exists x\neg A(x)$

(2) $\neg\exists xA(x)\Leftrightarrow\forall x\neg A(x)$ (5.2)

可以如下直观解释式(5.2). 对于(1), "并不是所有的 x 都有性质 A"与"存在 x 没有性质 A"是一回事. 对于(2), "不存在有性质 A 的 x"与"所有 x 都没有性质 A"是一回事.

3. 量词辖域收缩与扩张等值式

设公式 $A(x)$ 含自由出现的个体变项 x, B 不含 x 的自由出现, 则

(1) $\forall x(A(x)\lor B)\Leftrightarrow\forall xA(x)\lor B$

$\forall x(A(x)\land B)\Leftrightarrow\forall xA(x)\land B$

$\forall x(A(x)\to B)\Leftrightarrow\exists xA(x)\to B$

$\forall x(B\to A(x))\Leftrightarrow B\to\forall xA(x)$ (5.3)

(2) $\exists x(A(x)\lor B)\Leftrightarrow\exists xA(x)\lor B$

$\exists x(A(x)\land B)\Leftrightarrow\exists xA(x)\land B$

$\exists x(A(x)\to B)\Leftrightarrow\forall xA(x)\to B$

$\exists x(B\to A(x))\Leftrightarrow B\to\exists xA(x)$ (5.4)

4. 量词分配等值式

设公式 $A(x)$, $B(x)$ 含自由出现的个体变项 x, 则

(1) $\forall x(A(x)\land B(x))\Leftrightarrow\forall xA(x)\land\forall xB(x)$

(2) $\exists x(A(x)\lor B(x))\Leftrightarrow\exists xA(x)\lor\exists xB(x)$ (5.5)

进行等值演算, 除以上基本等值式外, 还有以下 2 条规则.

1. 置换规则

设 $\Phi(A)$ 是含公式 A 的公式, $\Phi(B)$ 是用公式 B 取代 $\Phi(A)$ 中所有的 A 之后所得到的公式.

那么,若 $A \Leftrightarrow B$,则 $\Phi(A) \Leftrightarrow \Phi(B)$.

一阶逻辑中的置换规则与命题逻辑中的置换规则形式上完全相同,只是在这里 A,B 是一阶逻辑公式.

2. 换名规则

设 A 为一公式,将 A 中某量词辖域中的一个约束变项的所有出现及相应的指导变元全部改成该量词辖域中未曾出现过的某个个体变项符号,公式中其余部分不变,将所得公式记作 A',则 $A' \Leftrightarrow A$.

例 5.1　将下面公式化成等值的公式,使其不含既是约束出现又是自由出现的个体变项.

(1)　$\forall x F(x,y,z) \rightarrow \exists y G(x,y,z)$

(2)　$\forall x(F(x,y) \rightarrow \exists y G(x,y,z))$

解　(1) 公式中 x,y 都是既约束出现,又自由出现的个体变项,可以通过换名消去这种情况.

$$\forall x F(x,y,z) \rightarrow \exists y G(x,y,z)$$
$$\Leftrightarrow \forall t F(t,y,z) \rightarrow \exists y G(x,y,z) \qquad (换名规则)$$
$$\Leftrightarrow \forall t F(t,y,z) \rightarrow \exists w G(x,w,z) \qquad (换名规则)$$

(2) 公式中 y 既有约束出现,又自由出现,需要处理.而 x 只有约束出现,z 只有自由出现,保持不变.

$$\forall x(F(x,y) \rightarrow \exists y G(x,y,z))$$
$$\Leftrightarrow \forall x F(x,y,z) \rightarrow \exists t G(x,t,z) \qquad (换名规则)$$

例 5.2　证明:

(1)　$\forall x(A(x) \vee B(x)) \Leftrightarrow \forall x A(x) \vee \forall x B(x)$

(2)　$\exists x(A(x) \wedge B(x)) \Leftrightarrow \exists x A(x) \wedge \exists x B(x)$

其中 $A(x),B(x)$ 为含 x 自由出现的公式.

证　(1) 取 $A(x)=F(x),B(x)=G(x)$,并证明 $\forall x(F(x) \vee G(x)) \leftrightarrow \forall x F(x) \vee \forall x G(x)$ 不是永真式,其中 $F(x)$ 和 $G(x)$ 是谓词变项.

取解释 I 为:个体域为自然数集合 $\mathbf{N}$,$\overline{F}(x)$:x 是奇数,$\overline{G}(x)$:x 是偶数,则 $\forall x(F(x) \vee G(x))$ 在解释 I 下为真命题,而 $\forall x F(x) \vee \forall x G(x)$ 为假命题. 故 $\forall x(F(x) \vee G(x)) \leftrightarrow \forall x F(x) \vee \forall x G(x)$ 不是永真式.

可以类似地证明(2).

例 5.2 说明,全称量词"$\forall$"对"$\vee$"无分配律,存在量词"$\exists$"对"$\wedge$"无分配律,请初学者务必注意. 如果把式中的 $B(x)$ 改为没有 x 自由出现的 B 时,就得到量词辖域收缩与扩张等值式 (5.3) 和 (5.4) 中的第一个式子.

例 5.3　设个体域 $D=\{a,b,c\}$,将下列公式的量词消去.

(1)　$\forall x(F(x) \rightarrow G(x))$

(2)　$\forall x(F(x) \vee \exists y G(y))$

(3) $\exists x \forall y F(x,y)$

解 (1) $\forall x(F(x) \rightarrow G(x))$

　　　$\Leftrightarrow (F(a) \rightarrow G(a)) \wedge (F(b) \rightarrow G(b)) \wedge (F(c) \rightarrow G(c))$

(2) $\forall x(F(x) \vee \exists y G(y))$

$\Leftrightarrow \forall x F(x) \vee \exists y G(y)$　　　　　　　　　　　　　　　　　　　（式(5.3)）

$\Leftrightarrow (F(a) \wedge F(b) \wedge F(c)) \vee (G(a) \vee G(b) \vee G(c))$

注意 $\exists y G(y)$ 与 x 无关,故可用式(5.3).如果不用式(5.3)将量词的辖域缩小,演算要烦琐一些.

(3) $\exists x \forall y F(x,y)$

$\Leftrightarrow \exists x(F(x,a) \wedge F(x,b) \wedge F(x,c))$

$\Leftrightarrow (F(a,a) \wedge F(a,b) \wedge F(a,c)) \vee (F(b,a) \wedge F(b,b) \wedge F(b,c)) \vee (F(c,a) \wedge F(c,b) \wedge F(c,c))$

也可以先消去存在量词,得到结果是等值的.

例 5.4 给定解释 I 如下.

(a) 个体域 $D = \{2,3\}$.

(b) D 中特定元素 $\bar{a} = 2$.

(c) D 上特定函数 $\bar{f}(x) : \bar{f}(2) = 3, \bar{f}(3) = 2$.

(d) D 上的特定谓词 $\bar{F}(x) : \bar{F}(2) = 0, \bar{F}(3) = 1; \bar{G}(x,y) : \bar{G}(2,2) = \bar{G}(2,3) = \bar{G}(3,2) = 1, \bar{G}(3,3) = 0; \bar{L}(x,y) : \bar{L}(2,2) = \bar{L}(3,3) = 1, \bar{L}(2,3) = \bar{L}(3,2) = 0.$

求下列各式在 I 下的真值.

(1) $\forall x(F(x) \wedge G(x,a))$

(2) $\exists x(F(f(x)) \wedge G(x,f(x)))$

(3) $\forall x \exists y L(x,y)$

(4) $\exists y \forall x L(x,y)$

解 (1) $\forall x(F(x) \wedge G(x,a))$

　　　$\Leftrightarrow (F(2) \wedge G(2,2)) \wedge (F(3) \wedge G(3,2))$

　　　$\Leftrightarrow (0 \wedge 1) \wedge (1 \wedge 1) \Leftrightarrow 0$

(2) $\exists x(F(f(x)) \wedge G(x,f(x)))$

　　　$\Leftrightarrow (F(f(2)) \wedge G(2,f(2))) \vee (F(f(3)) \wedge G(3,f(3)))$

　　　$\Leftrightarrow (F(3) \wedge G(2,3)) \vee (F(2) \wedge G(3,2))$

　　　$\Leftrightarrow (1 \wedge 1) \vee (0 \wedge 1) \Leftrightarrow 1$

(3) $\forall x \exists y L(x,y)$

　　　$\Leftrightarrow (L(2,2) \vee L(2,3)) \wedge (L(3,2) \vee L(3,3))$

　　　$\Leftrightarrow (1 \vee 0) \wedge (0 \vee 1) \Leftrightarrow 1$

(4) $\exists y \forall x L(x,y)$

　　　$\Leftrightarrow (L(2,2) \wedge L(3,2)) \vee (L(2,3) \wedge L(3,3))$

$$\Leftrightarrow (1 \land 0) \lor (0 \land 1) \Leftrightarrow 0$$

由(3),(4)的结果也说明量词的次序不能随意颠倒.

例 5.5   证明下列各等值式.

(1) $\neg \exists x (M(x) \land F(x)) \Leftrightarrow \forall x (M(x) \to \neg F(x))$

(2) $\neg \forall x (M(x) \to F(x)) \Leftrightarrow \exists x (M(x) \land \neg F(x))$

(3) $\neg \forall x \forall y (F(x) \land G(y) \to H(x,y)) \Leftrightarrow \exists x \exists y (F(x) \land G(y) \land \neg H(x,y))$

(4) $\neg \exists x \exists y (F(x) \land G(y) \land L(x,y)) \Leftrightarrow \forall x \forall y (F(x) \land G(y) \to \neg L(x,y))$

证   (1) $\neg \exists x (M(x) \land F(x))$

$\Leftrightarrow \forall x \neg (M(x) \land F(x))$ (式(5.2))

$\Leftrightarrow \forall x (\neg M(x) \lor \neg F(x))$ (置换规则)

$\Leftrightarrow \forall x (M(x) \to \neg F(x))$ (置换规则)

由此说明例 4.4 中(3)有两种等值的符号化形式.

(2) $\neg \forall x (M(x) \to F(x))$

$\Leftrightarrow \exists x \neg (M(x) \to F(x))$ (式(5.2))

$\Leftrightarrow \exists x \neg (\neg M(x) \lor F(x))$ (置换规则)

$\Leftrightarrow \exists x (M(x) \land \neg F(x))$ (置换规则)

由此说明例 4.4 中(4)有两种等值的符号化形式.

(3) $\neg \forall x \forall y (F(x) \land G(y) \to H(x,y))$

$\Leftrightarrow \exists x \neg (\forall y (\neg (F(x) \land G(y)) \lor H(x,y)))$

$\Leftrightarrow \exists x \exists y \neg (\neg (F(x) \land G(y)) \lor H(x,y))$

$\Leftrightarrow \exists x \exists y (F(x) \land G(y) \land \neg H(x,y))$

类似可证明(4). 这两个等值式表明,例 4.5 中(3)的符号化形式,即式(4.15)与式(4.19)是等值的,(4)的符号化形式,即式(4.16)与式(4.20)也是等值的.

5.2   一阶逻辑前束范式

在命题逻辑中,任何公式都可以表示成等值的析取范式与合取范式,在一阶逻辑中公式也有范式形式.

定义 5.2   具有如下形式

$$Q_1 x_1 Q_2 x_2 \cdots Q_k x_k B$$

的一阶逻辑公式称作前束范式,其中 $Q_i (1 \leqslant i \leqslant k)$ 为 $\forall$ 或 $\exists$,B 为不含量词的公式.

例如,$\forall x \forall y (F(x) \land G(y) \to H(x,y))$

$\forall x \forall y \exists z (F(x) \land G(y) \land H(z) \to L(x,z))$

等都是前束范式,而

$$\forall x(F(x) \rightarrow \exists y(G(y) \wedge H(x,y)))$$

$$\exists x(F(x) \wedge \forall y(G(y) \rightarrow H(x,y)))$$

等不是前束范式.

定理 5.1(前束范式存在定理) 一阶逻辑中的任何公式都存在等值的前束范式.

这里略去定理的严格证明.仅通过下面的例子说明如何利用式(5.2)~式(5.5)及置换规则、换名规则求与公式等值的前束范式.为方便起见,把与公式等值的前束范式简称为公式的前束范式.

例 5.6 求下列各式的前束范式.

(1) $\forall xF(x) \wedge \neg \exists xG(x)$

(2) $\forall xF(x) \vee \neg \exists xG(x)$

解(1) $\forall xF(x) \wedge \neg \exists xG(x)$

$\Leftrightarrow \forall xF(x) \wedge \neg \exists yG(y)$ （换名规则）

$\Leftrightarrow \forall xF(x) \wedge \forall y \neg G(y)$ （式(5.2)第二式）

$\Leftrightarrow \forall x(F(x) \wedge \forall y \neg G(y))$ （式(5.3)第二式）

$\Leftrightarrow \forall x \forall y(F(x) \wedge \neg G(y))$ （式(5.3)第二式）

或者

$\forall xF(x) \wedge \neg \exists xG(x)$

$\Leftrightarrow \forall xF(x) \wedge \forall x \neg G(x)$ （式(5.2)第二式）

$\Leftrightarrow \forall x(F(x) \wedge \neg G(x))$ （式(5.5)第一式）

这两个式子都是原式的前束范式.

(2) $\forall xF(x) \vee \neg \exists xG(x)$

$\Leftrightarrow \forall xF(x) \vee \forall x \neg G(x)$ （式(5.2)第二式）

$\Leftrightarrow \forall xF(x) \vee \forall y \neg G(y)$ （换名规则）

$\Leftrightarrow \forall x(F(x) \vee \forall y \neg G(y))$ （式(5.3)第一式）

$\Leftrightarrow \forall x \forall y(F(x) \vee \neg G(y))$ （式(5.3)第一式）

注意:

1. 在(1)中使用 $\forall$ 对 $\wedge$ 的分配律,得到只带一个量词的前束范式.

2. $\forall$ 对 $\vee$ 不适合分配律,在(2)中要使用辖域扩张式(5.3)的第一式.为此需通过换名使得 $\vee$ 前后两项中的指导变元不重名.使用式(5.4)时也与此类似.

3. 由(1)可见,公式的前束范式是不唯一的.

例 5.7 求下列各式的前束范式,请读者补填每一步的根据.

(1) $\exists xF(x) \wedge \forall xG(x)$

(2) $\forall xF(x) \rightarrow \exists xG(x)$

(3) $\exists xF(x) \rightarrow \forall xG(x)$

解(1) $\exists xF(x) \wedge \forall xG(x)$

$\Leftrightarrow \exists y F(y) \wedge \forall x G(x)$

$\Leftrightarrow \exists y (F(y) \wedge \forall x G(x))$

$\Leftrightarrow \exists y \forall x (F(y) \wedge G(x))$

（2）$\forall x F(x) \rightarrow \exists x G(x)$

$\Leftrightarrow \forall y F(y) \rightarrow \exists x G(x)$

$\Leftrightarrow \exists y (F(y) \rightarrow \exists x G(x))$

$\Leftrightarrow \exists y \exists x (F(y) \rightarrow G(x))$

（3）$\exists x F(x) \rightarrow \forall x G(x)$

$\Leftrightarrow \exists y F(y) \rightarrow \forall x G(x)$

$\Leftrightarrow \forall y (F(y) \rightarrow \forall x G(x))$

$\Leftrightarrow \forall y \forall x (F(y) \rightarrow G(x))$

请读者写出以上各式不同形式的前束范式.

例 5.8　求下列各式的前束范式.

（1）$\forall x F(x,y) \rightarrow \exists y G(x,y)$

（2）$(\forall x_1 F(x_1,x_2) \rightarrow \exists x_2 G(x_2)) \rightarrow \forall x_1 H(x_1,x_2,x_3)$

解　解本题时一定注意,哪些个体变项约束出现,哪些自由出现,特别要注意哪些既约束出现又自由出现的个体变项. 在求前束范式时,要通过换名消去既约束出现又自由出现的个体变项.

（1）$\forall x F(x,y) \rightarrow \exists y G(x,y)$

$\Leftrightarrow \forall t F(t,y) \rightarrow \exists w G(x,w)$　　　　　　　　　　（换名规则）

$\Leftrightarrow \exists t \exists w (F(t,y) \rightarrow G(x,w))$　　　　　　　　（式(5.3),式(5.4)）

（2）$(\forall x_1 F(x_1,x_2) \rightarrow \exists x_2 G(x_2)) \rightarrow \forall x_1 H(x_1,x_2,x_3)$

$\Leftrightarrow (\forall x_4 F(x_4,x_2) \rightarrow \exists x_5 G(x_5)) \rightarrow \forall x_1 H(x_1,x_2,x_3)$　　（换名规则）

$\Leftrightarrow \exists x_4 \exists x_5 (F(x_4,x_2) \rightarrow G(x_5)) \rightarrow \forall x_1 H(x_1,x_2,x_3)$　（式(5.3),式(5.4)）

$\Leftrightarrow \forall x_4 \forall x_5 \forall x_1 (F(x_4,x_2) \rightarrow G(x_5) \rightarrow H(x_1,x_2,x_3))$　（式(5.3),式(5.4)）

5.3　一阶逻辑的推理理论

在一阶逻辑中,从前提 $A_1,A_2,\cdots,A_k$ 出发推出结论 B 的推理的形式结构,依然采用如下的蕴涵式形式

$$A_1 \wedge A_2 \wedge \cdots \wedge A_k \rightarrow B \tag{5.6}$$

若式(5.6)为永真式,则称推理正确,否则称推理不正确. 于是,在一阶逻辑中判断推理是否正确也归结为判断式(5.6)是否为永真式. 本节介绍在形式系统中构造证明的证明方法.

在一阶逻辑中称永真式的蕴涵式为 推理定律. 若一个推理的形式结构是推理定律,则这个推理是正确的.

推理定律有下面几组来源.

第一组　命题逻辑推理定律的代换实例. 例如:

$$\forall xF(x) \wedge \forall yG(y) \Rightarrow \forall xF(x)$$

$$\forall xF(x) \Rightarrow \forall xF(x) \vee \exists yG(y)$$

分别为命题逻辑中化简律和附加律的代换实例,它们都是推理定律.

第二组　由基本等值式生成的推理定律. 5.1 节中给出的两组等值式中的每个等值式都可以生成两个推理定律. 例如,由双重否定律可生成

$$\forall xF(x) \Rightarrow \neg\neg\forall xF(x)$$

$$\neg\neg\forall xF(x) \Rightarrow \forall xF(x)$$

由量词否定等值式可以生成

$$\neg\forall xF(x) \Rightarrow \exists x\neg F(x)$$

$$\exists x\neg F(x) \Rightarrow \neg\forall xF(x)$$

第三组　一些常用的重要推理定律.

（1）$\forall xA(x) \vee \forall xB(x) \Rightarrow \forall x(A(x) \vee B(x))$

（2）$\exists x(A(x) \wedge B(x)) \Rightarrow \exists xA(x) \wedge \exists xB(x)$

（3）$\forall x(A(x) \rightarrow B(x)) \Rightarrow \forall xA(x) \rightarrow \forall xB(x)$

（4）$\forall x(A(x) \rightarrow B(x)) \Rightarrow \exists xA(x) \rightarrow \exists xB(x)$

等等.

此外,还有 4 条消去量词和引入量词的规则. 下面以图示的形式给出这 4 条推理规则,应用它们时一定要注意每条规则成立的条件. 设前提 $\Gamma = \{A_1, A_2, \cdots, A_k\}$,

1. 全称量词消去规则(简记为 $\forall$-)

$$\frac{\forall xA(x)}{\therefore A(y)} \quad \text{或} \quad \frac{\forall xA(x)}{\therefore A(c)}$$

其中 x, y 是个体变项符号,c 是个体常项符号,且在 A 中 x 不在 $\forall y$ 和 $\exists y$ 的辖域内自由出现.

由于 $\forall xF(x) \rightarrow F(y)$ 和 $\forall xF(x) \rightarrow F(c)$ 是永真式(见例 4.10),这条规则是显然的. 这里要求在 A 中 x 不在 $\forall y$ 和 $\exists y$ 的辖域中自由出现,是因为如果在 A 中 x 在 $\forall y$ 和 $\exists y$ 的辖域中自由出现,这时在 A 中约束出现的 y 可能与自由出现的 x 有某种联系,而导致 $A(y)$ 不真. 后面将会给出例子说明.

2. 全称量词引入规则(简记为 $\forall$+)

$$\frac{A(y)}{\therefore \forall xA(x)}$$

其中 y 是个体变项符号,且不在 Γ 的任何公式中自由出现.

这条规则的意思是,为了证明 $\forall xA(x)$ 为真,只需任取一个 y,证明 $A(y)$ 为真. 为了保证 y

的任意性,要求 y 与前提中的条件无关,即 y 不在 Γ 的任何公式中自由出现.

3. 存在量词消去规则(简记为 $\exists -$)

$$\exists xA(x)$$
$$\frac{A(y)\to B}{\therefore\ B}\quad \text{或}\quad \frac{A(y)\to B}{\therefore\ \exists xA(x)\to B}$$

$$\exists xA(x)$$
$$\frac{A(c)\to B}{\therefore\ B}\quad \text{或}\quad \frac{A(c)\to B}{\therefore\ \exists xA(x)\to B}$$

其中 y 是个体变项符号,且不在 Γ 的任何公式和 B 中自由出现. c 是个体常项符号,且不在 Γ 的任何公式和 A,B 中出现.

就第一对表述说明如下. 第一个表述的意思是,已知 $\exists xA(x)$,如果任意取一个 y,假设 $A(y)$ 为真,能推出 B,而 B 与 y 无关,那么就能得到 B. 第二个表述的意思是,为了证明 $\exists xA(x)\to B$ 为真,只需任取一个 y,证明 $A(y)\to B$ 为真. 这两个意思是一样的. 实际上,这两个表述是等价的,即两者可以互相导出. 与 $\forall +$ 规则一样,为了保证 y 的任意性,要求 y 与前提中的条件及 B 无关,即 y 不在 Γ 的任何公式和 B 中自由出现. 第二对表述的意思也与此类似.

4. 存在量词引入规则(简记为 $\exists +$)

$$\frac{A(y)}{\therefore\ \exists xA(x)}\ \text{或}\ \frac{B\to A(y)}{\therefore\ B\to \exists xA(x)}$$

$$\frac{A(c)}{\therefore\ \exists xA(x)}\ \text{或}\ \frac{B\to A(c)}{\therefore\ B\to \exists xA(x)}$$

其中 x,y 是个体变项符号,c 是个体常项符号,并且在 A 中 y 和 c 分别不在 $\forall x$、$\exists x$ 的辖域内自由出现和出现.

由于 $F(y)\to \exists xF(x)$ 和 $F(c)\to \exists xF(x)$ 是永真式(见例 4.10),这条规则是显然的. 两对表述也是等价的. 要求在 A 中 y 和 c 不在 $\forall x$ 和 $\exists x$ 的辖域中自由出现的原因也和 $\forall -$ 规则中的一样.

下面给出一阶逻辑自然推理系统 $N_{\mathscr{L}}$.

定义 5.3 自然推理系统 $N_{\mathscr{L}}$ 定义如下.

1. 字母表. 同一阶语言 $\mathscr{L}$ 的字母表(见定义 4.1).

2. 合式公式. 同 $\mathscr{L}$ 的合式公式的定义(见定义 4.4).

3. 推理规则:

(1) 前提引入规则.

(2) 结论引入规则.

(3) 置换规则.

(4) 假言推理规则.

(5) 附加规则.

(6) 化简规则.

（7）拒取式规则.

（8）假言三段论规则.

（9）析取三段论规则.

（10）构造性二难推理规则.

（11）合取引入规则.

（12）$\forall-$规则.

（13）$\forall+$规则.

（14）$\exists-$规则.

（15）$\exists+$规则.

推理规则中（1）~（11）同命题逻辑推理规则（见定义3.3）.

在推理系统 $N_{\mathscr{L}}$ 中推理的证明与自然推理系统 P 中推理的证明相同. 设前提 $A_1,A_2,\cdots,A_k$, 结论 B 和公式序列 $C_1,C_2,\cdots,C_l$. 如果每一个 $i(i=1,2,\cdots,l)$, C_i 是某个 A_j, 或者可以以序列中前面的公式应用推理规则得到, 并且 $C_l=B$, 则称公式序列 $C_1,C_2,\cdots,C_l$ 是由 $A_1,A_2,\cdots,A_k$ 推出 B 的证明.

在自然推理系统 $N_{\mathscr{L}}$ 中构造推理的证明格式与在自然推理系统 P 中构造推理的证明格式相同, 也是写出前提, 结论和证明过程.

在推理的证明中使用 $\forall+$、$\forall-$、$\exists+$ 和 $\exists-$ 时要特别注意规则所要求的条件. 例如, 可以对 $\forall xF(x)$ 使用 $\forall-$规则得到 $F(y)$. 而不能对公式 $\forall x\exists yF(x,y)$ 使用 $\forall-$规则得到 $\exists yF(y,y)$. 如果取解释 I: 个体域为实数集合, $\overline{F(x,y)}$: $x>y$. 在 I 下, 公式 $\forall x\exists yF(x,y)$ 被解释为 $\forall x\exists y(x>y)$, 其值为真; 而 $\exists yF(y,y)$ 被解释为 $\exists y(y>y)$, 显然为假. 出现错误的原因是 x 自由出现在 $\exists y$ 的辖域 $F(x,y)$ 内, 这不符合使用 $\forall-$规则的条件.

又如, 下面是由前提: $\forall x(P(x)\rightarrow Q(x))$, $P(x)$, 推出结论: $\forall xQ(x)$ 的"证明".

① $\forall x(P(x)\rightarrow Q(x))$	前提引入
② $P(x)\rightarrow Q(x)$	① $\forall-$
③ $P(x)$	前提引入
④ $Q(x)$	②③假言推理
⑤ $\forall xQ(x)$	④ $\forall+$

实际上, 如果取解释 I: 个体域为整数集合 $\mathbf{Z}$, $\overline{P(x)}$: x 是偶数, $\overline{Q(x)}$: x 被 2 整除. I 下的赋值 $\sigma(x)=2$. 在 I 和 σ 下, $\forall x(P(x)\rightarrow Q(x))$ 和 $P(x)$ 为真, $\forall xQ(x)$ 为假, 故这个推理是错误的. 上述"证明"的错误是⑤应用 $\forall+$时, 个体变项符号 x 在前提的公式中自由出现, 不符合使用该规则的条件.

同样可以举出在使用 $\exists+$ 和 $\exists-$时, 若不符合规则要求的条件, 将会产生错误的推理.

例 5.9 在自然推理系统 $N_{\mathscr{L}}$ 中, 构造下面推理的证明.

任何自然数都是整数. 存在自然数. 所以, 存在着整数. 个体域为实数集合 $\mathbf{R}$.

解 设 $F(x)$: x 为自然数, $G(x)$: x 为整数.

前提：$\forall x(F(x)\rightarrow G(x))$，$\exists xF(x)$

结论：$\exists xG(x)$

证明：

① $\forall x(F(x)\rightarrow G(x))$ 　　　　　　　　　　　　　　前提引入

② $F(x)\rightarrow G(x)$ 　　　　　　　　　　　　　　　　　①$\forall$-

③ $F(x)\rightarrow \exists xG(x)$ 　　　　　　　　　　　　　　②$\exists$+

④ $\exists xF(x)$ 　　　　　　　　　　　　　　　　　　　前提引入

⑤ $\exists xG(x)$ 　　　　　　　　　　　　　　　　　　　③④$\exists$-

在使用 $\forall$+，$\forall$-，$\exists$+ 和 $\exists$-规则时，常用同一个个体变项符号表示规则中自由出现的 y 和指导变元及约束出现的 x，如例 5.9 中的②和③.

例 5.10　在自然推理系统 $N_{\mathscr{L}}$ 中，构造下面推理的证明.

前提：$\forall x(F(x)\rightarrow G(x))$，$\exists x(F(x)\wedge H(x))$

结论：$\exists x(G(x)\wedge H(x))$

证明：

① $\forall x(F(x)\rightarrow G(x))$ 　　　　　　　　　　　　　　前提引入

② $F(x)\rightarrow G(x)$ 　　　　　　　　　　　　　　　　　①$\forall$-

③ $\neg F(x)\vee G(x)$ 　　　　　　　　　　　　　　　　　②置换

④ $\neg F(x)\vee \neg H(x)\vee G(x)$ 　　　　　　　　　　　③附加

⑤ $(\neg F(x)\vee \neg H(x)\vee G(x))\wedge(\neg F(x)\vee \neg H(x)\vee H(x))$ 　④置换

⑥ $F(x)\wedge H(x)\rightarrow G(x)\wedge H(x)$ 　　　　　　　　⑤置换

⑦ $F(x)\wedge H(x)\rightarrow \exists x(G(x)\wedge H(x))$ 　　　　　⑥$\exists$+

⑧ $\exists x(F(x)\wedge H(x))$ 　　　　　　　　　　　　　　前提引入

⑨ $\exists x(G(x)\wedge H(x))$ 　　　　　　　　　　　　　　⑦⑧$\exists$-

例 5.11　在自然推理系统 $N_{\mathscr{L}}$ 中，构造下面推理的证明（个体域为实数集合）.

不存在能表示成分数的无理数. 有理数都能表示成分数. 因此，有理数都不是无理数.

解　设 $F(x)$：x 为无理数，$G(x)$：x 为有理数，$H(x)$：x 能表示成分数.

前提：$\neg\exists x(F(x)\wedge H(x))$，$\forall x(G(x)\rightarrow H(x))$

结论：$\forall x(G(x)\rightarrow \neg F(x))$

证明：

① $\neg\exists x(F(x)\wedge H(x))$ 　　　　　　　　　　　　　前提引入

② $\forall x(\neg F(x)\vee \neg H(x))$ 　　　　　　　　　　　　①置换

③ $\forall x(F(x)\rightarrow \neg H(x))$ 　　　　　　　　　　　　②置换

④ $F(x)\rightarrow \neg H(x)$ 　　　　　　　　　　　　　　　③$\forall$-

⑤ $\forall x(G(x)\rightarrow H(x))$ 　　　　　　　　　　　　　前提引入

⑥ $G(x)\rightarrow H(x)$ 　　　　　　　　　　　　　　　　　⑤$\forall$-

⑦ $H(x) \rightarrow \neg F(x)$

⑧ $G(x) \rightarrow \neg F(x)$

⑨ $\forall x(G(x) \rightarrow \neg F(x))$

④置换

⑥⑦假言三段论

⑧∀+

习 题 5

1. 设个体域 $D = \{a,b,c\}$，在 D 中消去公式 $\forall x(F(x) \wedge \exists yG(y))$ 的量词. 甲、乙用了不同的演算过程. 甲的演算过程如下.

$$\forall x(F(x) \wedge \exists yG(y))$$
$$\Leftrightarrow \forall x(F(x) \wedge (G(a) \vee G(b) \vee G(c)))$$
$$\Leftrightarrow (F(a) \wedge (G(a) \vee G(b) \vee G(c)))$$
$$\wedge (F(b) \wedge (G(a) \vee G(b) \vee G(c)))$$
$$\wedge (F(c) \wedge (G(a) \vee G(b) \vee G(c)))$$

乙的演算过程如下.

$$\forall x(F(x) \wedge \exists yG(y))$$
$$\Leftrightarrow \forall xF(x) \wedge \exists yG(y)$$
$$\Leftrightarrow (F(a) \wedge F(b) \wedge F(c)) \wedge (G(a) \vee G(b) \vee G(c))$$

显然,乙的演算过程简单些.试指出乙在演算过程中的关键步骤.

2. 设个体域 $D = \{a,b,c\}$，消去下列各式的量词.

(1) $\forall x \exists y(F(x) \wedge G(y))$

(2) $\forall x \forall y(F(x) \vee G(y))$

(3) $\forall xF(x) \rightarrow \forall yG(y)$

(4) $\forall x(F(x,y) \rightarrow \exists yG(y))$

3. 设个体域 $D = \{1,2\}$，请给出两种不同的解释 I_1 和 I_2，使得下面公式在 I_1 下都是真命题，而在 I_2 下都是假命题.

(1) $\forall x(F(x) \rightarrow G(x))$

(2) $\exists x(F(x) \wedge G(x))$

4. 给定公式 $A = \exists xF(x) \rightarrow \forall xF(x)$.

(1) 在解释 I_1 中，个体域 $D = \{a\}$，证明公式 A 在 I_1 下的真值为 1.

(2) 在解释 I_2 中，个体域 $D = \{a_1, a_2, \cdots, a_n\}, n \geq 2, A$ 在 I_2 下的真值还一定是 1 吗？为什么？

5. 给定解释 I 如下.

(a) 个体域 $D = \{3,4\}$；

(b) $\bar{f}(x) : \bar{f}(3) = 4, \bar{f}(4) = 3$；

(c) $\bar{F}(x,y) : \bar{F}(3,3) = \bar{F}(4,4) = 0, \bar{F}(3,4) = \bar{F}(4,3) = 1.$

试求下列各式在 I 下的真值.

(1) $\forall x \exists yF(x,y)$

(2) $\exists x \forall yF(x,y)$

(3) $\forall x \forall y(F(x,y) \rightarrow F(f(x), f(y)))$

6. 甲使用量词辖域收缩与扩张等值式进行如下演算:

$$\forall x(F(x) \rightarrow G(x,y)) \Leftrightarrow \exists xF(x) \rightarrow G(x,y)$$

乙说甲错了. 乙说得对吗? 为什么?

7. 请指出下列等值演算中的两处错误.

$$\neg \exists x \forall y(F(x) \wedge (G(y) \rightarrow H(x,y)))$$
$$\Leftrightarrow \forall x \exists y(F(x) \wedge (G(y) \rightarrow H(x,y)))$$
$$\Leftrightarrow \forall x \exists y((F(x) \wedge G(y)) \rightarrow H(x,y))$$

8. 在一阶逻辑中将下列命题符号化,要求用两种不同的等值形式.

(1) 没有小于负数的正数.

(2) 相等的两个角未必都是对顶角.

9. 设个体域 D 为实数集合,命题"有的实数既是有理数,又是无理数". 这显然是假命题. 可是某人却说这是真命题,其理由如下. 设 $F(x):x$ 是有理数,$G(x):x$ 是无理数. $\exists xF(x)$ 与 $\exists xG(x)$ 都是真命题,因此 $\exists xF(x) \wedge \exists xG(x)$ 是真命题. 又

$$\exists xF(x) \wedge \exists xG(x) \Leftrightarrow \exists x(F(x) \wedge G(x))$$

故 $\exists x(F(x) \wedge G(x))$ 也是真命题,即有的实数既是有理数,又是无理数. 试问错误出在哪里.

10. $\neg \exists x(F(x) \wedge G(x))$ 是前束范式吗? 为什么?

11. 有人说无法求公式

$$\forall x(F(x) \rightarrow G(x)) \rightarrow \exists xG(x,y)$$

的前束范式,因为公式中的两个量词的指导变元相同. 他的理由对吗? 为什么?

12. 求下列各式的前束范式.

(1) $\forall xF(x) \rightarrow \forall yG(x,y)$

(2) $\forall x(F(x,y) \rightarrow \exists yG(x,y,z))$

(3) $\forall xF(x,y) \leftrightarrow \exists xG(x,y)$

(4) $\forall x_1(F(x_1) \rightarrow G(x_1,x_2)) \rightarrow (\exists x_2H(x_2) \rightarrow \exists x_3L(x_2,x_3))$

(5) $\exists x_1F(x_1,x_2) \rightarrow (F(x_1) \rightarrow \neg \exists x_2G(x_1,x_2))$

13. 将下列命题符号化,要求符号化的公式为前束范式.

(1) 有的汽车比有的火车跑得快.

(2) 有的火车比所有的汽车跑得快.

(3) 不是所有的火车都比所有汽车跑得快.

(4) 有的飞机比有的汽车慢是不对的.

14. 试给出实例说明,在自然推理系统 $N_{\mathscr{F}}$ 中使用 $\exists+$ 和 $\exists-$ 规则时,如果不符合规则要求的条件则可能"证明"错误的推理.

15. 在自然推理系统 $N_{\mathscr{F}}$ 中,构造下列推理的证明.

(1) 前提: $\exists xF(x) \rightarrow \forall y((F(y) \vee G(y)) \rightarrow R(y))$, $\exists xF(x)$

　　结论: $\exists xR(x)$

(2) 前提: $\forall x(F(x) \rightarrow (G(a) \wedge R(x)))$, $\exists xF(x)$

　　结论: $\exists x(F(x) \wedge R(x))$

(3) 前提: $\forall x(F(x) \vee G(x))$, $\neg \exists xG(x)$

　　　结论:$\exists xF(x)$

(4) 前提:$\forall x(F(x)\vee G(x))$,$\forall x(\neg G(x)\vee\neg R(x))$,$\forall xR(x)$

　　　结论:$\forall xF(x)$

16. 给出一个解释 I,使得在 I 下,$\forall xF(x)\rightarrow\forall xG(x)$ 为真,而 $\forall x(F(x)\rightarrow G(x))$ 为假,从而说明 $\forall xF(x)\rightarrow\forall xG(x)\not\Leftrightarrow\forall x(F(x)\rightarrow G(x))$.

17. 有些人给出下述推理的证明如下.

前提:$\forall x(F(x)\rightarrow\neg G(x))$,$\forall x(H(x)\rightarrow G(x))$

结论:$\forall x(H(x)\rightarrow\neg F(x))$

证明:

① $\forall xH(x)$　　　　　　　　　　　　　　附加前提引入

② $H(x)$　　　　　　　　　　　　　　　　　①$\forall$-

③ $\forall x(H(x)\rightarrow G(x))$　　　　　　　　前提引入

④ $H(x)\rightarrow G(x)$　　　　　　　　　　　③$\forall$-

⑤ $G(x)$　　　　　　　　　　　　　　　　　②④假言推理

⑥ $\forall x(F(x)\rightarrow\neg G(x))$　　　　　　　前提引入

⑦ $F(x)\rightarrow\neg G(x)$　　　　　　　　　　⑥$\forall$-

⑧ $\neg F(x)$　　　　　　　　　　　　　　　　⑤⑦拒取式

⑨ $\forall x\neg F(x)$　　　　　　　　　　　　　⑧$\forall$+

试指出上述证明中的错误.

18. 给出上题推理的正确证明.

19. 在自然推理系统 $N_{\mathscr{L}}$ 中,构造下列推理的证明.

　　　前提:$\exists xF(x)\rightarrow\forall xG(x)$

　　　结论:$\forall x(F(x)\rightarrow G(x))$

20. 在自然推理系统 $N_{\mathscr{L}}$ 中,构造下列推理的证明(可以使用附加前提证明法).

(1) 前提:$\forall x(F(x)\rightarrow G(x))$

　　　结论:$\forall xF(x)\rightarrow\forall xG(x)$

(2) 前提:$\forall x(F(x)\vee G(x))$

　　　结论:$\neg\forall xF(x)\rightarrow\exists xG(x)$

21. 在自然推理系统 $N_{\mathscr{L}}$ 中,构造下列推理的证明.

没有白色的乌鸦.北京鸭是白色的.因此,北京鸭不是乌鸦.

22. 在自然推理系统 $N_{\mathscr{L}}$ 中,构造下列推理的证明.

(1) 偶数都能被 2 整除.6 是偶数.所以 6 能被 2 整除.

(2) 凡大学生都是勤奋的.王晓山不勤奋.所以王晓山不是大学生.

23. 在自然推理系统 $N_{\mathscr{L}}$ 中,证明下列推理.

(1) 每个有理数是实数.有的有理数是整数.因此,有的实数是整数.

(2) 有理数和无理数都是实数.虚数不是实数.因此,虚数既不是有理数,也不是无理数.

24. 在自然推理系统 $N_{\mathscr{L}}$ 中,构造下列推理的证明.

每个喜欢步行的人都不喜欢骑自行车.每个人或者喜欢骑自行车或者喜欢乘汽车.有的人不喜欢乘汽车.所

以有的人不喜欢步行. (个体域为人类集合)

　　25. 在自然推理系统 $N_{\mathscr{L}}$ 中, 构造下列推理的证明.

　　每个科学工作者都是刻苦钻研的, 每个刻苦钻研而又聪明的人在他的事业中都将获得成功. 王大海是科学工作者, 并且是聪明的. 所以王大海在他的事业中将获得成功. (个体域为人类集合)

第 2 部分　集　合　论

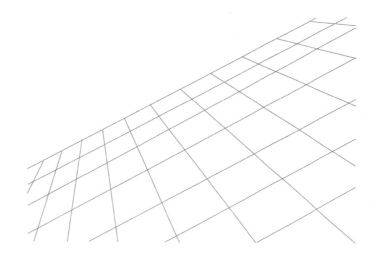

第 6 章
集 合 代 数

6.1　集合的基本概念

集合是不能精确定义的基本概念.直观地说,把一些事物汇集到一起组成一个整体就称作集合,而这些事物就是这个集合的元素或成员.例如:

方程 $x^2-1=0$ 的实数解集合;

26 个英文字母的集合;

坐标平面上所有点的集合;

……

集合通常用大写的英文字母来标记,如自然数集 $\mathbf{N}$(在离散数学中认为 0 也是自然数)、整数集 $\mathbf{Z}$、有理数集 $\mathbf{Q}$、实数集 $\mathbf{R}$、复数集 $\mathbf{C}$ 等.

表示一个集合的方法有两种:列元素法和谓词表示法.前一种方法是列出集合的所有元素,元素之间用逗号隔开,并把它们用花括号括起来.例如

$$A=\{a,b,c,\cdots,z\}$$
$$\mathbf{Z}=\{0,\pm 1,\pm 2,\cdots\}$$

都是合法的表示.谓词表示法是用谓词来概括集合中元素的属性,例如,集合

$$B=\{x\mid x\in\mathbf{R}\wedge x^2-1=0\}$$

表示方程 $x^2-1=0$ 的实数解集.许多集合可以用两种方法来表示.例如,B 也可以写成 $\{-1,1\}$.但

是有些集合不可以用列元素法表示,如实数集合.

集合的元素是彼此不同的,如果同一个元素在集合中多次出现应该认为是一个元素,如

$$\{1,2,3,3,3\}=\{1,2,3\}$$

集合的元素是无序的,如

$$\{1,2,3\}=\{3,1,2\}$$

在本书所采用的体系中规定集合的元素都是集合.元素和集合之间的关系是隶属关系,即属于或不属于,属于记作 $\in$,不属于记作 $\notin$.例如

$$A=\{a,\{b,c\},d,\{\{d\}\}\}$$

这里 $a\in A,\{b,c\}\in A,d\in A,\{\{d\}\}\in A$,但 $b\notin A,\{d\}\notin A.b$ 和 $\{d\}$ 是 A 的元素的元素.可以用一种树形图来表示这种隶属关系,该图分层构成,每一层上的结点都表示一个集合,它的儿子就是它的元素.上述集合 A 的树形图如图 6.1 所示.图中的 a,b,c,d 也是集合.由于所讨论的问题与 a,b,c,d 的元素无关,所以没有列出它们的元素.鉴于集合的元素都是集合这一规定,隶属关系可以看作处在不同层次上的集合之间的关系.

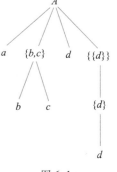

图 6.1

为了体系上的严谨性,规定:对任何集合 A ,都有 $A\notin A$.

下面考虑在同一层次上的两个集合之间的关系.

定义 6.1　设 A,B 为集合,如果 B 中的每个元素都是 A 中的元素,则称 B 是 A 的子集合,简称为子集.这时也称 B 被 A 包含,或 A 包含 B ,记作 $B\subseteq A$.

如果 B 不被 A 包含,则记作 $B\nsubseteq A$.

包含的符号化表示为

$$B\subseteq A\Leftrightarrow\forall x(x\in B\rightarrow x\in A)$$

例如 $\mathbf{N}\subseteq\mathbf{Z}\subseteq\mathbf{Q}\subseteq\mathbf{R}\subseteq\mathbf{C}$,但 $\mathbf{Z}\nsubseteq\mathbf{N}$.

显然对任何集合 A ,都有 $A\subseteq A$.

隶属关系和包含关系都是两个集合之间的关系,对于某些集合这两种关系可以同时成立.例如

$$A=\{a,\{a\}\}\ \text{和}\ \{a\}$$

既有 $\{a\}\in A$,又有 $\{a\}\subseteq A$.前者把它们看成是不同层次上的两个集合,后者把它们看成是同一层次上的两个集合,都是正确的.

定义 6.2　设 A,B 为集合,如果 $A\subseteq B$ 且 $B\subseteq A$,则称 A 与 B 相等,记作 $A=B$.

如果 A 与 B 不相等,则记作 $A\neq B$.

相等的符号化表示为

$$A=B\Leftrightarrow A\subseteq B\wedge B\subseteq A$$

定义 6.3　设 A,B 为集合,如果 $B\subseteq A$ 且 $B\neq A$,则称 B 是 A 的真子集,记作 $B\subset A$.

如果 B 不是 A 的真子集,则记作 $B\not\subset A$.

真子集的符号化表示为

$$B \subset A \Leftrightarrow B \subseteq A \wedge B \neq A$$

例如 $\mathbf{N} \subset \mathbf{Z} \subset \mathbf{Q} \subset \mathbf{R} \subset \mathbf{C}$,但 $\mathbf{N} \not\subset \mathbf{N}$.

定义 6.4　不含任何元素的集合称作空集,记作 $\varnothing$.

空集可以符号化表示为

$$\varnothing = \{x \mid x \neq x\}$$

例如 $\{x \mid x \in \mathbf{R} \wedge x^2 + 1 = 0\}$ 是方程 $x^2 + 1 = 0$ 的实数解集,因为该方程无实数解,所以是空集.

定理 6.1　空集是一切集合的子集.

证　任给集合 A,由子集定义有

$$\varnothing \subseteq A \Leftrightarrow \forall x(x \in \varnothing \rightarrow x \in A)$$

右边的蕴涵式因前件假而为真命题,所以 $\varnothing \subseteq A$ 也为真.

推论　空集是唯一的.

证　假设存在空集 $\varnothing_1$ 和 $\varnothing_2$,由定理 6.1 有

$$\varnothing_1 \subseteq \varnothing_2 \text{ 和 } \varnothing_2 \subseteq \varnothing_1$$

根据集合相等的定义,有 $\varnothing_1 = \varnothing_2$.

含有 n 个元素的集合简称为 n 元集,它的含有 $m(m \leq n)$ 个元素的子集称作它的 m 元子集.任给一个 n 元集,怎样求出它的全部子集呢? 举例说明如下.

例 6.1　$A = \{1, 2, 3\}$,将 A 的子集分类.

0 元子集,也就是空集,只有一个:$\varnothing$;

1 元子集,即单元集:$\{1\}$,$\{2\}$,$\{3\}$;

2 元子集:$\{1,2\}$,$\{1,3\}$,$\{2,3\}$;

3 元子集:$\{1,2,3\}$.

一般地说,对于 n 元集 A,它的 0 元子集有 $C(n,0)$ 个,1 元子集有 $C(n,1)$ 个,$\cdots\cdots$,m 元子集有 $C(n,m)$ 个,$\cdots\cdots$,n 元子集有 $C(n,n)$ 个,子集总数为

$$C(n,0) + C(n,1) + C(n,2) + \cdots + C(n,n) = 2^n$$

式中的 $C(n,m)$,$m = 0, 1, \cdots, n$,表示从 n 个元素中选取 m 个元素的选法数. 等式的证明要用到二项式定理,有关内容将在 12.3 节给出.

定义 6.5　设 A 为集合,把 A 的全体子集构成的集合称作 A 的幂集,记作 $P(A)$(或 $\mathscr{P}A, 2^A$).

幂集的符号化表示为

$$P(A) = \{x \mid x \subseteq A\}$$

对于例 6.1 中的集合 A 有

$$P(A) = \{\varnothing, \{1\}, \{2\}, \{3\}, \{1,2\}, \{1,3\}, \{2,3\}, \{1,2,3\}\}$$

不难看出,若 A 是 n 元集,则 $P(A)$ 有 2^n 个元素.

定义 6.6　在一个具体问题中,如果所涉及的集合都是某个集合的子集,则称这个集合为全集,记作 E.

全集是有相对性的,不同的问题有不同的全集,即使是同一个问题也可以取不同的全集. 例如,在研究平面上直线的相互关系时,可以把整个平面(平面上所有点的集合)取作全集,也可以把整个空间(空间上所有点的集合)取作全集. 一般地说,全集取得小一些,问题的描述和处理会简单些.

6.2　集合的运算

集合的基本运算有并、交、相对补和对称差.

定义 6.7　设 A,B 为集合, A 与 B 的并集 $A \cup B$, 交集 $A \cap B$, B 对 A 的相对补集 $A-B$ 分别定义如下.

$$A \cup B = \{x \mid x \in A \lor x \in B\}$$
$$A \cap B = \{x \mid x \in A \land x \in B\}$$
$$A - B = \{x \mid x \in A \land x \notin B\}$$

由定义可以看出, $A \cup B$ 由 A 或 B 中的元素构成, $A \cap B$ 由 A 和 B 中的公共元素构成, $A-B$ 由属于 A 但不属于 B 的元素构成. 例如

$$A = \{a,b,c\}, B = \{a\}, C = \{b,d\}$$

则有

$$A \cup B = \{a,b,c\}, A \cap B = \{a\}, A - B = \{b,c\}$$
$$B - A = \varnothing, B \cap C = \varnothing$$

如果两个集合的交集为 $\varnothing$, 则称这两个集合是不交的. 例如, B 和 C 是不交的.

两个集合的并和交运算可以推广成 n 个集合的并和交.

$$A_1 \cup A_2 \cup \cdots \cup A_n = \{x \mid x \in A_1 \lor x \in A_2 \lor \cdots \lor x \in A_n\}$$
$$A_1 \cap A_2 \cap \cdots \cap A_n = \{x \mid x \in A_1 \land x \in A_2 \land \cdots \land x \in A_n\}$$

上述的并和交可以简记为 $\bigcup\limits_{i=1}^{n} A_i$ 和 $\bigcap\limits_{i=1}^{n} A_i$, 即

$$\bigcup_{i=1}^{n} A_i = A_1 \cup A_2 \cup \cdots \cup A_n$$
$$\bigcap_{i=1}^{n} A_i = A_1 \cap A_2 \cap \cdots \cap A_n$$

并和交运算还可以推广到无穷多个集合的情况.

$$\bigcup_{i=1}^{\infty} A_i = A_1 \cup A_2 \cup \cdots$$
$$\bigcap_{i=1}^{\infty} A_i = A_1 \cap A_2 \cap \cdots$$

定义 6.8　设 A,B 为集合，A 与 B 的**对称差集** $A \oplus B$ 定义为

$$A \oplus B = (A-B) \cup (B-A)$$

例如 $A = \{a,b,c\}, B = \{b,d\}$，则 $A \oplus B = \{a,c,d\}$.

对称差运算的另一种定义是

$$A \oplus B = (A \cup B) - (A \cap B)$$

可以证明这两种定义是等价的，证明留作练习.

在给定全集 E 以后，$A \subseteq E$，A 的**绝对补集** $\sim A$ 定义如下.

定义 6.9　$\sim A = E - A = \{x \mid x \in E \wedge x \notin A\}$

因为 E 是全集，$x \in E$ 是真命题，所以 $\sim A$ 可以定义为

$$\sim A = E - A = \{x \mid x \notin A\}$$

例如 $E = \{a,b,c,d\}, A = \{a,b,c\}$，则 $\sim A = \{d\}$.

以上定义的并和交运算称为初级并和初级交. 下面考虑推广的并和交运算，即广义并和广义交.

定义 6.10　设 A 为集合，A 的元素的元素构成的集合称作 A 的**广义并**，记作 $\cup A$，符号化表示为

$$\cup A = \{x \mid \exists z (z \in A \wedge x \in z)\}$$

例 6.2　设

$$A = \{\{a,b,c\}, \{a,c,d\}, \{a,e,f\}\}$$
$$B = \{\{a\}\}$$
$$C = \{a, \{c,d\}\}$$

则

$$\cup A = \{a,b,c,d,e,f\}$$
$$\cup B = \{a\}$$
$$\cup C = a \cup \{c,d\}$$
$$\cup \varnothing = \varnothing$$

根据广义并定义不难证明，若 $A = \{A_1, A_2, \cdots, A_n\}$，则 $\cup A = A_1 \cup A_2 \cup \cdots \cup A_n$.

类似地可以定义集合的广义交.

定义 6.11　设 A 为非空集合，A 的所有元素的公共元素构成的集合称作 A 的**广义交**，记作 $\cap A$. 符号化表示为

$$\cap A = \{x \mid \forall z (z \in A \rightarrow x \in z)\}$$

考虑例 6.2 中的集合，有

$$\cap A = \{a\}, \quad \cap B = \{a\}, \quad \cap C = a \cap \{c,d\}$$

细心的读者一定会注意到在定义 6.11 中特别强调了 A 是非空集合. 对于空集 $\varnothing$ 可以进行广义并，即 $\cup \varnothing = \varnothing$. 但空集 $\varnothing$ 不可以进行广义交，因为 $\cap \varnothing$ 不是集合，在集合论中是没有意义的.

和广义并类似，若 $A = \{A_1, A_2, \cdots, A_n\}$，则 $\cap A = A_1 \cap A_2 \cap \cdots \cap A_n$.

在后面的叙述中,若只说并或交,则这都是指集合的初级并或初级交;如果在并或交前面冠以"广义"两个字,则指集合的广义并或广义交. 为了使得集合表达式更为简洁,对集合运算的优先顺序做如下规定.

称广义并、广义交、幂集、绝对补运算为一类运算,并、交、相对补、对称差运算为二类运算.

一类运算优先于二类运算.

一类运算之间由右向左顺序进行.

二类运算之间由括号决定先后顺序.

例如,集合公式

$$\cap A - \cup B, \cup P(A), \sim P(A) \cup \cup B, \sim (A \cup B)$$

都是合理的公式.

例 6.3 设

$$A = \{\{a\}, \{a,b\}\}$$

计算 $\cup \cup A, \cap \cap A$ 和 $\cap \cup A \cup (\cup \cup A - \cup \cap A)$.

解
$$\cup A = \{a, b\}$$
$$\cap A = \{a\}$$
$$\cup \cup A = a \cup b$$
$$\cap \cap A = a$$
$$\cap \cup A \cup (\cup \cup A - \cup \cap A).$$
$$= (a \cap b) \cup ((a \cup b) - a)$$
$$= (a \cap b) \cup (b - a)$$
$$= b$$

所以 $\cup \cup A = a \cup b, \cap \cap A = a, \cap \cup A \cup (\cup \cup A - \cup \cap A) = b$.

6.3 有穷集的计数

集合之间的关系和初级运算可以用文氏图(Venn diagram)给予形象的描述. 文氏图的构造方法如下.

首先画一个大矩形表示全集 E(有时为简单起见可以将全集省略),其次在矩形内画一些圆(或任何其他适当的闭曲线),用圆的内部表示集合. 不同的圆代表不同的集合. 如果没有关于集合不交的说明,任何两个圆应彼此相交. 图中阴影的区域表示新组成的集合. 图 6.2 就是一些文氏图的实例.

使用文氏图可以很方便地解决有穷集的计数问题. 首先根据已知条件把对应的文氏图画出来. 一般地说,每一条性质决定一个集合. 有多少条性质,就有多少个集合. 如果没有特殊的说明,则任何两个集合都画成相交的,然后将已知集合的元素数填入表示该集合的区域内. 通常从 n 个

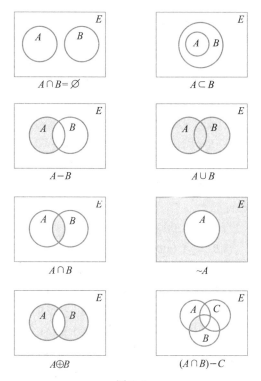

图 6.2

集合的交集填起,根据计算的结果将数字逐步填入所有的空白区域.如果交集的数字是未知的,则可以设为 x.根据题目中的条件,列出一次方程或方程组,就可以求得所需的结果.

例 6.4 对 24 名会外语的科技人员进行掌握外语情况的调查.其统计结果如下:会英、日、德和法语的人分别为 13,5,10 和 9 人,其中同时会英语和日语的有 2 人,会英、德和法语中任两种语言的都是 4 人.已知会日语的人既不懂法语也不懂德语,分别求只会一种语言(英、德、法、日)的人数和会 3 种语言的人数.

解 令 A,B,C,D 分别表示会英、法、德、日语的人的集合.根据题意画出文氏图如图 6.3 所示.设同时会 3 种语言的有 x 人,只会英、法或德语一种语言的分别为 y_1,y_2 和 y_3 人.将 x 和 y_1,y_2,y_3 填入图 6.3 中相应的区域,然后依次填入其他区域的人数.根据已知条件列出方程组

$$\begin{cases} y_1+2(4-x)+x+2=13 \\ y_2+2(4-x)+x=9 \\ y_3+2(4-x)+x=10 \\ y_1+y_2+y_3+3(4-x)+x=19 \end{cases}$$

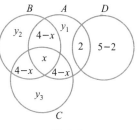

图 6.3

解得 $x=1,y_1=4,y_2=2,y_3=3$. 此外,只会日语的有 3 人.

例 6.5　求 1 到 1 000 之间(包含 1 和 1 000 在内)既不能被 5 和 6,也不能被 8 整除的数的个数.

解　设

$$S=\{x\,|\,x\in\mathbf{Z}\wedge 1\leqslant x\leqslant 1\,000\}$$
$$A=\{x\,|\,x\in S\wedge x\ \text{可被 5 整除}\}$$
$$B=\{x\,|\,x\in S\wedge x\ \text{可被 6 整除}\}$$
$$C=\{x\,|\,x\in S\wedge x\ \text{可被 8 整除}\}$$

用 $|T|$ 表示有穷集 T 中的元素数,$\lfloor x\rfloor$ 表示小于等于 x 的最大整数,$\mathrm{lcm}(x_1,x_2,\cdots,x_n)$ 表示 $x_1,x_2,\cdots,x_n$ 的最小公倍数,则有

$$|A|=\lfloor 1\,000/5\rfloor=200$$
$$|B|=\lfloor 1\,000/6\rfloor=166$$
$$|C|=\lfloor 1\,000/8\rfloor=125$$
$$|A\cap B|=\lfloor 1\,000/\mathrm{lcm}(5,6)\rfloor=33$$
$$|A\cap C|=\lfloor 1\,000/\mathrm{lcm}(5,8)\rfloor=25$$
$$|B\cap C|=\lfloor 1\,000/\mathrm{lcm}(6,8)\rfloor=41$$
$$|A\cap B\cap C|=\lfloor 1\,000/\mathrm{lcm}(5,6,8)\rfloor=8$$

将这些数字依次填入文氏图,得到图 6.4. 由图 6.4 可知,不能被 5,6 和 8 整除的数有

$$1\,000-(200+100+33+67)=600$$

个.

上述有穷集合的计数问题也可以使用*包含排斥原理*求解. 包含排斥原理是组合学基本的计数定理之一.

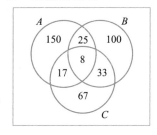

图 6.4

定理 6.2(包含排斥原理)　设 S 为有穷集,$P_1,P_2,\cdots,P_n$ 是 n 个性质. S 中的任何元素 x 或者具有性质 P_i,或者不具有性质 P_i,两种情况必居其一. 令 A_i 表示 S 中具有性质 P_i 的元素构成的子集,则 S 中不具有性质 $P_1,P_2,\cdots,P_n$ 的元素数为

$$|\overline{A}_1\cap\overline{A}_2\cap\cdots\cap\overline{A}_n|$$

$$=|S|-\sum_{i=1}^{n}|A_i|+\sum_{1\leqslant i<j\leqslant n}|A_i\cap A_j|-$$

$$\sum_{1\leqslant i<j<k\leqslant n}|A_i\cap A_j\cap A_k|+\cdots+(-1)^n|A_1\cap A_2\cap\cdots\cap A_n|$$

推论　S 中至少具有一条性质的元素数为

$$|A_1 \cup A_2 \cup \cdots \cup A_n|$$

$$= \sum_{i=1}^{n} |A_i| - \sum_{1 \leq i < j \leq n} |A_i \cap A_j| +$$

$$\sum_{1 \leq i < j < k \leq n} |A_i \cap A_j \cap A_k| - \cdots + (-1)^{n-1} |A_1 \cap A_2 \cap \cdots \cap A_n|$$

根据包含排斥原理,例 6.5 所求的元素数为

$$|\overline{A} \cap \overline{B} \cap \overline{C}| = |S| - (|A| + |B| + |C|) + (|A \cap B| + |A \cap C| +$$

$$|B \cap C|) - |A \cap B \cap C|$$

$$= 1\,000 - (200 + 166 + 125) + (33 + 25 + 41) - 8 = 600$$

例 6.6 求欧拉函数的值.

欧拉函数 ϕ 是数论中的一个重要函数,设 n 是正整数,$\phi(n)$ 表示 $\{0, 1, \cdots, n-1\}$ 中与 n 互素的数的个数. 例如 $\phi(12) = 4$,因为与 12 互素的数有 1, 5, 7, 11. 这里认为 $\phi(1) = 1$. 下面利用包含排斥原理给出欧拉函数的计算公式.

解 给定正整数 n,$n = p_1^{\alpha_1} p_2^{\alpha_2} \cdots p_k^{\alpha_k}$ 为 n 的素因子分解式,令

$$A_i = \{x \mid 0 \leq x < n-1 \text{ 且 } p_i \text{ 整除 } x\}$$

那么

$$\phi(n) = |\overline{A}_1 \cap \overline{A}_2 \cap \cdots \cap \overline{A}_k|$$

下面计算等式右边的各项.

$$|A_i| = \frac{n}{p_i}, \quad i = 1, 2, \cdots, k$$

$$|A_i \cap A_j| = \frac{n}{p_i p_j}, \quad 1 \leq i < j \leq n$$

$$\cdots$$

根据包含排斥原理

$$\phi(n) = |\overline{A}_1 \cap \overline{A}_2 \cap \cdots \cap \overline{A}_k|$$

$$= n - \left(\frac{n}{p_1} + \frac{n}{p_2} + \cdots + \frac{n}{p_k}\right) + \left(\frac{n}{p_1 p_2} + \frac{n}{p_1 p_3} + \cdots + \right.$$

$$\left.\frac{n}{p_{k-1} p_k}\right) - \cdots + (-1)^k \frac{n}{p_1 p_2 \cdots p_k}$$

$$= n\left(1 - \frac{1}{p_1}\right)\left(1 - \frac{1}{p_2}\right) \cdots \left(1 - \frac{1}{p_k}\right)$$

例如

$$\phi(60) = 60\left(1 - \frac{1}{2}\right)\left(1 - \frac{1}{3}\right)\left(1 - \frac{1}{5}\right) = 60 \times \frac{1}{2} \times \frac{2}{3} \times \frac{4}{5} = 16$$

与 60 互素的正整数有 16 个,它们是 1, 7, 11, 13, 17, 19, 23, 29, 31, 37, 41, 43, 47, 49, 53, 59.

例 6.7 错位排列的计数问题. 有 n 个人在参加晚会时寄存了自己的帽子. 可是保管人忘记

放寄存号,当每个人领取帽子时,他只能随机选择一顶帽子交给寄存人. 问:在 $n!$ 种领取帽子的方式中有多少种方式使得每个人都没有领到自己的帽子? 如果将这些人与他们的帽子分别标号为 $1,2,\cdots,n$. 设 j 领到的帽子标号为 $i_j,j=1,2,\cdots,n$,那么这些人领到的帽子可以用排列 $i_1 i_2 \cdots i_n$ 来表示,其中每个人都没有领到自己帽子的排列 $i_1 i_2 \cdots i_n$ 满足 $i_j \neq j,j=1,2,\cdots,n$. 称这种排列为错位排列,错位排列数记作 D_n,证明 $D_n = n! \left[1 - \dfrac{1}{1!} + \dfrac{1}{2!} - \cdots + (-1)^n \dfrac{1}{n!} \right]$.

证 设 S 为 $\{1,2,\cdots,n\}$ 的排列的集合,P_i 是其中 i 处在排列中的第 i 位的性质,A_i 是 S 中具有性质 P_i 的排列的集合,$i=1,2,\cdots,n$. 错位排列数 D_n 就是 S 中不具有以上任何一条性质的排列数. 不难看出

$$|S| = n!$$

$$|A_i| = (n-1)! \qquad\qquad i = 1,2,\cdots,n$$

$$|A_i \cap A_j| = (n-2)! \qquad\qquad 1 \leq i < j \leq n$$

$$|A_i \cap A_j \cap A_k| = (n-3)! \qquad\qquad 1 \leq i < j < k \leq n$$

$$\cdots$$

$$|A_1 \cap A_2 \cap \cdots \cap A_n| = 0! = 1$$

$$D_n = |\overline{A_1} \cap \overline{A_2} \cap \cdots \cap \overline{A_n}|$$

$$= n! - C(n,1)(n-1)! + C(n,2)(n-2)! - \cdots + (-1)^n C(n,n) 0!$$

$$= n! \left[1 - \frac{1}{1!} + \frac{1}{2!} - \cdots + (-1)^n \frac{1}{n!} \right]$$

从 D_n 的表达式可以看出,当 n 充分大时,错位排列占所有排列的比例大约等于 e^{-1}.

6.4   集合恒等式

下面的恒等式给出了集合运算的主要算律,其中的 A,B,C 代表任意的集合.

幂等律	$A \cup A = A$	(6.1)
	$A \cap A = A$	(6.2)
结合律	$(A \cup B) \cup C = A \cup (B \cup C)$	(6.3)
	$(A \cap B) \cap C = A \cap (B \cap C)$	(6.4)
交换律	$A \cup B = B \cup A$	(6.5)
	$A \cap B = B \cap A$	(6.6)
分配律	$A \cup (B \cap C) = (A \cup B) \cap (A \cup C)$	(6.7)
	$A \cap (B \cup C) = (A \cap B) \cup (A \cap C)$	(6.8)

同一律	$A \cup \varnothing = A$	(6.9)
	$A \cap E = A$	(6.10)
零　律	$A \cup E = E$	(6.11)
	$A \cap \varnothing = \varnothing$	(6.12)
排中律	$A \cup \sim A = E$	(6.13)
矛盾律	$A \cap \sim A = \varnothing$	(6.14)
吸收律	$A \cup (A \cap B) = A$	(6.15)
	$A \cap (A \cup B) = A$	(6.16)
德摩根律	$A - (B \cup C) = (A-B) \cap (A-C)$	(6.17)
	$A - (B \cap C) = (A-B) \cup (A-C)$	(6.18)
	$\sim (B \cup C) = \sim B \cap \sim C$	(6.19)
	$\sim (B \cap C) = \sim B \cup \sim C$	(6.20)
	$\sim \varnothing = E$	(6.21)
	$\sim E = \varnothing$	(6.22)
双重否定律	$\sim \sim A = A$	(6.23)

这里选证其中的一部分,其余留给读者完成. 在证明中大量用到命题逻辑的等值式,在叙述中采用半形式化的方法,其中⇔表示当且仅当.

例 6.8　证明式(6.17),即 $A - (B \cup C) = (A-B) \cap (A-C)$.

证　对任意的 x,有

$$x \in A - (B \cup C) \Leftrightarrow x \in A \land x \notin B \cup C$$
$$\Leftrightarrow x \in A \land \neg(x \in B \lor x \in C)$$
$$\Leftrightarrow x \in A \land (\neg x \in B \land \neg x \in C)$$
$$\Leftrightarrow x \in A \land x \notin B \land x \notin C$$
$$\Leftrightarrow (x \in A \land x \notin B) \land (x \in A \land x \notin C)$$
$$\Leftrightarrow x \in A - B \land x \in A - C$$
$$\Leftrightarrow x \in (A-B) \cap (A-C)$$

所以

$$A - (B \cup C) = (A-B) \cap (A-C)$$

例 6.9　证明式(6.10),即 $A \cap E = A$.

证　对任意的 x,有

$$x \in A \cap E \Leftrightarrow x \in A \land x \in E \Leftrightarrow x \in A \ (\text{因为 } x \in E \text{ 是恒真命题})$$

所以 $A \cap E = A$.

以上证明的基本思想是:设 P, Q 为集合公式,欲证 $P = Q$,即证

$$P \subseteq Q \land Q \subseteq P \text{ 为真}.$$

也就是要证对于任意的 x 有

$$x \in P \Rightarrow x \in Q \text{ 和 } x \in Q \Rightarrow x \in P$$

成立. 对于某些恒等式可以将这两个方向的推理合到一起, 就是

$$x \in P \Leftrightarrow x \in Q$$

不难看出, 集合运算的规律和命题演算的某些规律是一致的, 所以命题演算的方法是证明集合恒等式的基本方法. 式(6.1) ~ 式(6.23)都可以利用这个方法得到.

证明集合恒等式的另一种方法是利用已知的恒等式来代入. 举例如下.

例 6.10 假设已知式(6.1) ~ 式(6.14), 试证式(6.15)即 $A \cup (A \cap B) = A$.

证

$$
\begin{aligned}
A \cup (A \cap B) &= (A \cap E) \cup (A \cap B) &\quad (\text{式}(6.10)) \\
&= A \cap (E \cup B) &\quad (\text{式}(6.8)) \\
&= A \cap (B \cup E) &\quad (\text{式}(6.5)) \\
&= A \cap E &\quad (\text{式}(6.11)) \\
&= A &\quad (\text{式}(6.10))
\end{aligned}
$$

除了以上算律以外, 还有一些关于集合运算性质的重要结果. 例如

$$A \cap B \subseteq A, A \cap B \subseteq B \tag{6.24}$$

$$A \subseteq A \cup B, B \subseteq A \cup B \tag{6.25}$$

$$A - B \subseteq A \tag{6.26}$$

$$A - B = A \cap \sim B \tag{6.27}$$

$$A \cup B = B \Leftrightarrow A \subseteq B \Leftrightarrow A \cap B = A \Leftrightarrow A - B = \varnothing \tag{6.28}$$

$$A \oplus B = B \oplus A \tag{6.29}$$

$$(A \oplus B) \oplus C = A \oplus (B \oplus C) \tag{6.30}$$

$$A \oplus \varnothing = A \tag{6.31}$$

$$A \oplus A = \varnothing \tag{6.32}$$

$$A \oplus B = A \oplus C \Rightarrow B = C \tag{6.33}$$

这里只选证其中的一部分.

例 6.11 证明式(6.27), 即 $A - B = A \cap \sim B$.

证 对于任意的 x, 有

$$
\begin{aligned}
x \in A - B &\Leftrightarrow x \in A \wedge x \notin B \\
&\Leftrightarrow x \in A \wedge x \in \sim B \\
&\Leftrightarrow x \in A \cap \sim B
\end{aligned}
$$

所以 $A - B = A \cap \sim B$.

式(6.27)把相对补运算转换成交运算, 这在证明有关相对补的恒等式中是很有用的.

例 6.12 证明 $(A - B) \cup B = A \cup B$.

证

$$(A - B) \cup B = (A \cap \sim B) \cup B$$

$$= (A \cup B) \cap ({\sim}B \cup B)$$
$$= (A \cup B) \cap E$$
$$= A \cup B$$

例 6.13 证明式(6.28)是真命题.

证 先证 $A \cup B = B \Rightarrow A \subseteq B$.

对于任意的 x,有

$$x \in A \Rightarrow x \in A \vee x \in B \Rightarrow x \in A \cup B \Rightarrow x \in B(因为 A \cup B = B)$$

所以 $A \subseteq B$.

再证 $A \subseteq B \Rightarrow A \cap B = A$.

显然有 $A \cap B \subseteq A$,下面证 $A \subseteq A \cap B$.

对于任意的 x,有

$$x \in A \Rightarrow x \in A \wedge x \in A \Rightarrow x \in A \wedge x \in B(因为 A \subseteq B)$$
$$\Rightarrow x \in A \cap B$$

由集合相等的定义有 $A \cap B = A$.

然后证 $A \cap B = A \Rightarrow A - B = \varnothing$.

$$A - B$$
$$= A \cap {\sim}B$$
$$= (A \cap B) \cap {\sim}B \qquad (因为 A \cap B = A)$$
$$= A \cap (B \cap {\sim}B)$$
$$= A \cap \varnothing$$
$$= \varnothing$$

最后证 $A - B = \varnothing \Rightarrow A \cup B = B$.

由例 6.12 及 $A - B = \varnothing$ 有

$$A \cup B = B \cup (A - B) = B \cup \varnothing = B$$

式(6.28)给出了 $A \subseteq B$ 的另外 3 种等价的定义,这不仅为证明两个集合之间的包含关系提供了新方法,同时也可以用于集合公式的化简.

例 6.14 化简 $((A \cup B \cup C) \cap (A \cup B)) - ((A \cup (B - C)) \cap A)$.

解 因为 $A \cup B \subseteq A \cup B \cup C, A \subseteq A \cup (B - C)$,由式(6.28)有

$$((A \cup B \cup C) \cap (A \cup B)) - ((A \cup (B - C)) \cap A)$$
$$= (A \cup B) - A$$
$$= B - A$$

式(6.29)~式(6.33)是关于对称差运算的算律,前 4 条可通过对称差的定义加以证明,最后一条称作消去律,它的证明如下.

例 6.15 已知 $A \oplus B = A \oplus C$,证明 $B = C$.

证 已知 $A \oplus B = A \oplus C$,所以有

$$A \oplus (A \oplus B) = A \oplus (A \oplus C)$$
$$\Rightarrow (A \oplus A) \oplus B = (A \oplus A) \oplus C \qquad (式(6.30))$$
$$\Rightarrow \varnothing \oplus B = \varnothing \oplus C \qquad\qquad (式(6.32))$$
$$\Rightarrow B \oplus \varnothing = C \oplus \varnothing \qquad\qquad (式(6.29))$$
$$\Rightarrow B = C \qquad\qquad\qquad (式(6.31))$$

习 题 6

1. 选择适当的谓词表示下列集合.

(1) 小于 5 的非负整数集合；

(2) 奇整数集合；

(3) 10 的整倍数的集合.

2. 用列元素法表示下列集合.

(1) $S_1 = \{x \mid x$ 是十进制的数字$\}$

(2) $S_2 = \{x \mid x = 2 \vee x = 5\}$

(3) $S_3 = \{x \mid x \in \mathbf{Z} \wedge 3 < x < 12\}$

(4) $S_4 = \{x \mid x \in \mathbf{R} \wedge x^2 - 1 = 0 \wedge x > 3\}$

(5) $S_5 = \{<x,y> \mid x,y \in \mathbf{Z} \wedge 0 \leqslant x \leqslant 2 \wedge -1 \leqslant y \leqslant 0\}$

3. 列出下列集合的元素.

(1) $\{x \mid x \in \mathbf{N} \wedge \exists t(t \in \{2,3\} \wedge x = 2t)\}$

(2) $\{x \mid x \in \mathbf{N} \wedge \exists t \exists s(t \in \{0,1\} \wedge s \in \{3,4\} \wedge t < x < s)\}$

(3) $\{x \mid x \in \mathbf{N} \wedge \forall t(t$ 整除 $2 \rightarrow x \neq t)\}$

4. 设 F 表示一年级大学生的集合，S 表示二年级大学生的集合，M 表示数学专业学生的集合，R 表示计算机专业学生的集合，T 表示听离散数学课学生的集合，G 表示星期一晚上参加音乐会的学生的集合，H 表示星期一晚上很迟才睡觉的学生的集合.下列句子所对应的集合表达式分别是什么？请从备选的答案中挑出来.

(1) 所有计算机专业二年级的学生在学离散数学课；

(2) 这些且只有这些学离散数学课的学生或者星期一晚上去听音乐会的学生在星期一晚上很迟才睡觉；

(3) 听离散数学课的学生都没参加星期一晚上的音乐会；

(4) 这个音乐会只有大学一、二年级的学生参加；

(5) 除去数学专业和计算机专业以外的二年级学生都去参加了音乐会.

备选答案：

① $T \subseteq G \cup H$ ② $G \cup H \subseteq T$ ③ $S \cap R \subseteq T$

④ $H = G \cup T$ ⑤ $T \cap G = \varnothing$ ⑥ $F \cup S \subseteq G$

⑦ $G \subseteq F \cup S$ ⑧ $S - (R \cup M) \subseteq G$ ⑨ $G \subseteq S - (R \cap M)$

5. 确定下列命题是否为真.

(1) $\varnothing \subseteq \varnothing$

(2) $\varnothing \in \varnothing$

(3) $\varnothing \subseteq \{\varnothing\}$

(4) $\varnothing \in \{\varnothing\}$

(5) $\{a,b\} \subseteq \{a,b,c,\{a,b,c\}\}$

(6) $\{a,b\} \in \{a,b,c,\{a,b\}\}$

(7) $\{a,b\} \subseteq \{a,b,\{\{a,b\}\}\}$

(8) $\{a,b\} \in \{a,b,\{\{a,b\}\}\}$

6. 设 a,b,c 各不相同,判断下列等式中哪个等式为真.

(1) $\{\{a,b\},c,\varnothing\} = \{\{a,b\},c\}$

(2) $\{a,b,a\} = \{a,b\}$

(3) $\{\{a\},\{b\}\} = \{\{a,b\}\}$

(4) $\{\varnothing,\{\varnothing\},a,b\} = \{\{\varnothing,\{\varnothing\}\},a,b\}$

7. 设 $S_1 = \{1,2,3,\cdots,8,9\}$, $S_2 = \{2,4,6,8\}$, $S_3 = \{1,3,5,7,9\}$, $S_4 = \{3,4,5\}$, $S_5 = \{3,5\}$,确定在以下条件下 X 是否与 S_1, S_2, S_3, S_4, S_5 中的某个集合相等. 如果是,又与哪个集合相等?

(1) 若 $X \cap S_5 = \varnothing$

(2) 若 $X \subseteq S_4$ 但 $X \cap S_2 = \varnothing$

(3) 若 $X \subseteq S_1$ 且 $X \not\subseteq S_3$

(4) 若 $X - S_3 = \varnothing$

(5) 若 $X \subseteq S_3$ 且 $X \not\subseteq S_1$

8. 求下列集合的幂集.

(1) $\{a,b,c\}$

(2) $\{1,\{2,3\}\}$

(3) $\{\varnothing\}$

(4) $\{\varnothing,\{\varnothing\}\}$

(5) $\{\{1,2\},\{2,1,1\},\{2,1,1,2\}\}$

(6) $\{\{\varnothing,2\},\{2\}\}$

9. 设 $E = \{1,2,3,4,5,6\}$, $A = \{1,4\}$, $B = \{1,2,5\}$, $C = \{2,4\}$,求下列集合.

(1) $A \cap \sim B$

(2) $(A \cap B) \cup \sim C$

(3) $\sim (A \cap B)$

(4) $P(A) \cap P(B)$

(5) $P(A) - P(B)$

10. 设 A, B, C, D 是 $\mathbf{Z}$ 的子集,其中

$A = \{1,2,7,8\}$

$B = \{x \mid x^2 < 50 \wedge x \in \mathbf{Z}\}$

$C = \{x \mid x \in \mathbf{Z} \wedge 0 \leqslant x \leqslant 30 \wedge x$ 可以被 3 整除$\}$

$D = \{x \mid x = 2^k \wedge k \in \mathbf{Z} \wedge 0 \leqslant k \leqslant 6\}$

用列元素法表示下列集合.

(1) $A \cup B \cup C \cup D$

(2) $A \cap B \cap C \cap D$

（3）$B-(A\cup C)$

（4）$(\sim A\cap B)\cup D$

11.（1）设 **R** 为实数集，

$$X=\{x\mid x\in\mathbf{R}\ 且-3\leqslant x<0\}$$
$$Y=\{x\mid x\in\mathbf{R}\ 且-1\leqslant x<5\}$$
$$W=\{x\mid x\in\mathbf{R}\ 且\ x<1\}$$

求 $(X\cap Y)-W$；

（2）设 $X=\{1,2,3\},Y=\{2,3,4,5\},W=\{2,3\}$，求 $(X\cup Y)\oplus W$.

12.（1）设 A 是 $n(n\geqslant1)$ 元集，其元素为英文字母，B 是 m 元集，其元素为自然数，求 $P(A)\cap P(B)$；

（2）设 $A=\{1,2,3,4,5,6\},B=\{x\mid x=n^2+1,n\in\mathbf{N},x<20\}$，求 $A\cup B$；

（3）设 $A=\{\{a,\{a\}\},a\},B=\{a,\{a\}\}$，求 $A\oplus B$.

13. 设 **Z** 为全集，A,B,C 为 **Z** 的子集，

$$A=\{x\mid\exists t(t\in\mathbf{Z}\wedge t\geqslant4\wedge x=3t)\}$$
$$B=\{x\mid\exists t(t\in\mathbf{Z}\wedge x=2t)\}$$
$$C=\{x\mid x\in\mathbf{Z}\wedge\mid x\mid\leqslant10\}$$

试用 A,B,C 以及集合运算分别给出以下集合的表达式.

（1）所有奇数的集合；

（2）$\{-10,-8,-6,-4,-2,0,2,4,6,8,10\}$；

（3）$\{x\mid\exists t(t\in\mathbf{Z}\wedge t\geqslant2\wedge x=6t)\}$；

（4）$\{x\mid\exists t(t\in\mathbf{Z}\wedge t\geqslant5\wedge x=2t+1)\}\cup\{x\mid\exists t(t\in\mathbf{Z}\wedge t\leqslant-5\wedge x=2t-1)\}$.

14. 化简下列集合表达式.

（1）$((A\cup B)\cap B)-(A\cup B)$

（2）$((A\cup B\cup C)-(B\cup C))\cup A$

（3）$(B-(A\cap C))\cup(A\cap B\cap C)$

15. 画出下列集合的文氏图.

（1）$\sim A\cap\sim B$

（2）$(A-(B\cup C))\cup((B\cup C)-A)$

（3）$A\cap(\sim B\cup C)$

16. 用公式表示图 6.5 中阴影部分的集合.

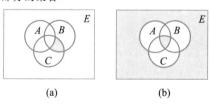

(a)   (b)

图 6.5

17. 化简下列集合表达式.

（1）$\cup\{\{3,4\},\{\{3\},\{4\}\},\{3,\{4\}\},\{\{3\},4\}\}$

（2）∪｛｛∅｝,｛｛∅｝｝｝

18. 设集合 $A = \{\{1,2\},\{2,3\},\{1,3\},\{\varnothing\}\}$,计算下列表达式.

（1）∪A

（2）∩A

（3）∩∪A

（4）∪∩A

19. 判断下列命题的真假.

（1）$a \in \{\{a\}\}$

（2）$\{a\} \in \{\{a\}\}$

（3）$x \in \{x\} - \{\{x\}\}$

（4）$\{x\} \subseteq \{x\} - \{\{x\}\}$

（5）$A - B = A \Leftrightarrow B = \varnothing$

（6）$A - B = \varnothing \Leftrightarrow A = B$

（7）$A \oplus A = A$

（8）$A - (B \cup C) = (A - B) \cap (A - C)$

（9）如果 $A \cap B = B$,则 $A = E$.

（10）$A = \{x\} \cup x$,则 $x \in A$ 且 $x \subseteq A$.

20. 对 60 个人的调查表明有 25 人阅读《每周新闻》杂志,26 人阅读《时代》杂志,26 人阅读《财富》杂志,9 人阅读《每周新闻》和《财富》杂志,11 人阅读《每周新闻》和《时代》杂志,8 人阅读《时代》和《财富》杂志,还有 8 人什么杂志也不读.

（1）求阅读全部三种杂志的人数;

（2）分别求只阅读《每周新闻》《时代》和《财富》杂志的人数.

21. 某班有 25 个学生,其中 14 人会打篮球,12 人会打排球,6 人会打篮球和排球,5 人会打篮球和网球,还有 2 人会打这 3 种球.已知 6 个会打网球的人都会打篮球或排球.求不会打球的人数.

22. 在 1~300 之间的整数(1 和 300 包含在内)中分别求满足以下条件的整数个数.

（1）同时能被 3,5 和 7 整除;

（2）不能被 3 和 5,也不能被 7 整除;

（3）可以被 3 整除,但不能被 5 和 7 整除;

（4）可以被 3 或 5 整除,但不能被 7 整除;

（5）只被 3,5 和 7 之中的一个数整除.

23. 使用包含排斥原理求不超过 120 的素数个数.

24. 在 1~10 000 之间(包括 1 和 10 000 在内)不能被 4,5 和 6 整除的整数有多少个?

25. 在 1~10 000 之间(包括 1 和 10 000 在内)既不是某个整数的平方,也不是某个整数的立方的整数有多少个?

26. 在 1~1 000 000 之间(包括 1 和 1 000 000 在内)有多少个整数包含了数字 1,2,3 和 4?

27. 证明错位排列数 D_n 满足:n 为偶数当且仅当 D_n 为奇数.

28. 化简下列集合公式.

（1）$(A \cap B) \cup (A - B)$

(2) $(A \cup (B-A))-B$

(3) $((A-B)-C) \cup ((A-B) \cap C) \cup ((A \cap B)-C) \cup (A \cap B \cap C)$

(4) $(A \cap B \cap C) \cup (A \cap \sim B \cap C) \cup (\sim A \cap B \cap C)$

29. 若 $P-Q=P$,判断下列条件中哪个为真,并说明理由.

(1) $P \cap Q = \varnothing$

(2) $Q = P$

(3) $P \subseteq Q$

(4) $Q \subseteq P$

30. 设 A,B,C 代表任意集合,试判断下列命题的真假. 如果为真,给出证明;如果为假,给出反例.

(1) $A \subset B \wedge B \subseteq C \Rightarrow A \subset C$

(2) $A \neq B \wedge B \neq C \Rightarrow A \neq C$

(3) $A \in B \wedge B \nsubseteq C \Rightarrow A \notin C$

(4) $(A-B) \cup (B-C) = A-C$

(5) $(A-B) \cup B = A$

(6) $(A \cup B)-A = B$

(7) $(A \cap B)-A = \varnothing$

(8) $A \cup B = A \cup C \Rightarrow B = C$

31. 设 A,B 为任意集合,证明:

$$(A-B) \cup (B-A) = (A \cup B)-(A \cap B)$$

32. 设 A,B,C 是任意集合,证明:

(1) $(A-B)-C = A-(B \cup C)$

(2) $(A-B)-C = (A-C)-(B-C)$

(3) $(A-B)-C = (A-C)-B$

33. 证明下列集合恒等式.

(1) $A \cap (B \cup \sim A) = B \cap A$

(2) $\sim ((\sim A \cup \sim B) \cap \sim A) = A$

34. 设 A,B 为集合,证明:如果 $(A-B) \cup (B-A) = A \cup B$,则 $A \cap B = \varnothing$.

35. 证明下列命题是等价的.

$$A \subseteq B, \quad \sim B \subseteq \sim A, \quad \sim A \cup B = E, \quad A-B \subseteq B$$

36. 证明:$P(A) \subseteq P(B) \Rightarrow A \subseteq B$.

37. 设 A,B,C 是任意集合,证明:

$$C \subseteq A \wedge C \subseteq B \Leftrightarrow C \subseteq A \cap B$$

38. 设 P,Q 为任意集合,证明:

$$P \subseteq Q \Leftrightarrow P-Q \subseteq \sim P$$

39. 证明:如果对一切集合 X 有 $X \cup Y = X$,则 $Y = \varnothing$.

40. 设 A,B 为集合,如果 $A \subseteq B$,证明:$B \cup \sim A = E$.

41. 设 A,B,C 为任意集合,证明:

$$A \cap C \subseteq B \cap C \wedge A-C \subseteq B-C \Rightarrow A \subseteq B$$

42. 设 A,B,C 为任意集合,证明:

$$A \cup B = A \cup C \wedge A \cap B = A \cap C \Rightarrow B = C$$

43. 设 A,B,C,D 为集合,判断下列命题是否为真. 如果恒真请给出证明,否则请举一个反例.

(1) $A \subseteq B \wedge C \subseteq D \Rightarrow A \cup C \subseteq B \cup D$

(2) $A \subset B \wedge C \subset D \Rightarrow A \cup C \subset B \cup D$

44. 设 A,B 为任意集合,证明:

$$A \subseteq B \Rightarrow P(A) \subseteq P(B)$$

45. 设 A,B 为任意集合,证明:

(1) $P(A) \cap P(B) = P(A \cap B)$

(2) $P(A) \cup P(B) \subseteq P(A \cup B)$

(3) 举一反例,说明 $P(A) \cup P(B) = P(A \cup B)$ 对某些集合 A 和 B 是不成立的.

46. 设 A,B 为集合,分别求下列等式成立的充分必要条件. 例如,$A \cap B = A$ 的充分必要条件是 $A \subseteq B$.

(1) $A \cup B = A$

(2) $A - B = A$

(3) $A - B = B$

(4) $A - B = B - A$

(5) $A \oplus B = A$

(6) $A \oplus B = \varnothing$

47. 寻找下列集合等式成立的充分必要条件.

(1) $(A-B) \cup (A-C) = A$

(2) $(A-B) \cup (A-C) = \varnothing$

(3) $(A-B) \cap (A-C) = \varnothing$

(4) $(A-B) \cap (A-C) = A$

48. 设全集为 n 元集,按照某种给定顺序排列为 $E = \{x_1, x_2, \cdots, x_n\}$. 在计算机中可以用长为 n 的 0,1 串表示 E 的子集. 令 m 元子集 $A = \{x_{i_1}, x_{i_2}, \cdots, x_{i_m}\}$,则 A 所对应的 0-1 串为 $j_1 j_2 \cdots j_n$,其中

$$j_k = \begin{cases} 1, & k = i_1, i_2, \cdots, i_m \\ 0, & \text{否则} \end{cases}$$

例如,$E = \{1, 2, \cdots, 8\}$,则 $A = \{1, 2, 5, 6\}$ 和 $B = \{3, 7\}$ 对应的 0-1 串分别为 11001100 和 00100010.

(1) 设 A 对应的 0-1 串为 10110010,则 $\sim A$ 对应的 0-1 串是什么?

(2) 设 A 与 B 对应的 0-1 串分别为 $i_1 i_2 \cdots i_n$ 和 $j_1 j_2 \cdots j_n$,且 $A \cup B, A \cap B, A-B, A \oplus B$ 对应的 0-1 串分别为 $a_1 a_2 \cdots a_n, b_1 b_2 \cdots b_n, c_1 c_2 \cdots c_n, d_1 d_2 \cdots d_n$,求 $a_k, b_k, c_k, d_k, k = 1, 2, \cdots, n$.

49. 求 $\cup A, \cap A$.

(1) 设 $A = \{A_i | A_i$ 为实数区间 $(-1/i, 1/i) \wedge i \in \mathbf{Z}^+\}$;

(2) 设 $A = \{A_i | A_i$ 为实数区间 $[-1/i, 1/i] \wedge i \in \mathbf{Z}^+\}$.

50. 设 $A = \{\{\varnothing\}, \{\{\varnothing\}\}\}$,计算:

(1) $P(A)$

(2) $P(\cup A)$

(3) $\cup P(A)$

第7章
二元关系

7.1 有序对与笛卡儿积

定义 7.1 由两个元素 x 和 y(允许 $x=y$)按照一定顺序排列成的二元组称作一个有序对或序偶,记作 $<x,y>$,其中 x 是它的第一元素,y 是它的第二元素.

有序对 $<x,y>$ 具有以下性质.

1. 当 $x\neq y$ 时,$<x,y>\neq<y,x>$.

2. $<x,y>=<u,v>$ 的充分必要条件是 $x=u$ 且 $y=v$.

这些性质是二元集 $\{x,y\}$ 所不具备的. 例如,当 $x\neq y$ 时有 $\{x,y\}=\{y,x\}$. 原因在于有序对中的元素是有序的,而集合中的元素是无序的.

例 7.1 已知 $<x+2,4>=<5,2x+y>$,求 x 和 y.

解 由有序对相等的充要条件有

$$\begin{cases} x+2=5 \\ 2x+y=4 \end{cases}$$

解得 $x=3$,$y=-2$.

定义 7.2 设 A,B 为集合,用 A 中元素为第一元素,B 中元素为第二元素构成有序对. 所有这样的有序对组成的集合称作 A 和 B 的笛卡儿积,记作 $A\times B$.

笛卡儿积的符号化表示为

$$A \times B = \{<x,y> \mid x \in A \land y \in B\}$$

例如,设 $A = \{a,b\}$,$B = \{0,1,2\}$,则

$$A \times B = \{<a,0>,<a,1>,<a,2>,<b,0>,<b,1>,<b,2>\}$$

$$B \times A = \{<0,a>,<0,b>,<1,a>,<1,b>,<2,a>,<2,b>\}$$

由排列组合的知识不难证明,如果 $|A| = m$,$|B| = n$,则 $|A \times B| = mn$.

笛卡儿积运算具有以下性质.

1. 对任意集合 A ,根据定义有

$$A \times \varnothing = \varnothing , \varnothing \times A = \varnothing$$

2. 一般地说,笛卡儿积运算不满足交换律,即

$$A \times B \neq B \times A \, (\text{当} \, A \neq \varnothing \land B \neq \varnothing \land A \neq B \, \text{时})$$

3. 笛卡儿积运算不满足结合律,即

$$(A \times B) \times C \neq A \times (B \times C) \, (\text{当} \, A \neq \varnothing \land B \neq \varnothing \land C \neq \varnothing \text{时})$$

4. 笛卡儿积运算对并和交运算满足分配律,即

$$A \times (B \cup C) = (A \times B) \cup (A \times C)$$
$$(B \cup C) \times A = (B \times A) \cup (C \times A)$$
$$A \times (B \cap C) = (A \times B) \cap (A \times C)$$
$$(B \cap C) \times A = (B \times A) \cap (C \times A)$$

这里只证明第一个等式.

证　任取 $<x,y>$

$$<x,y> \in A \times (B \cup C)$$
$$\Leftrightarrow x \in A \land y \in B \cup C$$
$$\Leftrightarrow x \in A \land (y \in B \lor y \in C)$$
$$\Leftrightarrow (x \in A \land y \in B) \lor (x \in A \land y \in C)$$
$$\Leftrightarrow <x,y> \in A \times B \lor <x,y> \in A \times C$$
$$\Leftrightarrow <x,y> \in (A \times B) \cup (A \times C)$$

所以有 $A \times (B \cup C) = (A \times B) \cup (A \times C)$.

5. $A \subseteq C \land B \subseteq D \Rightarrow A \times B \subseteq C \times D$

性质 5 的证明和性质 4 类似,也采用命题演算的方法. 该证明留给读者思考. 注意性质 5 的逆命题不成立,可以分以下情况讨论.

(1) 当 $A = B = \varnothing$ 时,显然有 $A \subseteq C$ 和 $B \subseteq D$ 成立.

(2) 当 $A \neq \varnothing$ 且 $B \neq \varnothing$ 时,也有 $A \subseteq C$ 和 $B \subseteq D$ 成立. 证明如下.

任取 $x \in A$,由于 $B \neq \varnothing$,必存在 $y \in B$. 因此有

$$x \in A \land y \in B \Rightarrow <x,y> \in A \times B \Rightarrow <x,y> \in C \times D \Rightarrow x \in C \land y \in D \Rightarrow x \in C$$

从而证明了 $A \subseteq C$. 同理可证 $B \subseteq D$.

(3) 当 $A = \varnothing$ 而 $B \neq \varnothing$ 时,有 $A \subseteq C$ 成立,但不一定有 $B \subseteq D$ 成立. 反例:令 $A = \varnothing$,$B = \{1\}$,

$C = \{3\}, D = \{4\}$.

(4) 当 $A \neq \varnothing$ 而 $B = \varnothing$ 时,有 $B \subseteq D$ 成立,不一定有 $A \subseteq C$ 成立. 反例略.

例 7.2　设 $A = \{1, 2\}$,求 $P(A) \times A$.

解　$P(A) \times A$

$= \{\varnothing, \{1\}, \{2\}, \{1, 2\}\} \times \{1, 2\}$

$= \{<\varnothing, 1>, <\varnothing, 2>, <\{1\}, 1>, <\{1\}, 2>, <\{2\}, 1>, <\{2\}, 2>,$

$\quad <\{1, 2\}, 1>, <\{1, 2\}, 2>\}$

例 7.3　设 A, B, C, D 为任意集合,判断下列命题是否为真,并说明理由.

(1) $A \times B = A \times C \Rightarrow B = C$

(2) $A - (B \times C) = (A - B) \times (A - C)$

(3) $A = B \wedge C = D \Rightarrow A \times C = B \times D$

(4) 存在集合 A,使得 $A \subseteq A \times A$

解　(1) 不一定为真,当 $A = \varnothing, B = \{1\}, C = \{2\}$ 时有 $A \times B = \varnothing = A \times C$,但 $B \neq C$.

(2) 不一定为真. 当 $A = B = \{1\}, C = \{2\}$ 时有

$$A - (B \times C) = \{1\} - \{<1, 2>\} = \{1\}$$

$$(A - B) \times (A - C) = \varnothing \times \{1\} = \varnothing$$

(3) 为真. 由等量代入的原理可证.

(4) 为真. 当 $A = \varnothing$ 时 $A \subseteq A \times A$ 成立.

7.2　二　元　关　系

定义 7.3　如果一个集合满足以下条件之一:

(1) 集合非空,且它的元素都是有序对;

(2) 集合是空集,

则称该集合为一个二元关系,记作 R. 二元关系也可简称为关系. 对于二元关系 R,如果 $<x, y> \in R$,则记作 xRy;如果 $<x, y> \notin R$,则记作 $x \not\mathrel{R} y$.

例如,$R_1 = \{<1, 2>, <a, b>\}$,$R_2 = \{<1, 2>, a, b\}$,则 R_1 是二元关系,R_2 不是二元关系,只是一个集合,除非将 a 和 b 定义为有序对. 根据上面的记法可以写 $1 R_1 2$,$a R_1 b$,$a \not\mathrel{R_1} c$ 等.

定义 7.4　设 A, B 为集合,$A \times B$ 的任何子集所定义的二元关系称作从 A 到 B 的二元关系,特别当 $A = B$ 时称作 A 上的二元关系.

例如,$A = \{0, 1\}, B = \{1, 2, 3\}$,那么

$$R_1 = \{<0, 2>\}, \quad R_2 = A \times B, \quad R_3 = \varnothing, \quad R_4 = \{<0, 1>\}$$

等都是从 A 到 B 的二元关系,而 R_3 和 R_4 同时也是 A 上的二元关系.

集合 A 上的二元关系的数目依赖于 A 中的元素数. 如果 $|A| = n$,那么 $|A \times A| = n^2$,$A \times A$ 的子

集就有 2^{n^2} 个. 每一个子集代表一个 A 上的二元关系,所以 A 上有 2^{n^2} 个不同的二元关系. 例如, $|A|=3$,则 A 上有 $2^{3^2}=512$ 个不同的二元关系.

对于任何集合 A,空集 $\varnothing$ 是 $A \times A$ 的子集,称作 A 上的空关系. 下面定义 A 上的全域关系 E_A 和恒等关系 I_A.

定义 7.5　对任意集合 A,定义

$$E_A = \{\langle x,y \rangle \mid x \in A \wedge y \in A\} = A \times A$$

$$I_A = \{\langle x,x \rangle \mid x \in A\}$$

例如, $A = \{1,2\}$,则

$$E_A = \{\langle 1,1 \rangle, \langle 1,2 \rangle, \langle 2,1 \rangle, \langle 2,2 \rangle\}$$

$$I_A = \{\langle 1,1 \rangle, \langle 2,2 \rangle\}$$

除了以上 3 种特殊的关系以外,还有一些常用的关系,先给出定义.

$$L_A = \{\langle x,y \rangle \mid x,y \in A, x \leqslant y\}$$

$$D_A = \{\langle x,y \rangle \mid x,y \in A, x \mid y\}$$

$$R_\subseteq = \{\langle x,y \rangle \mid x,y \in A, x \subseteq y\}$$

L_A 称作 A 上的小于等于关系, A 是实数集 **R** 的子集. D_A 称作 A 上的整除关系,其中 x 是 y 的因子, A 是非零整数集 $\mathbf{Z}^*$ 的子集. $R_\subseteq$ 称作 A 上的包含关系, A 是由一些集合构成的集合族. 例如, $A = \{1,2,3\}$, $B = \{a,b\}$,则

$$L_A = \{\langle 1,1 \rangle, \langle 1,2 \rangle, \langle 1,3 \rangle, \langle 2,2 \rangle, \langle 2,3 \rangle, \langle 3,3 \rangle\}$$

$$D_A = \{\langle 1,1 \rangle, \langle 1,2 \rangle, \langle 1,3 \rangle, \langle 2,2 \rangle, \langle 3,3 \rangle\}$$

而令 $A = P(B) = \{\varnothing, \{a\}, \{b\}, \{a,b\}\}$,则 A 上的包含关系是

$$R_\subseteq = \{\langle \varnothing,\varnothing \rangle, \langle \varnothing,\{a\} \rangle, \langle \varnothing,\{b\} \rangle, \langle \varnothing,\{a,b\} \rangle, \langle \{a\},\{a\} \rangle,$$

$$\langle \{a\},\{a,b\} \rangle, \langle \{b\},\{b\} \rangle, \langle \{b\},\{a,b\} \rangle, \langle \{a,b\},\{a,b\} \rangle\}$$

类似地还可以定义大于等于关系、小于关系、大于关系、真包含关系等.

例 7.4　设 $A = \{1,2,3,4\}$,下面各式定义的 R 都是 A 上的关系,试用列元素法表示 R.

(1) $R = \{\langle x,y \rangle \mid x$ 是 y 的倍数 $\}$

(2) $R = \{\langle x,y \rangle \mid (x-y)^2 \in A\}$

(3) $R = \{\langle x,y \rangle \mid x/y$ 是素数 $\}$

(4) $R = \{\langle x,y \rangle \mid x \neq y\}$

解　(1) $R = \{\langle 4,4 \rangle, \langle 4,2 \rangle, \langle 4,1 \rangle, \langle 3,3 \rangle, \langle 3,1 \rangle, \langle 2,2 \rangle, \langle 2,1 \rangle, \langle 1,1 \rangle\}$

(2) $R = \{\langle 2,1 \rangle, \langle 3,2 \rangle, \langle 4,3 \rangle, \langle 3,1 \rangle, \langle 4,2 \rangle, \langle 2,4 \rangle, \langle 1,3 \rangle, \langle 3,4 \rangle, \langle 2,3 \rangle, \langle 1,2 \rangle\}$

(3) $R = \{\langle 2,1 \rangle, \langle 3,1 \rangle, \langle 4,2 \rangle\}$

(4) $R = E_A - I_A = \{\langle 1,2 \rangle, \langle 1,3 \rangle, \langle 1,4 \rangle, \langle 2,1 \rangle, \langle 2,3 \rangle, \langle 2,4 \rangle, \langle 3,1 \rangle, \langle 3,2 \rangle, \langle 3,4 \rangle,$
$\langle 4,1 \rangle, \langle 4,2 \rangle, \langle 4,3 \rangle\}$

给出一个关系的方法有 3 种:集合表达式、关系矩阵和关系图. 例 7.4 中的关系就是用集合

表达式来给出的. 对于有穷集 A 上的关系还可以用其他两种方式来给出.

设 $A = \{x_1, x_2, \cdots, x_n\}$, R 是 A 上的关系. 令

$$r_{ij} = \begin{cases} 1, & 若\ x_i R x_j \\ 0, & 若\ x_i \not R x_j \end{cases} \qquad (i, j = 1, 2, \cdots, n)$$

则

$$(r_{ij}) = \begin{pmatrix} r_{11} & r_{12} & \cdots & r_{1n} \\ r_{21} & r_{22} & \cdots & r_{2n} \\ \vdots & \vdots & & \vdots \\ r_{n1} & r_{n2} & \cdots & r_{nn} \end{pmatrix}$$

是 R 的关系矩阵, 记作 $\boldsymbol{M}_R$.

例如, $A = \{1, 2, 3, 4\}$, $R = \{<1,1>, <1,2>, <2,3>, <2,4>, <4,2>\}$, 则 R 的关系矩阵是

$$\boldsymbol{M}_R = \begin{pmatrix} 1 & 1 & 0 & 0 \\ 0 & 0 & 1 & 1 \\ 0 & 0 & 0 & 0 \\ 0 & 1 & 0 & 0 \end{pmatrix}$$

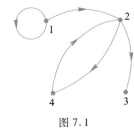

图 7.1

设 $A = \{x_1, x_2, \cdots, x_n\}$, R 是 A 上的关系, R 的关系图记作 G_R. G_R 有 n 个顶点 $x_1, x_2, \cdots, x_n$. 如果 $<x_i, x_j> \in R$, 在 G_R 中就有一条从 x_i 到 x_j 的有向边.

在上面的例子中, R 的关系图 G_R 如图 7.1 所示.

7.3 关系的运算

关系的基本运算有 7 种, 分别定义如下.

定义 7.6 设 R 是二元关系.

（1）R 中所有有序对的第一元素构成的集合称作 R 的定义域, 记作 $\mathrm{dom}R$, 形式化表示为
$$\mathrm{dom}R = \{x \mid \exists y (<x, y> \in R)\}$$

（2）R 中所有有序对的第二元素构成的集合称作 R 的值域, 记作 $\mathrm{ran}R$. 形式化表示为
$$\mathrm{ran}R = \{y \mid \exists x (<x, y> \in R)\}$$

（3）R 的定义域和值域的并集称作 R 的域, 记作 $\mathrm{fld}R$. 形式化表示为
$$\mathrm{fld}R = \mathrm{dom}R \cup \mathrm{ran}R$$

例 7.5 $R = \{<1,2>, <1,3>, <2,4>, <4,3>\}$, 则

$$\mathrm{dom}R = \{1,2,4\}$$
$$\mathrm{ran}R = \{2,3,4\}$$
$$\mathrm{fld}R = \{1,2,3,4\}$$

定义 7.7　设 R 为二元关系,R 的*逆关系*,简称为 R 的逆,记作 R^{-1},其中

$$R^{-1} = \{<x,y> \mid <y,x> \in R\}$$

定义 7.8　设 F,G 为二元关系,G 对 F 的*右复合*记作 $F \circ G$,其中

$$F \circ G = \{<x,y> \mid \exists t (<x,t> \in F \land <t,y> \in G)\}$$

例 7.6　设 $F = \{<3,3>,<6,2>\}, G = \{<2,3>\}$,则

$$F^{-1} = \{<3,3>,<2,6>\}$$
$$F \circ G = \{<6,3>\}$$
$$G \circ F = \{<2,3>\}$$

类似地,也可以定义关系的左复合,即

$$F \circ G = \{<x,y> \mid \exists t (<x,t> \in G \land <t,y> \in F)\}$$

如果把二元关系看作一种作用,$<x,y> \in R$ 可以解释为 x 通过 R 的作用变到 y,那么右复合 $F \circ G$ 与左复合 $F \circ G$ 都表示两个作用的连续发生. 所不同的是:右复合 $F \circ G$ 表示在右边的 G 是复合到 F 上的第二步作用. 而左复合 $F \circ G$ 恰好相反,其中 F 是复合到 G 上的第二步作用. 这两种规定都是合理的,正如在交通规则中有的国家规定右行,有的国家规定左行一样. 本书采用右复合的定义,而在其他的书中可能采用左复合的定义,请读者注意两者的区别.

定义 7.9　设 R 为二元关系,A 是集合,

(1) R 在 A 上的*限制*记作 $R \upharpoonright A$,其中

$$R \upharpoonright A = \{<x,y> \mid xRy \land x \in A\}$$

(2) A 在 R 下的*像*记作 $R[A]$,其中

$$R[A] = \mathrm{ran}(R \upharpoonright A)$$

不难看出,R 在 A 上的限制 $R \upharpoonright A$ 是 R 的子关系,而 A 在 R 下的像 $R[A]$ 是 $\mathrm{ran}R$ 的子集.

例 7.7　设 $R = \{<1,2>,<1,3>,<2,2>,<2,4>,<3,2>\}$,则

$$R \upharpoonright \{1\} = \{<1,2>,<1,3>\}$$
$$R \upharpoonright \varnothing = \varnothing$$
$$R \upharpoonright \{2,3\} = \{<2,2>,<2,4>,<3,2>\}$$
$$R[\{1\}] = \{2,3\}$$
$$R[\varnothing] = \varnothing$$
$$R[\{3\}] = \{2\}$$

关系是集合,因此第 6 章所定义的集合运算对于关系也是适用的. 为了使集合表达式更为简洁,进一步规定:本节所定义的关系运算中逆运算优先于其他运算,而所有的关系运算都优先于集合运算,对于没有规定优先权的运算以括号决定运算顺序. 例如

$$\mathrm{ran}F^{-1},F\circ G\cup F\circ H,\mathrm{ran}(F\restriction A)$$

等都是合理的表达式.

下面考虑这些基本运算的性质.

定理 7.1　设 F 是任意的关系,则

(1) $(F^{-1})^{-1}=F$

(2) $\mathrm{dom}F^{-1}=\mathrm{ran}F,\mathrm{ran}F^{-1}=\mathrm{dom}F$

证　(1) 任取 $<x,y>$,由逆的定义有

$$<x,y>\in(F^{-1})^{-1}\Leftrightarrow<y,x>\in F^{-1}\Leftrightarrow<x,y>\in F$$

所以有 $(F^{-1})^{-1}=F.$

(2) 任取 x,有

$$x\in\mathrm{dom}F^{-1}\Leftrightarrow\exists y(<x,y>\in F^{-1})\Leftrightarrow\exists y(<y,x>\in F)\Leftrightarrow x\in\mathrm{ran}F$$

所以有 $\mathrm{dom}F^{-1}=\mathrm{ran}F.$

同理可证 $\mathrm{ran}F^{-1}=\mathrm{dom}F.$

定理 7.2　设 F,G,H 是任意的关系,则

(1) $(F\circ G)\circ H=F\circ(G\circ H)$

(2) $(F\circ G)^{-1}=G^{-1}\circ F^{-1}$

证　(1) 任取 $<x,y>$,有

$$<x,y>\in(F\circ G)\circ H$$
$$\Leftrightarrow\exists t(<x,t>\in F\circ G\wedge<t,y>\in H)$$
$$\Leftrightarrow\exists t(\exists s(<x,s>\in F\wedge<s,t>\in G)\wedge<t,y>\in H)$$
$$\Leftrightarrow\exists t\exists s(<x,s>\in F\wedge<s,t>\in G\wedge<t,y>\in H)$$
$$\Leftrightarrow\exists s(<x,s>\in F\wedge\exists t(<s,t>\in G\wedge<t,y>\in H))$$
$$\Leftrightarrow\exists s(<x,s>\in F\wedge<s,y>\in G\circ H)$$
$$\Leftrightarrow<x,y>\in F\circ(G\circ H)$$

所以 $(F\circ G)\circ H=F\circ(G\circ H).$

(2) 任取 $<x,y>$,有

$$<x,y>\in(F\circ G)^{-1}$$
$$\Leftrightarrow<y,x>\in F\circ G$$
$$\Leftrightarrow\exists t(<y,t>\in F\wedge<t,x>\in G)$$
$$\Leftrightarrow\exists t(<x,t>\in G^{-1}\wedge<t,y>\in F^{-1})$$
$$\Leftrightarrow<x,y>\in G^{-1}\circ F^{-1}$$

所以 $(F\circ G)^{-1}=G^{-1}\circ F^{-1}.$

定理 7.3　设 R 为 A 上的关系,则

$$R\circ I_A=I_A\circ R=R$$

证　任取 $<x,y>$,有

$$<x,y> \in R \circ I_A$$
$$\Leftrightarrow \exists t (<x,t> \in R \land <t,y> \in I_A)$$
$$\Leftrightarrow \exists t (<x,t> \in R \land t = y)$$
$$\Rightarrow <x,y> \in R$$
$$<x,y> \in R$$
$$\Rightarrow <x,y> \in R \land y \in A$$
$$\Rightarrow <x,y> \in R \land <y,y> \in I_A$$
$$\Rightarrow <x,y> \in R \circ I_A$$

综上所述有 $R \circ I_A = R$.

同理可证 $I_A \circ R = R$.

定理 7.4 设 F, G, H 为任意关系,则

(1) $F \circ (G \cup H) = F \circ G \cup F \circ H$

(2) $(G \cup H) \circ F = G \circ F \cup H \circ F$

(3) $F \circ (G \cap H) \subseteq F \circ G \cap F \circ H$

(4) $(G \cap H) \circ F \subseteq G \circ F \cap H \circ F$

证 只证(3),其他留作练习.

任取 $<x,y>$,有

$$<x,y> \in F \circ (G \cap H)$$
$$\Leftrightarrow \exists t (<x,t> \in F \land <t,y> \in G \cap H)$$
$$\Leftrightarrow \exists t (<x,t> \in F \land <t,y> \in G \land <t,y> \in H)$$
$$\Leftrightarrow \exists t ((<x,t> \in F \land <t,y> \in G) \land (<x,t> \in F \land <t,y> \in H))$$
$$\Rightarrow \exists t (<x,t> \in F \land <t,y> \in G) \land \exists t (<x,t> \in F \land <t,y> \in H)$$
$$\Leftrightarrow <x,y> \in F \circ G \land <x,y> \in F \circ H$$
$$\Leftrightarrow <x,y> \in F \circ G \cap F \circ H$$

所以有 $F \circ (G \cap H) \subseteq F \circ G \cap F \circ H$.

由数学归纳法不难证明定理7.4的结论对于有限多个关系的并和交也是成立的,即有

$$R \circ (R_1 \cup R_2 \cup \cdots \cup R_n) = R \circ R_1 \cup R \circ R_2 \cup \cdots \cup R \circ R_n$$
$$(R_1 \cup R_2 \cup \cdots \cup R_n) \circ R = R_1 \circ R \cup R_2 \circ R \cup \cdots \cup R_n \circ R$$
$$R \circ (R_1 \cap R_2 \cap \cdots \cap R_n) \subseteq R \circ R_1 \cap R \circ R_2 \cap \cdots \cap R \circ R_n$$
$$(R_1 \cap R_2 \cap \cdots \cap R_n) \circ R \subseteq R_1 \circ R \cap R_2 \circ R \cap \cdots \cap R_n \circ R$$

定理 7.5 设 F 为关系,A,B 为集合,则

(1) $F \upharpoonright (A \cup B) = F \upharpoonright A \cup F \upharpoonright B$

(2) $R[A \cup B] = F[A] \cup F[B]$

(3) $F \upharpoonright (A \cap B) = F \upharpoonright A \cap F \upharpoonright B$

(4) $F[A \cap B] \subseteq F[A] \cap F[B]$

证　只证(1)和(4),其余留作练习.

(1) 任取$<x,y>$,有

$$<x,y>\in F\restriction(A\cup B)$$
$$\Leftrightarrow<x,y>\in F\wedge x\in A\cup B$$
$$\Leftrightarrow<x,y>\in F\wedge(x\in A\vee x\in B)$$
$$\Leftrightarrow(<x,y>\in F\wedge x\in A)\vee(<x,y>\in F\wedge x\in B)$$
$$\Leftrightarrow<x,y>\in F\restriction A\vee<x,y>\in F\restriction B$$
$$\Leftrightarrow<x,y>\in F\restriction A\cup F\restriction B$$

所以有 $F\restriction(A\cup B)=F\restriction A\cup F\restriction B$.

(4) 任取 y,有

$$y\in F[A\cap B]$$
$$\Leftrightarrow\exists x(<x,y>\in F\wedge x\in A\cap B)$$
$$\Leftrightarrow\exists x(<x,y>\in F\wedge x\in A\wedge x\in B)$$
$$\Leftrightarrow\exists x((<x,y>\in F\wedge x\in A)\wedge(<x,y>\in F\wedge x\in B))$$
$$\Rightarrow\exists x(<x,y>\in F\wedge x\in A)\wedge\exists x(<x,y>\in F\wedge x\in B)$$
$$\Leftrightarrow y\in F[A]\wedge y\in F[B]$$
$$\Leftrightarrow y\in F[A]\cap F[B]$$

所以有 $F[A\cap B]\subseteq F[A]\cap F[B]$.

在右复合运算的基础上可以定义关系的幂运算.

定义 7.10　设 R 为 A 上的关系,n 为自然数,则 R 的 n 次幂 R^n 定义为

(1) $R^0=\{<x,x>|x\in A\}=I_A$

(2) $R^{n+1}=R^n\circ R$

由以上定义可知,对于 A 上的任何关系 R_1 和 R_2 都有

$$R_1^0=R_2^0=I_A$$

也就是说,A 上任何关系的 0 次幂都相等,都等于 A 上的恒等关系 I_A. 此外对 A 上的任何关系 R 都有 $R^1=R$,因为

$$R^1=R^0\circ R=I_A\circ R=R$$

给定 A 上的关系 R 和自然数 n,怎样计算 R^n 呢？若 n 是 0 或 1,则结果是很简单的. 下面考虑 $n\geqslant2$ 的情况. 如果 R 是用集合表达式给出的,则可以通过 $n-1$ 次右复合计算得到 R^n. 如果 R 是用关系矩阵 $\boldsymbol{M}$ 给出的,则 R^n 的关系矩阵是 $\boldsymbol{M}^n$,即 n 个矩阵 $\boldsymbol{M}$ 之积. 与普遍矩阵乘法不同的是,其中的相加是逻辑加,即

$$1+1=1,1+0=1,0+1=1,0+0=0$$

如果 R 是用关系图 G 给出的,则可以直接由图 G 得到 R^n 的关系图 G'. G' 的顶点集与 G 相同. 考察 G 的每个顶点 x_i,如果在 G 中从 x_i 出发经过 n 步长的路径到达顶点 x_j,则在 G' 中加一条从 x_i 到 x_j 的边. 在把所有这样的边都找到以后,就得到图 G'.

例 7.8 设 $A = \{a, b, c, d\}, R = \{<a,b>, <b,a>, <b,c>, <c,d>\}$，求 R 的各次幂，分别用矩阵和关系图表示.

解 R 的关系矩阵为

$$M = \begin{pmatrix} 0 & 1 & 0 & 0 \\ 1 & 0 & 1 & 0 \\ 0 & 0 & 0 & 1 \\ 0 & 0 & 0 & 0 \end{pmatrix}$$

则 R^2, R^3, R^4 的关系矩阵分别是

$$M^2 = \begin{pmatrix} 0 & 1 & 0 & 0 \\ 1 & 0 & 1 & 0 \\ 0 & 0 & 0 & 1 \\ 0 & 0 & 0 & 0 \end{pmatrix} \begin{pmatrix} 0 & 1 & 0 & 0 \\ 1 & 0 & 1 & 0 \\ 0 & 0 & 0 & 1 \\ 0 & 0 & 0 & 0 \end{pmatrix} = \begin{pmatrix} 1 & 0 & 1 & 0 \\ 0 & 1 & 0 & 1 \\ 0 & 0 & 0 & 0 \\ 0 & 0 & 0 & 0 \end{pmatrix}$$

$$M^3 = M^2 M = \begin{pmatrix} 1 & 0 & 1 & 0 \\ 0 & 1 & 0 & 1 \\ 0 & 0 & 0 & 0 \\ 0 & 0 & 0 & 0 \end{pmatrix} \begin{pmatrix} 0 & 1 & 0 & 0 \\ 1 & 0 & 1 & 0 \\ 0 & 0 & 0 & 1 \\ 0 & 0 & 0 & 0 \end{pmatrix} = \begin{pmatrix} 0 & 1 & 0 & 1 \\ 1 & 0 & 1 & 0 \\ 0 & 0 & 0 & 0 \\ 0 & 0 & 0 & 0 \end{pmatrix}$$

$$M^4 = M^3 M = \begin{pmatrix} 0 & 1 & 0 & 1 \\ 1 & 0 & 1 & 0 \\ 0 & 0 & 0 & 0 \\ 0 & 0 & 0 & 0 \end{pmatrix} \begin{pmatrix} 0 & 1 & 0 & 0 \\ 1 & 0 & 1 & 0 \\ 0 & 0 & 0 & 1 \\ 0 & 0 & 0 & 0 \end{pmatrix} = \begin{pmatrix} 1 & 0 & 1 & 0 \\ 0 & 1 & 0 & 1 \\ 0 & 0 & 0 & 0 \\ 0 & 0 & 0 & 0 \end{pmatrix}$$

因此 $M^4 = M^2$，即 $R^4 = R^2$. 由此可以得到

$$R^2 = R^4 = R^6 = \cdots$$
$$R^3 = R^5 = R^7 = \cdots$$

而 R^0，即 I_A 的关系矩阵是

$$M^0 = \begin{pmatrix} 1 & 0 & 0 & 0 \\ 0 & 1 & 0 & 0 \\ 0 & 0 & 1 & 0 \\ 0 & 0 & 0 & 1 \end{pmatrix}$$

至此，R 各次幂的关系矩阵都得到了.

用关系图的方法得到 R^0, R^1, R^2, R^3 等的关系图如图 7.2 所示.

下面考虑幂运算的性质.

定理 7.6 设 A 为 n 元集，R 是 A 上的关系，则存在自然数 s 和 t，使得 $R^s = R^t$.

证 R 为 A 上的关系，对任何自然数 k，R^k 都是 $A \times A$ 的子集，又知 $|A \times A| = n^2$，$|P(A \times A)| = 2^{n^2}$，即 $A \times A$ 的不同的子集仅 2^{n^2} 个. 当列出 R 的各次幂 $R^0, R^1, R^2, \cdots, R^{2^{n^2}}$ 等时，必存在自然数 s 和 t，使得 $R^s = R^t$.

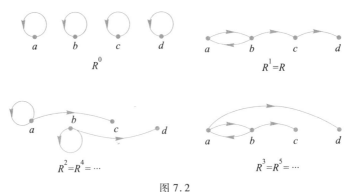

图 7.2

　　该定理说明有穷集上只有有穷多个不同的二元关系. 当 t 足够大时, R^t 必与某个 $R^s(s<t)$ 相等, 如例 7.8 中的 $R^4=R^2$.

　　定理 7.7　设 R 为 A 上的关系, $m,n \in \mathbf{N}$, 则

（1）$R^m \circ R^n = R^{m+n}$

（2）$(R^m)^n = R^{mn}$

　　证　用归纳法.

　　（1）对于任意给定的 $m \in \mathbf{N}$, 对 n 用归纳法.

　　若 $n=0$, 则有

$$R^m \circ R^0 = R^m \circ I_A = R^m = R^{m+0}$$

假设 $R^m \circ R^n = R^{m+n}$, 则有

$$R^m \circ R^{n+1} = R^m \circ (R^n \circ R) = (R^m \circ R^n) \circ R = R^{m+n} \circ R = R^{m+n+1}$$

所以对一切 $m,n \in \mathbf{N}$ 有 $R^m \circ R^n = R^{m+n}$.

　　（2）对于任意给定的 $m \in \mathbf{N}$, 对 n 用归纳法.

　　若 $n=0$, 则有

$$(R^m)^0 = I_A = R^0 = R^{m \times 0}$$

假设 $(R^m)^n = R^{mn}$, 则有

$$(R^m)^{n+1} = (R^m)^n \circ R^m = R^{mn} \circ R^m = R^{mn+m} = R^{m(n+1)}$$

所以对一切 $m,n \in \mathbf{N}$ 有 $(R^m)^n = R^{mn}$.

　　定理 7.8　设 R 为 A 上的关系, 若存在自然数 $s,t(s<t)$ 使得 $R^s = R^t$, 则

　　（1）对任何 $k \in \mathbf{N}$ 有 $R^{s+k} = R^{t+k}$;

　　（2）对任何 $k,i \in \mathbf{N}$ 有 $R^{s+kp+i} = R^{s+i}$, 其中 $p=t-s$;

　　（3）令 $S = \{R^0, R^1, \cdots, R^{t-1}\}$, 则对于任意的 $q \in \mathbf{N}$ 有 $R^q \in S$.

　　证　（1）$R^{s+k} = R^s \circ R^k = R^t \circ R^k = R^{t+k}$

　　（2）对 k 归纳.

　　若 $k=0$, 则有

$$R^{s+0p+i} = R^{s+i}$$

假设 $R^{s+kp+i} = R^{s+i}$，其中 $p = t-s$，则

$$R^{s+(k+1)p+i} = R^{s+kp+i+p} = R^{s+kp+i} \circ R^p$$
$$= R^{s+i} \circ R^p = R^{s+p+i} = R^{s+t-s+i}$$
$$= R^{t+i} = R^{s+i}$$

由归纳法命题得证.

（3）任取 $q \in \mathbf{N}$，若 $q < t$，则显然有 $R^q \in S$. 若 $q \geq t$，则存在自然数 k 和 i 使得

$$q = s + kp + i$$

其中 $0 \leq i \leq p-1$. 于是

$$R^q = R^{s+kp+i} = R^{s+i}$$

而

$$s + i \leq s + p - 1 = s + t - s - 1 = t - 1$$

这就证明了 $R^q \in S$.

通过定理 7.8 可以看出，有穷集 A 上的关系 R 的幂序列 R^0, R^1, R^2 等是一个呈现周期性变化的序列. 就像正弦函数一样，利用它的周期性可以将 R 的高次幂化简为 R 的低次幂.

例 7.9 设 $A = \{a, b, d, e, f\}$，$R = \{<a,b>, <b,a>, <d,e>, <e,f>, <f,d>\}$. 求出最小的自然数 m 和 n，使得 $m < n$ 且 $R^m = R^n$.

解 由 R 的定义可以看出 A 中的元素可以分成两组，即 $\{a, b\}$ 和 $\{d, e, f\}$. 它们在 R 的右复合运算下有下述变化规律.

$$a \to b \to a \to b \to \cdots$$
$$d \to e \to f \to d \to e \to f \cdots$$

对于 a 或 b，每个元素的变化周期是 2. 对于 d, e, f，每个元素的变化周期是 3. 因此必有 $R^m = R^{m+6}$，其中 6 是 2 和 3 的最小公倍数. 取 $m = 0, n = 6$ 即满足题目要求.

7.4 关系的性质

关系的性质主要有以下 5 种：自反性、反自反性、对称性、反对称性和传递性.

定义 7.11 设 R 为 A 上的关系，

（1）若 $\forall x (x \in A \to <x,x> \in R)$，则称 R 在 A 上是自反的.

（2）若 $\forall x (x \in A \to <x,x> \notin R)$，则称 R 在 A 上是反自反的.

例如，A 上的全域关系 E_A、恒等关系 I_A 都是 A 上的自反关系. 小于等于关系 L_A，整除关系 D_B 分别为 A 和 B 上的自反关系. 包含关系 $R_{\subseteq}$ 是给定集合族 A 的自反关系. 而小于关系和真包含关系都是给定集合或集合族上的反自反关系.

例 7.10 设 $A = \{1, 2, 3\}$，R_1, R_2 和 R_3 是 A 上的关系，其中

$$R_1 = \{<1,1>,<2,2>\}$$
$$R_2 = \{<1,1>,<2,2>,<3,3>,<1,2>\}$$
$$R_3 = \{<1,3>\}$$

说明 R_1,R_2 和 R_3 是否为 A 上的自反关系和反自反关系.

解　R_2 是自反的,R_3 是反自反的,R_1 既不是自反的也不是反自反的.

定义 7.12　设 R 为 A 上的关系,

(1) 若 $\forall x \forall y (x,y \in A \wedge <x,y> \in R \rightarrow <y,x> \in R)$,则称 R 为 A 上对称的关系.

(2) 若 $\forall x \forall y (x,y \in A \wedge <x,y> \in R \wedge <y,x> \in R \rightarrow x = y)$,则称 R 为 A 上反对称的关系.

例如,A 上的全域关系 E_A、恒等关系 I_A 和空关系 $\varnothing$ 都是 A 上对称的关系. 而恒等关系 I_A 和空关系 $\varnothing$ 也是 A 上反对称的关系,但全域关系 E_A 一般不是 A 上的反对称关系,除非 A 为单元集或空集.

例 7.11　设 $A = \{1,2,3\}$,R_1,R_2,R_3 和 R_4 都是 A 上的关系. 其中

$$R_1 = \{<1,1>,<2,2>\}$$
$$R_2 = \{<1,1>,<1,2>,<2,1>\}$$
$$R_3 = \{<1,2>,<1,3>\}$$
$$R_4 = \{<1,2>,<2,1>,<1,3>\}$$

说明 R_1,R_2,R_3 和 R_4 是否为 A 上对称和反对称的关系.

解　R_1 既是对称的也是反对称的. R_2 是对称的但不是反对称的. R_3 是反对称的但不是对称的. R_4 既不是对称的也不是反对称的.

定义 7.13　设 R 为 A 上的关系,若

$$\forall x \forall y \forall z (x,y,z \in A \wedge <x,y> \in R \wedge <y,z> \in R \rightarrow <x,z> \in R)$$

则称 R 为 A 上传递的关系.

例如 A 上的全域关系 E_A、恒等关系 I_A 和空关系 $\varnothing$ 都是 A 上的传递关系. 小于等于关系,整除关系和包含关系也是相应集合上的传递关系. 小于关系和真包含关系仍旧是相应集合上的传递关系.

例 7.12　设 $A = \{1,2,3\}$,R_1,R_2 和 R_3 是 A 上的关系,其中

$$R_1 = \{<1,1>,<2,2>\}$$
$$R_2 = \{<1,2>,<2,3>\}$$
$$R_3 = \{<1,3>\}$$

说明 R_1,R_2 和 R_3 是否为 A 上的传递关系.

解　R_1 和 R_3 是 A 上的传递关系,R_2 不是 A 上的传递关系.

下面给出这 5 种性质成立的充分必要条件.

定理 7.9　设 R 为 A 上的关系,则

（1）R 在 A 上自反当且仅当 $I_A \subseteq R$.

（2）R 在 A 上反自反当且仅当 $R \cap I_A = \varnothing$.

（3）R 在 A 上对称当且仅当 $R = R^{-1}$.

（4）R 在 A 上反对称当且仅当 $R \cap R^{-1} \subseteq I_A$.

（5）R 在 A 上传递当且仅当 $R \circ R \subseteq R$

证 （1）必要性.

任取 $<x,y>$，由于 R 在 A 上自反必有

$$<x,y> \in I_A \Rightarrow x,y \in A \bigwedge x=y \Rightarrow <x,y> \in R$$

从而证明了 $I_A \subseteq R$.

充分性.

任取 x，有

$$x \in A \Rightarrow <x,x> \in I_A \Rightarrow <x,x> \in R$$

因此 R 在 A 上是自反的.

（2）必要性（用反证法）

假设 $R \cap I_A \neq \varnothing$，必存在 $<x,y> \in R \cap I_A$，由于 I_A 是 A 上的恒等关系，从而推出 $x \in A$ 且 $<x,x> \in R$. 这与 R 在 A 上是反自反的相矛盾.

充分性.

任取 x，有

$$x \in A \Rightarrow <x,x> \in I_A \Rightarrow <x,x> \notin R（由于 R \cap I_A = \varnothing）$$

从而证明了 R 在 A 上是反自反的.

（3）必要性.

任取 $<x,y>$，有

$$<x,y> \in R \Leftrightarrow <y,x> \in R（因为 R 在 A 上对称）$$

$$\Leftrightarrow <x,y> \in R^{-1}$$

所以 $R = R^{-1}$.

充分性.

任取 $<x,y>$，由逆运算定义和 $R = R^{-1}$ 有

$$<x,y> \in R \Rightarrow <y,x> \in R^{-1} \Rightarrow <y,x> \in R$$

所以 R 在 A 上是对称的.

（4）必要性.

任取 $<x,y>$，有

$$<x,y> \in R \cap R^{-1}$$
$$\Rightarrow <x,y> \in R \wedge <x,y> \in R^{-1}$$
$$\Rightarrow <x,y> \in R \wedge <y,x> \in R$$
$$\Rightarrow x=y（因为 R 在 A 上是反对称的）$$
$$\Rightarrow <x,y> \in I_A$$

这就证明了 $R \cap R^{-1} \subseteq I_A$.

　　充分性.

　　任取$<x,y>$,有

$$<x,y> \in R \wedge <y,x> \in R$$
$$\Rightarrow <x,y> \in R \wedge <x,y> \in R^{-1}$$
$$\Rightarrow <x,y> \in R \cap R^{-1}$$
$$\Rightarrow <x,y> \in I_A（因为 R \cap R^{-1} \subseteq I_A）$$
$$\Rightarrow x=y$$

从而证明了 R 在 A 上是反对称的.

　　（5）必要性.

　　任取$<x,y>$,有

$$<x,y> \in R \circ R$$
$$\Rightarrow \exists t(<x,t> \in R \wedge <t,y> \in R)$$
$$\Rightarrow <x,y> \in R（因为 R 在 A 上是传递的）$$

所以 $R \circ R \subseteq R$.

　　充分性.

　　任取$<x,y>,<y,z> \in R$,有

$$<x,y> \in R \wedge <y,z> \in R$$
$$\Rightarrow <x,z> \in R \circ R$$
$$\Rightarrow <x,z> \in R（因为 R \circ R \subseteq R）$$

所以 R 在 A 上是传递的.

　　利用定理7.9可以从关系的集合表达式来判断或证明关系的性质.

　　例7.13　设 A 是集合,R_1 和 R_2 是 A 上的关系,证明:

　　（1）若 R_1,R_2 是自反的和对称的,则 $R_1 \cup R_2$ 也是自反的和对称的.

　　（2）若 R_1 和 R_2 是传递的,则 $R_1 \cap R_2$ 也是传递的.

　　证　（1）由于 R_1 和 R_2 是 A 上的自反关系,故有

$$I_A \subseteq R_1 \text{ 和 } I_A \subseteq R_2$$

从而得到 $I_A \subseteq R_1 \cup R_2$. 根据定理7.9可知 $R_1 \cup R_2$ 在 A 上是自反的.

　　再由 R_1 和 R_2 的对称性有

$$R_1 = R_1^{-1} \text{ 和 } R_2 = R_2^{-1}$$

根据习题 7 第 20 题的结果有

$$\left(R_1 \cup R_2\right)^{-1} = R_1^{-1} \cup R_2^{-1} = R_1 \cup R_2$$

从而证明了 $R_1 \cup R_2$ 也是 A 上对称的关系.

（2）由 R_1 和 R_2 的传递性有

$$R_1 \circ R_1 \subseteq R_1 \text{ 和 } R_2 \circ R_2 \subseteq R_2$$

再使用定理 7.4 得

$$\left(R_1 \cap R_2\right) \circ \left(R_1 \cap R_2\right)$$
$$\subseteq R_1 \circ R_1 \cap R_1 \circ R_2 \cap R_2 \circ R_1 \cap R_2 \circ R_2$$
$$\subseteq \left(R_1 \cap R_2\right) \cap R_1 \circ R_2 \cap R_2 \circ R_1 \text{（将前面的包含式代入）}$$
$$\subseteq R_1 \cap R_2$$

从而证明了 $R_1 \cap R_2$ 也是 A 上的传递关系.

关系的性质不仅反映在它的集合表达式上，也明显地反映在它的关系矩阵和关系图上. 表 7.1 列出了 5 种性质在关系矩阵和关系图中的特点.

表 7.1

表示	性质				
	自反性	反自反性	对称性	反对称性	传递性
集合表达式	$I_A \subseteq R$	$R \cap I_A = \varnothing$	$R = R^{-1}$	$R \cap R^{-1} \subseteq I_A$	$R \circ R \subseteq R$
关系矩阵	主对角线元素全是 1	主对角线元素全是 0	矩阵是对称矩阵	若 $r_{ij} = 1$ 且 $i \neq j$，则 $r_{ji} = 0$	对 $\boldsymbol{M}^2$ 中 1 所在的位置，$\boldsymbol{M}$ 中相应的位置都是 1
关系图	每个顶点都有环	每个顶点都没有环	如果两个顶点之间有边，则一定是一对方向相反的边（无单边）	如果两个顶点之间有边，则一定是一条有向边（无双向边）	如果顶点 x_i 到 x_j 有边，x_j 到 x_k 有边，则从 x_i 到 x_k 也有边

例 7.14 判断图 7.3 中关系的性质，并说明理由.

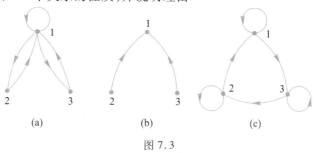

图 7.3

解 （a）该关系是对称的,因为无单向边. 它不是自反的也不是反自反的,因为有的顶点有环,有的顶点没有环. 它不是反对称的,因为图中有双向边. 它也不是传递的,因为图中有边 <3,1> 和 <1,3>,但没有从 3 到 3 的边,即通过 3 的环.

（b）该关系是反自反的但不是自反的,因为每个顶点都没有环. 它是反对称的但不是对称的,因为图中只有单向边. 它也是传递的,因为不存在顶点 x,y,z,使得 x 到 y 有边,y 到 z 有边,但 x 到 z 没有边,其中 $x,y,z \in \{1,2,3\}$.

（c）该关系是自反的但不是反自反的,因为每个顶点都有环. 它是反对称的但不是对称的,因为图中只有单向边. 但它不是传递的,因为 2 到 1 有边,1 到 3 有边,但 2 到 3 没有边.

下面研究关系的性质和运算之间的联系.

设 R_1 和 R_2 是 A 上的关系,它们都具有某些共同的性质. 在经过并、交、相对补、求逆或右复合运算以后,所得到的新关系 $R_1 \cup R_2, R_1 \cap R_2, R_1 - R_2, R_1^{-1}, R_1 \circ R_2$ 等是否还能保持原来关系的性质呢？ 例 7.13 说明：两个自反和对称的关系经过并运算后仍是自反和对称的,两个传递的关系经过交运算后仍是传递的. 类似地,也可以考察其他的性质与运算之间的联系. 有关的结论见表 7.2,其中的√和×分别表示"能保持"和"不一定能保持"的含义.

表 7.2

运算	原有性质				
	自反性	反自反性	对称性	反对称性	传递性
R_1^{-1}	√	√	√	√	√
$R_1 \cap R_2$	√	√	√	√	√
$R_1 \cup R_2$	√	√	√	×	×
$R_1 - R_2$	×	√	√	√	×
$R_1 \circ R_2$	√	×	×	×	×

7.5   关系的闭包

设 R 是 A 上的关系,我们希望 R 具有某些有用的性质,如自反性. 如果 R 不具有自反性,则可以通过在 R 中添加一部分有序对来改造 R,得到新的关系 R',使得 R' 具有自反性. 但又不希望 R' 与 R 相差太多. 换句话说,添加的有序对要尽可能少,满足这些要求的 R' 就称作 R 的自反闭包,通过添加有序对来构造的闭包除自反闭包外还有对称闭包和传递闭包.

定义 7.14   设 R 是非空集合 A 上的关系,R 的自反(对称或传递)闭包是 A 上的关系 R',使得 R' 满足以下条件.

（1）R' 是自反的(对称或传递的)；

（2）$R \subseteq R'$；

(3) 对 A 上任何包含 R 的自反(对称或传递)关系 R'' 有 $R'\subseteq R''$.

一般将 R 的自反闭包记作 $r(R)$,对称闭包记作 $s(R)$,传递闭包记作 $t(R)$.

下面的定理给出了构造闭包的方法.

定理 7.10 设 R 为 A 上的关系,则有

(1) $r(R)=R\cup R^0$

(2) $s(R)=R\cup R^{-1}$

(3) $t(R)=R\cup R^2\cup R^3\cup\cdots$

证 只证(1)和(3),(2)留作练习.

(1) 由 $I_A=R^0\subseteq R\cup R^0$ 可知 $R\cup R^0$ 是自反的,且满足 $R\subseteq R\cup R^0$.

设 R'' 是 A 上包含 R 的自反关系,则有 $R\subseteq R''$ 和 $I_A\subseteq R''$. 任取 $<x,y>$,必有

$$<x,y>\in R\cup R^0$$
$$\Leftrightarrow <x,y>\in R\cup I_A$$
$$\Rightarrow <x,y>\in R''\cup R''=R''$$

从而证明了 $R\cup R^0\subseteq R''$.

综上所述,$R\cup R^0$ 满足定义 7.14 的三个条件,所以 $r(R)=R\cup R^0$.

(3) 先证 $R\cup R^2\cup R^3\cup\cdots\subseteq t(R)$ 成立,为此只需证明对任意的正整数 n 有 $R^n\subseteq t(R)$ 即可. 用归纳法.

若 $n=1$,则有 $R^1=R\subseteq t(R)$.

假设 $R^n\subseteq t(R)$ 成立,那么对任意的 $<x,y>$ 有

$$<x,y>\in R^{n+1}=R^n\circ R$$
$$\Leftrightarrow \exists t(<x,t>\in R^n \wedge <t,y>\in R)$$
$$\Rightarrow \exists t(<x,t>\in t(R) \wedge <t,y>\in t(R))$$
$$\Rightarrow <x,y>\in t(R)\ (因为\ t(R)\ 是传递的)$$

这就证明了 $R^{n+1}\subseteq t(R)$. 由归纳法命题得证.

再证 $t(R)\subseteq R\cup R^2\cup R^3\cup\cdots$ 成立,为此只需证明 $R\cup R^2\cup R^3\cup\cdots$ 是传递的.

任取 $<x,y>,<y,z>$,有

$$<x,y>\in R\cup R^2\cup R^3\cup\cdots \wedge <y,z>\in R\cup R^2\cup R^3\cup\cdots$$
$$\Rightarrow \exists t(<x,y>\in R^t) \wedge \exists s(<y,z>\in R^s)$$
$$\Rightarrow \exists t \exists s(<x,z>\in R^t\circ R^s)$$
$$\Rightarrow \exists t \exists s(<x,z>\in R^{t+s})$$
$$\Rightarrow <x,z>\in R\cup R^2\cup R^3\cup\cdots$$

从而证明了 $R\cup R^2\cup R^3\cup\cdots$ 是传递的.

推论 设 R 为有穷集 A 上的关系,则存在正整数 r 使得

$$t(R)=R\cup R^2\cup R^3\cup\cdots\cup R^r$$

证　由定理 7.6 和 7.10(3)得证.

以定理 7.10 为基础可以得到通过关系矩阵和关系图求闭包的方法.

设关系 $R, r(R), s(R), t(R)$ 的关系矩阵分别为 $\boldsymbol{M}, \boldsymbol{M}_r, \boldsymbol{M}_s$ 和 $\boldsymbol{M}_t$，则

$$\boldsymbol{M}_r = \boldsymbol{M} + \boldsymbol{E}$$

$$\boldsymbol{M}_s = \boldsymbol{M} + \boldsymbol{M}'$$

$$\boldsymbol{M}_t = \boldsymbol{M} + \boldsymbol{M}^2 + \boldsymbol{M}^3 + \cdots$$

其中 $\boldsymbol{E}$ 是和 $\boldsymbol{M}$ 同阶的单位矩阵，$\boldsymbol{M}'$ 是 $\boldsymbol{M}$ 的转置矩阵，注意上述等式中矩阵的元素相加时都使用逻辑加.

设关系 $R, r(R), s(R), t(R)$ 的关系图分别记为 G, G_r, G_s, G_t，则 G_r, G_s, G_t 的顶点集与 G 的顶点集相等. 除了 G 的边以外，按照下述方法添加新的边.

考察 G 的每个顶点，如果没有环就加上一个环，则最终得到的是 G_r.

考察 G 的每一条边，如果有一条 x_i 到 x_j 的单向边，$i \neq j$，则在 G 中加一条 x_j 到 x_i 的反方向边. 最终得到 G_s.

考察 G 的每个顶点 x_i，找出从 x_i 出发的所有 2 步，3 步，$\cdots$，n 步长的路径（n 为 G 中的顶点数）. 设路径的终点为 $x_{j_1}, x_{j_2}, \cdots, x_{j_k}$. 如果没有从 x_i 到 $x_{j_l}(l=1,2,\cdots,k)$ 的边，那么就加上这条边. 在检查完所有的顶点后就得到图 G_t.

例 7.15　设 $A = \{a,b,c,d\}$，$R = \{<a,b>,<b,a>,<b,c>,<c,d>,<d,b>\}$，则 R 和 $r(R), s(R), t(R)$ 的关系图如图 7.4 所示. 其中 $r(R), s(R), t(R)$ 的关系图就是使用上述方法直接从 R 的关系图得到的.

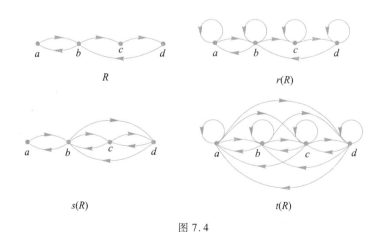

图 7.4

利用计算机求关系的传递闭包可以采用矩阵的表示方法. 设 $A = \{x_1, x_2, \cdots, x_n\}$，$R$ 为 A 上的二元关系，R 的关系矩阵为 $\boldsymbol{M}$，那么

$$M_t = M + M^2 + \cdots + M^n$$

因为在 R 的关系图中,从顶点 x_i 到 x_j 且不含回路的路径最多 n 步长. 只要找到所有这样的路径,就可以找到那些在传递闭包的关系图中的边. 但是一个更有效的方法是沃舍尔(Warshall)算法. 考虑 $n+1$ 个矩阵的序列 $M_0, M_1, \cdots, M_n$,将矩阵 M_k 的 i 行 j 列的元素记作 $M_k[i,j]$. 对于 $k = 0, 1, \cdots, n$, $M_k[i,j] = 1$ 当且仅当在 R 的关系图中存在一条从 x_i 到 x_j 的路径,并且这条路径除端点外中间只经过 $\{x_1, x_2, \cdots, x_k\}$ 中的结点. 不难证明 M_0 就是 R 的关系矩阵,而 M_n 就对应了 R 的传递闭包. 沃舍尔算法从 M_0 开始,顺序计算 $M_1, M_2, \cdots$,直到 M_n 为止.

　　假设 M_k 已经计算完毕,如何计算 M_{k+1} 呢? 这需要对于每组 i, j 确定 $M_{k+1}[i,j]$ 是否为 1. $M_{k+1}[i,j] = 1$ 当且仅当在 R 的关系图中存在一条从 x_i 到 x_j 并且中间只经过 $\{x_1, x_2, \cdots, x_k, x_{k+1}\}$ 的路径. 可以将这种路径分成两类:第一类是只经过 $\{x_1, x_2, \cdots, x_k\}$ 的路径,这时 $M_k[i,j] = 1$;第二类是经过 x_{k+1} 的路径. 因为回路可以从路径中删除,因此只需考虑经过 x_{k+1} 一次的路径,这条路径可以分成两段,从 x_i 到 x_{k+1},再从 x_{k+1} 到 x_j,因此有 $M_k[i, k+1] = 1$ 和 $M_k[k+1, j] = 1$. 对于第二类路径的判别,可以利用下面的条件:

$$M_{k+1}[i,j] = 1 \Leftrightarrow M_k[i, k+1] = 1 \wedge M_k[k+1, j] = 1$$

算法 Warshall

输入:M(R 的关系矩阵)

输出:M_T($t(R)$ 的关系矩阵)

1. $M_T \leftarrow M$

2. for $k \leftarrow 1$ to n do

3. 　　for $i \leftarrow 1$ to n do

4. 　　　　for $j \leftarrow 1$ to n do

5. 　　　　　　$M_T[i,j] \leftarrow M_T[i,j] + M_T[i,k] \cdot M_T[k,j]$

　　注意,上述算法中矩阵加法和乘法中的元素相加时都使用逻辑加. 考虑例 7.15 中的关系 R. 利用沃舍尔算法计算的矩阵序列如下,所得到的传递闭包实际上就是全域关系 E_A. 这和图 7.4 的结果是一致的.

$$M_0 = \begin{pmatrix} 0 & 1 & 0 & 0 \\ 1 & 0 & 1 & 0 \\ 0 & 0 & 0 & 1 \\ 0 & 1 & 0 & 0 \end{pmatrix}, \quad M_1 = \begin{pmatrix} 0 & 1 & 0 & 0 \\ 1 & 1 & 1 & 0 \\ 0 & 0 & 0 & 1 \\ 0 & 1 & 0 & 0 \end{pmatrix}, \quad M_2 = \begin{pmatrix} 1 & 1 & 1 & 0 \\ 1 & 1 & 1 & 0 \\ 0 & 0 & 0 & 1 \\ 1 & 1 & 1 & 0 \end{pmatrix}$$

$$M_3 = \begin{pmatrix} 1 & 1 & 1 & 1 \\ 1 & 1 & 1 & 1 \\ 0 & 0 & 0 & 1 \\ 1 & 1 & 1 & 1 \end{pmatrix}, \quad M_4 = \begin{pmatrix} 1 & 1 & 1 & 1 \\ 1 & 1 & 1 & 1 \\ 1 & 1 & 1 & 1 \\ 1 & 1 & 1 & 1 \end{pmatrix}$$

下面的定理给出了闭包的主要性质.

定理 7.11　设 R 是非空集合 A 上的关系,则

（1）R 是自反的当且仅当 $r(R) = R$.

（2）R 是对称的当且仅当 $s(R) = R$.

（3）R 是传递的当且仅当 $t(R) = R$.

证　只证（1），其余留作练习. 只需证明必要性.

显然有 $R \subseteq r(R)$，又由于 R 是包含了 R 的自反关系，根据自反闭包定义有 $r(R) \subseteq R$. 从而得到 $r(R) = R$.

定理 7.12　设 R_1 和 R_2 是非空集合 A 上的关系，且 $R_1 \subseteq R_2$，则

（1）$r(R_1) \subseteq r(R_2)$

（2）$s(R_1) \subseteq s(R_2)$

（3）$t(R_1) \subseteq t(R_2)$

证明留作练习.

定理 7.13　设 R 是非空集合 A 上的关系，

（1）若 R 是自反的，则 $s(R)$ 与 $t(R)$ 也是自反的.

（2）若 R 是对称的，则 $r(R)$ 与 $t(R)$ 也是对称的.

（3）若 R 是传递的，则 $r(R)$ 是传递的.

证　只证（2），其余留作练习.

由于 R 是 A 上的对称关系，所以 $R = R^{-1}$，同时 $I_A = I_A^{-1}$. 根据习题 7 第 20 题得

$$(R \cup I_A)^{-1} = R^{-1} \cup I_A^{-1}$$

从而推出

$$r(R)^{-1} = (R \cup R^0)^{-1} = (R \cup I_A)^{-1} = R^{-1} \cup I_A^{-1} = R \cup I_A = r(R)$$

这就证明了 $r(R)$ 是对称的.

为证明 $t(R)$ 是对称的，先证明下述命题.

若 R 是对称的，则 R^n 也是对称的，其中 n 是任何正整数.

用归纳法.

若 $n = 1$，则 $R^1 = R$ 显然是对称的.

假设 R^n 是对称的，则对任意的 $<x, y>$ 有

$$<x, y> \in R^{n+1}$$
$$\Leftrightarrow \exists t(<x, t> \in R^n \wedge <t, y> \in R)$$
$$\Rightarrow \exists t(<t, x> \in R^n \wedge <y, t> \in R)$$
$$\Rightarrow <y, x> \in R \circ R^n$$
$$\Rightarrow <y, x> \in R^{1+n} = R^{n+1}$$

所以 R^{n+1} 是对称的. 由归纳法命题得证.

下面证明 $t(R)$ 的对称性.

任取 $<x, y>$，有

$$<x,y> \in t(R)$$

$$\Rightarrow \exists n(<x,y> \in R^n)$$

$$\Rightarrow \exists n(<y,x> \in R^n) \text{（因为 } R^n \text{ 是对称的）}$$

$$\Rightarrow <y,x> \in t(R)$$

从而证明了 $t(R)$ 的对称性.

　　定理 7.13 讨论了关系性质和闭包运算之间的联系. 如果关系 R 是自反的或对称的,那么经过求闭包的运算以后所得到的关系仍旧是自反的或对称的. 但是对于传递的关系则不然. 它的自反闭包仍旧保持传递性,而对称闭包就有可能失去传递性,例如 $A=\{1,2,3\}$,$R=\{<1,3>\}$ 是 A 上的传递关系,R 的对称闭包

$$s(R)=\{<1,3>,<3,1>\}$$

显然 $s(R)$ 不再是 A 上的传递关系. 从这里可以看出,如果计算关系 R 的自反、对称、传递的闭包,为了不失去传递性,传递闭包运算应该放在对称闭包运算的后边,若令 $tsr(R)$ 表示 R 的自反、对称、传递闭包,则

$$tsr(R)=t(s(r(R)))$$

7.6　等价关系与划分

　　等价关系是一类重要的二元关系.

　　定义 7.15　设 R 为非空集合 A 上的关系. 如果 R 是自反的、对称的和传递的,则称 R 为 A 上的等价关系. 设 R 是一个等价关系,若 $<x,y> \in R$,称 x 等价于 y,记作 $x \sim y$.

　　例 7.16　设 $A=\{1,2,\cdots,8\}$,如下定义 A 上的关系 R:

$$R=\{<x,y>|x,y \in A \land x \equiv y(\bmod 3)\}$$

其中 $x \equiv y(\bmod 3)$ 称作 x 与 y 模 3 相等,即 x 除以 3 的余数与 y 除以 3 的余数相等. 不难验证 R 为 A 上的等价关系,因为

　　$\forall x \in A$,有 $x \equiv x(\bmod 3)$

　　$\forall x,y \in A$,若 $x \equiv y(\bmod 3)$,则有 $y \equiv x(\bmod 3)$

　　$\forall x,y,z \in A$,若 $x \equiv y(\bmod 3)$,$y \equiv z(\bmod 3)$,则有 $x \equiv z(\bmod 3)$.

　　该关系的关系图如图 7.5 所示.

　　不难看到,上述关系图被分为 3 个互不连通的部分. 每部分中的数两两都有关系,不同部分中的数则没有关系. 每一部分中的所有的顶点构成一个等价类.

　　定义 7.16　设 R 为非空集合 A 上的等价关系,$\forall x \in A$,令

$$[x]_R=\{y|y \in A \land xRy\}$$

称 $[x]_R$ 为 x 关于 R 的等价类,简称为 x 的等价类,简记为 $[x]$ 或 $\bar{x}$.

　　从以上定义可以知道,x 的等价类是 A 中所有与 x 等价的元素构成的集合. 例 7.16 中的等

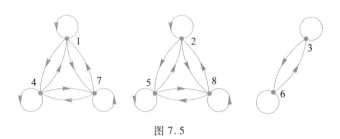

图 7.5

价类是：

$$[1]=[4]=[7]=\{1,4,7\}$$
$$[2]=[5]=[8]=\{2,5,8\}$$
$$[3]=[6]=\{3,6\}$$

将例 7.16 中的模 3 等价关系加以推广，可以得到整数集 **Z** 上的模 n 等价关系.

设 x 是任意整数，n 为给定的正整数，则存在唯一的整数 q 和 r，使得

$$x=qn+r$$

其中 $0\leqslant r\leqslant n-1$，称 r 为 x 除以 n 的余数. 例如，若 $n=3$，那么-8 除以 3 的余数为 1，因为

$$-8=-3\times3+1$$

对于任意的整数 x 和 y，定义模 n 相等关系 ~

$$x\sim y\Leftrightarrow x\equiv y(\bmod n)$$

不难验证它是整数集 **Z** 上的等价关系. 将 **Z** 中的所有整数根据它们除以 n 的余数分类如下.

余数为 0 的数，其形式为 $nz,z\in\mathbf{Z}$.

余数为 1 的数，其形式为 $nz+1,z\in\mathbf{Z}$，

…

余数为 $n-1$ 的数，其形式为 $nz+n-1,z\in\mathbf{Z}$.

以上构成了 n 个等价类，使用等价类的符号可记为

$$[i]=\{nz+i\mid z\in\mathbf{Z}\},i=0,1,\cdots,n-1$$

下面的定理给出了等价类的性质.

定理 7.14 设 R 为非空集合 A 上的等价关系，则

（1）$\forall x\in A,[x]$ 是 A 的非空子集；

（2）$\forall x,y\in A$，如果 xRy，则 $[x]=[y]$；

（3）$\forall x,y\in A$，如果 $x\not{R}y$，则 $[x]$ 与 $[y]$ 不交；

（4）$\cup\{[x]\mid x\in A\}=A$.

证 （1）由等价类的定义可知，$\forall x\in A$ 有 $[x]\subseteq A$. 又由于等价关系的自反性有 $x\in[x]$，即 $[x]$ 非空.

（2）任取 z，有

$$z \in [x] \Rightarrow <x,z> \in R \Rightarrow <z,x> \in R（因为 R 是对称的）$$

因此有

$$<z,x> \in R \wedge <x,y> \in R \Rightarrow <z,y> \in R（因为 R 是传递的）$$
$$\Rightarrow <y,z> \in R（因为 R 是对称的）$$

从而证明了 $z \in [y]$. 综上所述必有 $[x] \subseteq [y]$.

同理可证 $[y] \subseteq [x]$. 这就得到了 $[x] = [y]$.

（3）假设 $[x] \cap [y] \neq \varnothing$，则存在 $z \in [x] \cap [y]$，从而有 $z \in [x] \wedge z \in [y]$，即 $<x,z> \in R \wedge <y,z> \in R$ 成立. 根据 R 的对称性和传递性必有 $<x,y> \in R$，与 $x \not\mathrel{R} y$ 矛盾，即假设错误，原命题成立.

（4）先证 $\cup\{[x] | x \in A\} \subseteq A$

任取 y，有

$$y \in \cup\{[x] | x \in A\}$$
$$\Rightarrow \exists x(x \in A \wedge y \in [x])$$
$$\Rightarrow y \in A（因为 [x] \subseteq A）$$

从而有 $\cup\{[x] | x \in A\} \subseteq A$.

再证 $A \subseteq \cup\{[x] | x \in A\}$.

任取 y，有

$$y \in A \Rightarrow y \in [y] \wedge y \in A$$
$$\Rightarrow y \in \cup\{[x] | x \in A\}$$

从而有 $A \subseteq \cup\{[x] | x \in A\}$ 成立.

综上所述得 $\cup\{[x] | x \in A\} = A$.

由非空集合 A 和 A 上的等价关系 R 可以构造一个新的集合——商集.

定义 7.17 设 R 为非空集合 A 上的等价关系，以 R 的所有等价类作为元素的集合称为 A 关于 R 的商集，记作 A/R，即

$$A/R = \{[x]_R | x \in A\}$$

例 7.16 中的商集为

$$\{\{1,4,7\}, \{2,5,8\}, \{3,6\}\}$$

而整数集 $\mathbf{Z}$ 上模 n 等价关系的商集是

$$\{\{nz+i | z \in \mathbf{Z}\} | i = 0, 1, \cdots, n-1\}$$

与等价关系及商集有密切联系的概念是集合的划分. 先给出划分的定义.

定义 7.18 设 A 为非空集合，若 A 的子集族 π（$\pi \subseteq P(A)$，是 A 的子集构成的集合）满足下面的条件：

（1）$\varnothing \notin \pi$

（2）$\forall x \forall y(x, y \in \pi \wedge x \neq y \rightarrow x \cap y = \varnothing)$

（3）$\cup \pi = A$

则称 π 是 A 的一个划分,称 π 中的元素为 A 的划分块.

例 7.17 设 $A=\{a,b,c,d\}$,给定 $\pi_1,\pi_2,\pi_3,\pi_4,\pi_5,\pi_6$ 如下.

$$\pi_1=\{\{a,b,c\},\{d\}\}$$
$$\pi_2=\{\{a,b\},\{c\},\{d\}\}$$
$$\pi_3=\{\{a\},\{a,b,c,d\}\}$$
$$\pi_4=\{\{a,b\},\{c\}\}$$
$$\pi_5=\{\varnothing,\{a,b\},\{c,d\}\}$$
$$\pi_6=\{\{a,\{a\}\},\{b,c,d\}\}$$

则 π_1 和 π_2 是 A 的划分,其他都不是 A 的划分. 因为 π_3 中的子集 $\{a\}$ 和 $\{a,b,c,d\}$ 有交,$\cup\pi_4\neq A$,π_5 中含有空集,而 π_6 根本不是 A 的子集族.

把商集 A/R 和划分的定义相比较,易见商集就是 A 的一个划分,并且不同的商集将对应于不同的划分. 反之,任给 A 的一个划分 π,如下定义 A 上的关系 R:

$$R=\{<x,y>|x,y\in A\wedge x\text{ 与 }y\text{ 在 }\pi\text{ 的同一划分块中}\}$$

则不难证明 R 为 A 上的等价关系,且该等价关系所确定的商集就是 π. 由此可见,A 上的等价关系与 A 的划分是一一对应的.

例 7.18 给出 $A=\{1,2,3\}$ 上所有的等价关系.

解 如图 7.6 所示,先给出 A 的所有划分.

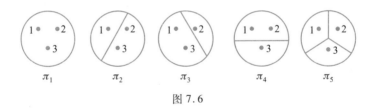

图 7.6

这些划分与 A 上的等价关系之间的一一对应是:π_1 对应于全域关系 E_A,π_5 对应于恒等关系 I_A,π_2,π_3 和 π_4 分别对应于等价关系 R_2,R_3 和 R_4,其中

$$R_2=\{<2,3>,<3,2>\}\cup I_A$$
$$R_3=\{<1,3>,<3,1>\}\cup I_A$$
$$R_4=\{<1,2>,<2,1>\}\cup I_A$$

7.7 偏序关系

下面介绍另一种重要的关系——偏序关系.

定义 7.19 设 R 为非空集合 A 上的关系. 如果 R 是自反的、反对称的和传递的,则称 R 为 A 上的偏序关系,记作 $\leqslant$. 设 $\leqslant$ 为偏序关系,如果 $<x,y> \in \leqslant$,则记作 $x \leqslant y$,读作 x "小于等于" y.

注意这里的"小于等于"不是指数的大小,而是指在偏序关系中的顺序性. x "小于等于" y 的含义是:依照这个序,x 排在 y 的前边或者 x 就是 y. 根据不同偏序的定义,对序有着不同的解释. 例如,整除关系是偏序关系 $\leqslant$,$3 \leqslant 6$ 的含义是 3 整除 6. 大于等于关系也是偏序关系,针对这个关系写 $5 \leqslant 4$ 是说在大于等于关系中 5 排在 4 的前边,也就是说 5 比 4 大.

例如,集合 A 上的恒等关系 I_A 是 A 上的偏序关系. 小于等于关系、整除关系和包含关系也是相应集合上的偏序关系. 一般说来,全域关系 E_A 不是 A 上的偏序关系.

定义 7.20 设 $\leqslant$ 为非空集合 A 上的偏序关系,定义

(1) $\forall x,y \in A, x < y \Leftrightarrow x \leqslant y \wedge x \neq y$

(2) $\forall x,y \in A, x$ 与 y 可比 $\Leftrightarrow x \leqslant y \vee y \leqslant x$

其中 $x < y$ 读作 x "小于" y. 这里所说的"小于"是指在偏序中 x 排在 y 的前边.

由以上两个定义可知,在具有偏序关系 $\leqslant$ 的集合 A 中任取两个元素 x 和 y,可能有下列几种情况发生.

$$x < y (\text{或 } y < x), x = y, x \text{ 与 } y \text{ 不是可比的.}$$

例如,$A = \{1,2,3\}$,$\leqslant$ 是 A 上的整除关系,则有

$$1 < 2, 1 < 3,$$
$$1 = 1, 2 = 2, 3 = 3,$$
$$2 \text{ 和 } 3 \text{ 不可比.}$$

定义 7.21 设 R 为非空集合 A 上的偏序关系,如果 $\forall x,y \in A, x$ 与 y 都是可比的,则称 R 为 A 上的全序关系(或线序关系).

例如,数集上的小于等于关系是全序关系,因为任何两个数总是可比大小的. 但整除关系一般说来不是全序关系,如集合 $\{1,2,3\}$ 上的整除关系就不是全序关系,因为 2 和 3 不可比.

定义 7.22 集合 A 和 A 上的偏序关系 $\leqslant$ 一起称作偏序集,记作 $<A, \leqslant>$.

例如,整数集合 $\mathbf{Z}$ 和数的小于等于关系 $\leqslant$ 构成偏序集 $<\mathbf{Z}, \leqslant>$,集合 A 的幂集 $P(A)$ 和包含关系 $R_{\subseteq}$ 构成偏序集 $<P(A), R_{\subseteq}>$.

利用偏序关系的自反性、反对称性和传递性可以简化一个偏序关系的关系图,得到偏序集的哈斯图. 为了说明哈斯图的画法,首先定义偏序集中顶点的覆盖关系.

定义 7.23 设 $<A, \leqslant>$ 为偏序集,$\forall x,y \in A$,如果 $x < y$ 且不存在 $z \in A$ 使得 $x < z < y$,则称 y 覆盖 x.

例如,{1,2,4,6}集合上的整除关系有 2 覆盖 1,4 和 6 都覆盖 2. 但是 4 不覆盖 1,因为有 1<2<4.6 也不覆盖 4,因为 4<6 不成立.

在画偏序集<A,≤>的哈斯图时,首先适当排列顶点的顺序,使得:∀$x,y \in A$,若 $x < y$,则将 x 画在 y 的下方. 对于 A 中的两个不同元素 x 和 y,如果 y 覆盖 x,就用一条线段连接 x 和 y.

例 7.19 画出偏序集<{1,2,3,4,5,6,7,8,9},$R_{整除}$>和<$P(\{a,b,c\})$,$R_{\subseteq}$>的哈斯图.

解 两个哈斯图如图 7.7 所示.

例 7.20 已知偏序集<A,R>的哈斯图如图 7.8 所示,试求出集合 A 和关系 R 的表达式.

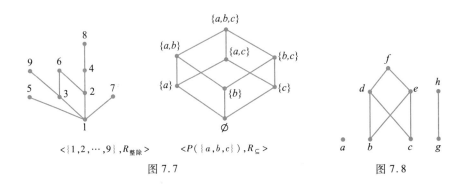

图 7.7　　　　　　　　　　　　　　　　图 7.8

解 $A = \{a,b,c,d,e,f,g,h\}$

$R = \{<b,d>,<b,e>,<b,f>,<c,d>,<c,e>,<c,f>,<d,f>,<e,f>,<g,h>\} \cup I_A$

下面考虑偏序集中的一些特殊元素.

定义 7.24 设<A,≤>为偏序集,$B \subseteq A,y \in B$.

(1) 若 ∀$x(x \in B \rightarrow y \leq x)$成立,则称 y 为 B 的最小元.

(2) 若 ∀$x(x \in B \rightarrow x \leq y)$成立,则称 y 为 B 的最大元.

(3) 若 ∀$x(x \in B \wedge x \leq y \rightarrow x = y)$成立,则称 y 为 B 的极小元.

(4) 若 ∀$x(x \in B \wedge y \leq x \rightarrow x = y)$成立,则称 y 为 B 的极大元.

从以上定义可以看出,最小元与极小元是不一样的. 最小元是 B 中最小的元素,它与 B 中其他元素都可比;而极小元不一定与 B 中元素都可比,只要没有比它小的元素,它就是极小元. 对于有穷集 B,极小元一定存在,但最小元不一定存在. 最小元如果存在,一定是唯一的,但极小元可能有多个. 如果 B 中只有一个极小元,则它一定是 B 的最小元. 类似地,极大元与最大元也有这种区别.

例 7.21 设偏序集<A,≤>如图 7.8 所示,求 A 的极小元、最小元、极大元和最大元.

解 极小元:a,b,c,g.

极大元:a,f,h.

没有最小元与最大元.

由这个例子可以知道,哈斯图中的孤立顶点既是极小元,也是极大元.

例 7.22 设 X 为集合，$A=(P(X)-\{\varnothing\})-\{X\}$，且 $A\neq\varnothing$. 若 $|X|=n$，问：

(1) 偏序集 $<A,R_{\subseteq}>$ 是否存在最大元？

(2) 偏序集 $<A,R_{\subseteq}>$ 是否存在最小元？

(3) 偏序集 $<A,R_{\subseteq}>$ 中极大元和极小元的一般形式是什么？并说明理由.

解 $<A,R_{\subseteq}>$ 不存在最小元和最大元，因为 $n\geq2$.

考察幂集 $P(X)$ 的哈斯图，最底层的顶点是空集，记作第 0 层. 由底向上，第 1 层是单元集，第 2 层是二元子集，$\cdots$，由 $|X|=n$，则第 $n-1$ 层是 X 的 $n-1$ 元子集，第 n 层，也就是最高层只有一个顶点 X. 偏序集 $<A,R_{\subseteq}>$ 与 $<P(X),R_{\subseteq}>$ 相比，恰好缺少第 0 层与第 n 层（因为 X 是 n 集）. 因此，$<A,R_{\subseteq}>$ 的极小元就是 X 的所有单元集，即 $\{x\}$，$x\in X$；而极大元恰好比 X 少一个元素，即 $X-\{x\}$，$x\in X$.

定义 7.25 设 $<A,\preccurlyeq>$ 为偏序集，$B\subseteq A$，$y\in A$.

(1) 若 $\forall x(x\in B\to x\preccurlyeq y)$ 成立，则称 y 为 B 的上界.

(2) 若 $\forall x(x\in B\to y\preccurlyeq x)$ 成立，则称 y 为 B 的下界.

(3) 令 $C=\{y\mid y$ 为 B 的上界$\}$，则称 C 的最小元为 B 的最小上界或上确界.

(4) 令 $D=\{y\mid y$ 为 B 的下界$\}$，则称 D 的最大元为 B 的最大下界或下确界.

由以上定义可知，B 的最小元一定是 B 的下界，同时也是 B 的最大下界. 同样的，B 的最大元一定是 B 的上界，同时也是 B 的最小上界. 但反过来不一定正确，B 的下界不一定是 B 的最小元，因为它可能不是 B 中的元素. 同样的，B 的上界也不一定是 B 的最大元.

B 的上界、下界、最小上界、最大下界都可能不存在. 如果存在，最小上界与最大下界是唯一的.

考虑图 7.8 中的偏序集. 令 $B=\{b,c,d\}$，则 B 的下界和最大下界都不存在，上界有 d 和 f，最小上界为 d.

偏序关系广泛存在于实际问题中，调度问题就是典型的实例. 一般性的调度问题可以描述如下.

给定有穷的任务集 T 和 m 台相同的机器，T 上存在偏序关系 $\preccurlyeq$，如果 $t_1\prec t_2$，那么任务 t_1 完成以后 t_2 才能开始工作. $\forall t\in T$，$l(t)$ 表示完成任务 t 所需要的时间，$d(t)$ 表示任务 t 的截止时间，$l(t),d(t)\in \mathbf{Z}^+$. 设开始时间为 0，$\sigma:T\to\{0,1,\cdots\}$ 表示对任务集 T 的一个调度方案，其中 $\sigma(t)$ 表示任务 t 的开始时间. $D=\max\{\sigma(t)+l(t)\mid t\in T\}$ 表示完成所有任务的最终时间. 假设每项任务都可以安排在任何一台机器上进行加工，如果 σ 满足下述 3 个条件，则称 σ 为可行调度.

(1) $\forall t\in T,\sigma(t)+l(t)\leq d(t)$

(2) $\forall i,0\leq i\leq D,|\{t\in T\mid\sigma(t)\leq i<\sigma(t)+l(t)\}|\leq m$

(3) $\forall t,t'\in T,t\prec t'\Rightarrow\sigma(t)+l(t)\leq\sigma(t')$

条件(1)表示每项任务都要在截止时间之前完成，条件(2)表示任何时刻同时工作的机器台数不超过 m，条件(3)表示任务安排必须满足任务集的偏序约束. 求使得 D 最小的可行调度.

例 7.23 设 $m=2$，$T=\{t_1,t_2,\cdots,t_6\}$，每项任务的截止时间都等于 7. 去掉自反成分，T 中的

偏序约束如图 7.9 所示, 每个任务结点中的数字表示完成该任务所用的时间. 图 7.9 中给出了两个可行的调度方案, 其中 $D=5$ 的方案是最优的方案, 因为根据 t_1, t_2 和 t_4 的顺序关系, 完成所有的任务至少需要 5 个单位的时间.

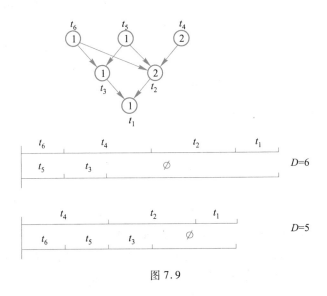

图 7.9

对于一般性的调度问题, 目前还没找到好的算法. 如果只有一台机器, 并且每项任务的截止时间没有限制, 那么问题将简化很多. 对于这种问题可以使用拓扑排序给出调度方案. 所谓拓扑排序, 就是将原来的偏序集 $<A, R>$ 扩张成一个对应的全序集 $<A, R'>$, 忽略了关系 R' 的自反性部分得到拓扑排序的序关系 T. 因此有 $R-I_A \subseteq T$. 图 7.10 给出了一个偏序集的哈斯图和两个不同的拓扑排序的结果, 出现多个结果的原因是: 在扩张成全序关系时, 原来偏序集中不可比的元素之间的次序可以任意确定.

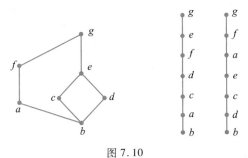

图 7.10

习　题　7

1. 已知 $A = \{\varnothing, \{\varnothing\}\}$，求 $A \times P(A)$.

2. 对于任意集合 A, B, C，若 $A \times B \subseteq A \times C$，是否一定有 $B \subseteq C$ 成立？为什么？

3. 设 A, B, C, D 是任意集合，

（1）求证 $(A \cap B) \times (C \cap D) = (A \times C) \cap (B \times D)$；

（2）下列等式中哪些成立？哪些不成立？对于成立的给出证明，对于不成立的举一反例.
$$(A \cup B) \times (C \cup D) = (A \times C) \cup (B \times D)$$
$$(A - B) \times (C - D) = (A \times C) - (B \times D)$$

4. 判断下列命题的真假，如果为真，给出证明；如果为假，给出反例.

（1）$A \cup (B \times C) = (A \cup B) \times (A \cup C)$；

（2）$A \times (B \cap C) = (A \times B) \cap (A \times C)$；

（3）存在集合 A 使得 $A \subseteq A \times A$；

（4）$P(A) \times P(A) = P(A \times A)$.

5. 设 A, B 为任意集合，证明：若 $A \times A = B \times B$，则 $A = B$.

6. 列出从集合 $A = \{1, 2\}$ 到 $B = \{1\}$ 的所有的二元关系.

7. 列出集合 $A = \{2, 3, 4\}$ 上的恒等关系 I_A、全域关系 E_A、小于等于关系 L_A、整除关系 D_A.

8. 列出集合
$$A = \{\varnothing, \{\varnothing\}, \{\varnothing, \{\varnothing\}\}, \{\varnothing, \{\varnothing\}, \{\varnothing, \{\varnothing\}\}\}\}$$
上的包含关系.

9. 设 $A = \{1, 2, 4, 6\}$，列出下列关系 R.

（1）$R = \{<x, y> \mid x, y \in A \land x + y \neq 2\}$；

（2）$R = \{<x, y> \mid x, y \in A \land |x - y| = 1\}$；

（3）$R = \{<x, y> \mid x, y \in A \land \dfrac{x}{y} \in A\}$；

（4）$R = \{<x, y> \mid x, y \in A \land y \text{ 为素数}\}$.

10. 给定 $\mathbf{Z}^+$ 上的关系 R 和 S，$\forall x, y \in \mathbf{Z}^+$，满足
$$xRy \Leftrightarrow x \text{ 整除 } y, \quad xSy \Leftrightarrow 5x \leqslant y$$
对于下面每个小题，确定哪些有序对属于给定的关系：

（1）关系：$R \cup S$；有序对：$<2, 6>, <3, 17>, <2, 1>, <0, 0>$；

（2）关系：$R \cap S$；有序对：$<3, 6>, <1, 2>, <2, 12>$；

（3）关系：$\sim R$（以全域关系为全集）；有序对：$<1, 5>, <2, 8>, <3, 15>$.

11. R_i 是 X 上的二元关系，对于 $x \in X$ 定义集合
$$R_i(x) = \{y \mid xR_i y\}$$
显然 $R_i(x) \subseteq X$. 如果 $X = \{-4, -3, -2, -1, 0, 1, 2, 3, 4\}$，且令
$$R_1 = \{<x, y> \mid x, y \in X \land x < y\}$$
$$R_2 = \{<x, y> \mid x, y \in X \land y - 1 < x < y + 2\}$$
$$R_3 = \{<x, y> \mid x, y \in X \land x^2 \leqslant y\}$$

求 $R_1(0),R_1(1),R_2(0),R_2(-1),R_3(3)$.

12. 设 $A=\{0,1,2,3\}$，R 是 A 上的关系，且

$$R=\{<0,0>,<0,3>,<2,0>,<2,1>,<2,3>,<3,2>\}$$

给出 R 的关系矩阵和关系图.

13. 设

$$A=\{<1,2>,<2,4>,<3,3>\}$$
$$B=\{<1,3>,<2,4>,<4,2>\}$$

求 $A\cup B,A\cap B,\mathrm{dom}A,\mathrm{dom}B,\mathrm{dom}(A\cup B),\mathrm{ran}A,\mathrm{ran}B,\mathrm{ran}(A\cap B),\mathrm{fld}(A-B)$.

14. 设

$$R=\{<0,1>,<0,2>,<0,3>,<1,2>,<1,3>,<2,3>\}$$

求 $R\circ R,R^{-1},R\upharpoonright\{0,1\},R[\{1,2\}]$.

15. 设

$$A=\{<\varnothing,\{\varnothing,\{\varnothing\}\}>,<\{\varnothing\},\varnothing>\}$$

求 $A^{-1},A^2,A^3,A\upharpoonright\{\varnothing\},A[\varnothing],A\upharpoonright\varnothing,A\upharpoonright\{\{\varnothing\}\},A[\{\varnothing\}]$.

16. 设 $A=\{a,b,c,d\}$，R_1,R_2 为 A 上的关系，其中

$$R_1=\{<a,a>,<a,b>,<b,d>\}$$
$$R_2=\{<a,d>,<b,c>,<b,d>,<c,b>\}$$

求 $R_1\circ R_2,R_2\circ R_1,R_1^2,R_2^3$.

17. 设 $A=\{1,2,3\}$，试给出 A 上两个不同的关系 R_1 和 R_2，使得 $R_1^2=R_1,R_2^2=R_2$.

18. 证明定理 7.4 的 (1),(2),(4).

19. 证明定理 7.5 的 (2),(3).

20. 设 R_1 和 R_2 为 A 上的关系，证明：

(1) $(R_1\cup R_2)^{-1}=R_1^{-1}\cup R_2^{-1}$；

(2) $(R_1\cap R_2)^{-1}=R_1^{-1}\cap R_2^{-1}$.

21. 设 $A=\{1,2,\cdots,10\}$，定义 A 上的关系

$$R=\{<x,y>\mid x,y\in A\wedge x+y=10\}$$

说明 R 具有哪些性质并说明理由.

22. 给定 $A=\{1,2,3,4\}$，A 上的关系 $R=\{<1,3>,<1,4>,<2,3>,<2,4>,<3,4>\}$，试

(1) 画出 R 的关系图；

(2) 说明 R 的性质.

23. 设 $A=\{1,2,3\}$. 图 7.11 给出了 12 种 A 上的关系，对于每种关系写出相应的关系矩阵，并说明它所具有的性质.

24. 请看表 7.2，试对表中打"√"部分的命题给出证明，对打"×"部分的命题举出反例.

25. 设 R 的关系图如图 7.12 所示，试给出 $r(R),s(R)$ 和 $t(R)$ 的关系图.

26. 设 $A=\{1,2,3,4,5,6\}$，R 为 A 上的关系，R 的关系图如图 7.13 所示.

(1) 求 R^2,R^3 的集合表达式；

(2) 求 $r(R),s(R),t(R)$ 的集合表达式.

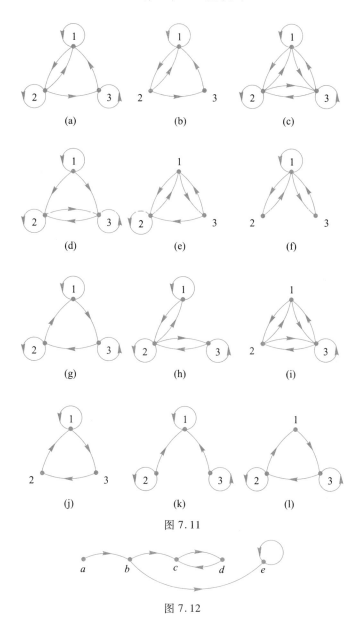

图 7.11

图 7.12

27. 证明定理 7.10 的(2).

28. 证明定理 7.11 的(2)和(3).

29. 证明定理 7.12.

30. 证明定理 7.13 的(1)和(3).

31. 设 $A=\{1,2,3,4\}$, R 是 A 上的等价关系, 且 R 在 A 上所构成的等价类是 $\{1\}$, $\{2,3,4\}$.

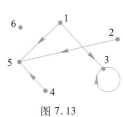

图 7.13

（1）求 R；

（2）求 $R \circ R^{-1}$；

（3）求 R 的传递闭包.

32. 对于给定的 A 和 R，判断 R 是否为 A 上的等价关系.

（1）A 为实数集，$\forall x, y \in A, xRy \Leftrightarrow x - y = 2$；

（2）$A = \{1, 2, 3\}, \forall x, y \in A, xRy \Leftrightarrow x + y \neq 3$；

（3）$A = \mathbf{Z}^{+}$，即正整数集，$\forall x, y \in A, xRy \Leftrightarrow xy$ 是奇数；

（4）$A = P(X), |X| \geqslant 2, \forall x, y \in A, xRy \Leftrightarrow x \subseteq y \lor y \subseteq x$；

（5）$A = P(X), C \subseteq X, \forall x, y \in A, xRy \Leftrightarrow x \oplus y \subseteq C$.

33. 设 $A = \{a, b, c, d\}$，A 上的等价关系

$$R = \{\langle a, b \rangle, \langle b, a \rangle, \langle c, d \rangle, \langle d, c \rangle\} \cup I_A$$

画出 R 的关系图，并求出 A 中各元素的等价类.

34. 设 π 是正整数 $\mathbf{Z}^{+}$ 的子集族，判断 π 是否构成 $\mathbf{Z}^{+}$ 的划分.

（1）$S_1 = \{x \mid x \in \mathbf{Z}^{+} \land x$ 是素数$\}, S_2 = \mathbf{Z}^{+} - S_1, \pi = \{S_1, S_2\}$；

（2）$\pi = \{\{x\} \mid x \in \mathbf{Z}^{+}\}$.

35. 对任意非空的集合 A 且 $P(A) - \{\varnothing\}$ 是 A 的非空集合族，$P(A) - \{\varnothing\}$ 是否构成 A 的划分？

36. 设 $A = \{1, 2, 3, 4\}$，在 $A \times A$ 上定义二元关系 R，

$$\forall \langle u, v \rangle, \langle x, y \rangle \in A \times A, \ \langle u, v \rangle R \langle x, y \rangle \Leftrightarrow u + y = x + v$$

（1）证明 R 是 $A \times A$ 上的等价关系；

（2）确定由 R 引起的对 $A \times A$ 的划分.

37. 设 $A = \{a, b, c, d, e, f\}$，R 是 A 上的关系，且 $R = \{\langle a, b \rangle, \langle a, c \rangle, \langle e, f \rangle\}$，设 $R^* = tsr(R)$，则 R^* 是 A 上的等价关系.

（1）给出 R^* 的关系矩阵；

（2）写出商集 A / R^*.

38. 设 R 为 A 上的自反和传递的关系，证明 $R \cap R^{-1}$ 是 A 上的等价关系.

39. 设 R 是 A 上的自反关系，证明 R 是 A 上等价关系的充分必要条件是：若 $\langle a, b \rangle \in R$ 且 $\langle a, c \rangle \in R$，则有 $\langle b, c \rangle \in R$.

40. 设 R 为 $\mathbf{N} \times \mathbf{N}$ 上的二元关系，$\forall \langle a, b \rangle, \langle c, d \rangle \in \mathbf{N} \times \mathbf{N}$，

$$\langle a, b \rangle R \langle c, d \rangle \Leftrightarrow b = d$$

（1）证明：R 为等价关系；

（2）求商集 $\mathbf{N} \times \mathbf{N} / R$.

41. 设 $A = \{1, 2, 3, 4\}$，R 为 $A \times A$ 上的二元关系，$\forall \langle a, b \rangle, \langle c, d \rangle \in A \times A$，

$$\langle a, b \rangle R \langle c, d \rangle \Leftrightarrow a + b = c + d$$

（1）证明：R 为等价关系；

（2）求 R 导出的划分.

42. 设 R 是 A 上的自反和传递关系，如下定义 A 上的关系 T，使得 $\forall x, y \in A$

$$\langle x, y \rangle \in T \Leftrightarrow \langle x, y \rangle \in R \land \langle y, x \rangle \in R$$

证明 T 是 A 上的等价关系.

43. 对于下列集合与整除关系画出哈斯图.

(1) {1,2,3,4,6,8,12,24};

(2) {1,2,3,4,5,6,7,8,9,10,11,12}.

44. 针对图 7.14 中的每个哈斯图,写出集合以及偏序关系的表达式.

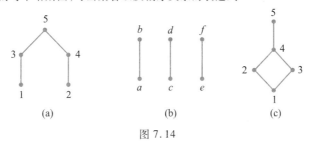

图 7.14

45. 图 7.15 是两个偏序集$<A,R_\leqslant>$的哈斯图. 分别写出集合 A 和偏序关系 $R_\leqslant$ 的集合表达式.

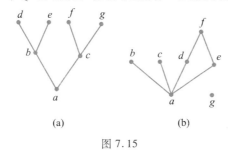

图 7.15

46. 分别画出下列各偏序集$<A,R_\leqslant>$的哈斯图,并找出 A 的极大元、极小元、最大元和最小元.

(1) $A = \{a,b,c,d,e,f\}$

　　$R_\leqslant = \{<a,d>,<a,c>,<a,b>,<a,e>,<b,e>,<c,e>,<d,e>\} \cup I_A$

(2) $A = \{a,b,c,d,e\}$

　　$R_\leqslant = \{<c,d>\} \cup I_A$

47. $A = \{1,2,\cdots,12\}$,$\leqslant$ 为整除关系,

$$B = \{x \mid x \in A \wedge 2 \leqslant x \leqslant 4\}$$

在偏序集$<A,\leqslant>$中求 B 的上界、下界、最小上界和最大下界.

48. 设$<A,R>$和$<B,S>$为偏序集,在集合 $A \times B$ 上定义关系 T 如下.

$$\forall <a_1,b_1>,<a_2,b_2> \in A \times B,$$

$$<a_1,b_1>T<a_2,b_2> \Leftrightarrow a_1 R a_2 \wedge b_1 S b_2$$

证明:T 为 $A \times B$ 上的偏序关系.

49. 设$<A,R>$为偏序集,在 A 上定义新的关系 S 如下:$\forall x,y \in A, xSy \Leftrightarrow yRx$,称 S 为 R 的对偶关系.

(1) 证明:S 也是 A 上的偏序关系;

(2) 如果 R 是整数集合上的小于等于关系,那么 S 是什么关系? 如果 R 是正整数集合上的整除关系,那么 S 是什么关系?

（3）偏序集<A,R>和<A,S>中的极大元、极小元、最大元、最小元等之间有什么关系？

50. 一个项目 P 由 12 个任务构成,任务之间的顺序关系如图 7.16 所示. 任务 i 到 j 有一条边表示任务 i 必须安排在 j 之前完成. 试给出 P 的一个拓扑排序.

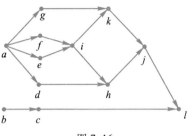

图 7.16

第 8 章
函　　数

8.1　函数的定义与性质

函数是一种特殊的二元关系.

定义 8.1　设 F 为二元关系,若 $\forall x \in \text{dom}F$ 都存在唯一的 $y \in \text{ran}F$ 使 xFy 成立,则称 F 为函数[①]. 对于函数 F,如果有 xFy,则记作 $y = F(x)$,并称 y 为 F 在 x 的值.

例 8.1　设

$$F_1 = \{<x_1, y_1>, <x_2, y_1>, <x_3, y_2>\}$$
$$F_2 = \{<x_1, y_1>, <x_1, y_2>\}$$

判断它们是否为函数.

解　F_1 是函数. F_2 不是函数,因为对应于 x_1 存在 y_1 和 y_2 满足 $x_1 F_2 y_1$ 和 $x_1 F_2 y_2$,与函数定义矛盾.

由于函数是集合,可以用集合相等来定义函数的相等.

定义 8.2　设 F, G 为函数,则

$$F = G \Leftrightarrow F \subseteq G \wedge G \subseteq F$$

由以上定义可知,如果两个函数 F 和 G 相等,则一定满足下面两个条件.

---

① 函数也可以称作映射.

（1）$\mathrm{dom}F = \mathrm{dom}G$；

（2）$\forall x \in \mathrm{dom}F = \mathrm{dom}G$，都有 $F(x) = G(x)$.

例如，函数 $F(x) = \dfrac{x^2 - 1}{x + 1}$，$G(x) = x - 1$ 是不相等的. 因为

$$\mathrm{dom}F = \{x \mid x \in \mathbf{R} \wedge x \neq -1\}$$

而 $\mathrm{dom}G = \mathbf{R}$，$\mathrm{dom}F \neq \mathrm{dom}G$.

定义 8.3 设 A,B 为集合，如果 f 为函数，且 $\mathrm{dom}f = A$，$\mathrm{ran}f \subseteq B$，则 f 称作从 A 到 B 的函数，记作 $f : A \to B$.

例如，$f : \mathbf{N} \to \mathbf{N}$，$f(x) = 2x$ 是从 $\mathbf{N}$ 到 $\mathbf{N}$ 的函数，$g : \mathbf{N} \to \mathbf{N}$，$g(x) = 2$ 也是从 $\mathbf{N}$ 到 $\mathbf{N}$ 的函数.

定义 8.4 所有从 A 到 B 的函数的集合记作 B^A，读作"B 上 A". 符号化表示为

$$B^A = \{f \mid f : A \to B\}$$

例 8.2 设 $A = \{1,2,3\}$，$B = \{a,b\}$，求 B^A.

解 $B^A = \{f_0, f_1, \cdots, f_7\}$. 其中：

$$f_0 = \{<1,a>,<2,a>,<3,a>\}$$
$$f_1 = \{<1,a>,<2,a>,<3,b>\}$$
$$f_2 = \{<1,a>,<2,b>,<3,a>\}$$
$$f_3 = \{<1,a>,<2,b>,<3,b>\}$$
$$f_4 = \{<1,b>,<2,a>,<3,a>\}$$
$$f_5 = \{<1,b>,<2,a>,<3,b>\}$$
$$f_6 = \{<1,b>,<2,b>,<3,a>\}$$
$$f_7 = \{<1,b>,<2,b>,<3,b>\}$$

由排列组合的知识不难证明：若 $|A| = m$，$|B| = n$，且 $m,n > 0$，则 $|B^A| = n^m$. 在例 8.2 中，$|A| = 3$，$|B| = 2$，而 $|B^A| = 2^3 = 8$.

当 A 或 B 中至少有一个集合是空集时，可以分成下面 3 种情况.

（1）$A = \varnothing$ 且 $B = \varnothing$，则 $B^A = \varnothing^\varnothing = \{\varnothing\}$.

（2）$A = \varnothing$ 且 $B \neq \varnothing$，则 $B^A = B^\varnothing = \{\varnothing\}$.

（3）$A \neq \varnothing$ 且 $B = \varnothing$，则 $B^A = \varnothing^A = \varnothing$.

定义 8.5 设函数 $f : A \to B$，$A_1 \subseteq A$，$B_1 \subseteq B$.

（1）令 $f(A_1) = \{f(x) \mid x \in A_1\}$，称 $f(A_1)$ 为 A_1 在 f 下的像. 特别地，当 $A_1 = A$ 时称 $f(A)$ 为函数的像.

（2）令 $f^{-1}(B_1) = \{x \mid x \in A \wedge f(x) \in B_1\}$，称 $f^{-1}(B_1)$ 为 B_1 在 f 下的完全原像.

在这里注意区别函数的值和像两个不同的概念. 函数值 $f(x) \in B$，而像 $f(A_1) \subseteq B$.

设 $B_1 \subseteq B$，显然 B_1 在 f 下的完全原像 $f^{-1}(B_1)$ 是 A 的子集. 考虑 $A_1 \subseteq A$，那么 $f(A_1) \subseteq B$ 的完全原像就是 $f^{-1}(f(A_1))$. 一般说来 $f^{-1}(f(A_1)) \neq A_1$，但是 $A_1 \subseteq f^{-1}(f(A_1))$. 例如，函数 $f : \{1,2,3\} \to \{0,1\}$，满足

$$f(1) = f(2) = 0, f(3) = 1$$

令 $A_1 = \{1\}$,那么有

$$f^{-1}(f(A_1)) = f^{-1}(f(\{1\})) = f^{-1}(\{0\}) = \{1,2\}$$

这时 $A_1 \subset f^{-1}(f(A_1))$.

例 8.3 设 $f:\mathbf{N} \to \mathbf{N}$,且

$$f(x) = \begin{cases} \dfrac{x}{2}, & \text{若 } x \text{ 为偶数} \\[2mm] x+1, & \text{若 } x \text{ 为奇数} \end{cases}$$

令 $A = \{0,1\}$,$B = \{2\}$,那么有

$$f(A) = f(\{0,1\}) = \{f(0),f(1)\} = \{0,2\}$$
$$f^{-1}(B) = f^{-1}(\{2\}) = \{1,4\}$$

下面讨论函数的性质.

定义 8.6 设 $f:A \to B$,

(1) 若 $\mathrm{ran}f = B$,则称 $f:A \to B$ 是满射的.

(2) 若 $\forall y \in \mathrm{ran}f$ 都存在唯一的 $x \in A$ 使得 $f(x) = y$,则称 $f:A \to B$ 是单射的.

(3) 若 $f:A \to B$ 既是满射又是单射的,则称 $f:A \to B$ 是双射的(或一一映像).

由定义不难看出,如果 $f:A \to B$ 是满射的,则对于任意的 $y \in B$,都存在 $x \in A$,使得 $f(x) = y$. 如果 $f:A \to B$ 是单射的,则对于 $x_1,x_2 \in A$,$x_1 \neq x_2$,一定有 $f(x_1) \neq f(x_2)$. 换句话说,如果对于 x_1,$x_2 \in A$ 有 $f(x_1) = f(x_2)$,则一定有 $x_1 = x_2$.

例 8.4 判断下列函数是否为单射、满射、双射的. 为什么?

(1) $f:\mathbf{R} \to \mathbf{R}$,$f(x) = -x^2 + 2x - 1$

(2) $f:\mathbf{Z}^+ \to \mathbf{R}$,$f(x) = \ln x$,$\mathbf{Z}^+$ 为正整数集

(3) $f:\mathbf{R} \to \mathbf{Z}$,$f(x) = \lfloor x \rfloor$

(4) $f:\mathbf{R} \to \mathbf{R}$,$f(x) = 2x + 1$

(5) $f:\mathbf{R}^+ \to \mathbf{R}^+$,$f(x) = \dfrac{x^2+1}{x}$,其中 $\mathbf{R}^+$ 为正实数集

解 (1) $f:\mathbf{R} \to \mathbf{R}$,$f(x) = -x^2 + 2x - 1$ 是开口向下的抛物线,不是单调函数,并且在 $x=1$ 点取得极大值 0. 因此它既不是单射的,也不是满射的.

(2) $f:\mathbf{Z}^+ \to \mathbf{R}$,$f(x) = \ln x$ 是单调上升的,因此是单射的. 但不是满射的,因为 $\mathrm{ran}f = \{\ln 1,\ln 2,\cdots\} \subset \mathbf{R}$.

(3) $f:\mathbf{R} \to \mathbf{Z}$,$f(x) = \lfloor x \rfloor$ 是满射的,但不是单射的,如 $f(1.5) = f(1.2) = 1$.

(4) $f:\mathbf{R} \to \mathbf{R}$,$f(x) = 2x + 1$ 是满射、单射、双射的. 因为它是单调函数且 $\mathrm{ran}f = \mathbf{R}$.

(5) $f:\mathbf{R}^+ \to \mathbf{R}^+$,$f(x) = \dfrac{x^2+1}{x}$ 既不是单射的,也不是满射的. 当 $x \to 0$ 时,$f(x) \to +\infty$;而当 $x \to +\infty$ 时,$f(x) \to +\infty$. 在 $x=1$ 处函数 $f(x)$ 取得极小值 $f(1) = 2$. 因此该函数既不是单射的,也不是

满射的.

例 8.5 对于下列各题给定的 A,B 和 f,判断是否构成函数 $f:A \to B$. 如果是,说明 $f:A \to B$ 是否为单射、满射和双射的. 并根据要求进行计算.

(1) $A = \{1,2,3,4,5\}$,$B = \{6,7,8,9,10\}$,$f = \{<1,8>,<3,9>,<4,10>,<2,6>,<5,9>\}$

(2) A,B 同(1),$f = \{<1,7>,<2,6>,<4,5>,<1,9>,<5,10>\}$

(3) A,B 同(1),$f = \{<1,8>,<3,10>,<2,6>,<4,9>\}$

(4) $A = B = \mathbf{R}$,$f(x) = x^3 (\forall x \in \mathbf{R})$

(5) $A = B = \mathbf{R}^+$,$f(x) = \dfrac{x}{x^2+1} (\forall x \in \mathbf{R}^+)$

(6) $A = B = \mathbf{R} \times \mathbf{R}$,$f(<x,y>) = <x+y,x-y>$

令 $L = \{<x,y> \mid x,y \in \mathbf{R} \wedge y = x+1\}$,计算 $f(L)$.

(7) $A = \mathbf{N} \times \mathbf{N}$,$B = \mathbf{N}$,$f(<x,y>) = |x^2 - y^2|$.

计算 $f(\mathbf{N} \times \{0\})$,$f^{-1}(\{0\})$.

解 (1) 能构成 $f:A \to B$,但 $f:A \to B$ 既不是单射,也不是满射的. 因为 $f(3) = f(5) = 9$,$7 \notin \mathrm{ran}f$.

(2) 不能构成 $f:A \to B$,因为 f 不是函数. $<1,7> \in f$ 且 $<1,9> \in f$,与函数定义矛盾.

(3) 不能构成 $f:A \to B$,因为 $\mathrm{dom}f = \{1,2,3,4\} \neq A$.

(4) 能构成 $f:A \to B$. 且 $f:A \to B$ 是双射的.

(5) 能构成 $f:A \to B$. 但 $f:A \to B$ 既不是单射,也不是满射的. 因为该函数在 $x = 1$ 取得极大值 $f(1) = \dfrac{1}{2}$,函数不是单调的,且 $\mathrm{ran}f \neq \mathbf{R}^+$.

(6) 能构成 $f:A \to B$,且 $f:A \to B$ 是双射的.

$$f(L) = \{<2x+1,-1> \mid x \in \mathbf{R}\} = \mathbf{R} \times \{-1\}$$

(7) 能构成 $f:A \to B$,但 $f:A \to B$ 既不是单射,也不是满射的. 因为 $f(<1,1>) = f(<2,2>) = 0$,且 $2 \notin \mathrm{ran}f$.

$$f(\mathbf{N} \times \{0\}) = \{n^2 - 0^2 \mid n \in \mathbf{N}\} = \{n^2 \mid n \in \mathbf{N}\}$$
$$f^{-1}(\{0\}) = \{<n,n> \mid n \in \mathbf{N}\}$$

例 8.6 对于下列给定的集合 A 和 B 构造双射函数 $f:A \to B$.

(1) $A = P(\{1,2,3\})$,$B = \{0,1\}^{\{1,2,3\}}$

(2) $A = [0,1]$,$B = \left[\dfrac{1}{4},\dfrac{1}{2}\right]$

(3) $A = \mathbf{Z}$,$B = \mathbf{N}$

(4) $A = \left[\dfrac{\pi}{2},\dfrac{3\pi}{2}\right]$,$B = [-1,1]$

解 (1) $A = \{\varnothing,\{1\},\{2\},\{3\},\{1,2\},\{1,3\},\{2,3\},\{1,2,3\}\}$

$B = \{f_0, f_1, \cdots, f_7\}$，其中：

$$f_0 = \{<1,0>, <2,0>, <3,0>\}, f_1 = \{<1,0>, <2,0>, <3,1>\}$$
$$f_2 = \{<1,0>, <2,1>, <3,0>\}, f_3 = \{<1,0>, <2,1>, <3,1>\}$$
$$f_4 = \{<1,1>, <2,0>, <3,0>\}, f_5 = \{<1,1>, <2,0>, <3,1>\}$$
$$f_6 = \{<1,1>, <2,1>, <3,0>\}, f_7 = \{<1,1>, <2,1>, <3,1>\}$$

令 $f:A \to B$，使得 $f(\varnothing) = f_0, f(\{1\}) = f_1, f(\{2\}) = f_2, f(\{3\}) = f_3, f(\{1,2\}) = f_4, f(\{1,3\}) = f_5, f(\{2,3\}) = f_6, f(\{1,2,3\}) = f_7$.

（2）令 $f:[0,1] \to \left[\dfrac{1}{4}, \dfrac{1}{2}\right]$，$f(x) = \dfrac{x+1}{4}$.

（3）将 **Z** 中元素依下列顺序排列并与 **N** 中元素对应.

Z:	0	−1	1	−2	2	−3	3	⋯
	↓	↓	↓	↓	↓	↓	↓	
N:	0	1	2	3	4	5	6	⋯

则这种对应所表示的函数是

$$f:\mathbf{Z} \to \mathbf{N}$$
$$f(x) = \begin{cases} 2x, & x \geq 0 \\ -2x-1, & x < 0 \end{cases}$$

（4）令 $f:\left[\dfrac{\pi}{2}, \dfrac{3\pi}{2}\right] \to [-1,1]$，$f(x) = \sin x$

例 8.7　设 $A = \{1, 2, \cdots, n\}$，$B = \{1, 2, \cdots, m\}$，令 $S = \{f \mid f:A \to B\}$ 是从 A 到 B 的所有函数构成的集合. 问：S 中有多少个满射函数？

解　S 中存在满射函数的条件是 $n \geq m$. 对于满射函数 $f:A \to B$，B 中的每个数都是 f 的函数值. 设定 S 中元素的性质如下.

$$f \text{ 满足性质 } P_i \Leftrightarrow i \notin \mathrm{ran} f, \quad i = 1, 2, \cdots, m$$

所有满足性质 P_i 的函数构成 S 的子集 A_i，即

$$A_i = \{f \mid f \in S \text{ 且 } f \text{ 满足 } P_i\}, \quad i = 1, 2, \cdots, m$$

因此有

$$|S| = m^n$$
$$|A_i| = (m-1)^n \qquad i = 1, 2, \cdots, m$$
$$|A_i \cap A_j| = (m-2)^n \qquad 1 \leq i < j \leq m$$
$$\cdots$$
$$|A_1 \cap A_2 \cap \cdots \cap A_m| = 0$$

使用包含排斥原理（定理 6.2）得到

$$|\overline{A_1} \cap \overline{A_2} \cap \cdots \cap \overline{A_m}| = |S| - \sum_{i=1}^{m} |A_i| + \sum_{1 \leq i < j \leq m} |A_i \cap A_j| - \cdots + (-1)^m |A_1 \cap A_2 \cap \cdots \cap A_m|$$

$$= m^n - C(m,1)(m-1)^n + C(m,2)(m-2)^n - \cdots + (-1)^{m-1} C(m,m-1) \times 1^n$$

$$= \sum_{r=0}^{m} (-1)^r C(m,r)(m-r)^n$$

满射函数的计数也可以使用放球问题的组合计数模型来求解,有关结果见 13.6 节. 可以证明这两个计数结果是相等的.

下面定义一些常用的函数.

定义 8.7

(1) 设 $f: A \rightarrow B$,如果存在 $c \in B$ 使得对所有的 $x \in A$ 都有 $f(x) = c$,则称 $f: A \rightarrow B$ 是常函数.

(2) 称 A 上的恒等关系 I_A 为 A 上的恒等函数. 对所有的 $x \in A$ 都有 $I_A(x) = x$.

(3) 设 $<A, \preccurlyeq>, <B, \preccurlyeq>$ 为偏序集,$f: A \rightarrow B$,如果对任意的 $x_1, x_2 \in A, x_1 < x_2$,就有 $f(x_1) \preccurlyeq f(x_2)$,则称 f 为单调递增的;如果对任意的 $x_1, x_2 \in A, x_1 < x_2$,就有 $f(x_1) < f(x_2)$,则称 f 为严格单调递增的. 类似地,也可以定义单调递减的和严格单调递减的函数.

(4) 设 A 为集合,对于任意的 $A' \subseteq A, A'$ 的特征函数 $\chi_{A'}: A \rightarrow \{0,1\}$ 定义为

$$\chi_{A'}(a) = \begin{cases} 1, & a \in A' \\ 0, & a \in A - A' \end{cases}$$

(5) 设 R 是 A 上的等价关系,令

$$g: A \rightarrow A/R$$
$$g(a) = [a], \forall a \in A$$

称 g 是从 A 到商集 A/R 的自然映射.

大家都很熟悉实数集 $\mathbf{R}$ 上的函数 $f: \mathbf{R} \rightarrow \mathbf{R}, f(x) = x+1$,它是单调递增的和严格单调递增的,但它只是上面定义中的单调函数的特例. 而在上面的定义中,单调函数可以定义于一般的偏序集上. 例如,给定偏序集 $<P(\{a,b\}), R_\subseteq>, <\{0,1\}, \leqslant>$,其中 $R_\subseteq$ 为集合的包含关系,$\leqslant$ 为一般的小于等于关系. 令 $f: P(\{a,b\}) \rightarrow \{0,1\}, f(\varnothing) = f(\{a\}) = f(\{b\}) = 0, f(\{a,b\}) = 1$,则 f 是单调递增的,但不是严格单调递增的.

再谈谈集合的特征函数. 设 A 为集合,不难证明,A 的每一个子集 A' 都对应于一个特征函数,不同的子集则对应于不同的特征函数. 例如,$A = \{a,b,c\}$,则有

$$\chi_{\{a\}} = \{<a,1>, <b,0>, <c,0>\}$$
$$\chi_\varnothing = \{<a,0>, <b,0>, <c,0>\}$$
$$\chi_{\{a,b\}} = \{<a,1>, <b,1>, <c,0>\}$$

由于 A 的子集与特征函数的对应关系,可以用特征函数来标记 A 的不同的子集.

下面谈谈自然映射 g. 给定集合 A 和 A 上的等价关系 R,就可以确定一个自然映射 $g: A \rightarrow A/R$. 例如,$A = \{1,2,3\}, R = \{<1,2>, <2,1>\} \cup I_A$ 是 A 上的等价关系,那么有

$$g(1) = g(2) = \{1,2\}, g(3) = \{3\}$$

不同的等价关系将确定不同的自然映射,其中恒等关系所确定的自然映射是双射,而其他自然映射一般说来只是满射.

最后介绍一类定义在自然数集合上的函数. 许多实际问题都需要用计算机求解,在求解过程中首先需要将实际问题用形式化的方法表述出来,然后需要选择一个好的算法. 算法的好坏取决于运行效率和占用资源的多少. 一般说来,效率较高、占用资源较少的算法就是比较好的算法. 估计算法效率的方法是:选择一个基本运算,对于给定规模为 n 的输入,计算算法所做基本运算的次数,将这个次数表示为输入规模的函数. 例如,排序和检索问题的基本运算是比较,矩阵乘法的基本运算是元素的相乘. 容易看到,对于规模为 n 的不同输入,一个算法所做的基本运算次数是不同的. 例如检索问题,设 $L=\{x_1,x_2,\cdots,x_n\}$ 是 n 个不同的数构成的数组,从 L 中检索给定的元素 x. 如果 x 在 L 中,输出 x 在 L 中的位置 i;如果 x 不在 L 中,输出 0. 这个问题的基本运算是比较运算,输入规模是 n,算法采用顺序比较的方法. 如果给定数组 L 和元素 x,恰好 $x=x_1$,那么只需要 1 次比较,算法就可以输出结果;如果 x 不在 L 中,必须通过 n 次比较才能输出 0. 为了解决这个问题,一般只估计算法在最坏情况下所做基本运算的次数和平均情况下所做基本运算的次数. 通常将最坏情况下的时基本运算次数记作 $W(n)$,平均情况下的基本运算次数记作 $A(n)$,分别称为算法最坏情况和平均情况下的时间复杂度. 显然,$W(n)$ 和 $A(n)$ 都是正整数集合或自然数集合上的函数. 例如,顺序搜索算法最坏情况下的复杂度函数 $W(n)=n$.

设 f 是定义在自然数集合上的函数,当 n 变得很大时,函数值 $f(n)$ 的增长取决于函数的阶. 阶越高的函数,增长得越快,算法的复杂度就越高,同时就意味着算法的效率越低. 算法分析的主要工作就是估计复杂度函数的阶. 复杂度函数的阶可以是 $n,n^2,n\log n,\log n,2^n$ 等,这里的 $\log n$ 是 $\log_2 n$ 的简写. 如果这个函数是指数函数,那么它随着 n 的增加将增长得非常快. 当 n 比较大时,即使最先进的计算机也不可能在允许的时间内求解,这就是所谓的"指数爆炸"问题.

在算法分析中,为了表示函数的阶,经常使用下述符号.

若存在正数 c 和 n_0 使得对一切 $n\geq n_0$ 有 $0\leq f(n)\leq cg(n)$,则记作 $f(n)=O(g(n))$.

若存在正数 c 和 n_0 使得对一切 $n\geq n_0$ 有 $0\leq cg(n)\leq f(n)$,则记作 $f(n)=\Omega(g(n))$.

若 $f(n)=O(g(n))$ 且 $f(n)=\Omega(g(n))$,则 $f(n)=\Theta(g(n))$.

例如,$f(n)=\dfrac{1}{2}n^2-3n$,则 $f(n)=\Theta(n^2)$;$g(n)=6n^3$,则 $g(n)=\Theta(n^3)$. 而 $h(n)=\Theta(1)$,则表示常数函数. 显然 $f(n)=O(g(n))$.

在算法设计中分治策略是经常采用的设计技术,它的基本思想是:设问题的输入规模为 n. 用某种方法把原问题分解为 k 个规模相等的子问题. 这些子问题互相独立,除了输入规模减小以外,其他都与原问题相同. 使用同样的算法分别求解这些子问题,然后把子问题的解组合起来就得到了原问题的解. 这种方法称为分治策略. 例如,上面的检索问题就可以采用二分检索算法. 它的基本思想就是把 x 和中间的数比较,如果 x 等于这个数,那么算法结束;如果 x 大于这个数,下面只需搜索后半个数组;如果 x 小于这个数,那么只需搜索前半个数组. 不管怎样,经过一次比较数组的规模就将缩小一半. 忽略算法的细节处理,可以用伪码描述如下.

算法　二分法搜索

输入:数组 L,下标从 1 到 n;数 x

输出 $:j$

1. $k \leftarrow 1; m \leftarrow n$

2. while $k \leqslant m$ do

3. $j \leftarrow \lfloor (k+m)/2 \rfloor$

4.   if $x = L[j]$ then return

5.   if $x < L[j]$ then $m \leftarrow j-1$

6.   else $k \leftarrow j+1$

7. $j \leftarrow 0$

根据前面的分析, 经过一次比较, 问题规模将至少减半. 如果原来的问题规模 $n=2^k$, 那么至多经过 k 次比较, 问题规模就可以减少到 1. 所以复杂度函数 $W(n)$ 的阶为 $\Theta(k)=\Theta(\log n)$. 不难看出, 在最坏情况下的复杂度函数, 对于顺序搜索算法为 $\Theta(n)$, 而对于二分搜索算法为 $\Theta(\log n)$. 显然二分搜索算法的复杂度函数的阶更低, 是效率高的算法.

例 8.8 下面是一些常用函数, 它们是按照阶从高到低的顺序排列的.

$$2^{2^n}, \ (n+1)!, \ n!, \ n2^n, \ (3/2)^n,$$
$$(\log n)^{\log n} = \Theta(n^{\log \log n}), \ (\log n)!,$$
$$n^3, \ n^2 = \Theta(4^{\log n}), \ n\log n = \Theta(\log(n!)),$$
$$n = \Theta(2^{\log n}), \ (\sqrt{2})^{\log n}, \ 2^{\sqrt{2\log n}},$$
$$\log^2 n, \ \log n, \ \sqrt{\log n}, \ \log \log n,$$
$$n^{1/\log n} = \Theta(1)$$

8.2　函数的复合与反函数

函数是一种特殊的二元关系, 函数的复合就是关系的右复合. 一切和关系右复合有关的定理都适用于函数的复合. 下面着重考虑函数在复合中的特有性质.

定理 8.1　设 F, G 是函数, 则 $F \circ G$ 也是函数, 且满足

(1) $\mathrm{dom}(F \circ G) = \{x \mid x \in \mathrm{dom} F \wedge F(x) \in \mathrm{dom} G\}$

(2) $\forall x \in \mathrm{dom}(F \circ G)$ 有 $F \circ G(x) = G(F(x))$

证　因为 F, G 是关系, 所以 $F \circ G$ 也是关系.

若对某个 $x \in \mathrm{dom}(F \circ G)$ 有 $x F \circ G y_1$ 和 $x F \circ G y_2$, 则

$$<x, y_1> \in F \circ G \wedge <x, y_2> \in F \circ G$$
$$\Rightarrow \exists t_1(<x, t_1> \in F \wedge <t_1, y_1> \in G) \wedge \exists t_2(<x, t_2> \in F \wedge <t_2, y_2> \in G)$$
$$\Rightarrow \exists t_1 \exists t_2(t_1 = t_2 \wedge <t_1, y_1> \in G \wedge <t_2, y_2> \in G) \quad (F \text{ 为函数})$$
$$\Rightarrow y_1 = y_2 \quad (G \text{ 为函数})$$

所以 $F \circ G$ 为函数.

任取 x,有

$$x \in \text{dom}(F \circ G)$$
$$\Rightarrow \exists t \exists y(<x,t> \in F \wedge <t,y> \in G)$$
$$\Rightarrow \exists t(x \in \text{dom}F \wedge t = F(x) \wedge t \in \text{dom}G)$$
$$\Rightarrow x \in \{x \mid x \in \text{dom}F \wedge F(x) \in \text{dom}G\}$$

任取 x,有

$$x \in \text{dom}F \wedge F(x) \in \text{dom}G$$
$$\Rightarrow <x,F(x)> \in F \wedge <F(x),G(F(x))> \in G$$
$$\Rightarrow <x,G(F(x))> \in F \circ G$$
$$\Rightarrow x \in \text{dom}(F \circ G) \wedge F \circ G(x) = G(F(x))$$

所以(1)和(2)得证.

推论 1　设 F,G,H 为函数,则 $(F \circ G) \circ H$ 和 $F \circ (G \circ H)$ 都是函数,且
$$(F \circ G) \circ H = F \circ (G \circ H)$$

证　由定理 8.1 和定理 7.2 得证.

推论 2　设 $f:A{\to}B,g:B{\to}C$,则 $f \circ g:A{\to}C$,且 $\forall x \in A$ 都有 $f \circ g(x) = g(f(x))$.

证　由定理 8.1 可知 $f \circ g$ 是函数. 且
$$\text{dom}(f \circ g) = \{x \mid x \in \text{dom}f \wedge f(x) \in \text{dom}g\}$$
$$= \{x \mid x \in A \wedge f(x) \in B\} = A$$
$$\text{ran}(f \circ g) \subseteq \text{ran}g \subseteq C$$

因此有 $f \circ g:A{\to}C$,且 $\forall x \in A$ 有 $f \circ g(x) = g(f(x))$.

定理 8.2　设 $f:A{\to}B,g:B{\to}C$.

(1) 如果 $f:A{\to}B,g:B{\to}C$ 都是满射的,则 $f \circ g:A{\to}C$ 也是满射的.

(2) 如果 $f:A{\to}B,g:B{\to}C$ 都是单射的,则 $f \circ g:A{\to}C$ 也是单射的.

(3) 如果 $f:A{\to}B,g:B{\to}C$ 都是双射的,则 $f \circ g:A{\to}C$ 也是双射的.

证　(1) 任取 $c \in C$,因为 $g:B{\to}C$ 是满射的,则 $\exists b \in B$ 使得 $g(b) = c$. 对于这个 b,由于 $f:A{\to}B$ 也是满射的,所以 $\exists a \in A$ 使得 $f(a) = b$. 由定理 8.1 有
$$f \circ g(a) = g(f(a)) = g(b) = c$$

从而证明了 $f \circ g:A{\to}C$ 是满射的.

(2) 假设存在 $x_1,x_2 \in A$ 使得
$$f \circ g(x_1) = f \circ g(x_2)$$

由定理 8.1 有
$$g(f(x_1)) = g(f(x_2))$$

因为 $g:B{\to}C$ 是单射的,故 $f(x_1) = f(x_2)$. 又由于 $f:A{\to}B$ 也是单射的,所以 $x_1 = x_2$. 从而证明了 $f \circ g:A{\to}C$ 是单射的.

（3）由（1）和（2）得证.

定理 8.2 说明函数的复合运算能够保持函数单射、满射、双射的性质. 但该定理的逆命题不为真,即如果 $f \circ g : A \to C$ 是单射（或满射、双射）的,不一定有 $f : A \to B$ 和 $g : B \to C$ 都是单射（或满射、双射）的. 考虑集合 $A = \{a_1, a_2, a_3\}$, $B = \{b_1, b_2, b_3, b_4\}$, $C = \{c_1, c_2, c_3\}$. 令

$$f = \{<a_1, b_1>, <a_2, b_2>, <a_3, b_3>\}$$
$$g = \{<b_1, c_1>, <b_2, c_2>, <b_3, c_3>, <b_4, c_3>\}$$

则有

$$f \circ g = \{<a_1, c_1>, <a_2, c_2>, <a_3, c_3>\}$$

不难看出 $f : A \to B$ 和 $f \circ g : A \to C$ 都是单射的,但 $g : B \to C$ 不是单射的. 再考虑集合 $A = \{a_1, a_2, a_3\}$, $B = \{b_1, b_2, b_3\}$, $C = \{c_1, c_2\}$. 令

$$f = \{<a_1, b_1>, <a_2, b_2>, <a_3, b_2>\}$$
$$g = \{<b_1, c_1>, <b_2, c_2>, <b_3, c_2>\}$$

则有

$$f \circ g = \{<a_1, c_1>, <a_2, c_2>, <a_3, c_2>\}$$

不难看出 $g : B \to C$ 和 $f \circ g : A \to C$ 都是满射的,但 $f : A \to B$ 不是满射的.

定理 8.3 设 $f : A \to B$,则有

$$f = f \circ I_B = I_A \circ f$$

证 由定理 8.1 的推论 2 可知

$$f \circ I_B : A \to B \quad \text{和} \quad I_A \circ f : A \to B$$

任取 $<x, y>$,有

$$<x, y> \in f \Rightarrow <x, y> \in f \wedge y \in B$$
$$\Rightarrow <x, y> \in f \wedge <y, y> \in I_B$$
$$\Rightarrow <x, y> \in f \circ I_B$$
$$<x, y> \in f \circ I_B \Rightarrow \exists t (<x, t> \in f \wedge <t, y> \in I_B)$$
$$\Rightarrow <x, t> \in f \wedge t = y$$
$$\Rightarrow <x, y> \in f$$

所以有 $f = f \circ I_B$.

同理可证 $I_A \circ f = f$.

定理 8.3 说明了恒等函数在函数复合中的特殊性质,特别地,对于 $f \in A^A$ 有 $f \circ I_A = I_A \circ f = f$. 下面考虑函数的逆运算.

任给函数 F,它的逆 F^{-1} 不一定是函数,只是一个二元关系. 例如

$$F = \{<x_1, y_1>, <x_2, y_1>\}$$

则有

$$F^{-1} = \{<y_1, x_1>, <y_1, x_2>\}$$

显然, F^{-1} 不是函数. 因为对于 $y_1 \in \mathrm{dom} F^{-1}$ 有 x_1 和 x_2 两个值与之对应,破坏了函数的单值性.

任给单射函数 $f:A{\rightarrow}B$,则 f^{-1} 是函数,且是从 $\mathrm{ran}f$ 到 A 的双射函数,但不一定是从 B 到 A 的双射函数. 因为对于某些 $y{\in}B{-}\mathrm{ran}f,f^{-1}$ 没有值与之对应.

对于什么样的函数 $f:A{\rightarrow}B$,它的逆 f^{-1} 是从 B 到 A 的函数 $f^{-1}:B{\rightarrow}A$ 呢? 有以下定理.

定理 8.4 设 $f:A{\rightarrow}B$ 是双射的,则 $f^{-1}:B{\rightarrow}A$ 也是双射的.

证 先证明 f^{-1} 是从 B 到 A 的函数 $f^{-1}:B{\rightarrow}A$. 因为 f 是函数,所以 f^{-1} 是关系,且由定理7.1 得

$$\mathrm{dom}f^{-1}=\mathrm{ran}f=B$$
$$\mathrm{ran}f^{-1}=\mathrm{dom}f=A$$

对于任意的 $x{\in}B{=}\mathrm{dom}f^{-1}$,假设有 $y_1,y_2{\in}A$ 使得

$$<x,y_1>{\in}f^{-1}\bigwedge<x,y_2>{\in}f^{-1}$$

成立,则由逆的定义有

$$<y_1,x>{\in}f\bigwedge<y_2,x>{\in}f$$

根据 f 的单射性可得 $y_1{=}y_2$,从而证明了 f^{-1} 是函数. 综上所述,$f^{-1}:B{\rightarrow}A$ 是满射的函数.

再证明 $f^{-1}:B{\rightarrow}A$ 的单射性. 若存在 $x_1,x_2{\in}B$ 使得 $f^{-1}(x_1){=}f^{-1}(x_2){=}y$. 从而有

$$<x_1,y>{\in}f^{-1}\bigwedge<x_2,y>{\in}f^{-1}$$
$$\Rightarrow<y,x_1>{\in}f\bigwedge<y,x_2>{\in}f$$
$$\Rightarrow x_1{=}x_2 \quad (因为 f 是函数)$$

对于双射函数 $f:A{\rightarrow}B$,称 $f^{-1}:B{\rightarrow}A$ 是它的反函数.

定理 8.5 设 $f:A{\rightarrow}B$ 是双射的,则

$$f^{-1}{\circ}f{=}I_B,\ f{\circ}f^{-1}{=}I_A$$

证 由定理 8.4 可知 $f^{-1}:B{\rightarrow}A$ 也是双射的,再由定理 8.1 的推论 2 可知 $f^{-1}{\circ}f:B{\rightarrow}B$,$f{\circ}f^{-1}:A{\rightarrow}A$.

任取 $<x,y>$,有

$$<x,y>{\in}f^{-1}{\circ}f$$
$$\Rightarrow \exists t(<x,t>{\in}f^{-1}\bigwedge<t,y>{\in}f)$$
$$\Rightarrow \exists t(<t,x>{\in}f\bigwedge<t,y>{\in}f)$$
$$\Rightarrow x{=}y\bigwedge x,y{\in}B \quad (因为 f 是函数)$$
$$\Rightarrow<x,y>{\in}I_B$$

任取 $<x,y>$,有

$$<x,y>{\in}I_B$$
$$\Rightarrow x{=}y\bigwedge x,y{\in}B$$
$$\Rightarrow \exists t(<t,x>{\in}f\bigwedge<t,y>{\in}f) \quad (f:A{\rightarrow}B 是双射的)$$
$$\Rightarrow<x,y>{\in}f^{-1}{\circ}f$$

所以有 $f^{-1}{\circ}f{=}I_B$.

同理可证 $f \circ f^{-1} = I_A$

定理 8.5 告诉我们, 对于双射函数 $f : A \to A$, 有

$$f^{-1} \circ f = f \circ f^{-1} = I_A$$

例 8.9   设

$$f : \mathbf{R} \to \mathbf{R}, \ g : \mathbf{R} \to \mathbf{R}$$

$$f(x) = \begin{cases} x^2, & x \geq 3 \\ -2, & x < 3 \end{cases}$$

$$g(x) = x + 2$$

求 $f \circ g, g \circ f$. 如果 f 和 g 存在反函数, 则求出它们的反函数.

解

$$f \circ g : \mathbf{R} \to \mathbf{R}$$

$$f \circ g(x) = \begin{cases} x^2 + 2, & x \geq 3 \\ 0, & x < 3 \end{cases}$$

$$g \circ f : \mathbf{R} \to \mathbf{R}$$

$$g \circ f(x) = \begin{cases} (x+2)^2, & x \geq 1 \\ -2, & x < 1 \end{cases}$$

因为 $f : \mathbf{R} \to \mathbf{R}$ 不是双射的, 不存在反函数. 而 $g : \mathbf{R} \to \mathbf{R}$ 是双射的, 它的反函数是

$$g^{-1} : \mathbf{R} \to \mathbf{R}, g^{-1}(x) = x - 2.$$

8.3   双射函数与集合的基数

这一节将利用双射函数来讨论集合的势. 通俗地说, 集合的势是量度集合所含元素多少的量. 集合的势越大, 所含的元素就越多.

定义 8.8   设 A, B 是集合, 如果存在从 A 到 B 的双射函数, 那么称 A 和 B 是等势的, 记作 $A \approx B$, 如果 A 不与 B 等势, 则记作 $A \not\approx B$.

下面给出一些等势集合的例子.

例 8.10   (1) $\mathbf{Z} \approx \mathbf{N}$. 根据例 8.6(3) 定义的双射函数可以证明 $\mathbf{Z} \approx \mathbf{N}$.

(2) $\mathbf{N} \times \mathbf{N} \approx \mathbf{N}$. 为建立 $\mathbf{N} \times \mathbf{N}$ 到 $\mathbf{N}$ 的双射函数, 只需把 $\mathbf{N} \times \mathbf{N}$ 中的所有元素排成一个有序图形, 如图 8.1 所示. $\mathbf{N} \times \mathbf{N}$ 中的元素恰好是坐标平面上第一象限(含坐标轴在内)中所有整数坐标的点. 如果能够找到"数遍"这些点的方法, 那么这个计数过程就是建立 $\mathbf{N} \times \mathbf{N}$ 到 $\mathbf{N}$ 的双射函数的过程. 按照图 8.1 中箭头所标明的顺序, 从 <0,0> 开始数起, 依次得到下面的序列:

$$<0,0>, \ <0,1>, \ <1,0>, \ <0,2>, \ <1,1>, \ <2,0>, \cdots$$

$$\downarrow \qquad \downarrow \qquad \downarrow \qquad \downarrow \qquad \downarrow \qquad \downarrow$$

$$0 \qquad 1 \qquad 2 \qquad 3 \qquad 4 \qquad 5$$

设 $<m,n>$ 是图上的一个点,并且它所对应的自然数是 k. 考察 m,n 和 k 之间的关系. 首先计数 $<m,n>$ 点所在斜线下方的平面上所有的点数,是

$$1+2+\cdots+(m+n)=\frac{(m+n+1)(m+n)}{2}$$

然后计数 $<m,n>$ 所在的斜线上按照箭头标明的顺序位于 $<m,n>$ 点之前的点数,是 m. 因此 $<m,n>$ 点是第 $\frac{(m+n+1)(m+n)}{2}+m+1$ 个点. 这就得到

$$k=\frac{(m+n+1)(m+n)}{2}+m$$

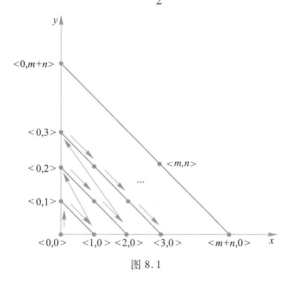

图 8.1

根据上面的分析,不难给出 $\mathbf{N}\times\mathbf{N}$ 到 $\mathbf{N}$ 的双射函数 f,即

$$f:\mathbf{N}\times\mathbf{N}\rightarrow\mathbf{N}$$

$$f(<m,n>)=\frac{(m+n+1)(m+n)}{2}+m$$

（3）$\mathbf{N}\approx\mathbf{Q}$. 为建立 $\mathbf{N}$ 到 $\mathbf{Q}$ 的双射函数,先把所有形式为 $p/q(p,q$ 为整数且 $q>0)$ 的数排成一张表. 显然所有的有理数都在这张表内. 请看图 8.2. 以 0/1 作为第一个数,按照箭头规定的顺序可以"数遍"表中所有的数. 但是这个计数过程并没有建立 $\mathbf{N}$ 到 $\mathbf{Q}$ 的双射,因为同一个有理数可能被多次数到. 例如,1/1,2/2,3/3 等都是有理数 1. 为此规定,在计数过程中必须跳过第二次以及以后各次所遇到的同一个有理数. 如果 1/1 被计数,那么 2/2,3/3 等都要被跳过. 表中数 p/q 上方的方括号内标明了这个有理数所对应的计数. 这样就可以定义双射函数 $f:\mathbf{N}\rightarrow\mathbf{Q}$,其中 $f(n)$ 是 $[n]$ 下方的有理数. 从而证明了 $\mathbf{N}\approx\mathbf{Q}$.

（4）$(0,1)\approx\mathbf{R}$. 其中 $(0,1)=\{x\,|\,x\in\mathbf{R}\wedge0<x<1\}$. 令

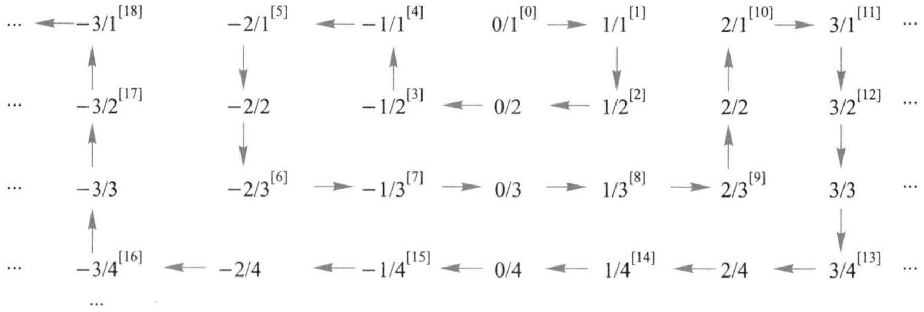

图 8.2

$$f:(0,1)\rightarrow \mathbf{R},\ f(x)=\tan \pi \frac{2x-1}{2}$$

易见 f 是单调上升的,且 $\mathrm{ran}f=\mathbf{R}$,从而证明了 $(0,1)\approx \mathbf{R}$.

(5) $[0,1]\approx(0,1)$. 其中 $(0,1)$ 如 (4) 中的定义,而

$$[0,1]=\{x\mid x\in \mathbf{R}\wedge 0\leqslant x\leqslant 1\}$$

为构造 $[0,1]$ 到 $(0,1)$ 的双射函数,必须要解决端点 0 和 1 的对应问题. 为此,选择一个无限序列

$$\frac{1}{2},\frac{1}{2^2},\frac{1}{2^3},\cdots,\frac{1}{2^n},\cdots$$

构造一一对应如下:

$$0,\quad 1,\quad \frac{1}{2},\quad \frac{1}{2^2},\quad \cdots,\quad \frac{1}{2^n},\quad \cdots$$
$$\downarrow\quad \downarrow\quad \downarrow\quad \downarrow\quad\quad \downarrow$$
$$\frac{1}{2},\quad \frac{1}{2^2},\quad \frac{1}{2^3},\quad \frac{1}{2^4},\quad \cdots,\quad \frac{1}{2^{n+2}},\quad \cdots$$

显然这个对应是双射的. 区间 $[0,1]$ 中其余的数则自己对应自己,从而得到了双射函数 $f:[0,1]\rightarrow(0,1)$. 将 f 的对应法则形式化就是

$$f(x)=\begin{cases} \dfrac{1}{2}, & x=0 \\[2mm] \dfrac{1}{2^2}, & x=1 \\[2mm] \dfrac{1}{2^{n+2}}, & x=\dfrac{1}{2^n} \\[2mm] x, & \text{其他 } x \end{cases}$$

通过以上证明可以得到 $[0,1]\approx(0,1)$.

(6) 对任何 $a,b\in \mathbf{R},a<b,[0,1]\approx[a,b]$.

只需找到一个过点 $(0,a)$ 和 $(1,b)$ 的单调函数即可. 显然一次函数是最简单的. 由解析几何的知识不难得到

$$f:[0,1]\to[a,b],\ f(x)=(b-a)x+a$$

从而证明了 $[0,1]\approx[a,b]$.

类似地可以证明,对任何 $a,b\in\mathbf{R},a<b$,有 $(0,1)\approx(a,b)$.

例 8.11　设 A 为任意集合,则 $P(A)\approx\{0,1\}^A$.

证　构造从 $P(A)$ 到 $\{0,1\}^A$ 的函数如下.

$$f:P(A)\to\{0,1\}^A,\ f(A')=\chi_{A'},\ \forall A'\in P(A).$$

其中 $\chi_{A'}$ 是集合 A' 的特征函数(见定义 8.7(4)),易证 f 是单射的. 对于任意的 $g\in\{0,1\}^A$,有 $g:A\to\{0,1\}$. 令

$$B=\{x\mid x\in A\wedge g(x)=1\}$$

则 $B\subseteq A$,且 $\chi_B=g$,即 $\exists B\in P(A)$,且 $f(B)=g$. 从而证明了 f 是满射的. 由等势定义得 $P(A)\approx\{0,1\}^A$.

以上已经给出了若干个等势的集合. 一般说来,等势具有下面的性质:自反性、对称性和传递性.

定理 8.6　设 A,B,C 是任意集合,

(1) $A\approx A$

(2) 若 $A\approx B$,则 $B\approx A$

(3) 若 $A\approx B,B\approx C$,则 $A\approx C$.

证明留作练习.

根据前面的分析和这个定理可以得到下面的结果.

$$\mathbf{N}\approx\mathbf{Z}\approx\mathbf{Q}\approx\mathbf{N}\times\mathbf{N}$$

$$\mathbf{R}\approx[0,1]\approx(0,1)$$

而后一个结果可以进一步强化成:任何的实数区间(包括开区间.闭区间以及半开半闭的区间)都与实数集合 $\mathbf{R}$ 等势. 那么 $\mathbf{N}$ 与 $\mathbf{R}$ 是否等势呢? 如果有 $\mathbf{N}\approx\mathbf{R}$,上面列出的所有集合彼此都是等势的;如果 $\mathbf{N}\not\approx\mathbf{R}$,与 $\mathbf{N}$ 等势的那些集合也不会与 $\mathbf{R}$ 等势,下面证明 $\mathbf{N}\not\approx\mathbf{R}$.

定理 8.7(康托定理)

(1) $\mathbf{N}\not\approx\mathbf{R}$

(2) 对任意集合 A 都有 $A\not\approx P(A)$.

证　(1) 如果能证明 $\mathbf{N}\not\approx[0,1]$,就可以断定 $\mathbf{N}\not\approx\mathbf{R}$,为此只需证明任何函数 $f:\mathbf{N}\to[0,1]$ 都不是满射的.

首先规定 $[0,1]$ 中数的表示. 对任意的 $x\in[0,1]$,令

$$x=0.\,x_1x_2\cdots,\ 0\leqslant x_i\leqslant 9$$

考察下述两个表示式:

$$0.249\,99\cdots\quad\text{和}\quad 0.250\,00\cdots$$

显然它们是同一个 x 的表示. 为了保证表示式的唯一性, 如果遇到上述情况, 则将 x 表示为
$0.250\,00\cdots$. 根据这种表示法, 任何函数 $f:\mathbf{N}\to[0,1]$ 的值都可以用这种表示式给出.

设 $f:\mathbf{N}\to[0,1]$ 是从 $\mathbf{N}$ 到 $[0,1]$ 的任何一个函数. 如下列出 f 的所有函数值:

$$f(0)=0.\,a_1^{(1)}a_2^{(1)}\cdots$$

$$f(1)=0.\,a_1^{(2)}a_2^{(2)}\cdots$$

$$\cdots$$

$$f(n-1)=0.\,a_1^{(n)}a_2^{(n)}\cdots$$

$$\cdots$$

设 y 是 $[0,1]$ 之中的一个小数, y 的表示式为 $0.\,b_1b_2\cdots$, 并且满足 $b_i\neq a_i^{(i)},i=1,2,\cdots$. 显然 y
是可以构造出来的, 且 y 与上面列出的任何一个函数值都不相等. 这就推出 $y\notin \mathrm{ran}f$, 即 f 不是满
射的.

（2）和（1）的证明类似, 下面将证明任何函数 $g:A\to P(A)$ 都不是满射的.

设 $g:A\to P(A)$ 是从 A 到 $P(A)$ 的函数. 如下构造集合 B:

$$B=\{x\mid x\in A\wedge x\notin g(x)\}$$

则 $B\in P(A)$, 但对任意 $x\in A$ 都有

$$x\in B\Leftrightarrow x\notin g(x)$$

从而证明了对任意的 $x\in A$ 都有 $B\neq g(x)$. 即 $B\notin \mathrm{ran}g$.

根据这个定理可以知道 $\mathbf{N}\not\approx P(\mathbf{N})$. 再综合例 8.11 的结果不难断定 $\mathbf{N}\not\approx\{0,1\}^{\mathbf{N}}$. 实际上
$\{0,1\}^{\mathbf{N}}$ 和 $\mathbf{R}$ 都是比 $\mathbf{N}$“更大”的集合. 这里的“大”加了引号, 因为至今为止还没有给出“大小”
的严格定义. 下面就来做这件事.

定义 8.9

（1）设 A,B 是集合, 如果存在从 A 到 B 的单射函数, 则称 B 优势于 A, 记作 $A\preccurlyeq\!\cdot\, B$. 如果 B
不是优势于 A, 则记作 $A\not\preccurlyeq\!\cdot\, B$.

（2）设 A,B 是集合, 如果 $A\preccurlyeq\!\cdot\, B$ 且 $A\not\approx B$, 则称 B 真优势于 A, 记作 $A<\!\cdot\, B$. 如果 B 不是真优
势于 A, 则记作 $A\not<\!\cdot\, B$.

例如 $\mathbf{N}\preccurlyeq\!\cdot\, \mathbf{N},\mathbf{N}\preccurlyeq\!\cdot\, \mathbf{R},A\preccurlyeq\!\cdot\, P(A),\mathbf{R}\not\preccurlyeq\!\cdot\, \mathbf{N}$. 又如 $\mathbf{N}<\!\cdot\, \mathbf{R},A<\!\cdot\, P(A)$, 但 $\mathbf{N}\not<\!\cdot\, \mathbf{N}$.

优势具有下述的性质.

定理 8.8　设 A,B,C 是任意的集合, 则

（1）$A\preccurlyeq\!\cdot\, A$.

（2）若 $A\preccurlyeq\!\cdot\, B$ 且 $B\preccurlyeq\!\cdot\, A$, 则 $A\approx B$.

（3）若 $A\preccurlyeq\!\cdot\, B$ 且 $B\preccurlyeq\!\cdot\, C$, 则 $A\preccurlyeq\!\cdot\, C$.

定理 8.8（2）部分的证明比较复杂, 已经超过本书的范围, 故而略去.（1）和（3）的证明留作
练习.

以上定理不仅为证明集合之间的优势提供了方法, 也为证明集合之间的等势提供了一个有

力的工具. 因为在某些情况下直接构造从 A 到 B 的双射函数是相当困难的. 相比之下,构造两个单射函数 $f: A \to B$ 和 $g: B \to A$ 则可能要容易得多. 下面使用这种方法证明 $\{0,1\}^{\mathbf{N}} \approx [0,1)$.

设 x 是 $[0,1)$ 区间的小数, $0. x_1 x_2 \cdots$ 是 x 的二进制表示. 为了保证表示的唯一性, 在表示式中不允许出现连续无数个 1 的情况, 例如 $0.1010111\cdots$. 应按照规定将 x 记为 $0.1011000\cdots$.

任取 $x \in [0,1)$, $x = 0. x_1 x_2 \cdots$ 是 x 的二进制表示. 定义 $f: [0,1) \to \{0,1\}^{\mathbf{N}}$ 如下, 使得

$$f(x) = t_x, \text{且 } t_x: \mathbf{N} \to \{0,1\}, t_x(n) = x_{n+1}, n = 0, 1, 2, \cdots$$

例如 $x = 0.10110100\cdots$, 则对应于 x 的函数 t_x 是

n	0	1	2	3	4	5	6	7	$\cdots$
$t_x(n)$	1	0	1	1	0	1	0	0	$\cdots$

易见 $t_x \in \{0,1\}^{\mathbf{N}}$, 且对于 $x, y \in [0,1)$, $x \neq y$, 必有 $t_x \neq t_y$, 即 $f(x) \neq f(y)$. 这就证明了 $f: [0,1) \to \{0,1\}^{\mathbf{N}}$ 是单射的.

如果上面定义的 f 是满射的, 就直接证明了 $\{0,1\}^{\mathbf{N}} \approx [0,1)$. 但这是不可能的, 因为 f 不是满射的. 考虑 $t \in \{0,1\}^{\mathbf{N}}$, 其中 $t(0) = 0, t(n) = 1, n = 1, 2, \cdots$. 按照 f 的映射法则, 只有 $x = 0.011\cdots$ 才能满足 $f(x) = t$. 但根据我们的表示法, 这个数 x 应该表为 $0.100\cdots$, 所以根本不存在 $x \in [0,1)$, 满足 $f(x) = t$.

为了解决这个问题, 定义另一个单射函数 $g: \{0,1\}^{\mathbf{N}} \to [0,1)$. g 的映射法则恰好与 f 相反. 即 $\forall t \in \{0,1\}^{\mathbf{N}}, t: \mathbf{N} \to \{0,1\}, g(t) = 0. x_1 x_2 \cdots$, 其中 $x_{n+1} = t(n)$. 但不同的是, 将 $0. x_1 x_2 \cdots$ 看成数 x 的十进制表示. 例如 $t_1, t_2 \in \{0,1\}^{\mathbf{N}}$, 且 $g(t_1) = 0.0111\cdots$, $g(t_2) = 0.1000\cdots$. 若将 $g(t_1)$ 和 $g(t_2)$ 都看成二进制表示, 则 $g(t_1) = g(t_2)$; 但若看成十进制表示, 则 $g(t_1) \neq g(t_2)$. 这样就避免了因进位造成的干扰, 从而保证了 g 的单射性.

根据定理 8.8 有 $\{0,1\}^{\mathbf{N}} \approx [0,1)$. 再使用等势的传递性得 $\{0,1\}^{\mathbf{N}} \approx \mathbf{R}$.

总结前面的讨论, 有

$$\mathbf{N} \approx \mathbf{Z} \approx \mathbf{Q} \approx \mathbf{Z} \times \mathbf{Z}$$

$$\mathbf{R} \approx [a,b] \approx (c,d) \approx \{0,1\}^{\mathbf{N}} \approx P(\mathbf{N})$$

$$\{0,1\}^{A} \approx P(A), \text{其中 } A \text{ 为任意集合}$$

$$\mathbf{N} <\cdot \ \mathbf{R}$$

$$A <\cdot \ P(A), \text{其中 } A \text{ 为任意集合}$$

其中 $[a,b]$, (c,d) 代表任意的实数闭区间和开区间.

上面只是抽象地讨论了集合的等势与优势. 下面将进一步研究度量集合的势的方法. 最简单的集合是有穷集. 尽管前面已经多次用到"有穷集"这一概念, 但当时只是直观地将其理解成含有有限个元素的集合, 一直没有精确地给出有穷集的定义. 为解决这个问题需要先定义自然数和自然数集合.

定义 8.10 用空集和*后继* n^+(紧跟在 n 后面的自然数)可以把所有的自然数定义为集合, 即

$$0 = \varnothing$$

$$n^+ = n \cup \{n\}, \quad \forall n \in \mathbf{N}$$

利用定义 8.10 及集合论的知识可以证明许多自然数的性质. 下面给出一些有用的结果.

1. 对任何自然数 n 有 $n \approx n$.

2. 对任何自然数 n, m, 若 $m \subset n$, 则 $m \not\approx n$.

3. 对任何自然数 n, m, 若 $m \in n$, 则 $m \subset n$.

4. 对任何自然数 n 和 m, 以下 3 个式子:

$$m \in n, \quad m \approx n, \quad n \in m$$

必成立其一且仅成立其一. 这个性质称为自然数的三歧性.

有了这些概念和性质, 可以定义自然数的相等与大小, 即对任何自然数 n 和 m, 有

$$m = n \Leftrightarrow m \approx n$$

$$m < n \Leftrightarrow m \in n$$

下面回到集合的势的度量问题, 先定义有穷集和无穷集.

定义 8.11　一个集合是有穷的当且仅当它与某个自然数等势; 如果一个集合不是有穷的, 则称作无穷集.

例如, $\{a, b, c\}$ 是有穷集, 因为 $3 = \{0, 1, 2\}$, 且

$$\{a, b, c\} \approx \{0, 1, 2\} = 3$$

而 $\mathbf{N}$ 和 $\mathbf{R}$ 都是无穷集, 因为没有自然数与 $\mathbf{N}$ 和 $\mathbf{R}$ 等势.

利用自然数的性质可以证明: 任何有穷集只与唯一的自然数等势. 下面给出基数的定义.

定义 8.12

(1) 对于有穷集合 A, 称与 A 等势的那个唯一的自然数为 A 的基数, 记作 $\mathrm{card} A$ (或 $|A|$), 即

$$\mathrm{card} A = n \Leftrightarrow A \approx n$$

(2) 自然数集合 $\mathbf{N}$ 的基数记作 $\aleph_0$ (读作阿列夫零), 即

$$\mathrm{card} \mathbf{N} = \aleph_0$$

(3) 实数集 $\mathbf{R}$ 的基数记作 $\aleph$ (读作阿列夫), 即

$$\mathrm{card} \mathbf{R} = \aleph$$

下面定义基数的相等和大小.

定义 8.13　设 A, B 为集合, 则

(1) $\mathrm{card} A = \mathrm{card} B \Leftrightarrow A \approx B$

(2) $\mathrm{card} A \leqslant \mathrm{card} B \Leftrightarrow A \leqslant \cdot B$

(3) $\mathrm{card} A < \mathrm{card} B \Leftrightarrow \mathrm{card} A \leqslant \mathrm{card} B \wedge \mathrm{card} A \neq \mathrm{card} B$

根据前面关于势的讨论不难得到:

$$\mathrm{card} \mathbf{Z} = \mathrm{card} \mathbf{Q} = \mathrm{card} \mathbf{N} \times \mathbf{N} = \aleph_0$$

$$\mathrm{card} P(\mathbf{N}) = \mathrm{card} 2^{\mathbf{N}} = \mathrm{card}[a, b] = \mathrm{card}(c, d) = \aleph$$

$$\aleph_0 < \aleph$$

其中 $2^{\mathbf{N}} = \{0, 1\}^{\mathbf{N}}$. 从这里可以看出, 集合的基数就是集合的势. 基数越大, 势就越大.

由于对任何集合 A 都满足 $A < \cdot P(A)$, 所以有

$$\mathrm{card}A < \mathrm{card}P(A)$$

这说明不存在最大的基数. 将已知的基数按从小到大的顺序排列就得到:

$$0,1,2,\cdots,n,\cdots,\aleph_0,\aleph,\cdots$$

其中 $0,1,2,\cdots,n,\cdots$ 恰好是全体自然数,是有穷集合的基数,也称作 有穷基数,而 $\aleph_0,\aleph,\cdots$ 是无穷集合的基数,也称作 无穷基数,$\aleph_0$ 是最小的无穷基数,而 $\aleph$ 后面还有更大的基数,如 $\mathrm{card}P(\mathbf{R})$ 等.

在可计算性理论和程序语义中经常要考虑函数是否可计算、程序是否终止的问题,就会用到 "可数"的概念. 下面给出可数集的定义.

定义 8.14 设 A 为集合,若 $\mathrm{card}A \leqslant \aleph_0$,则称 A 为可数集或可列集.

例如,$\{a,b,c\}$,$\mathbf{N}$,整数集 $\mathbf{Z}$,有理数集 $\mathbf{Q}$,以及 $\mathbf{N} \times \mathbf{N}$ 等都是可数集,但实数集 $\mathbf{R}$ 不是可数集,与 $\mathbf{R}$ 等势的集合也不是可数集. 对于任何的可数集,它的元素都可以排列成一个有序图形. 换句话说,都可以找到一个"数遍"集合中全体元素的顺序. 回顾前面的可数集,特别是无穷可数集,都是用这种方法来证明的.

关于可数集有下列命题.

1. 可数集的任何子集都是可数集.

2. 两个可数集的并是可数集.

3. 两个可数集的笛卡儿积是可数集.

4. 可数个可数集的并仍是可数集.

5. 无穷集 A 的幂集 $P(A)$ 不是可数集.

例 8.12 求下列集合的基数.

(1) $T = \{x \mid x$ 是单词"BASEBALL"中的字母$\}$

(2) $B = \{x \mid x \in \mathbf{R} \wedge x^2 = 9 \wedge 2x = 8\}$

(3) $C = P(A), A = \{1,3,7,11\}$

解 (1) 由 $T = \{\mathrm{B},\mathrm{A},\mathrm{S},\mathrm{E},\mathrm{L}\}$ 可知 $\mathrm{card}T = 5$.

(2) 由 $B = \varnothing$ 可知 $\mathrm{card}\,B = 0$.

(3) 由 $|A| = 4$ 可知 $\mathrm{card}P(A) = 2^4 = 16$.

例 8.13 设 A,B 为集合,且

$$\mathrm{card}A = \aleph_0, \mathrm{card}B = n, n \text{ 是自然数}, n \neq 0.$$

求 $\mathrm{card}A \times B$.

解 由 $\mathrm{card}A = \aleph_0$ 可知 A,B 都是可数集. 令

$$A = \{a_0, a_1, a_2, \cdots\}$$

$$B = \{b_0, b_1, b_2, \cdots, b_{n-1}\}$$

对任意的 $<a_i, b_j>, <a_k, b_l> \in A \times B$ 有

$$<a_i, b_j> = <a_k, b_l> \Leftrightarrow i = k \wedge j = l$$

定义函数

$$f:A\times B\rightarrow \mathbf{N}$$
$$f(<a_i,b_j>)=in+j,i=0,1,\cdots,j=0,1,\cdots,n-1$$

易见 f 是 $A\times B$ 到 $\mathbf{N}$ 的双射函数,所以

$$\mathrm{card}A\times B=\mathrm{card}\mathbf{N}=\aleph_0$$

如果直接使用可数集的性质,则本题的求解更为简单. 因为 $\mathrm{card}A=\aleph_0$,$\mathrm{card}B=n$,所以 A,B 都是可数集,从而可知 $A\times B$ 也是可数集,于是得到 $\mathrm{card}A\times B\leqslant \aleph_0$. 显然,当 $B\neq\varnothing$ 时 $\mathrm{card}A\leqslant \mathrm{card}A\times B$,这就推出 $\mathrm{card}A\times B=\aleph_0$.

8.4 一个电话系统的描述实例

软件系统开发的第一步就是做需求分析. 为了清晰、准确地描述软件系统的结构和功能,经常使用形式化或半形式化的方法. 集合、关系、函数等相关的数学概念和理论是有力的工具. 下面的电话系统分析实例是从 Jim Woodcock 的《软件工程数学》(Software Engineering Mathematics) 一书中的系统简化而来的.

电话交换系统 Exchange 由用户号码集 Subs,呼叫通路集合 callset 组成. 一条呼叫通路 call 的状态转换图如图 8.3 所示,其中的 LiftFree,Dial 分别表示呼叫方"拿听筒"和"拨号"的操作,Relift 表示受话方"接听"的操作,Clear,ClearLine,ClearConnect 表示呼叫方"放弃"呼叫的操作,Sy1,Sy2,Sy3,Sy4 为系统的转接操作.

为了给出电话系统的描述,先定义几个集合.

十进制数字集合 $D=\{0,1,\cdots,9\}$

有限个十进制数字构成的字符串的集合 S,包含空串 ε 在内. 不难证明 S 是可数集.

用户号码集 Subs,它被划分成 3 类:Free,Bad,Busy,分别表示处于待用状态、失效状态和占线状态的号码集. 这几个集合是不交的,即 $\{$Free,Bad,Busy$\}$ 构成 Subs 的划分. 注意这里的划分是 7.6 节划分定义的推广. 在一般划分定义中不允许划分块为空集,在这个实例中可以允许划分块为空集,如电话系统的某时刻假如没有人打电话,也没有失效的号码,那么 Free = Subs,Bad = Busy = $\varnothing$.

易见 Subs $\in P(S)$,这里的 $P(S)$ 是 S 的幂集.

有效拨号集 Valid:是十进制数字序列的集合,这些序列或者是 Subs 中的有效电话号码,或者是它的前缀,即

$$\text{Valid}=\{n\mid n\in S,\exists s(s\in \text{Subs}\wedge n \text{ 是 } s \text{ 的前缀})\}$$
$$\text{Subs}\subseteq \text{Valid}$$

电话呼叫线路状态集 State:State 包含如下状态:呼叫方占线 seize、拨号 dialing、接通 connecting、接收方占线 engaged、拨号出错 unobtainable、线路接通 ringing、通话 speech,这些状态表示为图 8.3 中的结点.

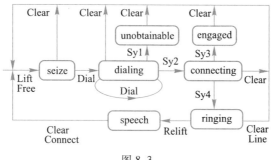

图 8.3

State = {seize, dialing, connecting, engaged, unobtainable, ringing, speech}

连通状态集 Connect = {ringing, speech} ⊆ State

线路建立状态集 Link = Connect ∪ {connecting, engaged}

为了描述系统状态需要定义一些关系和函数.

某时刻的呼叫线路记录 Subrec ⊆ State×S, 是呼叫线路状态集到 S 的关系, 是某时刻呼叫线路状态和对应拨号的有序对构成的集合. $<s, n> \in$ Subrec 的充要条件是

$$(s = \text{seize} \Leftrightarrow n = \varepsilon) \wedge (s = \text{unobtainable} \Leftrightarrow n \notin \text{Valid}) \wedge (s \in \text{Link} \Leftrightarrow n \in \text{Subs})$$

状态函数 st: 呼叫线路记录与线路状态的对应

$$st: \text{Subrec} \rightarrow \text{State}$$

$$st(<s, n>) = s$$

号码函数: 呼叫线路记录与所拨号码的对应

$$num: \text{Subrec} \rightarrow S$$

$$num(<s, n>) = n$$

容易看到, $x \in \text{Subrec} \Rightarrow x = <\text{st}(x), \text{num}(x)>$

命题 1 $<\text{dialing}, n> \in \text{Subrec} \Leftrightarrow n \in \text{Valid} - \text{Subs} - \{\varepsilon\}$

证 $<\text{dialing}, n> \in \text{Subrec}$ 当且仅当以下命题为真:

$$(\text{dialing} = \text{seize} \Leftrightarrow n = \varepsilon)$$

$$\wedge (\text{dialing} = \text{unobtainable} \Leftrightarrow n \notin \text{Valid})$$

$$\wedge (\text{dialing} \in \text{Link} \Leftrightarrow n \in \text{Subs})$$

上式为真当且仅当 $n \neq \varepsilon \wedge n \in \text{Valid} \wedge n \notin \text{Subs}$, 即 $n \in \text{Valid} - \text{Subs} - \{\varepsilon\}$.

定义从用户号码集 Subs 到呼叫线路记录 Subrec 的部分函数 *call*. 对于这个函数, Subs 中的某些用户没有对应的函数值, 因为没有使用电话. 此刻他们或者处于待用状态, 属于 Free 集合; 或者处于失效状态, 属于 Bad 集合. 部分函数的映射记作 "⟶".

$$call: \text{Subs} \rightarrowtail \text{Subrec}$$

$$call(u) = <s, n>$$

　　$call$ 和 st 函数的复合函数是用户号码集到电话呼叫线路状态集的部分函数

$$call \circ st : \text{Subs} \nrightarrow \text{State}$$

$$call \circ st(u) = s$$

其中 s 是呼叫方用户 u 的线路状态. 如果 u 正在拨号,则 s 是 dialing. 如果 u 刚好拨完了受话方的号码,可能会有两种情况:若对方正在与别人通话,则 s 是 engaged;否则 s 是 ringing. 若对方接听 u 的电话,则线路状态 s 变为 speech.

　　如果只关心那些处于接通状态的线路,不妨采用类似于关系限制的运算. 回顾 R 在 A 上的限制运算

$$R \upharpoonright A = \{<x,y> | xRy, x \in A\}$$

这个运算从 R 中选出一个子关系,使得这个子关系的定义域被包含在 A 中. 换句话说,通过 A 对关系的定义域做出了限制. 类似地,也可以对关系的值域进行限制得到子关系. 为了区分这两种限制,在这个实例中分别采用 $\lhd$ 和 $\rhd$ 代表对于定义域和值域的限制,即

$$R \lhd A = \{<x,y> | xRy, x \in A\} = R \upharpoonright A$$

$$R \rhd B = \{<x,y> | xRy, y \in B\}$$

为了得到处于接通状态的线路集,可以将函数 $call \circ st$ 的值域限制在 Connect 集合上,即

$$(call \circ st) \rhd \text{Connect}$$

处于接通状态的呼叫方集合 Callers 就是以上函数的定义域,即

$$\text{Callers} = \text{dom}((call \circ st) \rhd \text{Connect}).$$

不难证明如下命题.

　　命题 2　Callers $\subseteq$ Subs

　　证　Callers $= \text{dom}((call \circ st) \rhd \text{Connect})$

　　　　　　$\subseteq \text{dom}(call \circ st)$　　（$(call \circ st) \rhd$ Connect 是 $call \circ st$ 的子集）

　　　　　　$\subseteq \text{dom } call$　　　（根据复合函数定义域性质）

　　　　　　$\subseteq \text{Subs}$

　　为了表示电话系统中通话用户的情况,定义

$$connected = \text{Callers} \lhd (call \circ num)$$

类似命题 2,可以证明 $connected : \text{Subs} \rightarrowtail \text{Subs}$,其中 $\rightarrowtail$ 代表单射的部分函数. 为此,需要证明以下包含关系.

$$\text{dom}(\text{Callers} \lhd (call \circ num)) \subseteq \text{Subs}$$

$$\text{ran}(\text{Callers} \lhd (call \circ num)) \subseteq \text{Subs}$$

　　在时刻 t,系统的 Free 集合、Bad 集合、Callers 集合以及 $call$, $connected$ 函数分别记作 Freet、Badt、Callerst 和 $callt$, $connectedt$. 根据系统要求,应该满足:

$$\{\text{Freet}, \text{Badt}, \text{dom } callt \cup \text{ran } connectedt\} \text{ 构成 Subs 的划分}$$

这个条件可以看作系统的公理,它是系统的不变量.

　　下面分析系统性质.

命题 3 对于任何时刻 t,有

$$\mathrm{Free}t \cap \mathrm{dom}\ callt = \varnothing$$

$$\mathrm{Free}t \cap \mathrm{ran}\ connectedt = \varnothing$$

证 $\{\mathrm{Free}t, \mathrm{Bad}t, \mathrm{dom}\ callt \cup \mathrm{ran}\ connectedt\}$ 构成 Subs 的划分

$\Rightarrow \mathrm{Free}t \cap (\mathrm{dom}\ callt \cup \mathrm{ran}\ connectedt) = \varnothing$

$\Rightarrow (\mathrm{Free}t \cap \mathrm{dom}\ callt) \cup (\mathrm{Free}t \cap \mathrm{ran}\ connectedt) = \varnothing$

$\Rightarrow \mathrm{Free}t \cap \mathrm{dom}\ callt = \varnothing \wedge \mathrm{Free}t \cap \mathrm{ran}\ connectedt = \varnothing$

推论 $\mathrm{Free}t \cap \mathrm{Callers}t = \varnothing$

证 $\mathrm{Callers}t = \mathrm{dom}((callt \circ st) \rhd \mathrm{Connect}) \subseteq \mathrm{dom}\ callt$

由命题 3,推论得证.

系统的初始状态的时刻记为 0,应该满足下述条件:

$$\mathrm{Free}0 = \mathrm{Subs}, \mathrm{Bad}0 = \varnothing, call0 = \varnothing$$

命题 4 存在满足系统公理的初始状态.

证 命题 4 等价于

$\exists\ \mathrm{Free}0, \mathrm{Bad}0, \mathrm{Callers}0 \in P(\mathrm{Subs})$	①
$\exists\ call0 : \mathrm{Subs} \nrightarrow \mathrm{Subrec}$	②
$\exists\ connected0 : \mathrm{Subs} \rightarrowtail\!\!\!\!\!\rightarrow \mathrm{Subs}$	③
$(\mathrm{Free}0 = \mathrm{Subs} \wedge \mathrm{Bad}0 = \varnothing$	④
$\wedge\ call0 = \varnothing$	⑤
$\wedge\ \{\mathrm{Free}0, \mathrm{Bad}0, \mathrm{dom}\ call0 \cup \mathrm{ran}\ connected0\}$ 构成 Subs 的划分	⑥
$\wedge\ \mathrm{Callers}0 = \mathrm{dom}((call0 \circ st) \rhd \mathrm{Connect})$	⑦
$\wedge\ connected0 = \mathrm{Callers}0 \lhd (call0 \circ num))$	⑧

证明方法是:将上述条件中定义变量的等式代入其他条件,把变量等式消去. 如果某个条件化简后变成真命题,也可以消去. 这样通过不断代入化简和消去的过程一步一步简化条件. 不难看出,这个过程尽管简化了条件,但是这只是形式上的化简,所得到的条件与原始条件是等价的. 化简过程如下.

将⑤代入⑦得到

$$\mathrm{Callers}0 = \mathrm{dom}((\varnothing \circ st) \rhd \mathrm{Connect})$$

$$= \mathrm{dom}(\varnothing \rhd \mathrm{Connect}) = \mathrm{dom}\ \varnothing = \varnothing \qquad ⑦'$$

将④和⑦′代入①得到①′;将⑤代入②得到②′,将④⑤代入⑥得到⑥′;将⑤和⑦′代入⑧得到⑧′. 最后消去④、⑤和⑦′,上述一组条件化简为:

$\mathrm{Subs} \in P(\mathrm{Subs}) \wedge \varnothing \in P(\mathrm{Subs}) \wedge \varnothing \in P(\mathrm{Subs})$	①′
$\varnothing : \mathrm{Subs} \nrightarrow \mathrm{Subrec}$	②′
$\exists\ connected0 : \mathrm{Subs} \rightarrowtail\!\!\!\!\!\rightarrow \mathrm{Subs}$	③
$(\{\mathrm{Subs}, \varnothing, \mathrm{dom}\ \varnothing \cup \mathrm{ran}\ connected0\}$ 构成 Subs 的划分	⑥′

$$\wedge \, connected0 = \varnothing \vartriangleleft (\varnothing \circ num) = \varnothing) \tag{8$'$}$$

将⑧$'$代入③和⑥$'$得到

$$\varnothing : \text{Subs} \rightarrowtail \text{Subs} \tag{3$'$}$$

$$\{\text{Subs}, \varnothing, \text{dom}\,\varnothing \cup \text{ran}\,\varnothing\} \text{ 构成 Subs 的划分} \tag{6$''$}$$

从而所有的条件转化为

$$\text{Subs} \in P(\text{Subs}) \wedge \varnothing \in P(\text{Subs}) \wedge \varnothing \in P(\text{Subs}) \tag{1$'$}$$

$$\varnothing : \text{Subs} \nrightarrow \text{Subrec} \tag{2$'$}$$

$$\varnothing : \text{Subs} \rightarrowtail \text{Subs} \tag{3$'$}$$

$$(\{\text{Subs}, \varnothing, \text{dom}\,\varnothing \cup \text{ran}\,\varnothing\} \text{ 构成 Subs 的划分}) \tag{6$''$}$$

又由于①$'$和②$'$是真命题,可以从上述条件中消去;再利用空集性质,上述条件进一步化简为

$$\varnothing : \text{Subs} \rightarrowtail \text{Subs}$$

$$(\{\text{Subs}, \varnothing, \varnothing\} \text{ 构成 Subs 的划分})$$

这个条件也是真命题. 从而证明了命题 4 也为真.

下面考虑系统的操作. 考虑呼叫方拿听筒操作 LiftFree 的定义. 操作方为 s?,当电话处于待用状态时 s? 可以进行拿听筒操作,操作后电话变成占线状态. 因此,这个操作改变 Free 集合和 $call$ 关系,但是不影响 Bad 集合. 设集合 X 和 X$'$ 分别表示操作前和操作后的结果,那么 LiftFree 满足:

$$\text{s?} \in \text{Free}$$

$$\text{Free}' = \text{Free} - \{\text{s?}\}$$

$$\text{Bad}' = \text{Bad}$$

$$call' = call \cup \{<\text{s?}, <\text{seize}, \varepsilon>>\}$$

命题 5 $\text{LiftFree} \Rightarrow \text{Callers}' = \text{Callers} \wedge connected' = connected$

证 $\text{Callers}' = \text{dom}((call' \circ st) \vartriangleright \text{Connect})$

$= \text{dom}(((call \cup \{<\text{s?}, <\text{seize}, \varepsilon>>\}) \circ st) \vartriangleright \text{Connect})$

$= \text{dom}((call \circ st) \vartriangleright \text{Connect}) \cup \text{dom}((\{<\text{s?}, <\text{seize}, \varepsilon>>\} \circ st) \vartriangleright \text{Connect})$

$= \text{Callers} \cup \text{dom}((\{<\text{s?}, <\text{seize}, \varepsilon>>\} \circ st) \vartriangleright \text{Connect})$

$= \text{Callers} \cup \text{dom}(\{<\text{s?}, \text{seize}>\} \vartriangleright \text{Connect})$

$= \text{Callers} \cup \text{dom}\,\varnothing = \text{Callers}$

$connected' = \text{Callers}' \vartriangleleft (call' \circ num)$

$= \text{Callers} \vartriangleleft (((call \cup \{<\text{s?}, <\text{seize}, \varepsilon>>\}) \circ num))$

$= \text{Callers} \vartriangleleft (call \circ num) \cup \text{Callers} \vartriangleleft (\{<\text{s?}, <\text{seize}, \varepsilon>>\} \circ num)$

$= connected \cup \text{Callers} \vartriangleleft \{<\text{s?}, \varepsilon>\}$

根据命题 3 的推论,$\text{Free} \cap \text{Callers} = \varnothing$,由 s? $\in$ Free 推出 s? $\notin$ Callers,从而得到 Callers $\vartriangleleft \{<\text{s?}, \varepsilon>\} = \varnothing$. 这就证明了 $connected' = connected$.

$call$ 和 $\{<\text{s?}, <\text{seize}, \varepsilon>>\}$ 都是从 Subs 到 Subrec 的部分函数. 由于 s? $\notin \text{dom}\,call$,因此 $call \cup \{<\text{s?}, <\text{seize}, \varepsilon>>\}$ 也是从 Subs 到 Subrec 的部分函数.

命题 6 LiftFree 的前置条件是 s?∈Free,其中 s? 表示呼叫方的号码.

证 类似于命题4,命题6可以等价描述成

$$\exists\ \text{Free}',\text{Bad}',\text{Callers}'\in P(\text{Subs})\qquad\qquad①$$

$$\exists\ call':\text{Subs}\twoheadrightarrow\text{Subrec}\qquad\qquad②$$

$$\exists\ connected':\text{Subs}\rightarrowtail\text{Subs}\qquad\qquad③$$

$$(\{\text{Free}',\text{Bad}',\text{dom}\ call'\cup\text{ran}\ connected'\}\ \text{划分 Subs}\qquad\qquad④$$

$$\wedge\ \text{Callers}'=\text{dom}((call'\circ st)\rhd\text{Connect})\qquad\qquad⑤$$

$$\wedge\ connected'=\text{Callers}'\lhd(call'\circ num)\qquad\qquad⑥$$

$$\wedge\ \text{s?}\in\text{Free}\qquad\qquad⑦$$

$$\wedge\ \text{Free}'=\text{Free}-\{\text{s?}\}\qquad\qquad⑧$$

$$\wedge\ \text{Bad}'=\text{Bad}\qquad\qquad⑨$$

$$\wedge\ call'=call\cup\{\langle\text{s?},\langle seize,\varepsilon\rangle\rangle\}\ )\qquad\qquad⑩$$

将⑧和⑨代入①和④,消去⑧和⑨;由命题5,将 Callers′和 connected′用 Callers 和 connected 代替,消去⑤和⑥最后得到

$$\text{Free}-\{\text{s?}\},\text{Bad},\text{Callers}\in P(\text{Subs})\qquad\qquad①'$$

$$\exists\ call':\text{Subs}\twoheadrightarrow\text{Subrec}\qquad\qquad②$$

$$\exists\ connected:\text{Subs}\rightarrowtail\text{Subs}\qquad\qquad③'$$

$$(\{\text{Free}-\{\text{s?}\},\text{Bad},\text{dom}\ call'\cup\text{ran}\ connected\}\ \text{划分 Subs}\qquad\qquad④'$$

$$\wedge\ \text{s?}\in\text{Free}\qquad\qquad⑦$$

$$call'=call\cup\{\langle\text{s?},\langle seize,\varepsilon\rangle\rangle\}\ )\qquad\qquad⑩$$

由 Free 是 Subs 的子集可知 Free−{s?} 是 Subs 的子集;Bad,Callers 都是 Subs 的子集,因此①′为真命题,可以消去. 在命题5的证明中已经知道 call′也是从 Subs 到 Sebrec 的部分函数,因此②可以消去. 将⑩代入④′,把⑩消去.③是真命题也可以消去. 上述条件化简为

$$(\{\text{Free}-\{\text{s?}\},\text{Bad},\text{dom}(call\cup\{\langle\text{s?},\langle seize,\varepsilon\rangle\rangle\})\cup\text{ran}\ connected\}$$

$$\text{划分 Subs}\qquad\qquad④''$$

$$\wedge\ \text{s?}\in\text{Free})\qquad\qquad⑦$$

由于{Free,Bad,dom call∪ran connected}划分 Subs,根据划分定义可以推出④″为真,因此上述条件最终化简成 s?∈Free.

对于其他的呼叫方操作也可以进行类似的分析,有关结果见表8.1.

表 8.1

操作	输入	前置条件
LiftFree	s?∈Subs	s?∈Free
Dial	s?∈Subs	$\langle\text{s?},seize\rangle\in call\circ st\ \vee$
	d?∈D	$\langle\text{s?},dialing\rangle\in call\circ st$

续表

操作	输入	前置条件
Clear	s? ∈ Subs	s? ∈ dom *call* *call* ∘ *st*(s?) ∈ {seize, dialing, engaged, connecting, unobtainable}
ClearLine	s? ∈ Subs	s? ∈ dom *call* *call* ∘ *st*(s?) = ringing
ClearConnect	s? ∈ Subs	s? ∈ dom *call* *call* ∘ *st*(s?) = speech

习　题　8

1. 设 $f: \mathbf{N} \to \mathbf{N}$,且

$$f(x) = \begin{cases} 1, & \text{若 } x \text{ 为奇数} \\ \dfrac{x}{2}, & \text{若 } x \text{ 为偶数} \end{cases}$$

求 $f(0), f(\{0\}), f(1), f(\{1\}), f(\{0,2,4,6,\cdots\}), f(\{4,6,8\}), f(\{1,3,5,7\})$.

2. 设 $A = \{1,2\}, B = \{a,b,c\}$,求 B^A.

3. 给定函数 f 和集合 A, B 如下.

(1) $f: \mathbf{R} \to \mathbf{R}, f(x) = x, A = \{8\}, B = \{4\}$

(2) $f: \mathbf{R} \to \mathbf{R}^+, f(x) = 2^x, A = \{1\}, B = \{1,2\}$

(3) $f: \mathbf{N} \to \mathbf{N} \times \mathbf{N}, f(x) = <x,x+1>, A = \{5\}, B = \{<2,3>\}$

(4) $f: \mathbf{N} \to \mathbf{N}, f(x) = 2x+1, A = \{2,3\}, B = \{1,3\}$

(5) $f: \mathbf{Z} \to \mathbf{N}, f(x) = |x|, A = \{-1,2\}, B = \{1\}$

(6) $f: S \to S, S = [0,1], f(x) = \dfrac{x}{2} + \dfrac{1}{4}, A = (0,1), B = \left[\dfrac{1}{4}, \dfrac{1}{2}\right]$

(7) $f: S \to \mathbf{R}, S = [0, +\infty), f(x) = \dfrac{1}{x+1}, A = \left\{0, \dfrac{1}{2}\right\}, B = \left\{\dfrac{1}{2}\right\}$

(8) $f: S \to \mathbf{R}^+, S = (0,1), f(x) = \dfrac{1}{x}, A = S, B = \{2,3\}$

对以上每一组 f 和 A, B,分别回答下列问题.

(a) f 是不是满射、单射和双射的? 如果 f 是双射的,求 f 的反函数;

(b) 求 A 在 f 下的像 $f(A)$ 和 B 在 f 下的完全原像 $f^{-1}(B)$.

4. 判断下列函数中哪些是满射的? 哪些是单射的? 哪些是双射的?

(1) $f: \mathbf{N} \to \mathbf{N}, f(x) = x^2 + 2$

(2) $f: \mathbf{N} \to \mathbf{N}, f(x) = (x) \bmod 3, x$ 除以 3 的余数

（3）$f:\mathbf{N}\to\mathbf{N},f(x)=\begin{cases}1, & \text{若 } x \text{ 为奇数}\\ 0, & \text{若 } x \text{ 为偶数}\end{cases}$

（4）$f:\mathbf{N}\to\{0,1\},f(x)=\begin{cases}0, & \text{若 } x \text{ 为奇数}\\ 1, & \text{若 } x \text{ 为偶数}\end{cases}$

（5）$f:\mathbf{N}-\{0\}\to\mathbf{R},f(x)=\lg x$

（6）$f:\mathbf{R}\to\mathbf{R},f(x)=x^2-2x-15$

5. 设 $X=\{a,b,c,d\}$，$Y=\{1,2,3\}$，$f=\{<a,1>,<b,2>,<c,3>\}$，判断下列命题的真假.

（1）f 是从 X 到 Y 的二元关系，但不是从 X 到 Y 的函数；

（2）f 是从 X 到 Y 的函数，但不是满射，也不是单射的；

（3）f 是从 X 到 Y 的满射，但不是单射；

（4）f 是从 X 到 Y 的双射.

6. 对于给定的 A,B 和 f，判断 f 是否为从 A 到 B 的函数 $f:A\to B$. 如果是，说明 f 是否为单射、满射、双射的.

（1）$A=\mathbf{Z},B=\mathbf{N},f(x)=x^2+1$

（2）$A=\mathbf{N},B=\mathbf{Q},f(x)=1/x$

（3）$A=\mathbf{Z}\times\mathbf{N},B=\mathbf{Q},f(<x,y>)=x/(y+1)$

（4）$A=\{1,2,3\},B=\{p,q,r\},f=\{<1,q>,<2,q>,<3,q>\}$

（5）$A=B=\mathbf{N},f(x)=2^x$

（6）$A=B=\mathbf{R}\times\mathbf{R},f(<x,y>)=<y+1,x+1>$

（7）$A=\mathbf{Z}\times\mathbf{Z},B=\mathbf{Z},f(<x,y>)=x^2+2y^2$

（8）$A=B=\mathbf{R},f(x)=1/\sqrt{x+1}$

（9）$A=\mathbf{N}\times\mathbf{N}\times\mathbf{N},B=\mathbf{N},f(<x,y,z>)=x+y-z$

7. 设 $A=\{a,b,c,d\}$，$B=\{0,1,2\}$.

（1）给出一个函数 $f:A\to B$，使得 f 不是单射的，也不是满射的；

（2）给出一个函数 $f:A\to B$，使得 f 不是单射的，但是满射的；

（3）能够给出一个函数 $f:A\to B$，使得 f 是单射但不是满射的吗？

（4）设 $|A|=m$，$|B|=n$，分别说明存在单射、满射、双射函数 $f:A\to B$ 的条件.

8. 给出自然数集 $\mathbf{N}$ 上的函数 f，使得

（1）f 是单射的，但不是满射的；

（2）f 是满射的，但不是单射的.

9. 设 A 是 n 元集（$n\geq 1$），则从 A 到 A 的函数中有多少个双射函数？多少个单射函数？

10. 设 $f:\mathbf{N}\times\mathbf{N}\to\mathbf{N},f(<x,y>)=x+y+1$.

（1）说明 f 是否为单射、满射、双射的；

（2）令 $A=\{<x,y>|x,y\in\mathbf{N},\text{且 } f(<x,y>)=3\}$，求 A；

（3）令 $B=\{f(<x,y>)|x,y\in\{1,2,3\}\text{且 } x=y\}$，求 B.

11. 确定 f 是否为从 X 到 Y 的函数，并对 $f:X\to Y$ 指出哪些是单射的，哪些是满射的，哪些是双射的.

（1）$X=Y=\mathbf{R}$，$\mathbf{R}$ 为实数集，$f(x)=x^2-x$

（2）$X=Y=\mathbf{R},f(x)=\sqrt{x}$

（3）$X=Y=\mathbf{R},f(x)=\dfrac{1}{x}$

（4）$X = Y = \mathbf{Z}^+ = \{x \mid x \in \mathbf{Z}, x > 0\}, f(x) = x + 1$

（5）$X = Y = \mathbf{Z}, f(x) = \begin{cases} x, & x = 1 \\ x-1, & x > 1 \end{cases}$

12. 设 $f: S \to T, A$ 和 B 是 S 的子集，证明：

（1）$f(A \cap B) \subseteq f(A) \cap f(B)$；

（2）举出反例说明等式 $f(A \cap B) = f(A) \cap f(B)$ 不是永远为真的；

（3）说明对于什么函数上述等式为真.

13. 设 A 为非空集合，R 为 A 上的等价关系，$g: A \to A/R$ 为自然映射.

（1）设 n 为给定自然数，R 为整数集合上的模 n 相等关系，求 $g(2), g(0)$；

（2）说明 g 的性质（单射、满射、双射）；

（3）在什么条件下，g 为双射函数.

14. 设 S 为集合，A, B 是 S 的子集，χ_T 表示 T 的特征函数，且 $\chi_A = \{<a,1>, <b,1>, <c,0>, <d,0>\}$，$\chi_B = \{<a,0>, <b,1>, <c,0>, <d,1>\}$，求 $\chi_{A \cap B}$.

15. 设 $A = \{1,2,3,4\}$，$A_1 = \{1,2\}$，$A_2 = \{1\}$，$A_3 = \varnothing$ 是 A 的子集，求 A_1, A_2, A_3 和 A 的特征函数 $\chi_{A_1}, \chi_{A_2}, \chi_{A_3}$ 和 χ_A.

16. 设 $A = \{a,b,c\}$，R 为 A 上的等价关系，且

$$R = \{<a,b>, <b,a>\} \cup I_A$$

求自然映射 $g: A \to A/R$.

17. 设 $f, g, h \in \mathbf{R}^{\mathbf{R}}$，且

$$f(x) = x+3, g(x) = 2x+1, h(x) = \frac{x}{2}$$

求 $f \circ g, g \circ f, f \circ f, g \circ g, h \circ f, g \circ h, f \circ h, g \circ h \circ f$.

18. 设 $f, g, h \in \mathbf{N}^{\mathbf{N}}$，且有

$$f(n) = n+1, \quad g(n) = 2n, \quad h(n) = \begin{cases} 0, & \text{若 } n \text{ 为偶数} \\ 1, & \text{若 } n \text{ 为奇数} \end{cases}$$

求 $f \circ f, g \circ f, f \circ g, h \circ g, g \circ h, h \circ g \circ f$.

19. 设 $f: \mathbf{R} \to \mathbf{R}, f(x) = x^2 - 2$

　　　　$g: \mathbf{R} \to \mathbf{R}, g(x) = x+4$

　　　　$h: \mathbf{R} \to \mathbf{R}, f(x) = x^3 - 1$

（1）求 $g \circ f, f \circ g$；

（2）$g \circ f$ 和 $f \circ g$ 是否为单射，满射，双射的？

（3）f, g, h 中哪些函数有反函数？如果有，求出这些反函数.

20. 设 f, g 是从 $\mathbf{N}$ 到 $\mathbf{N}$ 的函数，且

$$f(x) = \begin{cases} x+1, & x = 0,1,2,3 \\ 0, & x = 4 \\ x, & x \geq 5 \end{cases}$$

$$g(x) = \begin{cases} \dfrac{x}{2}, & x \text{ 为偶数} \\ 3, & x \text{ 为奇数} \end{cases}$$

（1）求 $f \circ g$；

（2）说明 $f \circ g$ 是否为单射、满射、双射的.

21. 设 $f:\mathbf{N} \to \mathbf{N} \times \mathbf{N}, f(x) = <x, x+1>$,

（1）说明 f 是否为单射和满射的，并说明理由；

（2）f 的反函数是否存在？ 如果存在，求出 f 的反函数；

（3）求 $\operatorname{ran} f$.

22. 设 $f:\mathbf{Z} \to \mathbf{Z}, f(x) = (x) \bmod n$. 在 $\mathbf{Z}$ 上定义等价关系 R, $\forall x, y \in \mathbf{Z}$

$$<x, y> \in R \Leftrightarrow f(x) = f(y)$$

（1）计算 $f(\mathbf{Z})$；

（2）确定商集 $\mathbf{Z}/R$.

23. 设 f_1, f_2, f_3, f_4 为实数集 $\mathbf{R}$ 到 $\mathbf{R}$ 的函数，且

$$f_1(x) = \begin{cases} 1, & x \geqslant 0 \\ -1, & x < 0 \end{cases}$$

$$f_2(x) = x$$

$$f_3(x) = \begin{cases} -1, & x \text{ 为整数} \\ 1, & \text{否则} \end{cases}$$

$$f_4(x) = 1$$

在 $\mathbf{R}$ 上定义二元关系 E_i, $\forall x, y \in \mathbf{R}$, $<x, y> \in E_i \Leftrightarrow f_i(x) = f_i(y)$，则 E_i 是 $\mathbf{R}$ 上的等价关系，称作 f_i 导出的等价关系，求商集 $\mathbf{R}/E_i, i = 1, 2, 3, 4$.

24. 对于以下集合 A 和 B，构造从 A 到 B 的双射函数.

（1）$A = \{1, 2, 3\}, B = \{a, b, c\}$；

（2）$A = (0, 1), B = (0, 2)$；

（3）$A = \{x \mid x \in \mathbf{Z} \wedge x < 0\}, B = \mathbf{N}$；

（4）$A = \mathbf{R}, B = \mathbf{R}^+$.

25. 设 $f:\mathbf{R} \times \mathbf{R} \to \mathbf{R} \times \mathbf{R}, f(<x, y>) = <\dfrac{x+y}{2}, \dfrac{x-y}{2}>$，证明 f 是双射的.

26. 设 $f:A \to B, g:B \to C$，且 $f \circ g:A \to C$ 是双射的. 证明：

（1）$f:A \to B$ 是单射的；

（2）$g:B \to C$ 是满射的.

27. 按照阶从低到高的次序排列下列函数，如果 $f(n)$ 与 $g(n)$ 的阶相等，则表示为 $f(n) = \Theta(g(n))$.

$$n, \sqrt{n}, \log n, n^3, n\log n, 2n^3+n, 2^n, (\log n)^2, \lg n, x^3+\log x$$

28. 设 n 为大于 1 的自然数，证明

$$(\log n)^{\log n} = n^{\log \log n}$$

$$4^{\log n} = n^2$$

$$2 = n^{1/\log n}$$

$$2^{\sqrt{2\log n}} = n^{\sqrt{2/\log n}}$$

29. 设 $A = \{a, b, c\}, B = 2^A$，由定义证明 $P(A) \approx 2^A$.

30. 设 $[1, 2]$ 和 $[0, 1]$ 是实数区间，由定义证明 $[1, 2] \approx [0, 1]$.

31. 设 $A = \{2x \mid x \in \mathbf{N}\}$, 证明 $A \approx \mathbf{N}$.

32. 证明定理 8.6.

33. 证明定理 8.8 的 (1) , (3) .

34. 设 A, B, C, D 是集合 , 且 $A \approx C, B \approx D$, 证明 $A \times B \approx C \times D$.

35. 找出 3 个不同的 $\mathbf{N}$ 的真子集 , 使得它们都与 $\mathbf{N}$ 等势 .

36. 找出 3 个不同的 $\mathbf{N}$ 的真子集 A, B, C 使得

$$A <\cdot \ \mathbf{N}, B <\cdot \ \mathbf{N}, C <\cdot \ \mathbf{N}$$

37. 根据自然数的集合定义计算 :

(1) $3 \cup 6, 2 \cap 5$;

(2) $4 - 3, 3 \oplus 1$;

(3) $\cup 4, \cap 1$;

(4) $1 \times 4, 2^2$.

38. 计算下列集合的基数 .

(1) $A = \{x, y, z\}$;

(2) $B = \{x \mid x = n^2 \wedge n \in \mathbf{N}\}$;

(3) $C = \{x \mid x = n^{109} \wedge n \in \mathbf{N}\}$;

(4) $B \cap C$;

(5) $B \cup C$;

(6) 平面上所有的圆心在 x 轴上的单位圆的集合 .

39. 设 A, B 为可数集 , 证明 :

(1) $A \cup B$ 是可数集 ;

(2) $A \times B$ 是可数集 .

第 3 部分　代 数 结 构

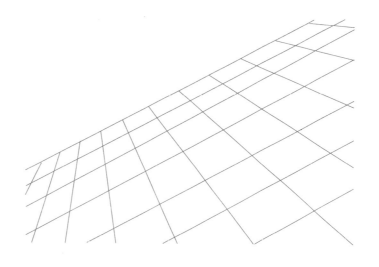

第 9 章
代 数 系 统

9.1 二元运算及其性质

定义 9.1 设 S 为集合,函数 $f: S \times S \to S$ 称为 S 上的二元运算,简称为二元运算.

例如,$f: \mathbf{N} \times \mathbf{N} \to \mathbf{N}, f(<x,y>) = x+y$ 就是自然数集 $\mathbf{N}$ 上的二元运算,即普通的加法运算. 普通的减法不是自然数集 $\mathbf{N}$ 上的二元运算,因为两个自然数相减可能得负数,而负数不是自然数. 这时也称 $\mathbf{N}$ 对减法运算不封闭. 验证一个运算是否为集合 S 上的二元运算主要考虑以下两点.

1. S 中任何两个元素都可以进行这种运算,且运算的结果是唯一的.

2. S 中任何两个元素的运算结果都属于 S,即 S 对该运算是封闭的.

例如,实数集 $\mathbf{R}$ 上不可以定义除法运算,因为 $0 \in \mathbf{R}$,而 0 不能做除数. 但在 $\mathbf{R}^* = \mathbf{R} - \{0\}$ 上就可以定义除法运算了,因为 $\forall x, y \in \mathbf{R}^*$,都有 $x/y \in \mathbf{R}^*$.

下面是一些二元运算的例子.

例 9.1 (1) 自然数集 $\mathbf{N}$ 上的加法和乘法是 $\mathbf{N}$ 上的二元运算,而减法和除法不是.

(2) 整数集 $\mathbf{Z}$ 上的加法、减法和乘法都是 $\mathbf{Z}$ 上的二元运算,而除法不是.

(3) 非零实数集 $\mathbf{R}^*$ 上的乘法和除法都是 $\mathbf{R}^*$ 上的二元运算,而加法和减法不是,因为两个非零实数相加或相减可能得 0.

(4) 设 $M_n(\mathbf{R})$ 表示所有 n 阶 $(n \geq 2)$ 实矩阵的集合,即

$$M_n(\mathbf{R}) = \left\{ \begin{pmatrix} a_{11} & a_{12} & \cdots & a_{1n} \\ a_{21} & a_{22} & \cdots & a_{2n} \\ \vdots & \vdots & & \vdots \\ a_{n1} & a_{n2} & \cdots & a_{nn} \end{pmatrix} \middle| a_{ij} \in \mathbf{R}, 1 \leqslant i, j \leqslant n \right\}$$

则矩阵加法和乘法都是 $M_n(\mathbf{R})$ 上的二元运算.

（5）S 为任意集合,则 $\cup, \cap, -, \oplus$ 为 S 的幂集 $P(S)$ 上的二元运算,这里 $\cup$ 和 $\cap$ 是初级并和初级交.

（6）S 为集合,S^S 为 S 上的所有函数的集合,则函数的复合运算∘为 S^S 上的二元运算.

通常用∘, $*$, $\cdot$ 等符号表示二元运算,称为算符. 设 $f: S \times S \to S$ 是 S 上的二元运算,对任意的 $x, y \in S$,如果 x 与 y 的运算结果是 z,即

$$f(<x, y>) = z$$

可以利用算符∘简记为

$$x \circ y = z$$

例 9.2　设 $\mathbf{R}$ 为实数集,定义 $\mathbf{R}$ 上的二元运算 $*$ 如下.

$$\forall x, y \in \mathbf{R}, x * y = x$$

计算 $3 * 4, (-5) * 0.2, 0 * \dfrac{1}{2}$ 等.

解　$3 * 4 = 3, (-5) * 0.2 = -5, 0 * \dfrac{1}{2} = 0$

类似于二元运算,也可以定义集合 S 上的一元运算.

定义 9.2　设 S 为集合,函数 $f: S \to S$ 称为 S 上的一个一元运算,简称为一元运算.

下面是一些一元运算的例子.

例 9.3　（1）求一个数的相反数是整数集 $\mathbf{Z}$、有理数集 $\mathbf{Q}$ 和实数集 $\mathbf{R}$ 上的一元运算.

（2）求一个数 x 的倒数 $\dfrac{1}{x}$ 是非零有理数集 $\mathbf{Q}^*$、非零实数集 $\mathbf{R}^*$ 上的一元运算.

（3）求一个复数的共轭复数是复数集 $\mathbf{C}$ 上的一元运算.

（4）在幂集 $P(S)$ 上,如果规定全集为 S,则求集合的绝对补运算 ~ 是 $P(S)$ 上的一元运算.

（5）设 S 为集合,令 A 为 S 上所有双射函数的集合,$A \subseteq S^S$,则求一个双射函数的反函数为 A 上的一元运算.

（6）在 $n(n \geqslant 2)$ 阶实矩阵的集合 $M_n(\mathbf{R})$ 上,求一个矩阵的转置矩阵是 $M_n(\mathbf{R})$ 上的一元运算.

与二元运算一样,也可以使用算符来表示一元运算. 若 $f: S \to S$ 为 S 上的一元运算,则 $f(x) = y$ 可以用算符∘记作

$$\circ(x) = y \text{ 或} \circ x = y$$

其中 x 为参加运算的元素,y 为运算的结果.

例如, x 的相反数 $-x$、集合 A 的绝对补集 $\sim A$ 都是上述表示形式, 其中 $-$ 和 $\sim$ 都是算符.

对于有穷集 S 上的一元和二元运算, 除了可以使用函数 f 的表达式表示以外, 还可以用运算表表示. 表 9.1 和表 9.2 是一元运算表和二元运算表的一般形式, 其中 $a_1, a_2, \cdots, a_n$ 是 S 中的元素, $\circ$ 为算符.

表 9.1

a_i	$\circ\, a_i$
a_1	$\circ\, a_1$
a_2	$\circ\, a_2$
$\vdots$	$\vdots$
a_n	$\circ\, a_n$

表 9.2

$\circ$	a_1	a_2	$\cdots$	a_n
a_1	$a_1 \circ a_1$	$a_1 \circ a_2$	$\cdots$	$a_1 \circ a_n$
a_2	$a_2 \circ a_1$	$a_2 \circ a_2$	$\cdots$	$a_2 \circ a_n$
$\vdots$	$\vdots$	$\vdots$		$\vdots$
a_n	$a_n \circ a_1$	$a_n \circ a_2$	$\cdots$	$a_n \circ a_n$

例 9.4　设 $S = \{1,2\}$, 给出 $P(S)$ 上的运算 $\sim$ 和 $\oplus$ 的运算表, 其中全集为 S.

解　所求的运算表如表 9.3 和表 9.4 所示.

表 9.3

a_i	$\sim a_i$
$\varnothing$	$\{1,2\}$
$\{1\}$	$\{2\}$
$\{2\}$	$\{1\}$
$\{1,2\}$	$\varnothing$

表 9.4

$\oplus$	$\varnothing$	$\{1\}$	$\{2\}$	$\{1,2\}$
$\varnothing$	$\varnothing$	$\{1\}$	$\{2\}$	$\{1,2\}$
$\{1\}$	$\{1\}$	$\varnothing$	$\{1,2\}$	$\{2\}$
$\{2\}$	$\{2\}$	$\{1,2\}$	$\varnothing$	$\{1\}$
$\{1,2\}$	$\{1,2\}$	$\{2\}$	$\{1\}$	$\varnothing$

例 9.5　设 $S = \{1,2,3,4\}$, 定义 S 上的二元运算 $\circ$ 如下.
$$x \circ y = (xy) \bmod 5, \quad \forall x, y \in S$$
求运算 $\circ$ 的运算表.

解　$(xy) \bmod 5$ 表示 xy 除以 5 的余数, 其运算表如表 9.5 所示.

表 9.5

$\circ$	1	2	3	4
1	1	2	3	4
2	2	4	1	3
3	3	1	4	2
4	4	3	2	1

下面讨论二元运算的主要性质.

定义 9.3　设 $\circ$ 为 S 上的二元运算. 如果对于任意的 $x, y, z \in S$ 都有

$$x \circ y = y \circ x$$

则称运算 $\circ$ 在 S 上是 可交换的,或者说运算 $\circ$ 在 S 上适合 交换律.

例如,实数集上的加法和乘法是可交换的,但减法不可交换. 幂集 $P(S)$ 上的 $\cup$、$\cap$ 和 $\oplus$ 都是可交换的,但是相对补运算不可交换. n 阶$(n \geqslant 2)$实矩阵集合 $M_n(\mathbf{R})$ 上的矩阵加法是可交换的,但矩阵乘法不是可交换的. A^A 上函数的复合运算不是可交换的,因为一般地说,$x \circ y \neq y \circ x$.

定义 9.4 设 $\circ$ 为 S 上的二元运算,如果对于任意的 $x, y, z \in S$ 都有

$$(x \circ y) \circ z = x \circ (y \circ z)$$

则称运算 $\circ$ 在 S 上是 可结合的,或者说运算 $\circ$ 在 S 上适合 结合律.

普通的加法和乘法在自然数集 $\mathbf{N}$、整数集 $\mathbf{Z}$、有理数集 $\mathbf{Q}$、实数集 $\mathbf{R}$ 和复数集 $\mathbf{C}$ 上都是可结合的. 矩阵的加法和乘法是可结合的,集合的 $\cup$、$\cap$ 和 $\oplus$ 运算是可结合的,还有函数的复合运算是可结合的.

对于适合结合律的二元运算,在一个只由该运算的算符连接起来的表达式中,可以把所有表示运算顺序的括号去掉. 例如,加法在实数集上是可结合的,对于任意实数 x, y, z 和 u,可以写

$$(x+y)+(z+u) = x+y+z+u$$

定义 9.5 设 $\circ$ 为 S 上的二元运算,如果对于任意的 $x \in S$ 都有

$$x \circ x = x$$

则称该运算 $\circ$ 适合 幂等律.

如果 S 中的某些 x 满足 $x \circ x = x$,则称 x 为运算 $\circ$ 的 幂等元. 易见如果 S 上的二元运算 $\circ$ 适合幂等律,则 S 中的所有元素都是幂等元.

对于任何集合 A,有 $A \cup A = A$ 和 $A \cap A = A$,集合的并和交运算适合幂等律,$\oplus$ 运算和 $-$ 运算一般不适合幂等律,但 $\varnothing$ 是幂等元. 普通数的加法和乘法不适合幂等律,但 0 是加法的幂等元,0 和 1 是乘法的幂等元.

以上性质都是对一个二元运算来说的. 下面的分配律和吸收律是对两个二元运算来说的.

定义 9.6 设 $\circ$ 和 $*$ 是 S 上的两个二元运算,如果对任意的 $x, y, z \in S$ 有

$$x * (y \circ z) = (x * y) \circ (x * z) \qquad\qquad\text{(左分配律)}$$

$$(y \circ z) * x = (y * x) \circ (z * x) \qquad\qquad\text{(右分配律)}$$

则称运算 $*$ 对 $\circ$ 是 可分配的,或者说 $*$ 对 $\circ$ 适合 分配律.

实数集 $\mathbf{R}$ 上的乘法对加法是可分配的,在 n 阶$(n \geqslant 2)$实矩阵的集合 $M_n(\mathbf{R})$ 上,矩阵乘法对于矩阵加法也是可分配的,而在幂集 $P(S)$ 上 $\cup$ 和 $\cap$ 是互相可分配的.

在讲到分配律时应该指明哪个运算对哪个运算可分配,不要笼统地讲它们适合分配律. 因为往往是一个运算对另一个运算可分配,但反之不对. 例如,普通乘法对加法可分配,但普通加法对乘法不是可分配的.

使用归纳法不难证明,若 $*$ 对 $\circ$ 运算分配律成立,则 $*$ 对 $\circ$ 运算广义分配律也成立,即 $\forall x, y_1,$

$y_2, \cdots, y_n \in S$ 有

$$x * (y_1 \circ y_2 \circ \cdots \circ y_n) = (x * y_1) \circ (x * y_2) \circ \cdots \circ (x * y_n)$$
$$(y_1 \circ y_2 \circ \cdots \circ y_n) * x = (y_1 * x) \circ (y_2 * x) \circ \cdots \circ (y_n * x)$$

成立.

定义 9.7 设 $\circ$ 和 $*$ 是 S 上两个可交换的二元运算,如果对于任意的 x, y 都有

$$x * (x \circ y) = x$$
$$x \circ (x * y) = x$$

则称 $\circ$ 和 $*$ 满足 吸收律.

例如,幂集 $P(S)$ 上的 $\cup$ 和 $\cap$ 运算满足吸收律. 即 $\forall A, B \in P(S)$ 有

$$A \cup (A \cap B) = A$$
$$A \cap (A \cup B) = A$$

下面讨论有关二元运算的一些特异元素.

定义 9.8 设 $\circ$ 为 S 上的二元运算,如果存在 e_l(或 e_r),使得对任何 $x \in S$ 都有

$$e_l \circ x = x \qquad (或\ x \circ e_r = x)$$

则称 e_l(或 e_r)是 S 中关于 $\circ$ 运算的一个 左单位元(或 右单位元). 若 e 关于 $\circ$ 运算既是左单位元又是右单位元,则称 e 为 S 上关于 $\circ$ 运算的 单位元. 单位元也可以称作 幺元.

在自然数集 $\mathbf{N}$ 上,0 是加法的单位元,1 是乘法的单位元. 在 $M_n(\mathbf{R})(n \geq 2)$ 上全 0 的 n 阶矩阵是矩阵加法的单位元,而 n 阶单位矩阵是矩阵乘法的单位元. 在幂集 $P(S)$ 上,$\varnothing$ 是 $\cup$ 运算的单位元,S 是 $\cap$ 运算的单位元. $\varnothing$ 也是对称差运算 $\oplus$ 的单位元,相对补运算没有单位元. 在 A^A 上,恒等函数 I_A 是关于函数复合运算的单位元.

考虑非零实数的集合 $\mathbf{R}^*$,定义的二元运算 $\circ$ 如下:

$$\forall a, b \in \mathbf{R}^*, \ a \circ b = a$$

则不存在 $e \in \mathbf{R}^*$ 使得 $\forall b \in \mathbf{R}^*$ 有 $e \circ b = b$. 所以 $\circ$ 运算没有左单位元. 但对每一个 $a \in \mathbf{R}^*$,对任意 $b \in \mathbf{R}^*$ 都有 $b \circ a = b$,所以 $\mathbf{R}^*$ 中的每一个元素 a 都是 $\circ$ 运算的右单位元. $\mathbf{R}^*$ 中有无数多个右单位元,但任何右单位元都不是左单位元,$\mathbf{R}^*$ 中没有关于 $\circ$ 运算的单位元.

定理 9.1 设 $\circ$ 为 S 上的二元运算,e_l 和 e_r 分别为 $\circ$ 运算的左单位元和右单位元,则有

$$e_l = e_r = e$$

且 e 为 S 上关于 $\circ$ 运算的唯一的单位元.

证 $e_l = e_l \circ e_r$ (e_r 为右单位元)
     $e_l \circ e_r = e_r$ (e_l 为左单位元)

所以 $e_l = e_r$.

把 $e_l = e_r$ 记作 e,则 e 是 S 中的单位元. 假设 e' 是 S 中的单位元,则有

$$e' = e \circ e' = e$$

所以 e 是 S 中关于 $\circ$ 运算的唯一的单位元.

定义 9.9 设 $\circ$ 为 S 上的二元运算,若存在元素 θ_l(或 θ_r)$\in S$,使得对于任意的 $x \in S$ 有

$$\theta_l \circ x = \theta_l \qquad (\text{或 } x \circ \theta_r = \theta_r)$$

则称 θ_l（或 θ_r）是 S 上关于 $\circ$ 运算的左零元（或右零元）. 若 $\theta \in S$ 关于 $\circ$ 运算既是左零元又是右零元，则称 θ 为 S 上关于 $\circ$ 运算的零元.

例如，自然数集 $\mathbf{N}$ 上 0 是普通乘法的零元，而加法没有零元. $M_n(\mathbf{R})(n \geq 2)$ 上矩阵乘法的零元是全 0 的 n 阶矩阵，而矩阵加法没有零元. 在幂集 $P(S)$ 上 $\cup$ 运算的零元是 S，$\cap$ 运算的零元是 $\varnothing$，而对称差运算 $\oplus$ 没有零元. 在 $\mathbf{R}^*$ 上如果定义运算 $\circ$，使得对任意的 $a, b \in \mathbf{R}^*$ 有

$$a \circ b = a$$

那么 $\mathbf{R}^*$ 中的任何元素都是关于 $\circ$ 运算的左零元，但没有右零元，从而也没有零元.

与定理 9.1 类似，可以证明下面的定理.

定理 9.2　设 $\circ$ 为 S 上的二元运算，θ_l 和 θ_r 分别为 $\circ$ 运算的左零元和右零元，则有

$$\theta_l = \theta_r = \theta$$

且 θ 是 S 上关于 $\circ$ 运算的唯一的零元.

关于零元和单位元还有以下的定理.

定理 9.3　设 $\circ$ 为 S 上的二元运算，e 和 θ 分别为 $\circ$ 运算的单位元和零元. 如果 S 至少有两个元素，则 $e \neq \theta$.

证　用反证法. 假设 $e = \theta$，则 $\forall x \in S$ 有

$$x = x \circ e = x \circ \theta = \theta$$

与 S 中至少含有两个元素矛盾.

定义 9.10　设 $\circ$ 为 S 上的二元运算，e 为 $\circ$ 运算的单位元，对于 $x \in S$，如果存在 $y_l \in S$（或 $y_r \in S$），使得

$$y_l \circ x = e \qquad (\text{或 } x \circ y_r = e)$$

则称 y_l（或 y_r）是 x 的左逆元（或右逆元）. 若 $y \in S$ 既是 x 的左逆元又是 x 的右逆元，则称 y 是 x 的逆元. 如果 x 的逆元存在，则称 x 是可逆的.

在自然数集 $\mathbf{N}$ 上只有 0 有加法逆元，就是 0 自己. 在整数集 $\mathbf{Z}$ 上加法的单位元是 0. 对任何整数 x，它的加法逆元都存在，即它的相反数 $-x$. 在 n 阶 $(n \geq 2)$ 实矩阵的集合 $M_n(\mathbf{R})$ 上，n 阶全 0 矩阵是矩阵加法的单位元. 对任何 n 阶实矩阵 $\boldsymbol{M}$，$-\boldsymbol{M}$ 是 $\boldsymbol{M}$ 的加法逆元，而 n 阶单位矩阵是 $M_n(\mathbf{R})$ 上关于矩阵乘法的单位元. 只有 n 阶实可逆矩阵 $\boldsymbol{M}$ 存在乘法逆元 $\boldsymbol{M}^{-1}$. 在幂集 $P(S)$ 上，对于 $\cup$ 运算，$\varnothing$ 为单位元. 只有 $\varnothing$ 有逆元，就是它本身，其他的元素都没有逆元. 类似地，对于 $\cap$ 运算，S 为单位元，也只有 S 有逆元，即 S 本身，其他元素都没有逆元.

由上面的例子可以看出，对于给定的集合和二元运算来说，逆元与单位元、零元不同. 如果单位元或零元存在，则一定是唯一的. 换句话说，整个集合只有一个. 而逆元能否存在，还与元素有关. 有的元素有逆元，有的元素没有逆元，不同的元素对应着不同的逆元. 如果运算是可结合的，则对于集合中可逆的元素，逆元是唯一的.

定理 9.4　设 $\circ$ 为 S 上可结合的二元运算，e 为该运算的单位元，对于 $x \in S$ 如果存在左逆元 y_l 和右逆元 y_r，则有

$$y_l = y_r = y$$

且 y 是 x 的唯一的逆元.

证 由 $y_l \circ x = e$ 和 $x \circ y_r = e$ 得

$$y_l = y_l \circ e = y_l \circ (x \circ y_r) = (y_l \circ x) \circ y_r = e \circ y_r = y_r$$

令 $y_l = y_r = y$，则 y 是 x 的逆元. 假设 y' 也是 x 的逆元，则

$$y' = y' \circ e = y' \circ (x \circ y) = (y' \circ x) \circ y = e \circ y = y$$

所以 y 是 x 的唯一的逆元.

由定理 9.4 可知，对于可结合的二元运算来说，可逆的元素 x 只有唯一的逆元，通常把它记作 x^{-1}.

最后再给出一条关于二元运算的算律——消去律.

定义 9.11 设 $\circ$ 为 S 上的二元运算，如果对于任意的 $x, y, z \in S$，满足以下条件：

（1）若 $x \circ y = x \circ z$ 且 $x \neq \theta$，则 $y = z$；

（2）若 $y \circ x = z \circ x$ 且 $x \neq \theta$，则 $y = z$；

那么称 $\circ$ 运算满足消去律，其中（1）称作左消去律，（2）称作右消去律.

注意被消去的 x 不能是运算的零元 θ.

整数集合上的加法和乘法都满足消去律. 幂集 $P(S)$ 上的并和交运算一般不满足消去律. $\forall A, B, C \in P(S)$，由 $A \cup B = A \cup C$ 不一定能得到 $B = C$. 但对称差运算满足消去律. $\oplus$ 运算不存在零元，$\forall A, B, C \in P(S)$，都有

$$A \oplus B = A \oplus C \Rightarrow B = C$$
$$B \oplus A = C \oplus A \Rightarrow B = C$$

例 9.6 对于下面给定的集合和该集合上的二元运算，指出该运算的性质，并求出它的单位元、零元和所有可逆元素的逆元.

（1）$\mathbf{Z}^+$，$\forall x, y \in \mathbf{Z}^+$，$x * y = \mathrm{lcm}(x, y)$，即求 x 和 y 的最小公倍数.

（2）$\mathbf{Q}$，$\forall x, y \in \mathbf{Q}$，$x * y = x + y - xy$

解 （1）$*$ 运算可交换，可结合，是幂等的.

$\forall x \in \mathbf{Z}^+$，$x * 1 = x$，$1 * x = x$，$1$ 为单位元.

不存在零元.

只有 1 有逆元，是它自己，其他正整数无逆元.

（2）$*$ 运算满足交换律，因为 $\forall x, y \in \mathbf{Q}$，有

$$x * y = x + y - xy = y + x - yx = y * x$$

$*$ 运算满足结合律，因为 $\forall x, y, z \in \mathbf{Q}$，有

$$(x * y) * z = (x + y - xy) * z = x + y + z - xy - xz - yz + xyz$$
$$x * (y * z) = x * (y + z - yz) = x + y + z - xy - xz - yz + xyz$$

所以

$$x * (y * z) = x * (y * z)$$

    ∗ 运算不满足幂等律, 因为 $2 \in \mathbf{Q}$, 但

$$2 * 2 = 2 + 2 - 2 \times 2 = 0 \neq 2$$

    ∗ 运算满足消去律, 因为 $\forall x, y, z \in \mathbf{Q}, x \neq 1$ (1 为零元), 有

$$x * y = x * z$$
$$\Rightarrow x + y - xy = x + z - xz$$
$$\Rightarrow (y - z) = x(y - z)$$
$$\Rightarrow y = z \quad (x \neq 1)$$

由于 ∗ 是可交换的, 右消去律显然成立.

    $\forall x \in \mathbf{Q}$, 有

$$x * 0 = x = 0 * x$$

0 是 ∗ 运算的单位元.

    $\forall x \in \mathbf{Q}$, 有

$$x * 1 = 1 = 1 * x$$

1 是 ∗ 运算的零元.

    $\forall x \in \mathbf{Q}$, 欲使 $x * y = 0$ 和 $y * x = 0$ 成立, 即

$$x + y - xy = 0$$

解得

$$y = \frac{x}{x - 1} \quad (x \neq 1)$$

从而有 $x^{-1} = \dfrac{x}{x - 1}$ $(x \neq 1)$.

    例 9.7 设 $A = \{a, b, c\}$, A 上的二元运算 ∗, ∘, · 如表 9.6 所示.

（1）说明 ∗, ∘ 和 · 运算是否满足交换律、结合律、消去律和幂等律.

（2）求出关于 ∗, ∘ 和 · 运算的单位元、零元和所有可逆元素的逆元.

表 9.6

∗	a	b	c
a	a	b	c
b	b	c	a
c	c	a	b

∘	a	b	c
a	a	b	c
b	b	b	b
c	c	b	c

·	a	b	c
a	a	b	c
b	a	b	c
c	a	b	c

    解 ∗ 运算满足交换律、结合律和消去律, 不满足幂等律. 单位元是 a, 没有零元, 且 $a^{-1} = a$, $b^{-1} = c$, $c^{-1} = b$.

    ∘ 运算满足交换律、结合律和幂等律, 不满足消去律. 单位元是 a, 零元是 b. 只有 a 有逆元, $a^{-1} = a$.

    · 运算不满足交换律, 适合结合律和幂等律, 不满足消去律. 没有单位元, 没有零元, 没有可逆元素.

9.2 代 数 系 统

定义 9.12 非空集合 S 和 S 上 k 个一元或二元运算 $f_1, f_2, \cdots, f_k$ 组成的系统称作一个代数系统，简称为代数，记作 $<S, f_1, f_2, \cdots, f_k>$.

例如，$<\mathbf{N}, +>$，$<\mathbf{Z}, +, \cdot>$，$<\mathbf{R}, +, \cdot>$ 都是代数系统，其中 $+$ 和 $\cdot$ 分别表示普通加法和乘法. $<M_n(\mathbf{R}), +, \cdot>$ 是代数系统，其中 $+$ 和 $\cdot$ 分别表示 n 阶 $(n \geq 2)$ 实矩阵的加法和乘法. $<\mathbf{Z}_n, \oplus, \otimes>$ 是代数系统，其中 $\mathbf{Z}_n = \{0, 1, \cdots, n-1\}$，$\oplus$ 和 $\otimes$ 分别表示模 n 加法和模 n 乘法，$\forall x, y \in \mathbf{Z}_n$，

$$x \oplus y = (x+y) \bmod n, \qquad x \otimes y = (xy) \bmod n$$

$<P(S), \cup, \cap, \sim>$ 也是代数系统，其中含有两个二元运算 $\cup$ 和 $\cap$ 以及一个一元运算 $\sim$.

在某些代数系统中存在着一些特定的元素，它们对该系统的一元或二元运算起着重要的作用，如二元运算的单位元和零元. 在定义代数系统时，如果把含有这样的特定元素也作为系统的性质. 例如，规定系统的二元运算必须含有单位元，在这种情况下称这些元素为该代数系统的特异元素或代数常数. 有时为了强调某个代数系统是含有代数常数的系统，也可以把这些代数常数列到系统的表达式中. 例如，$<\mathbf{Z}, +>$ 中的 $+$ 运算有单位元 0，为了强调 0 的存在，将 $<\mathbf{Z}, +>$ 记作 $<\mathbf{Z}, +, 0>$. 又如 $<P(S), \cup, \cap, \sim>$ 中的 $\cup$ 和 $\cap$ 运算存在单位元 $\varnothing$ 和 S，当规定 $\varnothing$ 和 S 是该系统的代数常数时，也可将它记为 $<P(S), \cup, \cap, \sim, \varnothing, S>$. 当然，在不发生混淆的情况下，为了叙述的简便也常用集合的名字来标记代数系统. 例如，上述代数系统可以简记为 $\mathbf{Z}$ 和 $P(S)$.

定义 9.13 如果两个代数系统中运算的个数相同，对应运算的元数相同，且代数常数的个数也相同，则称这两个代数系统具有相同的构成成分，也称它们是同类型的代数系统.

例如

$$V_1 = <\mathbf{R}, +, \cdot, -, 0, 1>$$

$$V_2 = <P(B), \cup, \cap, \sim, \varnothing, B>$$

是同类型的代数系统，它们都含有两个二元运算、一个一元运算和两个代数常数.

同类型的代数系统仅仅是具有相同的构成成分，不一定具有相同的运算性质. 上述的 V_1 和 V_2 是同类型的代数系统，但它们的运算性质却很不一样，如表 9.7 所示.

表 9.7

V_1	V_2
$+$ 和 $\cdot$ 可交换，可结合	$\cup$ 和 $\cap$ 可交换，可结合
$\cdot$ 对 $+$ 可分配	$\cup$ 和 $\cap$ 互相可分配
$+$ 和 $\cdot$ 不满足幂等律	$\cup$ 和 $\cap$ 都满足幂等律
$+$ 和 $\cdot$ 不满足吸收律	$\cup$ 和 $\cap$ 都满足吸收律
$+$ 和 $\cdot$ 都满足消去律	$\cup$ 和 $\cap$ 一般不满足消去律

在规定了一个代数系统的构成成分,即集合、运算以及代数常数以后,如果再对这些运算所遵从的算律加以限制,那么满足这些条件的代数系统就具有完全相同的性质,从而构成了一类特殊的代数系统.例如,代数系统 $V=<S,\circ>$,其中 $\circ$ 是一个可结合的二元运算,就代表了一类特殊的代数系统——半群.许多具体的代数系统,如 $<\mathbf{Z},+>,<\mathbf{R},+>,<M_n(\mathbf{R}),\cdot>,<P(B),\cup>$ 等都是半群.又如代数系统 $V=<S,\circ,*>$,其中 $\circ$ 和 $*$ 是二元运算,并满足交换律、结合律、幂等律和吸收律,那么代表了另一类特殊的代数系统——格.实际中的代数系统 $<\mathbf{Z}^+,\mathrm{lcm},\mathrm{gcd}>,<P(B),\cup,\cap>$ 等都是格.这里的 lcm 和 gcd 分别表示求两个正整数的最小公倍数和最大公约数的运算.从代数系统的构成成分和遵从的算律出发,将代数系统分类,然后研究每一类代数系统的共同性质,并将研究的结果运用到具体的代数系统中去.这种方法就是抽象代数的基本方法,也是代数结构课程的主要内容.在给出了代数系统的一般概念以后,后面将分别就几类重要的代数系统进行更深入的分析.

由已知的代数系统可以通过系统的方法构成新的代数系统,即子代数和积代数.这些代数系统能够保持或者基本上保持原有代数系统的良好性质.

定义 9.14   设 $V=<S,f_1,f_2,\cdots,f_k>$ 是代数系统,$B\subseteq S$,如果 B 对 $f_1,f_2,\cdots,f_k$ 都是封闭的,且 B 和 S 含有相同的代数常数,则称 $<B,f_1,f_2,\cdots,f_k>$ 是 V 的子代数系统,简称为子代数.有时将子代数系统简记为 B.

例如,$\mathbf{N}$ 是 $<\mathbf{Z},+>$ 的子代数,因为 $\mathbf{N}$ 对加法运算 $+$ 是封闭的.$\mathbf{N}$ 也是 $<\mathbf{Z},+,0>$ 的子代数,因为 $\mathbf{N}$ 对加法运算 $+$ 封闭,且 $\mathbf{N}$ 中含有代数常数 0.$\mathbf{N}-\{0\}$ 是 $<\mathbf{Z},+>$ 的子代数,但不是 $<\mathbf{Z},+,0>$ 的子代数,因为 $<\mathbf{Z},+,0>$ 的代数常数 $0\notin\mathbf{N}-\{0\}$.

从子代数定义不难看出,子代数和原代数不仅具有相同的构成成分,是同类型的代数系统,而且对应的二元运算都具有相同的运算性质.因为任何二元运算的性质如果在原代数上成立,那么在它的子集上显然也是成立的.从这个意义上讲,子代数在许多方面与原代数非常相似,不过可能只是小一些.

对于任何代数系统 $V=<S,f_1,f_2,\cdots,f_k>$,其子代数一定存在.最大的子代数就是 V 本身.如果令 V 中所有代数常数构成的集合为 B,且 B 对 V 中所有的运算都是封闭的,则 B 构成了 V 的最小的子代数.这种最大和最小的子代数称为 V 的平凡的子代数.若 B 是 S 的真子集,则 B 构成的子代数称为 V 的真子代数.

例 9.8   设 $V=<\mathbf{Z},+,0>$,令

$$n\mathbf{Z}=\{nz\mid z\in\mathbf{Z}\},\quad n\text{ 为自然数}$$

则 $n\mathbf{Z}$ 是 V 的子代数.

证   任取 $n\mathbf{Z}$ 中的两个元素 $nz_1,nz_2(z_1,z_2\in\mathbf{Z})$,则有

$$nz_1+nz_2=n(z_1+z_2)\in n\mathbf{Z}$$

即 $n\mathbf{Z}$ 对 $+$ 运算是封闭的.又

$$0=n\cdot 0\in n\mathbf{Z}$$

所以,$n\mathbf{Z}$ 是 V 的子代数.

当 $n=1$ 和 $n=0$ 时, $n\mathbf{Z}$ 是 V 的平凡的子代数,其他都是 V 的非平凡的真子代数.

定义 9.15　设 $V_1=\langle A,\circ\rangle$ 和 $V_2=\langle B,*\rangle$ 是同类型的代数系统, $\circ$ 和 $*$ 为二元运算,在集合 $A\times B$ 上定义二元运算 $\cdot$ 如下.

$$\forall \langle a_1,b_1\rangle, \langle a_2,b_2\rangle \in A\times B$$

有

$$\langle a_1,b_1\rangle \cdot \langle a_2,b_2\rangle = \langle a_1\circ a_2, b_1*b_2\rangle$$

称 $V=\langle A\times B,\cdot\rangle$ 为 V_1 与 V_2 的积代数,记作 $V_1\times V_2$. 这时也称 V_1 和 V_2 为 V 的因子代数.

例 9.9　设 V_1 和 V_2 分别为模 3 加法和模 2 加法的代数系统,给出 $V_1\times V_2$ 的运算表,并说明它的运算是否满足交换律与结合律,是否具有单位元.

解　运算表如表 9.8 所示.

表 9.8

$\oplus$	$\langle0,0\rangle$	$\langle0,1\rangle$	$\langle1,0\rangle$	$\langle1,1\rangle$	$\langle2,0\rangle$	$\langle2,1\rangle$
$\langle0,0\rangle$	$\langle0,0\rangle$	$\langle0,1\rangle$	$\langle1,0\rangle$	$\langle1,1\rangle$	$\langle2,0\rangle$	$\langle2,1\rangle$
$\langle0,1\rangle$	$\langle0,1\rangle$	$\langle0,0\rangle$	$\langle1,1\rangle$	$\langle1,0\rangle$	$\langle2,1\rangle$	$\langle2,0\rangle$
$\langle1,0\rangle$	$\langle1,0\rangle$	$\langle1,1\rangle$	$\langle2,0\rangle$	$\langle2,1\rangle$	$\langle0,0\rangle$	$\langle0,1\rangle$
$\langle1,1\rangle$	$\langle1,1\rangle$	$\langle1,0\rangle$	$\langle2,1\rangle$	$\langle2,0\rangle$	$\langle0,1\rangle$	$\langle0,0\rangle$
$\langle2,0\rangle$	$\langle2,0\rangle$	$\langle2,1\rangle$	$\langle0,0\rangle$	$\langle0,1\rangle$	$\langle1,0\rangle$	$\langle1,1\rangle$
$\langle2,1\rangle$	$\langle2,1\rangle$	$\langle2,0\rangle$	$\langle0,1\rangle$	$\langle0,0\rangle$	$\langle1,1\rangle$	$\langle1,0\rangle$

$V_1\times V_2$ 中的 $\oplus$ 运算满足交换律、结合律,单位元是 $\langle0,0\rangle$.

易见积代数与它的因子代数是同类型的代数系统,可以证明积代数能够保持因子代数中的许多良好的性质.

定理 9.5　设 $V_1=\langle A,\circ\rangle$ 和 $V_2=\langle B,*\rangle$ 是同类型的代数系统, $V_1\times V_2=\langle A\times B,\cdot\rangle$ 是它们的积代数.

(1) 如果 $\circ$ 和 $*$ 运算是可交换(可结合、幂等)的,那么 $\cdot$ 运算也是可交换(可结合、幂等)的;

(2) 如果 e_1 和 e_2 (θ_1 和 θ_2)分别为 $\circ$ 和 $*$ 运算的单位元(零元),那么 $\langle e_1,e_2\rangle$ ($\langle\theta_1,\theta_2\rangle$)也是 $\cdot$ 运算的单位元(零元);

(3) 如果 x 和 y 分别为 $\circ$ 和 $*$ 运算的可逆元素,那么 $\langle x,y\rangle$ 也是 $\cdot$ 运算的可逆元素,其逆元就是 $\langle x^{-1},y^{-1}\rangle$.

证　这里只证明(1)中的结合律,(2)中的单位元,其他性质的证明留作练习.

(1) 任取 $\langle a_1,b_1\rangle, \langle a_2,b_2\rangle, \langle a_3,b_3\rangle \in V_1\times V_2$,

$(\langle a_1,b_1\rangle \cdot \langle a_2,b_2\rangle)\cdot \langle a_3,b_3\rangle = \langle a_1\circ a_2, b_1*b_2\rangle \cdot \langle a_3,b_3\rangle$

$= \langle (a_1\circ a_2)\circ a_3, (b_1*b_2)*b_3\rangle$

$= \langle a_1\circ(a_2\circ a_3), b_1*(b_2*b_3)\rangle$　　　　　(因为 $\circ$ 和 $*$ 运算都满足结合律)

$$= <a_1,b_1> \cdot <a_2 \circ a_3,b_2 * b_3> = <a_1,b_1> \cdot (<a_2,b_2> \cdot <a_3,b_3>)$$

（2）任取$<a,b> \in V_1 \times V_2$,

$$<a,b> \cdot <e_1,e_2> = <a \circ e_1,b * e_2> = <a,b>$$

$$<e_1,e_2> \cdot <a,b> = <e_1 \circ a,e_2 * b> = <a,b>$$

因此$<e_1,e_2>$是关于·运算的单位元.

积代数的定义可以推广到具有多个运算的同类型的代数系统. 在具有两个不同二元运算的情况下,使用与定理 9.5 中类似的方法不难证明:积代数也保留因子代数中的分配律和吸收律等性质. 但是消去律是一个例外. 请看下面的例子.

例 9.10   设$\mathbf{Z}_n = \{0,1,\cdots,n-1\}$,其中 n 是正整数,$V_1 = <\mathbf{Z}_4,\otimes_4>$,$V_2 = <\mathbf{Z}_3,\otimes_3>$分别表示模 4 乘法和模 3 乘法的代数系统. 那么 V_1 和 V_2 中的运算都满足消去律. 考虑积代数$<V_1 \times V_2,\otimes>$,这里的$\otimes$运算不满足消去律. 因为在 $V_1 \times V_2$ 中有

$$<2,0> \otimes <0,2> = <0,0> = <2,0> \otimes <0,0>$$

$<2,0>$不是零元,在上式中用消去律将它消去,就得到$<0,2> = <0,0>$,显然这是错误的.

9.3   代数系统的同态与同构

实践中存在着很多不同的代数系统,有些系统是同类型的,有些不但是同类型的,而且具有共同的运算性质,因此是同种的. 在同种的代数系统中,有些系统在结构上更为相似,甚至完全一样. 例如,代数系统 $V_1 = <\mathbf{Z}_3,\oplus_3>$,$V_2 = <A,\oplus_6>$,其中 $\mathbf{Z}_3 = \{0,1,2\}$,$A = \{0,2,4\}$,$\oplus_3$ 和 $\oplus_6$ 分别表示模 3 加法和模 6 加法. 这两个代数系统的运算表如表 9.9 和表 9.10 所示.

表 9.9

$\oplus_3$	0	1	2
0	0	1	2
1	1	2	0
2	2	0	1

表 9.10

$\oplus_6$	0	2	4
0	0	2	4
2	2	4	0
4	4	0	2

把表 9.9 中的 1 和 2 分别替换成 2 和 4,就可以得到表 9.10. 这个替换可以表示成函数:

$$f = \{<0,0>,<1,2>,<2,4>\}$$

在双射函数 f 的作用下,代数系统 V_1 转换成了 V_2. 它们是同构的,都是抽象代数系统$\{a,b,c\}$的实例.

定义 9.16   设 $V_1 = <A,\circ>$和 $V_2 = <B,*>$是同类型的代数系统,$f:A \to B$,且 $\forall x,y \in A$ 有

$$f(x \circ y) = f(x) * f(y)$$

则称 f 是 V_1 到 V_2 的同态映射,简称为同态.

根据同态映射的性质可以将同态分为单同态、满同态和同构,即:f 如果是单射的,则称作单同态;如果是满射的,则称作满同态,这时称 V_2 是 V_1 的同态像,记作 $V_1 \sim V_2$;如果是双射的,则称作同构,也称代数系统 V_1 同构于 V_2,记作 $V_1 \cong V_2$.

如果同态映射 f 是 V 到 V 的,则称 f 为自同态. 类似地,可以定义单自同态、满自同态和自同构.

设 f 是 $V_1 = <A, \circ>$ 到 $V_2 <B, *>$ 的同态映射,f 具有许多良好的性质. 首先,如果 $\circ$ 运算具有交换律、结合律、幂等律等,那么在同态像 $f(V_1)$ 中,$*$ 运算也具有相同的算律(注意,消去律可能有例外). 此外,同态映射 f 恰好把 V_1 的单位元 e_1 映射到 V_2 的单位元 e_2,即 $f(e_1) = e_2$. 同样对于零元和可逆元也有

$$f(\theta_1) = \theta_2, \quad f(x^{-1}) = f(x)^{-1}$$

上述关于同态映射的定义可以推广到具有有限多个运算的代数系统. 例如,对于具有两个二元运算的代数系统 $V_1 = <A, \circ_1, \circ_2>$ 和 $V_2 = <B, *_1, *_2>$,$f: A \to B$,如果 $\forall x, y \in A$,有

$$f(x \circ_1 y) = f(x) *_1 f(y) \text{ 和 } f(x \circ_2 y) = f(x) *_2 f(y)$$

那么 f 是 V_1 到 V_2 的同态映射.

例 9.11　(1) 设代数系统 $V_1 = <\mathbf{Z}, +>$,$V_2 = <\mathbf{Z}_n, \oplus>$. 其中 $\mathbf{Z}$ 为整数集合,$+$ 为普通加法;$\mathbf{Z}_n = \{0, 1, \cdots, n-1\}$,$\oplus$ 为模 n 加法. 令

$$f: \mathbf{Z} \to \mathbf{Z}_n, f(x) = (x) \bmod n$$

那么 f 是 V_1 到 V_2 的满同态. 显然 f 是满射的,且 $\forall x, y \in \mathbf{Z}$ 有

$$f(x+y) = (x+y) \bmod n = (x) \bmod n \oplus (y) \bmod n = f(x) \oplus f(y)$$

(2) 设 $V_1 = <\mathbf{R}, +>$,$V_2 = <\mathbf{R}^*, \cdot>$,其中 $\mathbf{R}$ 和 $\mathbf{R}^*$ 分别为实数集与非零实数集,$+$ 和 $\cdot$ 分别表示普通加法与乘法. 令

$$f: \mathbf{R} \to \mathbf{R}^*, f(x) = e^x$$

则 f 是 V_1 到 V_2 的单同态,易见 f 是单射的,且 $\forall x, y \in \mathbf{R}$ 有

$$f(x+y) = e^{x+y} = e^x \cdot e^y = f(x) \cdot f(y)$$

(3) 设 $V = <\mathbf{Z}, +>$,其中 $\mathbf{Z}$ 为整数集,$+$ 为普通加法. $\forall a \in \mathbf{Z}$,令

$$f_a: \mathbf{Z} \to \mathbf{Z}, f_a(x) = ax$$

那么 f_a 是 V 的自同态. 因为 $\forall x, y \in \mathbf{Z}$,有

$$f_a(x+y) = a(x+y) = ax + ay = f_a(x) + f_a(y)$$

当 $a = 0$ 时称 f_0 为零同态;当 $a = \pm 1$ 时,称 f_a 为自同构;除此之外,其他的 f_a 都是单自同态.

例 9.12　设 $V = <\mathbf{Z}_n, \oplus>$,其中 $\mathbf{Z}_n = \{0, 1, \cdots, n-1\}$,$\oplus$ 为模 n 加法. 证明恰含有 n 个 V 的自同态.

证　先证存在着 n 个 V 的自同态. 令

$$f_p: \mathbf{Z}_n \to \mathbf{Z}_n, \quad f_p(x) = (px) \bmod n, p = 0, 1, \cdots, n-1$$

则 f_p 是 V 的自同态,因为 $\forall x, y \in \mathbf{Z}_n$ 有

$$f_p(x \oplus y) = (p(x \oplus y)) \bmod n$$
$$= (px) \bmod n \oplus (py) \bmod n = f_p(x) \oplus f_p(y)$$

由于 p 有 n 种取值，不同的 p 确定了不同的映射 f_p，所以存在 n 个 V 的自同态.

下面证明任何 V 的自同态都是上述 n 个自同态中的一个. 设 f 是 V 的自同态，且 $f(1)=i$，$i \in \{0,\cdots,n-1\}$. 下面证明 $\forall x \in \mathbf{Z}_n$，有 $f(x)=(ix) \bmod n$.

显然 $f(1)=i=(i \cdot 1) \bmod n$. 假设对 $x \in \{1,2,\cdots,n-2\}$ 有 $f(x)=(ix) \bmod n$ 成立，那么
$$f(x+1)=f(x \oplus 1)=f(x) \oplus f(1)$$
$$=(ix) \bmod n \oplus i = (ix+i) \bmod n$$
$$=(i(x+1)) \bmod n$$

从而 $\forall x \in \{1,2,\cdots,n-1\}$，有 $f(x)=(ix) \bmod n$.

最后有
$$f(0)=f((n-1) \oplus 1)=f(n-1) \oplus f(1)$$
$$=(i(n-1)) \bmod n \oplus i = (in) \bmod n$$
$$=0$$
$$=(i \cdot 0) \bmod n$$

下面介绍代数系统在计算机科学中的一个重要的研究领域——进程代数（process algebra）.

例 9.13 一个进程代数的描述实例.

利用进程代数可以对使用通信实现交互的并发系统建模，20 世纪 80 年代发展起来的通信系统演算（calculus of communicating systems，CCS）便是这方面的典型代表. 下面是一个自动售货机的例子. 简单起见，这里假设该售货机只为顾客提供咖啡和茶. 系统中的进程由动作 coin，coffee 和 tea 构成. 为了更好地描述交互，通常将动作细分为互补的输入和输出动作. 例如，如果 coin，coffee 和 tea 分别表示"接收硬币""取走咖啡"和"取走茶"，那么对应的输出动作 $\overline{\text{coin}}$，$\overline{\text{coffee}}$ 和 $\overline{\text{tea}}$ 将分别表示"投入硬币""提供咖啡"和"提供茶". 除了输入和输出动作外，还有一个特别的动作，即外部不可见的动作，笼统地用 τ 表示. 这些动作构成基本进程. 自动售货机 M 的进程可以定义为 !coin.(coffee+tea)，购买咖啡的顾客 C 的进程可以定义为 !$\overline{\text{coin}}$. $\overline{\text{coffee}}$，这里符号"!"表示其后的进程可以重复执行，符号"+"表示在该符号前后两个进程中选择一个执行.

自动售货机 M 与顾客 C 的交互可以用下面的进程描述.

$$M \mid C = !coin.(coffee+tea) \mid !\overline{\text{coin}}. \overline{\text{coffee}}$$

该进程在顾客投入硬币、自动售货机接收硬币后，转化为进程

$$(coffee+tea) \mid !coin.(coffee+tea) \mid \overline{\text{coffee}} \mid !\overline{\text{coin}}. \overline{\text{coffee}}$$

进而，在自动售货机提供咖啡、顾客取走咖啡后，系统还原为进程 M|C. 另外，也可以在 M|C 外加上约束（new coin,coffee,tea），即（new coin,coffee,tea）(M|C)，该约束限定 coin,coffee,tea 等动作只能在系统 M|C 内部发生.

利用这些算子,加上表示空进程的零元算子 0,可以构造出 CCS 的所有进程. 进程集合 A 和给定的 A 上的算子构成了代数系统——CCS. 更明确地,CCS 中有 6 个算子:$0, ., +, |, (\text{new } \tilde{a})$ 和 !,具体说明如下.

$0: \rightarrow A$,称作空进程,表示进程终止.

$. : A \times A \rightarrow A$,称作顺序,运算结果得到的 $a.b$ 是个组合进程,a 后面顺序执行 b.

$+ : A \times A \rightarrow A$,称作选择,$a+b$ 表示在 a 与 b 中选择一个进程来执行,同时放弃另外一个.

$| : A \times A \rightarrow A$,称作并行,$a|b$ 是把 a 与 b 的并行执行看成一个新进程,当一个分支有输出动作,另外一个分支有同名的输入动作时,两个分支可以通信.

$(\text{new } \tilde{a}): A \rightarrow A$,称作限制,表示动作集合 $\tilde{a}$ 里的动作不能与外界交互.

$! : A \rightarrow A$,称作重复,表示可以不断执行.

所有进程及算子构成进程代数 $<A, 0, ., +, |, (\text{new } \tilde{a}), ! >$,其中的算子都是 A 上的部分函数,即这些运算只在 A 的某个子集上有定义. 为使得表达式更为简洁,上述算子的优先级规定如下.

$$. > | > +, \quad ! > | > +, \quad (\text{new } \tilde{a}) > | > +$$

设 x, y, z 是 CCS 中的任意进程,可以证明进程代数 CCS 的一些主要算律.

选择运算满足交换律和结合律,即 $x+y=y+x, (x+y)+z=x+(y+z)$.

并行运算满足交换律和结合律,即 $x|y=y|x, (x|y)|z=x|(y|z)$.

0 是 $+$ 和 $|$ 运算的单位元,即 $\tilde{a}$.

$$0+x=x, \quad x+0=x, \quad x|0=x, \quad 0|x=x$$

利用进程代数可以分析通信并发系统的性质,也可以通过互模拟来研究系统之间行为的等价性,从而在保证系统性能的前提下进一步简化系统,实现预定的设计目标.

习 题 9

1. 给出下列运算的运算表.

(1) $A=\{1, 2, 1/2\}$,$\forall x \in A$,$\circ x$ 是 x 的倒数,即 $\circ x=1/x$;

(2) $A=\{1, 2, 3, 4\}$,$\forall x, y \in A$,有 $x \circ y=\max(x, y)$,$\max(x, y)$ 是 x 和 y 之中较大的数.

2. 设 $A=\{0, 1\}$,$S=A^A$,

(1) 试列出 S 中的所有函数.

(2) 给出 S 上合成运算的运算表.

3. 设 $A=\{a, b, c\}$,$a, b, c \in \mathbf{R}$,能否确定 a, b, c 的值使得

(1) A 对普通乘法封闭.

(2) A 对普通加法封闭.

4. 判断下列集合对所给的二元运算是否封闭.

(1) 整数集 $\mathbf{Z}$ 和普通的减法运算.

(2) 非零整数集 $\mathbf{Z}^*$ 和普通的除法运算.

（3）全体 $n×n$ 实矩阵集合 $M_n(\mathbf{R})$ 和矩阵加法及乘法运算，其中 $n\geqslant 2$.

（4）全体 $n×n$ 实可逆矩阵集合关于矩阵加法和乘法运算，其中 $n\geqslant 2$.

（5）正实数集 $\mathbf{R}^+$ 和∘运算，其中∘运算定义为

$$\forall a,b\in \mathbf{R}^+, a\circ b=ab-a-b$$

（6）$n\in \mathbf{Z}^+, n\mathbf{Z}=\{nz\mid z\in \mathbf{Z}\}, n\mathbf{Z}$ 关于普通的加法和乘法运算.

（7）$A=\{a_1,a_2,\cdots,a_n\}, n\geqslant 2$. ∘运算定义如下.

$$\forall a,b\in A, a\circ b=b$$

（8）$S=\{2x-1\mid x\in \mathbf{Z}^+\}$ 关于普通的加法和乘法运算.

（9）$S=\{0,1\}, S$ 关于普通的加法和乘法运算.

（10）$S=\{x\mid x=2^n, n\in \mathbf{Z}^+\}, S$ 关于普通的加法和乘法运算.

5. 对于第 4 题中封闭的二元运算判断是否满足交换律、结合律和分配律.

6. 对于第 4 题中封闭的二元运算找出它的单位元、零元和所有可逆元素的逆元.

7. 设 $*$ 为 $\mathbf{Z}^+$ 上的二元运算，$\forall x,y\in \mathbf{Z}^+$,

$$x*y=\min(x,y),\text{即 } x \text{ 和 } y \text{ 之中较小的数.}$$

（1）求 $4*6, 7*3$.

（2）$*$ 在 $\mathbf{Z}^+$ 上是否满足交换律、结合律和幂等律？

（3）求 $*$ 运算的单位元、零元及 $\mathbf{Z}^+$ 中所有可逆元素的逆元.

8. $S=\mathbf{Q}×\mathbf{Q},\mathbf{Q}$ 为有理数集，$*$ 为 S 上的二元运算，$\forall <a,b>,<x,y>\in S$ 有

$$<a,b>*<x,y>=<ax,ay+b>$$

（1）$*$ 运算在 S 上是否可换、可结合？是否为幂等的？

（2）$*$ 运算是否有单位元、零元？如果有，请指出，并求 S 中所有可逆元素的逆元.

9. $\mathbf{R}$ 为实数集，定义以下 6 个函数 $f_1,f_2,\cdots,f_6$. $\forall x,y\in \mathbf{R}$ 有

$$f_1(<x,y>)=x+y,\quad f_2(<x,y>)=x-y$$
$$f_3(<x,y>)=x\cdot y,\quad f_4(<x,y>)=\max(x,y)$$
$$f_5(<x,y>)=\min(x,y),\quad f_6(<x,y>)=|x-y|$$

（1）指出哪些函数是 $\mathbf{R}$ 上的二元运算；

（2）对所有 $\mathbf{R}$ 上的二元运算说明是否为可交换、可结合、幂等的；

（3）求所有 $\mathbf{R}$ 上二元运算的单位元、零元以及每一个可逆元素的逆元.

10. 令 $S=\{a,b\}, S$ 上有 4 个二元运算：$*,\circ,\cdot$ 和 $\square$，分别由表 9.11 确定.

表 9.11

$*$	a	b
a	a	a
b	a	a

$\circ$	a	b
a	a	b
b	b	a

$\cdot$	a	b
a	b	a
b	a	a

$\square$	a	b
a	a	b
b	a	b

（1）这 4 个运算中哪些运算满足交换律、结合律、幂等律？

（2）求每个运算的单位元、零元及所有可逆元素的逆元.

11. 设 $S=\{1,2,\cdots,10\}$，问下面定义的运算能否与 S 构成代数系统 $<S,*>$. 如果能构成代数系统则说明 $*$

运算是否满足交换律、结合律,并求 * 运算的单位元和零元.

(1) $x*y=\gcd(x,y)$,$\gcd(x,y)$是 x 与 y 的最大公约数;

(2) $x*y=\mathrm{lcm}(x,y)$,$\mathrm{lcm}(x,y)$是 x 与 y 的最小公倍数;

(3) $x*y=$大于等于 x 和 y 的最小整数;

(4) $x*y=$质数 p 的个数,其中 $x\leqslant p\leqslant y$.

12. 设 $S=\{f\mid f$ 是 $[a,b]$ 上的连续函数$\}$,其中 $a,b\in\mathbf{R}$,$a<b$,问 S 关于下列每个运算是否构成代数系统. 如果能构成代数系统,说明该运算是否满足交换律和结合律,并求出单位元和零元.

(1) 函数加法,即$(f+g)(x)=f(x)+g(x)$,$\forall x\in[a,b]$;

(2) 函数减法,即$(f-g)(x)=f(x)-g(x)$,$\forall x\in[a,b]$;

(3) 函数乘法,即$(f\cdot g)(x)=f(x)\cdot g(x)$,$\forall x\in[a,b]$;

(4) 函数除法,即$(f/g)(x)=f(x)/g(x)$,$\forall x\in[a,b]$.

13. 设 $A=\{a,b\}$,试给出 A 上一个不可交换、也不可结合的二元运算.

14. 下列集合都是 $\mathbf{N}$ 的子集,它们能否构成代数系统 $V=<\mathbf{N},+>$的子代数?

(1) $\{x\mid x\in\mathbf{N}\wedge x$ 的某次幂可以被 16 整除$\}$;

(2) $\{x\mid x\in\mathbf{N}\wedge x$ 与 5 互素$\}$;

(3) $\{x\mid x\in\mathbf{N}\wedge x$ 是 30 的因子$\}$;

(4) $\{x\mid x\in\mathbf{N}\wedge x$ 是 30 的倍数$\}$.

15. 设 $V=<\mathbf{Z},+,\cdot>$,其中 $+$ 和 $\cdot$ 分别代表普通加法和乘法,对下列给定的每个集合确定它是否构成 V 的子代数,为什么?

(1) $S_1=\{2n\mid n\in\mathbf{Z}\}$;

(2) $S_2=\{2n+1\mid n\in\mathbf{Z}\}$;

(3) $S_3=\{-1,0,1\}$.

16. 设 $V_1=<\{1,2,3\},\circ,1>$,其中 $x\circ y$ 表示取 x 和 y 之中较大的数. $V_2=<\{5,6\},*,6>$,其中 $x*y$ 表示取 x 和 y 之中较小的数. 求出 V_1 和 V_2 的所有子代数. 指出哪些是平凡的子代数,哪些是真子代数.

17. $V=<\mathbf{R}^*,\cdot>$,其中 $\mathbf{R}^*$ 为非零实数集,$\cdot$ 为普通乘法,判断下面的哪些函数是 V 的自同态,是否为单自同态、满自同态和自同构. 计算 V 的同态像.

(1) $f(x)=|x|$; 　(2) $f(x)=2x$; 　(3) $f(x)=x^2$; 　(4) $f(x)=1/x$; 　(5) $f(x)=-x$;(6) $f(x)=x+1$.

18. $V_1=<\mathbf{Z},+,\cdot>$,$V_2=<\mathbf{Z}_n,\oplus,\otimes>$,其中 $\mathbf{Z}$ 为整数集,$+$、$\cdot$ 分别为普通加法与乘法,$\mathbf{Z}_n=\{0,1,\cdots,n-1\}$,$\oplus$ 与 $\otimes$ 分别为模 n 加法和模 n 乘法. 令 $f:\mathbf{Z}\to\mathbf{Z}_n$,$f(x)=(x)\bmod n$. 证明 f 为 V_1 到 V_2 的满同态映射.

19. 设 $V_1=<A,\circ>$,$V_2=<B,*>$为同类型代数系统,$V_1\times V_2$ 是积代数,定义函数 $f:A\times B\to A$,$f(<x,y>)=x$,证明 f 是 $V_1\times V_2$ 到 V_1 的同态映射.

第10章
群 与 环

10.1 群的定义及性质

半群与群都是具有一个二元运算的代数系统.

定义 10.1

(1) 设 $V = <S, \circ>$ 是代数系统, $\circ$ 为二元运算, 如果 $\circ$ 是可结合的, 则称 V 为半群.

(2) 设 $V = <S, \circ>$ 是半群, 若 $e \in S$ 是关于 $\circ$ 运算的单位元, 则称 V 是幺半群, 也称作独异点. 有时也将独异点 V 记作 $V = <S, \circ, e>$.

(3) 设 $V = <S, \circ>$ 是独异点, $e \in S$ 是关于 $\circ$ 运算的单位元, 若 $\forall a \in S$, 有 $a^{-1} \in S$, 则称 V 是群. 通常将群记作 G.

例 10.1 (1) $<\mathbf{Z}^+, +>, <\mathbf{N}, +>, <\mathbf{Z}, +>, <\mathbf{Q}, +>, <\mathbf{R}, +>, <\mathbf{C}, +>$ 都是半群, $+$ 是普通加法. 这些半群中除 $<\mathbf{Z}^+, +>$ 外都是独异点, 其中 $<\mathbf{Z}, +>, <\mathbf{Q}, +>, <\mathbf{R}, +>, <\mathbf{C}, +>$ 都是群, 分别称作整数加群、有理数加群、实数加群和复数加群.

(2) 设 n 是大于 1 的正整数, $<M_n(\mathbf{R}), +>$ 和 $<M_n(\mathbf{R}), \cdot>$ 都是半群, 也都是独异点, $<M_n(\mathbf{R}), +>$ 也是群. 这里的 $+$ 和 $\cdot$ 分别表示矩阵加法和矩阵乘法. $<M_n(\mathbf{R}), \cdot>$ 不是群, 因为不是每个 n 阶矩阵都有乘法逆元.

(3) $<P(B), \oplus>$ 是半群, 也是独异点和群, 其中 $\oplus$ 为集合的对称差运算.

(4) $<\mathbf{Z}_n, \oplus>$ 是半群, 也是独异点和群, 其中 $\mathbf{Z}_n = \{0, 1, \cdots, n-1\}$, $\oplus$ 为模 n 加法.

（5）$<A^A,\circ>$为半群，也是独异点，其中$\circ$为函数的复合运算．因为只有双射函数才有反函数，请读者思考：当 A 是什么集合时，它能构成群？

（6）$<\mathbf{R}^*,\circ>$为半群，其中 $\mathbf{R}^*$ 为非零实数集，$\circ$运算定义如下．

$$\forall x,y\in\mathbf{R}^*,x\circ y=y$$

这个系统不构成独异点和群，因为它没有单位元．

在半群、独异点和群中，由于只有一个二元运算，在不发生混淆的情况下，经常将算符省去．例如，将 $x\circ y$ 写作 xy．在下面的讨论中将采用这种简略表示．

例 10.2 设 $G=\{e,a,b,c\}$，G 上的运算由表 10.1 给出，不难验证 G 是一个群．由表 10.1 可以看出 G 的运算具有以下的特点：e 为 G 中的单位元；G 中的运算是可交换的；每个元素的逆元就是它自己；在 a,b,c 三个元素中，任何两个元素运算的结果都等于另一个元素．称这个群为 Klein 四元群，简称为四元群．

表 10.1

	e	a	b	c
e	e	a	b	c
a	a	e	c	b
b	b	c	e	a
c	c	b	a	e

例 10.3 设 Σ 是有穷字母表，$\forall k\in\mathbf{N}$，定义下述集合：

$$\Sigma_k=\{a_1a_2\cdots a_k\mid a_i\in\Sigma\}$$

是 Σ 上所有长度为 k 的串的集合．当 $k=0$ 时，$\Sigma_0=\{\lambda\}$，λ 表示空串．令 $\Sigma^*=\bigcup\limits_{i=0}^{\infty}\Sigma_i$ 表示 Σ 上所有有限长度的串的集合，$\Sigma^+=\Sigma^*-\{\lambda\}$ 则表示 Σ 上所有长度至少为 1 的有限串的集合．在 Σ^* 上可以定义串的连接运算，$\forall \omega_1,\omega_2\in\Sigma^*$，$\omega_1=a_1a_2\cdots a_m$，$\omega_2=b_1b_2\cdots b_n$，有

$$\omega_1\omega_2=a_1a_2\cdots a_mb_1b_2\cdots b_n$$

显然 Σ^* 关于连接运算构成一个独异点，称作 Σ 上的字代数．Σ 上的语言 L（这里的语言指形式语言，不是一般的自然语言）就是 Σ^* 的一个子集．

例 10.4 某二进制码的码字 $x=x_1x_2\cdots x_7$ 由 7 位构成，其中 x_1,x_2,x_3 和 x_4 为数据位，x_5,x_6 和 x_7 为校验位，并且满足：

$$x_5=x_1\oplus x_2\oplus x_3,\quad x_6=x_1\oplus x_2\oplus x_4,\quad x_7=x_1\oplus x_3\oplus x_4$$

这里的 $\oplus$ 是模 2 加法．设 G 为所有码字构成的集合，在 G 上定义二元运算如下．

$$\forall x,y\in G,x\circ y=z_1z_2\cdots z_7,z_i=x_i\oplus y_i,i=1,2,\cdots,7$$

证明$<G,\circ>$构成群．

证 任取 $x=x_1x_2\cdots x_7$，$y=y_1y_2\cdots y_7$，$x\circ y=z_1z_2\cdots z_7$．首先验证 $z_5=z_1\oplus z_2\oplus z_3$．

$$z_1 \oplus z_2 \oplus z_3 = (x_1 \oplus y_1) \oplus (x_2 \oplus y_2) \oplus (x_3 \oplus y_3)$$
$$= (x_1 \oplus x_2 \oplus x_3) \oplus (y_1 \oplus y_2 \oplus y_3) = x_5 \oplus y_5 = z_5$$

同理可证 $z_6 = z_1 \oplus z_2 \oplus z_4$ 和 $z_7 = z_1 \oplus z_3 \oplus z_4$. 于是 $x \circ y = z \in G$, 从而证明了封闭性.

任取 $x, y, z \in G$, 令 $(x \circ y) \circ z = a_1 a_2 \cdots a_7$, $x \circ (y \circ z) = b_1 b_2 \cdots b_7$. 下面证明 $a_i = b_i, i = 1, 2, \cdots, 7$. 由于 $\oplus$ 运算满足结合律, 因此有

$$a_i = (x_i \oplus y_i) \oplus z_i = x_i \oplus (y_i \oplus z_i) = b_i$$

从而证明了 G 中满足结合律. 易见单位元为 0000000, $\forall x \in G, x^{-1} = x$. 综合上述, G 构成群.

下面集中考虑群的一些重要的性质. 为此需要引入一些群论中常用的概念或术语.

定义 10.2

（1）若群 G 是有穷集, 则称 G 是有限群, 否则称作无限群. 群 G 的基数称为群 G 的阶.

（2）只含单位元的群称作平凡群.

（3）若群 G 中的二元运算是可交换的, 则称 G 为交换群或阿贝尔（Abel）群.

例如, $<\mathbf{Z}, +>$ 和 $<\mathbf{R}, +>$ 是无限群, $<\mathbf{Z}_n, \oplus>$ 是有限群, 也是 n 阶群. Klein 四元群是 4 阶群. $<\{0\}, +>$ 是平凡群. 上述所有的群都是交换群, 但 n 阶 $(n \geq 2)$ 实可逆矩阵的集合（是 $M_n(\mathbf{R})$ 的真子集）关于矩阵乘法构成的群是非交换群, 因为矩阵乘法不满足交换律.

定义 10.3   设 G 是群, $a \in G, n \in \mathbf{Z}$, 则 a 的 n 次幂

$$a^n = \begin{cases} e, & n = 0 \\ a^{n-1} a, & n > 0 \\ (a^{-1})^m, & n < 0, n = -m \end{cases}$$

元素的幂可以推广到半群和独异点. 但是幂指数 n 在半群中只能取正整数, 在独异点中只能取自然数, 只有在群中可以取负整数. 例如, 在 $<\mathbf{Z}_3, \oplus>$ 中有

$$2^{-3} = (2^{-1})^3 = 1^3 = 1 \oplus 1 \oplus 1 = 0$$

而在 $<\mathbf{Z}, +>$ 中有

$$3^{-5} = (3^{-1})^5 = (-3)^5 = (-3) + (-3) + (-3) + (-3) + (-3) = -15$$

定义 10.4   设 G 是群, $a \in G$, 使得等式 $a^k = e$ 成立的最小正整数 k 称为 a 的阶（或者周期）, 记作 $|a| = k$, 这时也称 a 为 k 阶元. 若不存在这样的正整数 k, 则称 a 为无限阶元.

例如, $<\mathbf{Z}_6, \oplus>$ 中, 2 和 4 是 3 阶元, 3 是 2 阶元, 而 1 和 5 是 6 阶元, 0 是 1 阶元, 而在 $<\mathbf{Z}, +>$ 中, 0 是 1 阶元, 其他的整数都是无限阶元. 在 Klein 四元群中 e 为 1 阶元, 其他元素都是 2 阶元.

下面的定理给出了群的一些重要性质.

定理 10.1   设 G 为群, 则 G 中的幂运算满足:

（1）$\forall a \in G, (a^{-1})^{-1} = a$.

（2）$\forall a, b \in G, (ab)^{-1} = b^{-1} a^{-1}$.

（3）$\forall a \in G, a^n a^m = a^{n+m}, n, m \in \mathbf{Z}$.

（4）$\forall a \in G, (a^n)^m = a^{nm}, n, m \in \mathbf{Z}$.

（5）若 G 为交换群,则 $(ab)^n = a^n b^n$.

证　只证（1）和（3）,其余留作练习.

（1）$(a^{-1})^{-1}$ 是 a^{-1} 的逆元,而 a 也是 a^{-1} 的逆元. 根据逆元的唯一性,有 $(a^{-1})^{-1} = a$.

（3）先考虑 n, m 都是自然数的情况. 任意给定 n,对 m 进行归纳.

当 $m = 0$ 时有 $a^n a^0 = a^n e = a^n = a^{n+0}$ 成立.

假设对 $m \in \mathbf{N}$ 有 $a^n a^m = a^{n+m}$ 成立,则有

$$a^n a^{m+1} = a^n(a^m a) = (a^n a^m)a = a^{n+m}a = a^{n+m+1}$$

由归纳法等式得证.

下面考虑存在负整数次幂的情况.

设 $n < 0, m \geqslant 0$,令 $n = -t, t \in \mathbf{Z}^+$. 则

$$a^n a^m = a^{-t} a^m = (a^{-1})^t a^m = \begin{cases} a^{-(t-m)} = a^{m-t} = a^{n+m}, & t \geqslant m \\ a^{m-t} = a^{n+m}, & t < m \end{cases}$$

对于 $n \geqslant 0, m < 0$ 以及 $n < 0, m < 0$ 的情况同理可证.

定理 10.1（2）中的结果可以推广到有限多个元素的情况,即

$$(a_1 a_2 \cdots a_r)^{-1} = a_r^{-1} a_{r-1}^{-1} \cdots a_2^{-1} a_1^{-1}$$

注意上述定理中的最后一个等式只对交换群成立. 如果 G 是非交换群,那么只有

$$(ab)^n = \underbrace{(ab)(ab)\cdots(ab)}_{n \text{个}}$$

定理 10.2　G 为群,则 G 中满足消去律,即对任意 $a, b, c \in G$ 有

（1）若 $ab = ac$,则 $b = c$.

（2）若 $ba = ca$,则 $b = c$.

证明留作练习.

例 10.5　设 $G = \{a_1, a_2, \cdots, a_n\}$ 是 n 阶群,令

$$a_i G = \{a_i a_j \mid j = 1, 2, \cdots, n\}$$

证明 $a_i G = G$.

证　由群中运算的封闭性有 $a_i G \subseteq G$. 假设 $a_i G \subset G$,即 $|a_i G| < n$. 必有 $a_j, a_k \in G$ 使得

$$a_i a_j = a_i a_k (j \neq k)$$

由消去律得 $a_j = a_k$,与 $|G| = n$ 矛盾.

当 G 是 n 阶群时,$a_i G$ 恰好是 G 的运算表中第 i 行的全体元素. 例 10.5 说明 G 的运算表的每一行都是 G 中元素的一个排列. 不难看出,对于每一列也有同样的性质. 如果一个代数系统的运算表不满足这个性质,它肯定不是群. 但是,满足这个性质的也可能不是群. 请读者给出一个反例.

定理 10.3　设 G 为群,$a \in G$,且 $|a| = r$. 设 k 是整数,则

（1）$a^k = e$ 当且仅当 $r \mid k$（r 整除 k）

（2）$|a^{-1}| = |a|$

证　（1）充分性.

由于 $r|k$，必存在整数 m 使得 $k=mr$，所以有

$$a^k = a^{mr} = (a^r)^m = e^m = e$$

必要性. 根据带余除法，存在整数 m 和 i 使得 $k=mr+i, 0 \leqslant i \leqslant r-1$，从而有

$$e = a^k = a^{mr+i} = (a^r)^m a^i = ea^i = a^i$$

因为 $|a|=r$，必有 $i=0$. 这就证明了 $r|k$.

（2）由 $(a^{-1})^r = (a^r)^{-1} = e^{-1} = e$ 可知 a^{-1} 的阶是存在的. 令 $|a^{-1}|=t$，根据上面的证明有 $t|r$. 这说明 a 的逆元的阶是 a 的阶的因子. 而 a 又是 a^{-1} 的逆元，所以 a 的阶也是 a^{-1} 的阶的因子，故有 $r|t$. 从而证明了 $r=t$，即 $|a^{-1}| = |a|$.

例 10.6　设 G 是群，$a, b \in G$ 是有限阶元. 证明：

（1）$|b^{-1}ab| = |a|$

（2）$|ab| = |ba|$

证　（1）设 $|a|=r, |b^{-1}ab|=t$. 则有

$$(b^{-1}ab)^r = \underbrace{(b^{-1}ab)(b^{-1}ab)\cdots(b^{-1}ab)}_{r\text{个}}$$
$$= b^{-1}a^r b = b^{-1}eb = e$$

根据定理 10.3 得 $t|r$.

另一方面，由

$$a = b(b^{-1}ab)b^{-1} = (b^{-1})^{-1}(b^{-1}ab)b^{-1}$$

可知，$(b^{-1})^{-1}(b^{-1}ab)b^{-1}$ 的阶是 $b^{-1}ab$ 的阶的因子，即 $r|t$. 从而有 $|b^{-1}ab| = |a|$.

（2）设 $|ab|=r, |ba|=t$，则有

$$(ab)^{t+1} = \underbrace{(ab)(ab)\cdots(ab)}_{t+1\text{个}} = a\underbrace{(ba)(ba)\cdots(ba)}_{t\text{个}}b$$
$$= a(ba)^t b = aeb = ab$$

由消去律得 $(ab)^t = e$，从而可知 $r|t$. 同理可证 $t|r$. 因此 $|ab| = |ba|$.

例 10.7　设 G 为有限群，则 G 中阶大于 2 的元素有偶数个.

证　根据定理 10.2，对于任意 $a \in G$ 有

$$a^2 = e \Leftrightarrow a^{-1}a^2 = a^{-1}e \Leftrightarrow a = a^{-1}$$

因此对 G 中阶大于 2 的元素 a，必有 $a \neq a^{-1}$. 又由于 $|a| = |a^{-1}|$，所以 G 中阶大于 2 的元素一定成对出现. G 中若含有阶大于 2 的元素，一定是偶数个. 若 G 中不含阶大于 2 的元素，而 0 也是偶数.

10.2　子群与群的陪集分解

子群就是群的子代数.

定义 10.5　设 G 是群，H 是 G 的非空子集，如果 H 关于 G 中的运算构成群，则称 H 是 G 的子群，记作 $H \leqslant G$. 若 H 是 G 的子群，且 $H \subset G$，则称 H 是 G 的真子群，记作 $H < G$.

例如，$n\mathbf{Z}$（n 是自然数）是整数加群 $<\mathbf{Z}, +>$ 的子群. 当 $n \neq 1$ 时，$n\mathbf{Z}$ 是 $\mathbf{Z}$ 的真子群.

对任何群 G 都存在子群. G 和 $\{e\}$ 都是 G 的子群，称作 G 的平凡子群.

下面给出子群的三个判定定理.

定理 10.4（判定定理一）　设 G 为群，H 是 G 的非空子集. H 是 G 的子群当且仅当下面的条件成立.

（1）$\forall a, b \in H$ 有 $ab \in H$.

（2）$\forall a \in H$ 有 $a^{-1} \in H$.

证　必要性是显然的. 为证明充分性，只需证明 $e \in H$.

因为 H 非空，必存在 $a \in H$. 由条件（2）可知 $a^{-1} \in H$，再使用条件（1）有 $aa^{-1} \in H$，即 $e \in H$.

定理 10.5（判定定理二）　设 G 为群，H 是 G 的非空子集. 则 H 是 G 的子群当且仅当 $\forall a, b \in H$ 有 $ab^{-1} \in H$.

证　必要性. 任取 $a, b \in H$，由于 H 是 G 的子群，必有 $b^{-1} \in H$，从而有 $ab^{-1} \in H$.

充分性. 因为 H 非空，必存在 $a \in H$. 根据给定条件得 $aa^{-1} \in H$，即 $e \in H$. 任取 $a \in H$，由 $e, a \in H$ 得 $ea^{-1} \in H$，即 $a^{-1} \in H$. 任取 $a, b \in H$，由刚才的证明知 $b^{-1} \in H$. 再利用给定条件得 $a(b^{-1})^{-1} \in H$，即 $ab \in H$.

综合上述，根据判定定理一，可知 H 是 G 的子群.

定理 10.6（判定定理三）　设 G 为群，H 是 G 的非空子集. 如果 H 是有穷集，则 H 是 G 的子群当且仅当 $\forall a, b \in H$ 有 $ab \in H$.

证　必要性是显然的. 为证明充分性，只需证明 $\forall a \in H$ 有 $a^{-1} \in H$.

任取 $a \in H$，若 $a = e$，则 $a^{-1} = e^{-1} = e \in H$. 若 $a \neq e$，令 $S = \{a, a^2, \cdots\}$，则 $S \subseteq H$. 由于 H 是有穷集，必有 $a^i = a^j (i < j)$. 根据 G 中的消去律得 $a^{j-i} = e$. 由 $a \neq e$ 可知 $j - i > 1$，由此得

$$a^{j-i-1} a = e \text{ 和 } a a^{j-i-1} = e$$

从而证明了 $a^{-1} = a^{j-i-1}$.

使用上述判定定理可以证明一些重要的子群.

例 10.8　设 G 为群，$a \in G$，令

$$H = \{a^k \mid k \in \mathbf{Z}\}$$

即 a 的所有幂构成的集合，则 H 是 G 的子群，称作由 a 生成的子群，记作 $<a>$.

首先由 $a \in <a>$ 知道 $<a> \neq \varnothing$. 任取 $a^m, a^l \in <a>$，则

$$a^m (a^l)^{-1} = a^m a^{-l} = a^{m-l} \in <a>$$

根据判定定理二可知 $<a> \leqslant G$.

对于整数加群，由 2 生成的子群是 $<2> = \{2k \mid k \in \mathbf{Z}\} = 2\mathbf{Z}$，而在群 $<\mathbf{Z}_6, \oplus>$ 中，由 2 生成的子群是 $<2> = \{0, 2, 4\}$. 对于 Klein 四元群 $G = \{e, a, b, c\}$ 来说，由它的每个元素生成的子群是：

$$<e> = \{e\}, \quad <a> = \{e, a\}, \quad <b> = \{e, b\}, \quad <c> = \{e, c\}$$

例 10.9 设 G 为群,令 C 是与 G 中所有的元素都可交换的元素构成的集合,即

$$C = \{a \mid a \in G \wedge \forall x \in G(ax = xa)\}$$

则 C 是 G 的子群,称作 G 的中心.

证 首先,由 e 与 G 中所有元素的交换性可知 $e \in C$. C 是 G 的非空子集.

任取 $a, b \in C$,为证明 $ab^{-1} \in C$,只需证明 ab^{-1} 与 G 中所有的元素都可交换. $\forall x \in G$,有

$$(ab^{-1})x = ab^{-1}x = ab^{-1}(x^{-1})^{-1} = a(x^{-1}b)^{-1}$$
$$= a(bx^{-1})^{-1} = (ax)b^{-1} = (xa)b^{-1} = x(ab^{-1})$$

由判定定理二可知 $C \leqslant G$.

对于阿贝尔群 G,因为 G 中所有的元素互相都可交换,G 的中心就等于 G. 但是对某些非交换群 G,它的中心是 $\{e\}$.

例 10.10 设 G 是群,H, K 是 G 的子群. 证明:

(1) $H \cap K$ 也是 G 的子群.

(2) $H \cup K$ 是 G 的子群当且仅当 $H \subseteq K$ 或 $K \subseteq H$.

证 (1) 由 $e \in H \cap K$ 知 $H \cap K$ 非空.

任取 $a, b \in H \cap K$,则 $a \in H$, $a \in K$, $b \in H$, $b \in K$. 由于 H 和 K 是 G 的子群,必有 $ab^{-1} \in H$ 和 $ab^{-1} \in K$. 从而推出 $ab^{-1} \in H \cap K$. 根据判定定理二,命题得证.

(2) 充分性是显然的. 只证必要性,用反证法.

假设 $H \nsubseteq K$ 且 $K \nsubseteq H$,那么存在 h 和 k 使得

$$h \in H \wedge h \notin K, k \in K \wedge k \notin H$$

这就推出 $hk \notin H$. 若不然,由 $h^{-1} \in H$ 可得

$$k = h^{-1}(hk) \in H$$

与假设矛盾. 同理可证 $hk \notin K$. 从而得到 $hk \notin H \cup K$. 这与 $H \cup K$ 是子群矛盾.

任取两个子群 H_1, H_2,一般说来 $H_1 \cup H_2$ 不是 G 的子群,而只是 G 的子集. 设 B 是 G 的子集,将 G 的所有包含 B 的子群的交记作 $<B>$,即

$$<B> = \cap \{H \mid B \subseteq H \wedge H \leqslant G\}$$

易见 $<B>$ 是 G 的子群,称作由 B 生成的子群. 不难证明 $<B>$ 中的元素恰为如下形式:

$$a_1 a_2 \cdots a_k, k \in \mathbf{Z}^+$$

其中 a_i 是 B 中的元素或者其逆元.

设 G 为群,令 $S = \{H \mid H$ 是 G 的子群$\}$ 是 G 的所有子群的集合,在 S 上定义关系 R 如下:

$$\forall A, B \in S, \quad ARB \Leftrightarrow A \text{ 是 } B \text{ 的子群}$$

那么 $<S, R>$ 构成偏序集,称作群 G 的子群格. Klein 四元群 G 与模 12 加群 $\mathbf{Z}_{12}$ 的子群格如图10.1所示.

下面考虑群的分解. 先定义陪集.

定义 10.6 设 H 是群 G 的子群,$a \in G$. 令

$$Ha = \{ha \mid h \in H\}$$

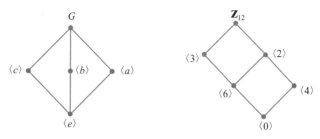

图 10.1

称 Ha 是子群 H 在 G 中的右陪集. 称 a 为 Ha 的代表元素.

例 10.11 设 $G=\{e,a,b,c\}$ 是 Klein 四元群，$H=\{e,a\}$ 是 G 的子群. 那么 H 的所有的右陪集是：

$$He=\{e,a\}=H=Ha$$
$$Hb=\{b,c\}=Hc$$

不同的右陪集只有两个，即 H 和 $\{b,c\}$.

下面考虑右陪集的性质.

定理 10.7 设 H 是群 G 的子群，则

（1）$He=H$

（2）$\forall a\in G$ 有 $a\in Ha$.

证 （1）$He=\{he\mid h\in H\}=\{h\mid h\in H\}=H$

（2）任取 $a\in G$，由 $a=ea$ 和 $ea\in Ha$ 得 $a\in Ha$.

定理 10.8 设 H 是群 G 的子群，则 $\forall a,b\in G$ 有

$$a\in Hb \Leftrightarrow ab^{-1}\in H \Leftrightarrow Ha=Hb$$

证 先证 $a\in Hb \Leftrightarrow ab^{-1}\in H$.

$$a\in Hb \Leftrightarrow \exists h(h\in H \wedge a=hb)$$
$$\Leftrightarrow \exists h(h\in H \wedge ab^{-1}=h) \Leftrightarrow ab^{-1}\in H$$

再证 $a\in Hb \Leftrightarrow Ha=Hb$.

充分性. 若 $Ha=Hb$，由 $a\in Ha$ 可知必有 $a\in Hb$.

必要性. 由 $a\in Hb$ 可知存在 $h\in H$ 使得 $a=hb$，即 $b=h^{-1}a$. 任取 $h_1a\in Ha$，则有

$$h_1a=h_1(hb)=(h_1h)b\in Hb$$

从而得到 $Ha\subseteq Hb$. 反之，任取 $h_1b\in Hb$，则有

$$h_1b=h_1(h^{-1}a)=(h_1h^{-1})a\in Ha$$

从而得到 $Hb\subseteq Ha$. 综上所述，$Ha=Hb$ 得证.

定理 10.8 给出了两个右陪集相等的充分必要条件，并且说明在右陪集中的任何元素都可以作为它的代表元素.

定理 10.9 设 H 是群 G 的子群，在 G 上定义二元关系：$\forall a,b\in G$，

$$<a,b> \in R \Leftrightarrow ab^{-1} \in R$$

则 R 是 G 上的等价关系,且 $[a]_R = Ha$.

证 为证明 R 是等价的,只需证明 R 的自反、对称、传递的性质. 这个证明留给读者思考. 这里只证明 $\forall a \in G, [a]_R = Ha$. 任取 $b \in G$,则有

$$b \in [a]_R \Leftrightarrow <a,b> \in R \Leftrightarrow ab^{-1} \in H$$

根据定理 10.8 有

$$ab^{-1} \in H \Leftrightarrow Ha = Hb \Leftrightarrow b \in Ha$$

这就推出 $b \in [a]_R \Leftrightarrow b \in Ha$,从而证明了 $[a]_R = Ha$.

推论 设 H 是群 G 的子群,则

(1) $\forall a,b \in G, Ha = Hb$ 或 $Ha \cap Hb = \varnothing$

(2) $\cup \{Ha \mid a \in G\} = G$

证 由定理 10.9 和定理 7.14 可得.

根据以上定理和推论可以知道,给定群 G 的一个子群 H,H 的所有右陪集的集合 $\{Ha \mid a \in G\}$ 恰好构成 G 的一个划分,而且可进一步证明,这个划分的所有划分块都与 H 等势.

以上已经对子群 H 的右陪集及其性质进行了讨论,类似地,也可以定义 H 的左陪集:

$$aH = \{ah \mid h \in H\}, a \in G$$

并证明关于左陪集的下述性质:

1. $eH = H$

2. $\forall a \in G, a \in aH$

3. $\forall a,b \in G, a \in bH \Leftrightarrow b^{-1}a \in H \Leftrightarrow aH = bH$

4. 若在 G 上定义二元关系 R,

$$\forall a,b \in G, <a,b> \in R \Leftrightarrow b^{-1}a \in H$$

则 R 是 G 上的等价关系,且 $[a]_R = aH$.

5. $\forall a \in G, H \approx aH$

一般说来,对于群 G 的子群 H 和元素 a,不能保证 $Ha = aH$. 如果对于所有的 $a \in G$ 都有 $aH = Ha$,那么称 H 为 G 的正规子群或不变子群,记作 $H \triangleleft G$. 任何群 G 都有正规子群,因为它的两个平凡子群 $\{e\}$ 和 G 都是正规的.

尽管 H 的右陪集 Ha 和左陪集 aH 可能不一样,但 H 在 G 中的右陪集的个数和左陪集的个数却是相等的. 令

$$S = \{Ha \mid a \in G\} \quad \text{和} \quad T = \{aH \mid a \in G\}$$

分别表示 H 的右陪集和左陪集的集合,定义函数

$$f: S \to T, f(Ha) = a^{-1}H, \forall a \in G$$

不难证明 f 是 S 到 T 的双射函数. 由于 H 在 G 中的右陪集数和左陪集数相等,今后不再区分右陪集数和左陪集数,而统称 H 在 G 中的陪集数,也称作 H 在 G 中的指数,记作 $[G:H]$.

对于有限群 G, H 在 G 中的指数 $[G:H]$ 和 $|G|$ 及 $|H|$ 有着密切的关系,这就是著名的拉格朗

日定理.

定理 10.10（拉格朗日定理）　设 G 是有限群, H 是 G 的子群, 则

$$|G| = |H| \cdot [G:H]$$

证　设 $[G:H] = r, a_1, a_2, \cdots, a_r$ 分别是 H 的 r 个右陪集的代表元素. 根据定理 10.9 的推论有

$$G = Ha_1 \cup Ha_2 \cup \cdots \cup Ha_r$$

由于这 r 个右陪集是两两不交的, 所以有

$$|G| = |Ha_1| + |Ha_2| + \cdots + |Ha_r|$$

因为 $|Ha_i| = |H|, i = 1, 2, \cdots, r$. 将这些等式代入上式得

$$|G| = |H| \cdot r = |H| \cdot [G:H]$$

推论 1　设 G 是 n 阶群, 则 $\forall a \in G, |a|$ 是 n 的因子, 且有 $a^n = e$.

证　任取 $a \in G$, 则 $<a>$ 是 G 的子群. 由拉格朗日定理知 $<a>$ 的阶是 n 的因子. 另一方面, $<a>$ 是由 a 生成的子群, 若 $|a| = r$, 则

$$<a> = \{a^0 = e, a^1, a^2, \cdots, a^{r-1}\}$$

这说明 $<a>$ 的阶与 $|a|$ 相等, 所以 $|a|$ 是 n 的因子. 根据定理 10.3（1）必有 $a^n = e$.

推论 2　设 G 是素数阶的群, 则存在 $a \in G$ 使得 $G = <a>$.

证　设 $|G| = p, p$ 是素数. 由 $p \geq 2$ 知 G 中必存在非单位元. 任取 $a \in G, a \neq e$, 则 $<a>$ 是 G 的子群. 根据拉格朗日定理, $<a>$ 的阶是 p 的因子, 即 $<a>$ 的阶是 p 或 1. 显然 $<a>$ 的阶不等于 1. 这就推出 $G = <a>$.

拉格朗日定理对分析有限群中元素的阶很有用. 但注意到这个定理的逆命题并不为真. 尽管有时 r 是 n 的因子, 但 n 阶群 G 中不一定含有 r 阶元. 例如, Klein 四元群中就没有 4 阶元.

例 10.12　证明 6 阶群中必含有 3 阶元.

证　设 G 是 6 阶群, 由拉格朗日定理的推论 1 可知, G 中的元素只可能是 1 阶元、2 阶元、3 阶元或 6 阶元.

若 G 中含有 6 阶元, 设这个 6 阶元是 a, 则 a^2 是 3 阶元.

若 G 中不含 6 阶元, 下面证明 G 中必含有 3 阶元. 如若不然, G 中只含 1 阶元和 2 阶元, 即 $\forall a \in G$, 有 $a^2 = e$. 由本章习题第 15 题可知 G 是阿贝尔群. 取 G 中两个不同的 2 阶元 a 和 b, 令

$$H = \{e, a, b, ab\}$$

易证 H 是 G 的子群, 但 $|H| = 4, |G| = 6$, 与拉格朗日定理矛盾.

例 10.13　证明阶小于 6 的群都是阿贝尔群.

证　1 阶群是平凡的, 显然是阿贝尔群. 2, 3 和 5 都是素数. 由拉格朗日定理的推论 2 可知 2 阶群、3 阶群和 5 阶群都是由一个元素生成的群. 它们都是阿贝尔群（见本章习题第 26 题）.

设 G 是 4 阶群. 若 G 中含有 4 阶元, 如 a, 则 $G = <a>$, 由刚才的分析可知 G 是阿贝尔群. 若 G 中不含 4 阶元, 根据拉格朗日定理, G 中只含 1 阶元和 2 阶元. 由本章习题第 15 题可知 G 也是阿贝尔群.

下面给出一个群分解的实际例子——Slepian 译码表.

考虑计算机通信中的一种编码 C. C 中的一个码字 $v=a_1a_2\cdots a_n(a_i\in\{0,1\})$ 可以看作 $\{0,1\}$ 集合上的 n 维向量, 所有 2^n 个 n 维向量构成 n 维线性空间 F_2^n. F_2^n 的一个 k 维子空间, 称作 $\{0,1\}$ 集合上的一个 k 维线性码, 记作 $[n,k]$ 码. 由于 C 是 k 维的, 因此存在 k 个线性独立的向量 v_1, $v_2,\cdots,v_k$ 作为 C 的一组基, 任意 $v\in C$ 都可以唯一地表示成 $v=x_1v_1+x_2v_2+\cdots+x_kv_k$, $x_i\in\{0,1\}$, $i=1,2,\cdots,k$. 于是 $|C|=2^k$. 设 C 是 $\{0,1\}$ 集合上的 $[n,k]$ 码, 因为 C 关于向量加法封闭, 向量加法满足结合律, 单位元是 n 维 0 向量, 向量 v 的加法逆元就是自身, 于是 C 关于向量加法构成群, 且是 F_2^n 的子群. 考虑 C 在 F_2^n 中的陪集 $C+a$, $a\in F_2^n$. 根据拉格朗日定理, 不同的陪集有 2^{n-k} 个.

前面的例 10.4 中的编码就是一种 $[7,4]$ 码, 把这个码记作 C_1. C_1 有 $2^4=16$ 个码字, 它们的前 4 位恰好从 0000 到 1111, 后 3 个校验位根据公式由前 4 位确定. 即:

$$C_1=\{0000000,\ 0001011,\ 0010101,\ 0011110,\ 0100110,\ 0101101,\ 0110011,\ 0111000,$$
$$1000111,\ 1001100,\ 1010010,\ 1011001,\ 1100001,\ 1101010,\ 1110100,\ 1111111\}$$

不难验证 1000111, 0100110, 0010101, 0001011 是 C_1 的一组基. C_1 在 F_2^7 中有 8 个不同的陪集.

下面考虑译码. 因为在信息传输中有干扰, 有时发送的码字是 v, 但接收到的向量 u 可能根本不是 C 中的码字. 这时需要对 u 进行纠错, 一般将它译成 C 中与它最接近的码字(即不同的位数最少的码字, 这个原则称作*最近距离译码原则*). C 的译码阵列由 F_2^n 中的全体向量构成, 每个陪集占一行, 共有 2^{n-k} 行 2^k 列. 构成规则如下: 第一行由 C 中的全体码字构成; 第二行是陪集 $C+a_1$, 其中 a_1 是 F_2^n-C 中 1 的个数最少且数值最小的向量; 第三行是陪集 $C+a_2$, 其中 a_2 是 $F_2^n-C-(C+a_1)$ 中 1 的个数最少且数值最小的向量; 等等. 称这个译码阵列为 Slepian 译码表. 假设接收到的 u 属于陪集 $C+a_j$, 由阵列的构成知道 a_j 恰好排在这一行的第一列, 这时将 u 译作 $u+a_j$. 因为 $a_j+a_j=0$(这里的 0 指 0 向量), 因此 $u=v+a_j\Leftrightarrow v=u+a_j$. 把译码表的第一列称作错误向量. 可以证明这种译码方法符合最近距离译码原则.

下面以一个简单的码 $C=\{0000,0110,1001,1111\}$ 来说明这种译码方法. 码 C 是一个 $[4,2]$ 码, 它的一组基是 $\{0110,1001\}$. 整个向量空间 F_2^4 有 16 个向量, C 在 F_2^4 中有 4 个陪集, 因此 C 的 Slepian 译码表有 4 行, 如表 10.2 所示, 第一行恰好就是码 C.

表 10.2

	错误向量			
C	0000	0110	1001	1111
$C+0001$	0001	0111	1000	1110
$C+0010$	0010	0100	1011	1101
$C+0011$	0011	0101	1010	1100

如果接收到的是 1001, 那么它就是 C 中的码字, 在译码时就译作 1001; 如果接收到的是 1101, 这不是 C 中的码字, 通过在表中查找, 知道 1101 属于 $C+0010$, 找到错误向量 0010, 于是将 1101 译作 $1101+0010=1111$, 而 1111 恰好是 1101 所在列的第一个元素, 这正是一个距它最近的码字.

10.3　循环群与置换群

下面介绍两类重要的群:循环群和置换群.先考虑循环群.

定义 10.7　若存在 $a \in G$ 使得 $G = <a>$,则称 G 为循环群,称 a 为 G 的生成元.

循环群 $G = <a>$ 根据生成元 a 的阶可以分成两类:n 阶循环群和无限循环群.设 $G = <a>$ 是循环群,若 a 是 n 阶元,则

$$G = \{ a^0 = e, a^1, a^2, \cdots, a^{n-1} \}$$

那么 $|G| = n$,称 G 为 n 阶循环群.若 a 是无限阶元,则

$$G = \{ a^0 = e, a^{\pm 1}, a^{\pm 2}, \cdots \}$$

这时称 G 为无限循环群.

例如,整数加群 $<\mathbf{Z}, +>$ 是无限循环群,它的生成元是 1 和 -1.而模 6 整数加群 $<\mathbf{Z}_6, \oplus>$ 是 6 阶循环群,它的生成元是 1 和 5.

对于循环群 $G = <a>$,它的生成元可能不止一个,怎样求出它的所有生成元呢?请看下面的定理.

定理 10.11　设 $G = <a>$ 是循环群.

(1) 若 G 是无限循环群,则 G 只有两个生成元,即 a 和 a^{-1}.

(2) 若 G 是 n 阶循环群,则 G 含有 $\phi(n)$ 个生成元[①].对于任何小于 n 且与 n 互素的自然数 r, a^r 是 G 的生成元.

证　(1) 显然 $<a^{-1}> \subseteq G$.为证明 $G \subseteq <a^{-1}>$,只需证明对任意 $a^k \in G, a^k$ 都可以表成 a^{-1} 的幂.由定理 10.1 有

$$a^k = (a^{-1})^{-k}$$

从而得到 $G = <a^{-1}>, a^{-1}$ 是 G 的生成元.

再证明 G 只有 a 和 a^{-1} 这两个生成元.假设 b 也是 G 的生成元,则 $G = <b>$.由 $a \in G$ 可知存在整数 t 使得 $a = b^t$.又由 $b \in G = <a>$ 可知存在整数 m 使得 $b = a^m$.从而得到

$$a = b^t = (a^m)^t = a^{mt}$$

由 G 中的消去律得

$$a^{mt-1} = e$$

因为 G 是无限群,必有 $mt - 1 = 0$.从而证明了 $m = t = 1$ 或 $m = t = -1$,即 $b = a$ 或 $b = a^{-1}$.

(2) 当 $n = 1$ 时显然成立,因此只需证明:对任何正整数 $r(r<n, n>1), a^r$ 是 G 的生成元当且仅当 n 与 r 互素.

充分性.设 r 与 n 互素,且 $r<n$,那么存在整数 u 和 v 使得

---

①　$\phi(n)$ 是欧拉函数,表示 $0,1,\cdots,n-1$ 中与 n 互素的数的个数(见例 6.6).

$$ur+vn=1 \quad (见数论部分定理19.8)$$

因此由定理 10.1 和 $a^n=e$ 有

$$a=a^{ur+vn}=(a^r)^u(a^n)^v=(a^r)^u$$

这就推出 $\forall a^k \in G, a^k=(a^r)^{uk} \in \langle a^r \rangle$,即 $G \subseteq \langle a^r \rangle$.另一方面,显然有 $\langle a^r \rangle \subseteq G$.所以 a^r 是 G 的生成元.

必要性.设 a^r 是 G 的生成元,则 $|a^r|=n$.令 r 与 n 的最大公约数为 d,则存在正整数 t 使得 $r=dt$.因此有

$$(a^r)^{\frac{n}{d}}=(a^{dt})^{\frac{n}{d}}=(a^n)^t=e$$

根据定理 10.3 可知 $|a^r|$ 是 n/d 的因子,即 n 整除 n/d.从而证明了 $d=1$.

例 10.14 （1）设 $G=\langle \mathbf{Z}_9,\oplus \rangle$ 是模 9 的整数加群,则 $\phi(9)=6$.小于等于 9 且与 9 互素的数是 1,2,4,5,7,8.根据定理 10.11,G 的生成元是 1,2,4,5,7 和 8.

（2）设 $G=3\mathbf{Z}=\{3z|z \in \mathbf{Z}\}$,$G$ 上的运算是普通加法.那么 G 只有两个生成元:3 和 -3.

下面考虑循环群的子群,一般说来,求一个有限群的子群不是一件容易的事.但对于循环群来说可以直接求出它的所有的子群.请看下面的定理.

定理 10.12

（1）设 $G=\langle a \rangle$ 是循环群,则 G 的子群仍是循环群.

（2）若 $G=\langle a \rangle$ 是无限循环群,则 G 的子群除 $\{e\}$ 以外都是无限循环群.

（3）若 $G=\langle a \rangle$ 是 n 阶循环群,则对 n 的每个正因子 d,G 恰好含有一个 d 阶子群.

证 （1）设 H 是 $G=\langle a \rangle$ 的子群,若 $H=\{e\}$,显然 H 是循环群;否则取 H 中的最小正方幂元 a^m,下面证明 a^m 是 H 的生成元.

易见 $\langle a^m \rangle \subseteq H$.为证明 $H \subseteq \langle a^m \rangle$,只需证明 H 中的任何元素都可以表示成 a^m 的整数次幂.任取 $a^l \in H$,由除法可知存在整数 q 和 r,使得 $l=qm+r$,其中 $0 \leqslant r \leqslant m-1$,因此有

$$a^r=a^{l-qm}=a^l(a^m)^{-q}$$

由 $a^l,a^m \in H$ 且 H 是 G 的子群可知 $a^r \in H$,因为 a^m 是 H 中最小正方幂元,必有 $r=0$.这就推出

$$a^l=(a^m)^q \in \langle a^m \rangle$$

（2）设 $G=\langle a \rangle$ 是无限循环群,H 是 G 的子群.若 $H \neq \{e\}$,则根据上面证明可知 $H=\langle a^m \rangle$,其中 a^m 为 H 中最小正方幂元.假若 $|H|=t$,则 $|a^m|=t$,从而得到 $a^{mt}=e$.这与 a 为无限阶元矛盾.

（3）设 $G=\langle a \rangle$ 是 n 阶循环群,则

$$G=\{a^0=e,a^1,\cdots,a^{n-1}\}$$

根据拉格朗日定理,G 的每个子群的阶都是 n 的因子.下面证明对于 n 的每个正因子 d 都存在一个 d 阶子群.易见 $H=\langle a^{n/d} \rangle$ 是 G 的 d 阶子群.假设 $H_1=\langle a^m \rangle$ 也是 G 的 d 阶子群,其中 a^m 为 H_1 中的最小正方幂元.则由 $(a^m)^d=e$ 可知,n 整除 md,即 n/d 整除 m.令 $m=(n/d) \cdot l$,l 是整数,则有

$$a^m=(a^{n/d})^l \in H$$

这就推出 $H_1 \subseteq H$. 又由于 $|H_1| = |H| = d$, 得 $H_1 = H$.

根据这个定理的证明不难得到求循环群子群的方法, 如果 $G = <a>$ 是无限循环群, 那么 $<a^m>$ 是 G 的子群, 其中 m 是自然数, 并且容易证明对于不同的自然数 m 和 t, $<a^m>$ 和 $<a^t>$ 是不同的子群. 如果 $G = <a>$ 是 n 阶循环群, 则先求出 n 的所有的正因子. 对于每个正因子 d, $<a^{n/d}>$ 是 G 的唯一的 d 阶子群.

例 10.15 设 G_1 是整数加群, G_2 是模 12 加群, 求出 G_1 与 G_2 的所有子群.

解 G_1 的生成元为 1 和 −1. 易见 $1^m = m$, $m \in \mathbf{N}$. 所以 G_1 的子群是 $m\mathbf{Z}$, $m \in \mathbf{N}$. 即

$$<0> = \{0\} = 0\mathbf{Z}$$
$$<m> = \{mz \mid z \in \mathbf{Z}\} = m\mathbf{Z}, m > 0$$

G_2 是 12 阶循环群. 12 的正因子是 1, 2, 3, 4, 6 和 12, 因此 G_2 的子群是:

$<12> = <0> = \{0\}$	1 阶子群
$<6> = \{0, 6\}$	2 阶子群
$<4> = \{0, 4, 8\}$	3 阶子群
$<3> = \{0, 3, 6, 9\}$	4 阶子群
$<2> = \{0, 2, 4, 6, 8, 10\}$	6 阶子群
$<1> = \mathbf{Z}_{12}$	12 阶子群

下面考虑另一类重要的群——置换群. 先定义 n 元置换和置换的乘法.

定义 10.8 设 $S = \{1, 2, \cdots, n\}$, S 上的任何双射函数 $\sigma: S \to S$ 称为 S 上的 n 元置换. 一般将 n 元置换 σ 记作

$$\sigma = \begin{pmatrix} 1 & 2 & \cdots & n \\ \sigma(1) & \sigma(2) & \cdots & \sigma(n) \end{pmatrix}$$

例如, $S = \{1, 2, 3, 4, 5\}$, 则

$$\sigma = \begin{pmatrix} 1 & 2 & 3 & 4 & 5 \\ 2 & 3 & 4 & 1 & 5 \end{pmatrix}, \tau = \begin{pmatrix} 1 & 2 & 3 & 4 & 5 \\ 3 & 2 & 1 & 4 & 5 \end{pmatrix}$$

都是 5 元置换.

定义 10.9 设 σ, τ 是 n 元置换, σ 和 τ 的复合 $\sigma \circ \tau$ 也是 n 元置换, 称作 σ 与 τ 的乘积, 记作 $\sigma\tau$.

例如, 上面的 5 元置换 σ 和 τ 有

$$\sigma\tau = \begin{pmatrix} 1 & 2 & 3 & 4 & 5 \\ 2 & 1 & 4 & 3 & 5 \end{pmatrix}, \tau\sigma = \begin{pmatrix} 1 & 2 & 3 & 4 & 5 \\ 4 & 3 & 2 & 1 & 5 \end{pmatrix}$$

定义 10.10 设 σ 是 $S = \{1, 2, \cdots, n\}$ 上的 n 元置换. 若

$$\sigma(i_1) = i_2, \sigma(i_2) = i_3, \cdots, \sigma(i_{k-1}) = i_k, \sigma(i_k) = i_1$$

且保持 S 中的其他元素不变, 则称 σ 为 S 上的 k 阶轮换, 记作 $(i_1 i_2 \cdots i_k)$. 若 $k = 2$, 称 σ 为 S 上的对换.

设 $S = \{1, 2, \cdots, n\}$, 对于任何 S 上的 n 元置换 σ 一定存在着一个有限序列 $i_1, i_2, \cdots, i_k, k \geq$

1,使得

$$\sigma(i_1) = i_2, \sigma(i_2) = i_3, \cdots, \sigma(i_{k-1}) = i_k, \sigma(i_k) = i_1$$

令 $\sigma_1 = (i_1 \; i_2 \cdots \; i_k)$. 它是从 σ 中分解出来的第一个轮换. 根据函数的复合定义可以将 σ 写作 $\sigma_1 \sigma'$, 其中 σ' 作用于 $S-\{i_1, i_2, \cdots, i_k\}$ 上的元素. 继续对 σ' 进行类似的分解. 由于 S 中只有 n 个元素, 经过有限步以后, 必得到 σ 的轮换分解式

$$\sigma = \sigma_1 \; \sigma_2 \cdots \; \sigma_t$$

不难看出, 在上述分解式中任何两个轮换都作用于不同的元素上, 称它们是不交的. 因此, 可以说, 任何 n 元置换都可以表示成不交的轮换之积.

例 10.16　设 $S = \{1, 2, \cdots, 8\}$

$$\sigma = \begin{pmatrix} 1 & 2 & 3 & 4 & 5 & 6 & 7 & 8 \\ 5 & 3 & 6 & 4 & 2 & 1 & 8 & 7 \end{pmatrix}$$

是 8 元置换. 考虑 σ 的分解式. 观察到

$$\sigma(1) = 5, \sigma(5) = 2, \sigma(2) = 3, \sigma(3) = 6, \sigma(6) = 1$$

所以从 σ 中分解出来的第一个轮换是 $(1\;5\;2\;3\;6)$, S 中剩下的元素是 4, 7, 8. 由 $\sigma(4) = 4$ 得到 1 阶轮换 (4), 它是从 σ 中分解出来的第二个轮换. 对于剩下的元素 7 和 8 有 $\sigma(7) = 8, \sigma(8) = 7$. 这样就得到第三个轮换 $(7\;8)$. 至此, S 中的元素都被分解完毕. 因此可以写出 σ 的轮换表示式

$$\sigma = (1\;5\;2\;3\;6)(4)(7\;8)$$

为了使得轮换表示式更为简洁, 通常省略其中的 1 阶轮换. 例如, σ 可以写作 $(1\;5\;2\;3\;6)(7\;8)$. 如果 n 元置换的轮换表示式中全是 1 阶轮换, 如 8 元恒等置换 $(1)(2)\cdots(8)$, 则只能省略其中的 7 个 1 阶轮换, 而将它简记为 (1).

可以证明将 n 元置换分解为不交的轮换之积时, 它的表示式是唯一的. 这里的唯一性是说, 若

$$\sigma = \sigma_1 \sigma_2 \cdots \sigma_t \quad \text{和} \quad \sigma = \tau_1 \tau_2 \cdots \tau_s$$

是 σ 的两个轮换表示式, 则有

$$\{\sigma_1, \sigma_2, \cdots, \sigma_t\} = \{\tau_1, \tau_2, \cdots, \tau_s\}$$

换句话说, 由于分解式中的任意两个轮换都作用于 S 的不同元素上, 根据函数复合的性质可以证明, 交换轮换的次序以后得到的仍是相等的 n 元置换. 因此, 在不考虑表示式中轮换的次序的情况下, 该表示式是唯一的.

设 $S = \{1, 2, \cdots, n\}$, σ 是 S 上的 k 阶轮换, 那么 σ 可以进一步表成对换之积. 不难证明

$$(i_1 \; i_2 \cdots \; i_k) = (i_1 \; i_2)(i_1 \; i_3) \cdots (i_1 \; i_k)$$

回顾关于 n 元置换的轮换表示, 任何 n 元置换都可以唯一地表示成不交的轮换之积, 而任何轮换又可以进一步表示成对换之积, 所以任何 n 元置换都可以表示成对换之积. 例如, 8 元置换

$$\sigma = \begin{pmatrix} 1 & 2 & 3 & 4 & 5 & 6 & 7 & 8 \\ 5 & 3 & 6 & 4 & 2 & 1 & 8 & 7 \end{pmatrix}$$

的轮换和对换表示式分别为

$$\sigma = (1\ 5\ 2\ 3\ 6)(7\ 8) = (1\ 5)(1\ 2)(1\ 3)(1\ 6)(7\ 8)$$

对换表示与轮换表示都是 n 元置换的表示式. 它们的不同点在于: 轮换表示式中的轮换是不交的, 而对换表示式中的对换是允许有交的. 轮换表示式是唯一的, 而对换表示式是不唯一的. 例如, 4 元置换 $\sigma = \begin{pmatrix} 1 & 2 & 3 & 4 \\ 2 & 3 & 1 & 4 \end{pmatrix}$ 可以有下面不同的对换表示:

$$\sigma = (1\ 2)(1\ 3) \text{ 和 } \sigma = (1\ 4)(2\ 4)(3\ 4)(1\ 4)$$

尽管 n 元置换的对换表示式是不唯一的, 但可以证明表示式中所含对换个数的奇偶性是不变的. 例如, 上面的 4 元置换只能表示成偶数个对换之积, 而 4 元置换 $\tau = (1\ 3\ 2\ 4)$ 只能表示成奇数个对换之积. 如果 n 元置换 σ 可以表示成奇数个对换之积, 则称 σ 为奇置换, 否则称 σ 为偶置换, 在偶置换和奇置换之间存在一一对应, 因此奇置换和偶置换各有 $n!/2$ 个.

考虑所有的 n 元置换构成的集合 S_n. 任何两个 n 元置换之积仍旧是 n 元置换, 所以 S_n 关于置换的乘法是封闭的. 置换的乘法满足结合律. 恒等置换 (1) 是 S_n 中的单位元 (见定理 8.3). 对于任何 n 元置换 $\sigma \in S_n$, 逆置换 $\sigma^{-1} \in S_n$ 是 σ 的逆元 (见定理 8.5). 这就证明了 S_n 关于置换的乘法构成一个群, 称作 n 元对称群.

例 10.17 设 $S = \{1, 2, 3\}$, 则 3 元对称群 $S_3 = \{(1), (12), (13), (23), (123), (132)\}$, 其运算表如表 10.3 所示.

表 10.3

	(1)	(12)	(13)	(23)	(123)	(132)
(1)	(1)	(12)	(13)	(23)	(123)	(132)
(12)	(12)	(1)	(123)	(132)	(13)	(23)
(13)	(13)	(132)	(1)	(123)	(23)	(12)
(23)	(23)	(123)	(132)	(1)	(12)	(13)
(123)	(123)	(23)	(12)	(13)	(132)	(1)
(132)	(132)	(13)	(23)	(12)	(1)	(123)

下面考虑 S_n 的子群. 设 A_n 是所有的 n 元偶置换的集合. 使用子群的判定定理不难证明 A_n 是 S_n 的子群, 称作 n 元交错群.

例如, $S_3 = \{(1), (12), (13), (23), (123), (132)\}$. 其中的偶置换是 $(1), (123)$ 和 (132). 因此 3 元交错群 $A_3 = \{(1), (123), (132)\}$.

对于 S_n 来说, 它的所有子群都称作 n 元置换群, n 元对称群 S_n、n 元交错群 A_n 都是 n 元置换群的特例.

以 S_3 为例, 除了 S_3 和 A_3 以外, 它的其他子群是:

$$\{(1), (12)\} \qquad \text{2 阶子群}$$
$$\{(1), (13)\} \qquad \text{2 阶子群}$$
$$\{(1), (23)\} \qquad \text{2 阶子群}$$
$$\{(1)\} \qquad \text{1 阶子群}$$

这 3 个 2 阶子群都不是正规子群.两个平凡子群和 A_3 是正规子群.

置换群经常出现在具有对称结构的实际系统中.考虑下面一个着色问题的例子.

使用黑白两种颜色对图 10.2 中的方格图形进行着色,每个方格着一种颜色.如果允许方格图形围绕中心点旋转,问不同的着色方案有多少种.如果不考虑图形的运动,每个方格有 2 种可能的颜色选择,总计有 16 个着色方案.围绕中心逆时针旋转有 4 种可能:0°、90°、180°、270°.这些旋转作用在方格上,由于方格上的文字被置换,从而导致了对着色方案的置换.令 $N = \{1, 2, 3, 4\}$ 代表 4 个方格的集合,4 种旋转的集合 $G = \{\sigma_1, \sigma_2, \sigma_3, \sigma_4\}$ 恰好构成 N 上的一个置换群.如果一种方案在 G 中置换作用下变成另一种方案,就说这两个方案属于同一个轨道.那么问题是:在 G 作用下对 N 上方格的着色方案被分解成多少个不同的轨道?

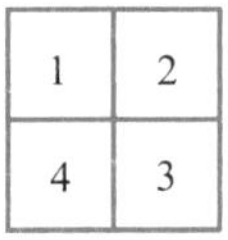

| 1 | 2 |
| 4 | 3 |

图 10.2

解决这个计数问题的定理叫做 Polya 定理,是组合学的基本定理之一,它与拉格朗日定理有着密切的关系.限于篇幅,这里不加证明,而直接给出相关的结果.后面还会看到它在证明费马小定理中的应用.

定理 10.13 设 $N = \{1, 2, \cdots, n\}$ 是被着色物体的集合,$G = \{\sigma_1, \sigma_2, \cdots, \sigma_g\}$ 是 N 上的置换群.用 m 种颜色对 N 中的元素进行着色,则在 G 的作用下不同的着色方案数是

$$M = \frac{1}{|G|} \sum_{k=1}^{g} m^{c(\sigma_k)}$$

其中,$c(\sigma_k)$ 是置换 σ_k 的轮换表示式中包含 1 阶轮换在内的轮换个数.

考虑上面的方格着色问题.群 G 中的所有置换是:

$$\sigma_1 = (1), \sigma_2 = (1\ 2\ 3\ 4), \sigma_3 = (1\ 3)(2\ 4), \sigma_4 = (1\ 4\ 3\ 2)$$

因此 $c(\sigma_1) = 4, c(\sigma_2) = 1, c(\sigma_3) = 2, c(\sigma_4) = 1$.代入 Polya 定理得

$$M = \frac{1}{4}(2^4 + 2^1 + 2^2 + 2^1) = 6$$

图 10.3 给出了这 6 种不同的着色方案.

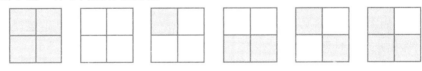

图 10.3

代数系统的同态定义同样适合于群,有关的性质在群中也成立.这里不再重复.

10.4 环 与 域

环是具有两个二元运算的代数系统,它和群及半群有着密切的联系.先给出环的定义.

定义 10.11 设 $<R,+,\cdot>$ 是代数系统,$+$ 和 $\cdot$ 是二元运算,如果满足以下条件:

(1) $<R,+>$ 构成交换群;

(2) $<R,\cdot>$ 构成半群;

(3) $\cdot$ 运算关于 $+$ 运算适合分配律,

则称 $<R,+,\cdot>$ 是一个环.

为了区别环中的两个运算,通常称 $+$ 运算为环中的加法,$\cdot$ 运算为环中的乘法.

例 10.18 (1) 整数集、有理数集、实数集和复数集关于普通的加法和乘法构成环,分别称为整数环 **Z**、有理数环 **Q**、实数环 **R** 和复数环 **C**.

(2) $n(n\geqslant 2)$ 阶实矩阵的集合 $M_n(\mathbf{R})$ 关于矩阵的加法和乘法构成环,称作 n 阶实矩阵环.

(3) 集合的幂集 $P(B)$ 关于集合的对称差运算和交运算构成环.

(4) 设 $\mathbf{Z}_n=\{0,1,\cdots,n-1\}$,$\oplus$ 和 $\otimes$ 分别表示模 n 加法和乘法,则 $<\mathbf{Z}_n,\oplus,\otimes>$ 构成环,称作模 n 的整数环.

为了今后叙述上的方便,将环中加法的单位元记作 0,乘法的单位元记作 1(对于某些环中的乘法不存在单位元),对任何环中的元素 x,称 x 的加法逆元为负元,记作 $-x$. 若 x 存在乘法逆元,则将它称作逆元,记作 x^{-1}. 类似地,针对环中的加法,用 $x-y$ 表示 $x+(-y)$,nx 表示 $\underbrace{x+x+\cdots+x}_{n\uparrow x}$,即 x 的 n 次加法幂,并且用 $-xy$ 表示 xy 的负元.

下面考虑环的运算性质.

定理 10.14 设 $<R,+,\cdot>$ 是环,则

(1) $\forall a\in R,a0=0a=0$

(2) $\forall a,b\in R,(-a)b=a(-b)=-ab$

(3) $\forall a,b,c\in R,a(b-c)=ab-ac,(b-c)a=ba-ca$

(4) $\forall a_1,a_2,\cdots,a_n,b_1,b_2,\cdots,b_m\in R(n,m\geqslant 2)$

$$\left(\sum_{i=1}^{n}a_i\right)\left(\sum_{j=1}^{m}b_j\right)=\sum_{i=1}^{n}\sum_{j=1}^{m}a_ib_j$$

证 只证(1),(2)和(4),(3)留作练习.

(1) $\forall a\in R,$ 有

$$a0=a(0+0)=a0+a0$$

由环中加法的消去律得 $a0=0$. 同理可证 $0a=0$.

(2) $\forall a,b\in R,$ 有

$$(-a)b+ab=(-a+a)b=0b=0$$
$$ab+(-a)b=(a+(-a))b=0b=0$$

因此 $(-a)b$ 是 ab 的负元. 由负元的唯一性可知

$$(-a)b=-ab$$

同理可证 $a(-b)=-ab$.

（4）先证 $\forall a_1, a_2, \cdots, a_n$ 有

$$\left(\sum_{i=1}^{n} a_i \right) b_j = \sum_{i=1}^{n} a_i b_j$$

对 n 进行归纳.

当 $n = 2$ 时, 由环中乘法对加法的分配律, 等式显然成立.

假设 $\left(\sum_{i=1}^{n} a_i \right) b_j = \sum_{i=1}^{n} a_i b_j$, 则有

$$\left(\sum_{i=1}^{n+1} a_i \right) b_j = \left(\sum_{i=1}^{n} a_i + a_{n+1} \right) b_j$$

$$= \left(\sum_{i=1}^{n} a_i \right) b_j + a_{n+1} b_j$$

$$= \sum_{i=1}^{n} a_i b_j + a_{n+1} b_j = \sum_{i=1}^{n+1} a_i b_j$$

由归纳法命题得证.

同理可证, $\forall b_1, b_2, \cdots, b_m$ 有

$$a_i \left(\sum_{j=1}^{m} b_j \right) = \sum_{j=1}^{m} a_i b_j$$

于是

$$\left(\sum_{i=1}^{n} a_i \right) \left(\sum_{j=1}^{m} b_j \right) = \sum_{i=1}^{n} a_i \left(\sum_{j=1}^{m} b_j \right) = \sum_{i=1}^{n} \sum_{j=1}^{m} a_i b_j$$

例 10.19　在环中计算 $(a+b)^3, (a-b)^2$.

解　$\qquad\qquad (a+b)^3 = (a+b)(a+b)(a+b)$

$$= (a^2 + ba + ab + b^2)(a+b)$$

$$= a^3 + ba^2 + aba + b^2 a + a^2 b + bab + ab^2 + b^3$$

$$(a-b)^2 = (a-b)(a-b) = a^2 - ba - ab + b^2$$

按照代数系统的子代数和同态定义可以定义子环以及环同态与同构, 这里不再赘述. 下面考虑特殊的环: 整环和域.

定义 10.12　设 $<R, +, \cdot>$ 是环,

（1）若环中乘法 $\cdot$ 适合交换律, 则称 R 为交换环.

（2）若环中乘法 $\cdot$ 存在单位元, 则称 R 为含幺环.

（3）若 $\forall a, b \in R, ab = 0 \Rightarrow a = 0 \vee b = 0$, 则称 R 为无零因子环.

（4）若 R 既是交换环、含幺环, 也是无零因子环, 则称 R 为整环.

（5）设 R 是整环, 且 R 中至少含有两个元素. 若 $\forall a \in R^* = R - \{0\}$, 都有 $a^{-1} \in R$, 则称 R 是域.

例 10.20　（1）整数环 $\mathbf{Z}$、有理数环 $\mathbf{Q}$、实数环 $\mathbf{R}$、复数环 $\mathbf{C}$ 都是交换环、含幺环、无零因子环和整环, 其中有理数环 $\mathbf{Q}$、实数环 $\mathbf{R}$、复数环 $\mathbf{C}$ 是域.

（2）令 $2\mathbf{Z} = \{2z \mid z \in \mathbf{Z}\}$，则 $2\mathbf{Z}$ 关于普通的加法和乘法构成交换环和无零因子环，但不是含幺环和整环，因为 $1 \notin 2\mathbf{Z}$.

（3）设 n 是大于等于 2 的正整数，则 n 阶实矩阵的集合 $M_n(\mathbf{R})$ 关于矩阵加法和乘法构成环，它是含幺环，但不是交换环和无零因子环，也不是整环.

（4）$\mathbf{Z}_6$ 关于模 6 加法和乘法构成环，它是交换环、含幺环，但不是无零因子环和整环，因为 $2 \otimes 3 = 0$，但 2 和 3 都不是 0，称 2 为 $\mathbf{Z}_6$ 中的左零因子，3 为右零因子. 类似地，又有 $3 \otimes 2 = 0$，所以 3 也是左零因子，2 也是右零因子，它们都是零因子. 可以证明 $\mathbf{Z}_n$ 是域当且仅当 n 是素数.

例 10.21 设 p 为素数，证明 $\mathbf{Z}_p$ 是域.

证 p 为素数，$p \geq 2$，所以 $|\mathbf{Z}_p| \geq 2$.

易见 $\mathbf{Z}_p$ 关于模 p 乘法可交换，单位元是 1，且对于任意的 $i, j \in \mathbf{Z}_p$，$i \neq 0$ 有

$$i \otimes j = 0 \Rightarrow p \text{ 整除 } ij \Rightarrow p \mid j \Rightarrow j = 0$$

所以 $\mathbf{Z}_p$ 中无零因子，$\mathbf{Z}_p$ 为整环.

$\mathbf{Z}_p$ 关于乘法 $\otimes$ 构成有限半群，且 $\mathbf{Z}_p$ 关于 $\otimes$ 满足消去律. 任取 $i \in \mathbf{Z}_p$，$i \neq 0$，令

$$i \otimes \mathbf{Z}_p = \{i \otimes j \mid j \in \mathbf{Z}_p\}$$

则 $i \otimes \mathbf{Z}_p = \mathbf{Z}_p$，否则 $\exists j, k \in \mathbf{Z}_p$，使得

$$i \otimes j = i \otimes k$$

由消去律得 $j = k$. 这是矛盾的. 由于 $1 \in \mathbf{Z}_p$，存在 $i' \in \mathbf{Z}_p$，使得 $i \otimes i' = 1$. 由于 $\otimes$ 运算的交换性可知 i' 就是 i 的逆元，从而证明了 $\mathbf{Z}_p$ 是域.

类似于子环，也可以定义子整环和子域，请读者试给出相关的定义.

信息安全是关系国计民生的重大问题，也是计算机科学和数学的一个重要的研究领域. 有限域的理论在密码学中有着重要的应用. 密码学，特别是公开密钥密码学，常常要用到大的素数. 著名的费马（Fermat）小定理给出了素数测试的必要条件，但不是充分条件，满足这个条件的也可能是合数. 概率算法是目前大量使用的效率比较高的算法，下面先给出费马小定理的组合证明，然后简单介绍素数测试的概率算法. 有关费马小定理的其他的知识将在第 19 章给予介绍.

定理 10.15（费马小定理）

如果 p 为素数，则对所有的 $n \neq 0 \pmod{p}$ 有 $n^{p-1} \equiv 1 \pmod{p}$.

证 对于费马小定理有一个简单的组合证明. 考虑用 n 种颜色对具有 p 颗珠子的手镯进行着色. 这些珠子标记为 $1, 2, \cdots, p$，等距离地顺序排列在圆环上，图 10.4 给出了 5 个珠子的一个实例. 令 $\theta = 2\pi/p$，当手镯旋转的角度分别等于 $\theta, 2\theta, \cdots, p\theta$ 时就对应 p 个置换作用于珠子上. 例如，旋转 θ 角的置换可以表示为轮换 $(12 \cdots p)$. 由于 p 是素数，除了 $p\theta = 2\pi$ 对应于恒等置换之外，其他 $p-1$ 个置换都由一个 p 阶轮换构成. 根据 Polya 定理，不同的着色方案数是

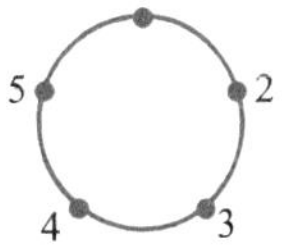

图 10.4

$$M = \frac{1}{p}\left[n^p + (p-1)n^1\right] = \frac{1}{p}(n^p - n) + n$$

因为 M 和 n 是正整数，因此 $n^p - n = n(n^{p-1} - 1)$ 能够被 p 整除，即

$$n^{p-1} \equiv 1 \pmod p$$

由于满足费马小定理的数也可能是合数,为了减少出错,下面再给出另一个测试条件,这里要用到有限域的知识.

一个有限域 F 是具有有限个元素的代数系统,其中 F 与加法构成 Abel 群,$F^* = F - \{0\}$ 与乘法也构成阿贝尔群. 当 n 为素数时,$<\mathbf{Z}_n, \oplus, \otimes>$ 就是含有 n 个元素的有限域,简记为 $\mathbf{Z}_n$.

命题　如果 n 为素数,则在域 $\mathbf{Z}_n$ 中方程 $x^2 \equiv 1 \pmod n$ 的根只有两个,即 $x = 1, x = n - 1$.

证
$$x^2 \equiv 1 \pmod n \Leftrightarrow x^2 - 1 \equiv 0 \pmod n$$
$$\Leftrightarrow (x-1)(x+1) \equiv 0 \pmod n$$
$$\Leftrightarrow x - 1 \equiv 0 \pmod n \vee x + 1 \equiv 0 \pmod n \quad (\text{域中没有零因子})$$
$$\Leftrightarrow x = 1 \vee x = n - 1$$

称 $x \neq 1$ 和 $n - 1$ 的根为非平凡的. 例如 $n = 12$,
$$x^2 \pmod{12} \equiv 1 \Leftrightarrow x = 1 \text{ 或 } x = 11 \text{ 或 } x = 5 \text{ 或 } x = 7$$

上式中 5 和 7 是非平凡的根. 根据命题,如果方程有非平凡根,则 n 为合数. 素数判断的问题就归结为方程是否存在非平凡根的问题. 不幸的是,目前也没有解决这个问题的好的确定型算法.

设 n 为奇素数,根据除法,存在正整数 q 和 m,其中 $q > 1$,m 为奇数,使得 $n - 1 = 2^q m$. 给定正整数 a,令 $k = 0, 1, \cdots, q$,从而得到通项公式为 $a^{2^k m} \pmod n$ 的序列:

$$a^m \pmod n, a^{2m} \pmod n, a^{4m} \pmod n, \cdots, a^{2^q m} \pmod n$$

该序列的最后一项为 $a^{n-1} \pmod n$,而且每一项是前面一项的平方. 根据费马小定理,对于素数 n,一定有 $a^{n-1} \equiv 1 \pmod n$. 因此上述序列的最后一项,即 $k = q$ 的项应该等于 1. 根据命题,它的前一项,也就是 $k = q - 1$ 的项应该等于 1 或 $n - 1$. 如果该项等于 1,那么 $k = q - 2$ 的项也应该等于 1 或 $n - 1$. 照此进行,依次检查序列的各项,判断 $a^{2^k m} \pmod n$ 是否为 1 和 $n - 1$,且它的后一项是否为 1. 如果存在某一项,如第 k 项,不等于 1 和 $n - 1$,但是第 $k + 1$ 项等于 1,从而知道 n 不是素数. 例如 $n = 561$,那么 $n - 1 = 560 = 2^4 \cdot 35$,假设 $a = 7$,构造的序列为

$$7^{35} \pmod{561} = 241, 7^{70} \pmod{561} = 298, 7^{2^2 \times 35} \pmod{561} = 166,$$
$$7^{2^3 \times 35} \pmod{561} = 67, 7^{2^4 \times 35} \pmod{561} = 1$$

第 5 项为 1,但是第 4 项等于 67,它既不等于 1 也不等于 560,是个非平凡的根,因此可以判定 n 为合数. 根据这个思想设计的计算机算法称为 Miller-Rabin 算法,它随机选择正整数 $a \in \{2, 3, \cdots, n-1\}$,然后进行上述测试.

算法　Miller-Rabin(n)

1. 令 $n - 1 = 2^q m$,$q \geq 1$,m 为奇数
2. $a \leftarrow \text{Random}(2, n-1)$　(随机选择 $a \in \{2, \cdots, n-1\}$)
3. $x_0 \leftarrow a^m \pmod n$
4. for $i \leftarrow 1$ to q do
5. 　　$x_i \leftarrow x_{i-1}^2 \pmod n$

6.   if $x_i = 1$ and $x_{i-1} \neq 1$ and $x_{i-1} \neq n-1$

7.   then return composite

8. if $x_q \neq 1$ then return composite

9. return prime

由于 a 是随机选择的,这种测试不能保证检查到所有可能出现非平凡根的情况,这种出错是由于对 a 的选择不当而引起的.可以证明:在 n 为奇合数的情况下,出错的概率小于 $1/2$. 证明涉及较多的群论和数论的知识,这里不再详细阐述,只是介绍一下证明的主要思想.

根据费马小定理,有 $a^{n-1} \equiv 1 \pmod{n}$,从而有 $aa^{n-2} \equiv 1 \pmod{n}$,因此存在整数 u, v 使得

$$au + nv = 1$$

这是 a 与 n 互素的充要条件(见第 19 章定理 19.8),于是 $(a, n) = 1$. 这说明所有出现错误的 a 都属于集合

$$T = \{x \mid x \in \mathbf{Z}_n, (x, n) = 1\}$$

根据本章习题 12,这个集合关于模 n 乘法构成阿贝尔群,且 $|T| = \phi(n)$,这里的 $\phi(n)$ 是欧拉函数的值. 定义集合

$$B = \{x \mid x \in T, x^{2^k m} \equiv 1 \pmod{n} \lor x^{2^k m} \equiv n-1 \pmod{n}\}$$

利用群和数论的知识,可以证明 B 构成 T 的真子群. 再根据拉格朗日定理,$|B|$ 小于 $\phi(n)$ 且整除 $\phi(n)$,因此至多是 $(n-1)/2$. 由于 B 中含有 1,而 $a \neq 1$,因此使得算法出错的 a 的个数少于 $(n-1)/2$. 这就证明了算法对于素数测试得到正确结果的概率大于 $1/2$.

对这个算法重复运行 k 次,可以将出错概率降到至多 2^{-k}. 令 $k = \lceil \log n \rceil$,出错的概率小于等于 $2^{-k} \leqslant 1/n$. 即算法给出正确答案的概率为 $1 - 1/n$. 换句话说,如果 n 为素数,则算法输出素数;如果 n 为合数,则算法以 $1 - 1/n$ 的概率输出"合数". 考虑到算法比较高的效率,在实际当中 Miller-Rabin 算法是一个较好的算法.

最后介绍一个信息安全领域的重要研究课题——全同态加密(fully homomorphic encryption)技术,作为本章的结束.

自从 2009 年 Craig Gentry 在他的博士论文里首次提出一种基于理想格的全同态加密算法之后,将公钥密码关于同态加密技术的研究推向高潮. 全同态加密函数与代数系统中环的同态映射有着类似的性质. 举例说明如下.

设 M, S 分别代表明文空间和密文空间,x 和 y 是 M 中的数据(x, y 的二进制表示可看作整数),$+, \cdot$ 分别表示加法运算和乘法运算. 这两种运算是数据处理中经常用到的运算. 令 $E: M \to S$ 是 M 上的加密函数. 定义同态加密函数如下.

(1)如果存在一个有效的算法 Add,使得

$$Add(E(x), E(y)) = E(x+y)$$

成立,则称加密函数 E 对加法运算是同态的.

(2)如果存在一个有效的算法 $Multi$,使得

$$Multi(E(x), E(y)) = E(x \cdot y)$$

成立,则称加密函数 E 对乘法运算是同态的.

上述定义中的 *Add*、*Multi* 是对加密后数据的处理算法. 上述定义中的等式左边先对 x 和 y 加密,然后利用 *Add* 或 *Multi* 算法(分别对应于加法、乘法)对加密后的数据进行运算. 而等式右边是对原数据 x 和 y 先进行运算(加法、乘法),然后对运算后的数据进行加密. 如果函数是同态加密函数,则两种处理的结果是一样的.

同时满足上述关于加法运算和乘法运算的同态加密函数称作全同态加密函数. 现有的多数加密函数不是全同态加密函数,可能只对加法运算满足同态性质,或者只对乘法运算满足同态性质. Craig Gentry 虽然提出了一种全同态加密的解决方案,但由于效率有待改进至今还没有投入实际应用. 下面对 RSA 公钥密码进行简单的分析.

在 RSA 公钥密码体制中,假设明文是 m,密文是 c. 选取两个不相等的大素数 p,q,令 $n=pq$,且 $m<n$. 根据欧拉函数的公式(见第 6 章例 6.6),有

$$\phi(n) = pq\left(1-\frac{1}{p}\right)\left(1-\frac{1}{q}\right) = (p-1)(q-1)$$

选择大整数 w 使得 w 与 $\phi(n)$ 互素. 令 d 是 w 的模 $\phi(n)$ 乘法逆元,即 $dw \equiv 1(\bmod \phi(n))$,则取公钥为 (w,n),私钥为 d. 用公钥对数据 m 加密,得到密文 c,然后用私钥 d 对密文 c 解密. 形式化描述如下.

$$\text{加密算法}: c = E(m) = m^w \bmod n$$
$$\text{解密算法}: D(c) = c^d \bmod n$$

RSA 解密算法的正确性在 19.6.2 小节给出了证明. 下面对 RSA 密码体制的同态性进行分析. 对于任意明文 m_1 和 m_2,有

$$\begin{aligned}
E(m_1 \cdot m_2) &= (m_1 \cdot m_2)^w \bmod n \\
&= m_1^w \bmod n \otimes m_2^w \bmod n \\
&= E(m_1) \otimes E(m_2)
\end{aligned}$$

这就证明了 RSA 加密函数对乘法满足同态性质,其中 $\otimes$ 代表模 n 乘法. 但是对于加法,有以下结果:

$$E(m_1+m_2) = (m_1+m_2)^w \bmod n$$
$$E(m_1) \oplus E(m_2) = m_1^w \bmod n \oplus m_2^w \bmod n$$

不难看出两个等式的右边可能是不相等的,因此加密函数对加法不满足同态性质.

由于全同态加密技术不需要解密就可以对已加密的数据进行处理,并且与对原始数据直接处理的结果一样,这对于数据处理中的隐私保护有着重要的意义. 例如,在云计算中,用户可以将需要处理的数据加密后送到云端,云端服务器不需要解密就可以直接处理密文,然后将处理结果返回给用户. 用户收到处理过的数据,只要自己进行同态解密即可. 同态加密技术为解决物联网中海量数据的安全存储、高效检索和访问控制等提供了一个新的思路. 因此,研究一种高效的全同态加密解决方案不但具有理论价值,而且具有广泛的应用前景.

习 题 10

1. 设 $A=\{0,1\}$，试给出半群 $<A^A,\circ>$ 的运算表，其中 $\circ$ 为函数的复合运算.

2. 判断下列集合关于指定的运算是否构成半群、独异点和群.

(1) a 是正实数，$G=\{a^n\mid n\in\mathbf{Z}\}$，运算是普通乘法；

(2) $\mathbf{Q}^+$ 为正有理数集，运算是普通乘法；

(3) $\mathbf{Q}^+$ 为正有理数集，运算是普通加法；

(4) 一元实系数多项式的集合关于多项式的加法；

(5) 一元实系数多项式的集合关于多项式的乘法；

(6) $U_n=\{x\mid x\in\mathbf{C}\wedge x^n=1\}$，$n$ 为某个给定的正整数，$\mathbf{C}$ 为复数集合，运算是复数乘法.

3. 在 $\mathbf{R}$ 中定义二元运算 $*$ 使得 $\forall a,b\in\mathbf{R}$，

$$a*b=a+b+ab$$

证明 $<\mathbf{R},*>$ 构成独异点.

4. $S=\{a,b,c\}$，$*$ 是 S 上的二元运算，且 $\forall x,y\in S,x*y=x$.

(1) 证明：S 关于 $*$ 运算构成半群.

(2) 试通过增加最少的元素使得 S 扩张成一个独异点.

5. 设 $V=<\{a,b\},*>$ 是半群，且 $a*a=b$，证明：

(1) $a*b=b*a$；

(2) $b*b=b$.

6. 设 $V=<S,*>$ 是可交换半群，若 a,b 是 V 中的幂等元，证明 $a*b$ 也是 V 中的幂等元.

7. 设 $G=\{a+bi\mid a,b\in\mathbf{Z}\}$，$i$ 为虚数单位，即 $i^2=-1$. 验证 G 关于复数加法构成群.

8. 设 $S=\{0,1,2,3\}$，$\otimes$ 为模 4 乘法，即

$$\forall x,y\in S,x\otimes y=(xy)\bmod 4$$

问：$<S,\otimes>$ 构成什么代数系统（半群，独异点，群）？为什么？

9. 设 $\mathbf{Z}$ 为整数集，在 $\mathbf{Z}$ 上定义二元运算 $\circ$ 如下.

$$\forall x,y\in\mathbf{Z},x\circ y=x+y-2.$$

问 $\mathbf{Z}$ 关于 $\circ$ 运算能否构成群？为什么？

10. 设 $A=\{x\mid x\in\mathbf{R}\wedge x\neq 0,1\}$，在 A 上定义 6 个函数如下.

$$f_1(x)=x,\qquad f_2(x)=x^{-1},\qquad f_3(x)=1-x,$$

$$f_4(x)=(1-x)^{-1},\quad f_5(x)=(x-1)x^{-1},\quad f_6(x)=x(x-1)^{-1}$$

令 F 为这 6 个函数构成的集合，$\circ$ 运算为函数的复合运算.

(1) 给出 $\circ$ 运算的运算表；

(2) 验证 $<F,\circ>$ 是一个群.

11. 设 $G=\left\{\begin{pmatrix}1&0\\0&1\end{pmatrix},\begin{pmatrix}1&0\\0&-1\end{pmatrix},\begin{pmatrix}-1&0\\0&1\end{pmatrix},\begin{pmatrix}-1&0\\0&-1\end{pmatrix}\right\}$，证明 G 关于矩阵乘法构成一个群.

12. $\mathbf{Z}_n=\{0,1,\cdots,n-1\}$，定义

$$T = \{x \mid x \in \mathbf{Z}_n \text{ 且 } (x,n) = 1\}$$

这里的 (x,n) 表示 x 与 n 的最大公约数,证明 T 关于模 n 乘法构成阿贝尔群.

13. 证明定理 10.1 的(2)、(4) 和 (5),即设 G 为群,证明

(2) $\forall a,b \in G,(ab)^{-1} = b^{-1}a^{-1}$;

(4) $\forall a \in G,(a^n)^m = a^{nm}$;

(5) 若 G 为交换群,则 $(ab)^n = a^n b^n$.

14. 证明定理 10.2,即证明群 G 中运算满足消去律.

15. 设 G 为群,若 $\forall x \in G$ 有 $x^2 = e$,证明 G 为交换群.

16. 设 G 为群,证明 e 为 G 中唯一的幂等元.

17. 设 G 为群,$a,b,c \in G$,证明

$$|abc| = |bca| = |cab|$$

18. 证明偶数阶群必含 2 阶元.

19. 设 G 为非阿贝尔群,证明 G 中存在非单位元 a 和 b,$a \neq b$,且 $ab = ba$.

20. 设 G 为 $M_n(\mathbf{R})$ 上的加法群,$n \geq 2$,判断下述子集是否构成子群.

(1) 全体对称矩阵;

(2) 全体对角矩阵;

(3) 全体行列式大于等于 0 的矩阵;

(4) 全体上(下)三角矩阵.

21. 设 G 为群,a 是 G 中给定元素,a 的正规化子 $N(a)$ 表示 G 中与 a 可交换的元素构成的集合,即

$$N(a) = \{x \mid x \in G \wedge xa = ax\}$$

证明 $N(a)$ 是 G 的子群.

22. 设 H 是群 G 的子群,$x \in G$,令

$$xHx^{-1} = \{xhx^{-1} \mid h \in H\}$$

证明 xHx^{-1} 是 G 的子群,称作 H 的共轭子群.

23. 画出群 $<\mathbf{Z}_{18}, \oplus>$ 的子群格.

24. 设 H 和 K 分别为群 G 的 r,s 阶子群,若 r 和 S 互素,证明 $H \cap K = \{e\}$.

25. 对下列各题给定的群 G_1 和 G_2,以及 $f:G_1 \to G_2$,说明 f 是否为群 G_1 到 G_2 的同态,如果是,说明是否为单同态、满同态和同构.求同态像 $f(G_1)$.

(1) $G_1 = <\mathbf{Z},+>,G_2 = <\mathbf{R}^*, \cdot >$,其中 $\mathbf{R}^*$ 为非零实数集,$+$ 和 $\cdot$ 分别表示数的加法和乘法.

$$f:\mathbf{Z} \to \mathbf{R}^*, f(x) = \begin{cases} 1, & x \text{ 是偶数} \\ -1, & x \text{ 是奇数} \end{cases}$$

(2) $G_1 = <\mathbf{Z},+>,G_2 = <A, \cdot >$,其中 $+$ 和 $\cdot$ 分别表示数的加法和乘法,$A = \{x \mid x \in \mathbf{C} \wedge |x| = 1\}$,其中 $\mathbf{C}$ 为复数集.

$$f:\mathbf{Z} \to A, f(x) = \cos x + \mathrm{i}\sin x$$

(3) $G_1 = <\mathbf{R},+>,G_2 = <A, \cdot >$,$+$ 和 $\cdot$ 以及 A 的定义同(2)

$$f:\mathbf{R} \to A, f(x) = \cos x + \mathrm{i}\sin x$$

26. 证明循环群一定是阿贝尔群,说明阿贝尔群是否一定是循环群,并证明你的结论.

27. 设 G_1 为循环群,f 是群 G_1 到 G_2 的同态,证明 $f(G_1)$ 也是循环群.

28. 设 $G = \langle a \rangle$ 是 15 阶循环群.

（1）求出 G 的所有生成元；

（2）求出 G 的所有子群.

29. 设 σ, τ 是 5 元置换，且

$$\sigma = \begin{pmatrix} 1 & 2 & 3 & 4 & 5 \\ 2 & 1 & 4 & 5 & 3 \end{pmatrix}, \tau = \begin{pmatrix} 1 & 2 & 3 & 4 & 5 \\ 3 & 4 & 5 & 1 & 2 \end{pmatrix}$$

（1）计算 $\sigma\tau, \tau\sigma, \sigma^{-1}, \tau^{-1}, \sigma^{-1}\tau\sigma$；

（2）将 $\sigma\tau, \tau^{-1}, \sigma^{-1}\tau\sigma$ 表成不交的轮换之积；

（3）将（2）中的置换表示成对换之积，并说明哪些为奇置换，哪些为偶置换.

30. 如果允许立方体在空间任意转动，用 n 种颜色着色立方体的 6 个面，证明不同的着色方案数是 $\frac{1}{24}(n^6 + 8n^2 + 12n^3 + 3n^4)$.

31. 一个圆环上等距地镶有 6 颗珠子，每颗珠子可以是红、蓝、黄 3 种颜色，问：有多少种不同的镶嵌方案？

32. 设 $A = \{a + bi \mid a, b \in \mathbf{Z}, i^2 = -1\}$，证明 A 关于复数加法和乘法构成环，称作高斯整数环.

33. 设 $f(x) = a_0 + a_1 x + a_2 x^2 + \cdots + a_n x^n, a_0, a_1, \cdots, a_n$ 为实数，称 $f(x)$ 为实数域上的 n 次多项式，令

$$A = \{f(x) \mid f(x) \text{ 为实数域上的 } n \text{ 次多项式}, n \in \mathbf{N}\}$$

证明 A 关于多项式的加法和乘法构成一个环，称作实数域上的多项式环.

34. 判断下列集合和给定运算是否构成环、整环和域，如果不能构成，说明理由.

（1）$A = \{a + bi \mid a, b \in \mathbf{Q}\}$，其中 $i^2 = -1$，运算为复数加法和乘法；

（2）$A = \{2z + 1 \mid z \in \mathbf{Z}\}$，运算为实数加法和乘法；

（3）$A = \{2z \mid z \in \mathbf{Z}\}$，运算为实数加法和乘法；

（4）$A = \{x \mid x \geq 0 \wedge x \in \mathbf{Z}\}$，运算为实数加法和乘法；

（5）$A = \{a + b\sqrt[4]{5} \mid a, b \in \mathbf{Q}\}$，运算为实数加法和乘法.

35. 在域 $\mathbf{Z}_5$ 中解下列方程和方程组.

（1）$3x = 2$

（2）$\begin{cases} x + 2z = 1 \\ z + 2x = 2 \\ 2x + y = 1 \end{cases}$

36. 设 a 和 b 是含幺环 R 中的两个可逆元，证明：

（1）$-a$ 也是可逆元，且 $(-a)^{-1} = -a^{-1}$；

（2）ab 也是可逆元，且 $(ab)^{-1} = b^{-1}a^{-1}$.

37. 设 R 是环，令

$$C = \{x \mid x \in R \wedge \forall a \in R(xa = ax)\}$$

C 称作 R 的中心，证明 C 是 R 的子环.

38. 证明定理 10.14（3），即设 R 是环，则 $\forall a, b, c \in R$，有

$$a(b - c) = ab - ac, \quad (b - c)a = ba - ca$$

第 11 章
格与布尔代数

11.1 格的定义与性质

格与布尔代数是具有两个二元运算的代数系统,它们与同样具有两个二元运算的代数系统——环具有完全不同的性质.格或布尔代数在逻辑电路设计、软件形式方法、数据仓库等各方面都有重要的应用.下面先给出格的定义和基本性质.

首先说明,本章出现的 $\wedge$ 和 $\vee$ 的符号不再代表逻辑上的合取与析取,而是格中的运算符,涉及合取和析取,将使用自然语言加以叙述.下面给出格作为偏序集的第一个定义.

定义 11.1 设 $<S, \leqslant>$ 是偏序集,如果 $\forall x, y \in S, \{x, y\}$ 都有最小上界和最大下界,则称 S 关于偏序 $\leqslant$ 作成一个格.

由于最小上界和最大下界的唯一性,可以把求 $\{x, y\}$ 的最小上界和最大下界看成 x 与 y 的二元运算 $\vee$ 和 $\wedge$,即 $x \vee y$ 和 $x \wedge y$ 分别表示 x 与 y 的最小上界和最大下界.

例 11.1 设 n 是正整数,S_n 是 n 的正因子的集合.D 为整除关系,则偏序集 $<S_n, D>$ 构成格. $\forall x, y \in S_n, x \vee y$ 是 $\mathrm{lcm}(x, y)$,即 x 与 y 的最小公倍数. $x \wedge y$ 是 $\gcd(x, y)$,即 x 与 y 的最大公约数.图 11.1 给出了格 $<S_8, D>$,$<S_6, D>$ 和 $<S_{30}, D>$.

例 11.2 判断下列偏序集是否构成格,并说明理由.

(1) $<P(B), \subseteq>$,其中 $P(B)$ 是集合 B 的幂集.

(2) $<\mathbf{Z}, \leqslant>$,其中 $\mathbf{Z}$ 是整数集,$\leqslant$ 为小于等于关系.

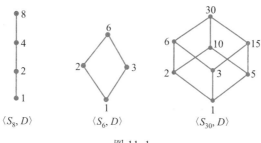

图 11.1

（3）偏序集的哈斯图在图 11.2 中分别给出.

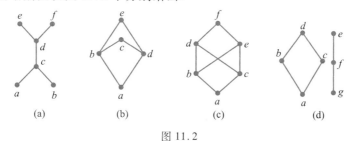

图 11.2

解　（1）是格. $\forall x, y \in P(B)$, $x \vee y$ 就是 $x \cup y$, $x \wedge y$ 就是 $x \cap y$. 由于 $\cup$ 和 $\cap$ 运算在 $P(B)$ 上是封闭的, 所以 $x \cup y, x \cap y \in P(B)$. 称 $<P(B), \subseteq>$ 为 B 的**幂集格**.

（2）是格. $\forall x, y \in \mathbf{Z}$, $x \vee y = \max(x, y)$, $x \wedge y = \min(x, y)$, 它们都是整数.

（3）都不是格.（a）中的 $\{a, b\}$ 没有最大下界.（b）中的 $\{b, d\}$ 有两个上界 c 和 e, 但没有最小上界.（c）的 $\{b, c\}$ 有 3 个上界 d, e 和 f, 但没有最小上界.（d）中的 $\{a, g\}$ 没有最大下界.

例 11.3　设 G 是群, $L(G)$ 是 G 的所有子群的集合, 即
$$L(G) = \{H \mid H \leqslant G\}$$
对任意的 $H_1, H_2 \in L(G)$, $H_1 \cap H_2$ 也是 G 的子群, 而 $<H_1 \cup H_2>$ 是由 $H_1 \cup H_2$ 生成的子群（见 10.2 节）. 在 $L(G)$ 上定义包含关系 $\subseteq$, 则 $L(G)$ 关于包含关系构成一个格, 称作 G 的**子群格**. 易见在 $L(G)$ 中, $H_1 \wedge H_2$ 就是 $H_1 \cap H_2$, $H_1 \vee H_2$ 就是 $<H_1 \cup H_2>$.

例 11.4　数据仓库中的视图格.①

数据仓库中的数据空间可以看成一个多维的"立方体". 例如, 一个汽车销售的数据仓库的模式可能是：

Sales(serialNo, date, dealer, price)

Autos(serialNo, model, color)

Dealers(name, city, phone)

---

① 这个例子改写自 Hector Garcia-Molina 等的《数据库系统全书》(Database Systems: The Complete Book)一书.

其中,涉及销售的属性有汽车型号、销售日期、代理商、价格;涉及汽车的属性有汽车型号、类型、颜色;涉及代理商的属性有名称、城市、电话.在决策查询中可能需要某段指定时间的销售情况.例如

　　SELECT city,AVG(prices)

　　FROM Sales,Dealers

　　WHERE Sales.dealer=Dealers.name AND

　　　　　　Data>='2005-01-01'

　　GROUP BY city;

这个查询将返回 2005 年 1 月 1 号以后各个城市的每种汽车的平均销售价格.

　　数据仓库可以分成日期维,汽车维(轿车、越野车和可转换汽车),代理商维(西部地区、东部地区)等.可以对它进行切块和切片查询,这种查询会涉及在某一维上进行切片,而在其他维上进行切块.图 11.3 中的阴影部分就是在日期维切片,而在汽车和代理商维进行切块的分割.

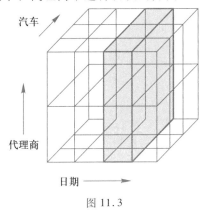

图 11.3

　　面对数据仓库的海量数据,在联机分析处理(OLAP)中,为了加快查询速度,可以将数据按照维进行聚集.例如,沿日期维将每种汽车、每个代理商的数据聚集到一起,也可以沿代理商维将每个日期、每种汽车的所有代理商的数据聚集起来.如果在这两个维度上进行聚集,那么就得到每种汽车在所有日期和代理商的数据.如果限制查询只能是完全聚集或不聚集,那么这种聚集才是有用的.但是实际的大量查询可能涉及部分聚集的数据.例如,需要查询省会城市大众汽车的销售情况.如果每次查询都从原始数据查找,效率是很低的,为此需要建立物化视图.被选择进行物化的视图是一些典型的聚集结果.可以事先将这些视图存放在数据库中,根据用户的查询要求进行选择使用.在这个例子中,一个可能的物化视图 V_1 可以按月对日期分组,按城市对代理商分组.另一个物化视图 V_2 可能是按周对日期分组,按省对代理商分组,还可以有许多其他的方案.

　　如何选择物化视图的分组方案,使得占用较小的空间,同时尽可能满足更多的查询要求?这里就用到格的结构.

　　每维上的数据构成集合,对它的一种分组就是对这个集合的划分.对同维上的两个划分 P_1 和 P_2,如果 P_1 的每个划分块都是 P_2 的某个划分块的子集,就称 P_1 是 P_2 的加细,记作 $P_1 \leqslant P_2$. 例如,在日期维上,P_1 把数据按天划分,P_2 把数据按月划分,那么 P_1 就是 P_2 的加细.显然加细是偏序关系.如果把维上的所有分组的集合记作 X,那么 X 关于加细关系构成格.图 11.4 给出了日期维和代理商维对应的两个格.

　　如果数据立方体的每个维都有一个格,那么可以为数据立方体的所有可能的物化视图定义一个格(习题 7 第 48 题断定偏序集的 2 阶笛卡儿积仍旧是偏序,这里则是高维的),这个格称作

视图格. 如果 V_1 和 V_2 是两个物化视图, 它们通过在每一维上选择一种划分构成. 那么 $V_1 \leqslant V_2$ 就意味着: 在每一维上 V_1 对应的划分都是 V_2 对应划分的加细. 上述数据仓库中物化视图 V_1 和 V_2 构成的格(整个格的一部分)如图 11.5 所示. 其中 Q_1, Q_2 和 Q_3 代表 3 个不同的查询. Q_1 既可以从视图 V_1 得到回答, 也可以从视图 V_2 得到回答, 而 Q_3 只能从 Sales 中得到回答, 视图 V_1 和 V_2 不支持 Q_3 查询, 但是 Sales 也是视图, 它在每一维上的划分都是最细的, 它可以支持所有的查询.

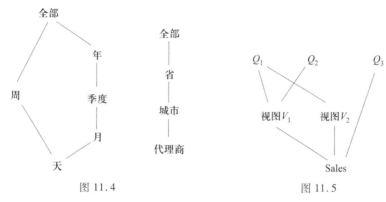

图 11.4　　　　　　　　　　　　　图 11.5

根据偏序集的性质不难证明格的重要性质, 即格的对偶原理.

定义 11.2　设 f 是含有格中元素以及符号 $=, \leqslant, \geqslant, \vee$ 和 $\wedge$ 的命题. 令 f^* 是将 f 中的 $\leqslant$ 替换成 $\geqslant$, $\geqslant$ 替换成 $\leqslant$, $\vee$ 替换成 $\wedge$, $\wedge$ 替换成 $\vee$ 所得到的命题. 称 f^* 为 f 的对偶命题.

例如, 在格中令 f 是 $(a \vee b) \wedge c \leqslant c$, 则 f^* 是

$$(a \wedge b) \vee c \geqslant c$$

格的对偶原理　设 f 是含有格中元素以及符号 $=, \leqslant, \geqslant, \vee$ 和 $\wedge$ 等的命题. 若 f 对一切格为真, 则 f 的对偶命题 f^* 也对一切格为真.

例如, 若对一切格 L 都有

$$\forall a, b \in L, a \wedge b \leqslant a$$

那么对一切格 L 都有

$$\forall a, b \in L, a \vee b \geqslant a$$

许多格的性质都是互为对偶命题的, 有了格的对偶原理, 在证明格的性质时, 只需证明其中的一个命题就可以了.

定理 11.1　设 $<L, \leqslant>$ 是格, 则运算 $\vee$ 和 $\wedge$ 满足交换律、结合律、幂等律和吸收律, 即

（1）$\forall a, b \in L$ 有

$$a \vee b = b \vee a, \quad a \wedge b = b \wedge a$$

（2）$\forall a, b, c \in L$ 有

$$(a \vee b) \vee c = a \vee (b \vee c), \quad (a \wedge b) \wedge c = a \wedge (b \wedge c)$$

（3）$\forall a \in L$ 有

$$a \vee a = a, \quad a \wedge a = a$$

（4）$\forall a, b \in L$ 有

$$a \vee (a \wedge b) = a, \quad a \wedge (a \vee b) = a$$

证　（1）$a \vee b$ 和 $b \wedge a$ 分别是 $\{a, b\}$ 的最小上界和 $\{b, a\}$ 的最小上界. 由于 $\{a, b\} = \{b, a\}$，所以 $a \vee b = b \vee a$.

由对偶原理，$a \wedge b = b \wedge a$ 得证.

（2）由最小上界的定义有

$$(a \vee b) \vee c \geqslant a \vee b \geqslant a \tag{11.1}$$

$$(a \vee b) \vee c \geqslant a \vee b \geqslant b \tag{11.2}$$

$$(a \vee b) \vee c \geqslant c \tag{11.3}$$

由式（11.2）和（11.3）有

$$(a \vee b) \vee c \geqslant b \vee c \tag{11.4}$$

由式（11.1）和（11.4）有

$$(a \vee b) \vee c \geqslant a \vee (b \vee c)$$

同理可证

$$(a \vee b) \vee c \leqslant a \vee (b \vee c)$$

根据偏序的反对称性有

$$(a \vee b) \vee c = a \vee (b \vee c)$$

由对偶原理，$(a \wedge b) \wedge c = a \wedge (b \wedge c)$ 得证.

（3）显然 $a \leqslant a \vee a$，又由 $a \leqslant a$ 可得 $a \vee a \leqslant a$，根据反对称性有

$$a \vee a = a$$

由对偶原理，$a \wedge a = a$ 得证.

（4）显然

$$a \vee (a \wedge b) \geqslant a \tag{11.5}$$

又由 $a \leqslant a, a \wedge b \leqslant a$ 可得

$$a \vee (a \wedge b) \leqslant a \tag{11.6}$$

由式（11.5）和（11.6）可得

$$a \vee (a \wedge b) = a$$

根据对偶原理，$a \wedge (a \vee b) = a$ 得证.

由定理 11.1 可知，格是具有两个二元运算的代数系统 $<L, \wedge, \vee>$，其中运算 $\wedge$ 和 $\vee$ 满足交换律、结合律、幂等律和吸收律. 那么能不能像群、环、域一样，通过规定运算及其基本性质来给出格的定义呢？回答是肯定的.

定理 11.2　设$<S, *, \circ>$是具有两个二元运算的代数系统,且对于 $*$ 和 $\circ$ 运算满足交换律、结合律、吸收律,则可以适当定义 S 中的偏序 $\leqslant$,使得$<S, \leqslant>$构成一个格,且 $\forall a, b \in S$ 有 $a \wedge b = a * b, a \vee b = a \circ b$.

证　(1) 先证在 S 中 $*$ 和 $\circ$ 运算都满足幂等律.

$\forall a \in S$,由吸收律得

$$a * a = a * (a \circ (a * a)) = a$$

同理有

$$a \circ a = a$$

(2) 在 S 上定义二元关系 R,$\forall a, b \in S$ 有

$$<a, b> \in R \Leftrightarrow a \circ b = b$$

下面证明 R 是 S 上的偏序.

根据幂等律,$\forall a \in S$ 都有 $a \circ a = a$,即$<a, a> \in R$,所以 R 在 S 上是自反的.

$\forall a, b \in S$ 有

$$aRb \text{ 且 } bRa \Leftrightarrow a \circ b = b \text{ 且 } b \circ a = a$$
$$\Rightarrow a = b \circ a = a \circ b = b \text{ (由于 } a \circ b = b \circ a)$$

这就证明了 R 在 S 上是反对称的.

$\forall a, b, c \in S$ 有

$$aRb \text{ 且 } bRc \Rightarrow a \circ b = b \text{ 且 } b \circ c = c$$
$$\Rightarrow a \circ c = a \circ (b \circ c) \qquad\qquad (\text{由于 } b \circ c = c)$$
$$\Rightarrow a \circ c = (a \circ b) \circ c \qquad\qquad (\text{结合律})$$
$$\Rightarrow a \circ c = b \circ c = c \qquad\qquad (\text{由于 } a \circ b = b, b \circ c = c)$$
$$\Rightarrow aRc$$

这就证明了 R 在 S 上是传递的.

综上所述,R 为 S 上的偏序. 以下把关系 R 记作 $\leqslant$.

(3) 证明$<S, \leqslant>$构成格.

$\forall a, b \in S$ 有

$$a \circ (a \circ b) = (a \circ a) \circ b = a \circ b$$
$$b \circ (a \circ b) = a \circ (b \circ b) = a \circ b$$

这就推出 $a \leqslant a \circ b$ 和 $b \leqslant a \circ b$,所以 $a \circ b$ 是 $\{a, b\}$ 的上界.

假设 c 为 $\{a, b\}$ 的上界,则有 $a \circ c = c$ 和 $b \circ c = c$,从而有

$$(a \circ b) \circ c = a \circ (b \circ c) = a \circ c = c$$

这就证明了 $a \circ b \leqslant c$,所以 $a \circ b$ 是 $\{a, b\}$ 的最小上界,即

$$a \vee b = a \circ b$$

为证 $a * b$ 是 $\{a, b\}$ 的最大下界,先证

$$a \circ b = b \Leftrightarrow a * b = a \qquad\qquad\qquad (11.7)$$

首先由 $a \circ b = b$ 可知

$$a * b = a * (a \circ b) = a$$

反之由 $a * b = a$ 可知

$$a \circ b = (a * b) \circ b = b \circ (b * a) = b$$

再由式 (11.7) 有 $a \leqslant b \Leftrightarrow a * b = a$,按照前边的证明,类似地可证 $a * b$ 是 $\{a, b\}$ 的最大下界,即 $a \wedge b = a * b$.

　　根据定理 11.2,可以给出格的另一个等价定义.

　　定义 11.3　设 $<S, *, \circ>$ 是代数系统,$*$ 和 $\circ$ 是二元运算,如果 $*$ 和 $\circ$ 满足交换律、结合律和吸收律,则 $<S, *, \circ>$ 构成一个格.

　　读者可能会注意到,格中运算满足 4 条算律,还有一条幂等律(见定理 11.1),但幂等律可以由吸收律推出(见定理 11.2 证明(1)),所以上述定义中只需满足 3 条算律即可.

　　以后不再区别是偏序集定义的格,还是代数系统定义的格,而统称为格 L.下面继续考虑格的性质.

　　定理 11.3　设 L 是格,则 $\forall a, b \in L$ 有

$$a \leqslant b \Leftrightarrow a \wedge b = a \Leftrightarrow a \vee b = b$$

　　证　先证 $a \leqslant b \Rightarrow a \wedge b = a$.

　　由 $a \leqslant a$ 和 $a \leqslant b$ 可知 a 是 $\{a, b\}$ 的下界,故 $a \leqslant a \wedge b$,显然又有 $a \wedge b \leqslant a$.根据偏序关系的反对称性得 $a \wedge b = a$.

　　再证 $a \wedge b = a \Rightarrow a \vee b = b$,根据吸收律有

$$b = b \vee (b \wedge a)$$

由 $a \wedge b = a$ 得 $b = b \vee a$,即 $a \vee b = b$.

　　最后证 $a \vee b = b \Rightarrow a \leqslant b$.由 $a \leqslant a \vee b$ 得

$$a \leqslant a \vee b = b$$

　　定理 11.4　设 L 是格,$\forall a, b, c, d \in L$,若 $a \leqslant b$ 且 $c \leqslant d$,则 $a \wedge c \leqslant b \wedge d, a \vee c \leqslant b \vee d$.

　　证
$$a \wedge c \leqslant a \leqslant b$$
$$a \wedge c \leqslant c \leqslant d$$

因此 $a \wedge c \leqslant b \wedge d$.

　　同理可证 $a \vee c \leqslant b \vee d$.

　　例 11.5　设 L 是格,证明 $\forall a, b, c \in L$ 有

$$a \vee (b \wedge c) \leqslant (a \vee b) \wedge (a \vee c)$$

　　证　由 $a \leqslant a, b \wedge c \leqslant b$ 得

$$a \vee (b \wedge c) \leqslant a \vee b$$

由 $a \leqslant a, b \wedge c \leqslant c$ 得

$$a \vee (b \wedge c) \leqslant a \vee c$$

从而得到

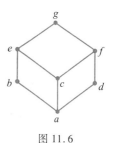

图 11.6

$$a \vee (b \wedge c) \preccurlyeq (a \vee b) \wedge (a \vee c)$$

例 11.5 说明在格中分配不等式成立. 一般说来, 格中的 $\vee$ 和 $\wedge$ 运算并不是互相满足分配律的.

下面考虑格的子代数.

定义 11.4　设 $<L, \wedge, \vee>$ 是格, S 是 L 的非空子集, 若 S 关于 L 中的运算 $\wedge$ 和 $\vee$ 仍构成格, 则称 S 为 L 的**子格**.

例 11.6　设格 L 如图 11.6 所示. 令 $S_1 = \{a, e, f, g\}$ 和 $S_2 = \{a, b, e, g\}$, 则 S_1 不是 L 的子格, S_2 是 L 的子格. 因为对 e 和 f, 有 $e \wedge f = c$, 但 $c \notin S_1$.

11.2　分配格、有补格与布尔代数

下面讨论一些特殊的格——分配格与有补格.

定义 11.5　设 $<L, \wedge, \vee>$ 是格, 若 $\forall a, b, c \in L$, 有
$$a \wedge (b \vee c) = (a \wedge b) \vee (a \wedge c)$$
$$a \vee (b \wedge c) = (a \vee b) \wedge (a \vee c)$$
成立, 则称 L 为**分配格**.

不难证明, 以上两个等式中只要成立一个, 另一个也一定成立.

例 11.7　参见图 11.7.

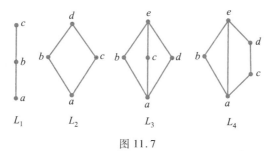

图 11.7

L_1 和 L_2 是分配格, L_3 和 L_4 不是分配格. 在 L_3 中,
$$b \wedge (c \vee d) = b \wedge e = b$$
$$(b \wedge c) \vee (b \wedge d) = a \vee a = a$$
而在 L_4 中,
$$c \vee (b \wedge d) = c \vee a = c$$
$$(c \vee b) \wedge (c \vee d) = e \wedge d = d$$
称 L_3 为**钻石格**, L_4 为**五角格**.

下面给出一个格是分配格的充分必要条件.

定理 11.5   设 L 是格,则 L 是分配格当且仅当 L 中不含有与钻石格或五角格同构的子格.

由于该定理的证明比较烦琐,故此略去,读者只要掌握它的应用就行了.

推论   (1) 小于 5 元的格都是分配格.

(2) 任何一条链都是分配格.

例 11.8   说明图 11.8 中的格是否为分配格,为什么?

解 L_1,L_2 和 L_3 都不是分配格,因为 $\{a,b,c,d,e\}$ 是 L_1 的子格,并且同构于钻石格,$\{a,b,c,e,f\}$ 是 L_2 的子格,并且同构于五角格. $\{a,c,b,e,f\}$ 是 L_3 的子格,也同构于钻石格.

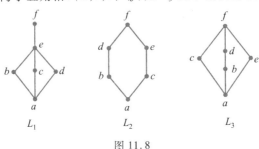

图 11.8

下面考虑另一种特殊的格——有补格.先引入有界格的概念.

定义 11.6   设 L 是格,若存在 $a \in L$ 使得 $\forall x \in L$ 有 $a \leqslant x$,则称 a 为 L 的全下界.若存在 $b \in L$ 使得 $\forall x \in L$ 有 $x \leqslant b$,则称 b 为 L 的全上界.

可以证明,格 L 若存在全下界或全上界,一定是唯一的,以全下界为例,假若 a_1 和 a_2 都是格 L 的全下界,则有 $a_1 \leqslant a_2$ 和 $a_2 \leqslant a_1$.根据偏序关系 $\leqslant$ 的反对称性必有 $a_1 = a_2$.由于全下界和全上界的唯一性,一般将格 L 的全下界记为 0,全上界记为 1.

定义 11.7   设 L 是格,若 L 存在全下界和全上界,则称 L 为有界格,并将 L 记作 $<L, \wedge, \vee, 0, 1>$.

不难看出,有限格 L 一定是有界格.设 L 是 n 元格,且 $L = \{a_1, a_2, \cdots, a_n\}$,那么 $a_1 \wedge a_2 \wedge \cdots \wedge a_n$ 就是 L 的全下界,而 $a_1 \vee a_2 \vee \cdots \vee a_n$ 就是 L 的全上界.因此 L 是有界格.对于无限格 L 来说,有的是有界格,有的不是有界格.例如,集合 B 的幂集格 $<P(B), \cap, \cup>$,不管 B 是有穷集还是无穷集,它都是有界格.它的全下界是空集 $\varnothing$,全上界是 B.而整数集 $\mathbf{Z}$ 关于通常数的小于等于关系 $\leqslant$ 构成的格不是有界格,因为不存在最小和最大的整数.

不难看出,在有界格中,全下界 0 是关于 $\wedge$ 运算的零元、$\vee$ 运算的单位元.而全上界 1 是关于 $\vee$ 运算的零元、$\wedge$ 运算的单位元.对于涉及有界格的命题,如果其中含有全下界 0 或全上界 1,在求该命题的对偶命题时,必须将 0 替换成 1,而将 1 替换成 0.

下面定义有界格中的补元和有补格.

定义 11.8   设 $<L, \wedge, \vee, 0, 1>$ 是有界格,$a \in L$,若存在 $b \in L$ 使得
$$a \wedge b = 0 \text{ 和 } a \vee b = 1$$
成立,则称 b 为 a 的补元.

由这个定义不难看出,若 b 是 a 的补元,那么 a 也是 b 的补元.换句话说,a 和 b 互为补元.

例 11.9　考虑图 11.7 中的 4 个格.

L_1 中的 a 与 c 互为补元,其中 a 为全下界,c 为全上界,b 没有补元.

L_2 中的 a 与 d 互为补元,其中 a 为全下界,d 为全上界,b 与 c 也互为补元.

L_3 中的 a 与 e 互为补元,其中 a 为全下界,e 为全上界,b 的补元是 c 和 d,c 的补元是 b 和 d,d 的补元是 b 和 c.b,c,d 每个元素都有两个补元。

L_4 中的 a 与 e 互为补元,其中 a 为全下界,e 为全上界,b 的补元是 c 和 d,c 的补元是 b,d 的补元是 b.

不难证明,在任何有界格中,全下界 0 与全上界 1 总是互补的.而对于其他的元素,可能存在补元,也可能不存在补元.如果存在补元,可能是唯一的,也可能是多个补元.但对于有界分配格,如果它的元素存在补元,则一定是唯一的.

定理 11.6　设 $<L,\wedge,\vee,0,1>$ 是有界分配格,若 $a \in L$,且对于 a 存在补元 b,则 b 是 a 的唯一补元.

证　假设 $c \in L$ 也是 a 的补元,则有 $a \vee c = 1$ 和 $a \wedge c = 0$.又知 b 是 a 的补元,也有 $a \vee b = 1$ 和 $a \wedge b = 0$,从而得到

$$a \vee c = a \vee b, a \wedge c = a \wedge b$$

由于 L 是分配格,从而有

$$b = b \wedge (b \vee a) = b \wedge (c \vee a) = (b \wedge c) \vee (b \wedge a)$$
$$= (b \wedge c) \vee (a \wedge c) = (b \vee a) \wedge c = (a \vee c) \wedge c = c$$

定义 11.9　设 $<L,\wedge,\vee,0,1>$ 是有界格,若 $\forall a \in L$,在 L 中都有 a 的补元存在,则称 L 为有补格.

例如,图 11.7 中的 L_2,L_3 和 L_4 是有补格,L_1 不是有补格,图 11.8 中的 L_2 和 L_3 是有补格,L_1 不是有补格,因为 b,c,d,e 都不存在补元.

定义 11.10　如果一个格是有补分配格,则称它为 *布尔格* 或 *布尔代数*.

根据定理 11.6,在分配格中,如果一个元素存在补元,则是唯一的.因此,在布尔代数中,每个元素都存在着唯一的补元,可以把求补元的运算看作是布尔代数中的一元运算.从而可以把一个布尔代数标记为 $<B,\wedge,\vee,',0,1>$,其中 $\wedge,\vee,0,1$ 与有界格一样,$'$ 为求补运算,$\forall a \in B,a'$ 是 a 的补元.

例 11.10　(1) 设 $S_{110} = \{1,2,5,10,11,22,55,110\}$ 是 110 的正因子集合.令 gcd,lcm 分别表示求两个数的最大公约数和最小公倍数的运算.则 $<S_{110},gcd,lcm>$ 构成布尔代数.

(2) 设 B 为任意集合,可以证明 B 的幂集格 $<P(B),\cap,\cup,\sim,\varnothing,B>$ 构成布尔代数,称作 *集合代数*.

(3) 数理逻辑中的命题代数是布尔代数.

(4) 数字电路中的逻辑代数也是布尔代数.

下面考虑布尔代数的性质.

定理 11.7 设$<B, \wedge, \vee, ', 0, 1>$是布尔代数,则

(1) $\forall a \in B, (a')' = a$

(2) $\forall a, b \in B, (a \wedge b)' = a' \vee b', (a \vee b)' = a' \wedge b'$

证 $(a')'$是a'的补元,a也是a'的补元,由补元的唯一性得$(a')' = a$.

现证明(2),对任意$a, b \in B$有

$$
\begin{aligned}
(a \wedge b) \vee (a' \vee b') &= (a \vee a' \vee b') \wedge (b \vee a' \vee b') \\
&= (1 \vee b') \wedge (a' \vee 1) = 1 \wedge 1 = 1 \\
(a \wedge b) \wedge (a' \vee b') &= (a \wedge b \wedge a') \vee (a \wedge b \wedge b') \\
&= (0 \wedge b) \vee (a \wedge 0) = 0 \vee 0 = 0.
\end{aligned}
$$

所以$a' \vee b'$是$a \wedge b$的补元,根据补元的唯一性有

$$(a \wedge b)' = a' \vee b'$$

同理可证$(a \vee b)' = a' \wedge b'$.

定理 11.7 的(1)称作双重否定律,(2)称作德摩根律. 命题代数与集合代数的双重否定律与德摩根律实际上是这个定理的特例. 可以证明德摩根律对有限个元素也是正确的.

布尔代数中各条算律不是彼此独立的. 可以证明由交换律、分配律、同一律和补元律能够推出吸收律和结合律,从而布尔代数有下述等价的定义.

定义 11.11 设$<B, *, \circ>$是代数系统,$*$和$\circ$是二元运算. 若$*$和$\circ$运算满足:

(1) 交换律,即$\forall a, b \in B$有

$$a * b = b * a, \quad a \circ b = b \circ a$$

(2) 分配律,即$\forall a, b, c \in B$有

$$a * (b \circ c) = (a * b) \circ (a * c)$$
$$a \circ (b * c) = (a \circ b) * (a \circ c)$$

(3) 同一律,即存在$0, 1 \in B$,使得$\forall a \in B$有

$$a * 1 = a, a \circ 0 = a$$

(4) 补元律,即$\forall a \in B$,存在$a' \in B$使得

$$a * a' = 0, a \circ a' = 1$$

则称$<B, *, \circ>$为一个布尔代数.

以上定义中的同一律是说 1 是$*$运算的单位元,0 是$\circ$运算的单位元. 可以证明 1 和 0 分别也是$\circ$和$*$运算的零元. $\forall a \in B$有

$$
\begin{aligned}
a \circ 1 &= (a \circ 1) * 1 &&\text{(同一律)} \\
&= 1 * (a \circ 1) &&\text{(交换律)} \\
&= (a \circ a') * (a \circ 1) &&\text{(补元律)} \\
&= a \circ (a' * 1) &&\text{(分配律)} \\
&= a \circ a' &&\text{(同一律)} \\
&= 1 &&\text{(补元律)}
\end{aligned}
$$

同理可证 $a*0=0$.

为证明以上定义的 $<B,*,\circ>$ 是布尔代数,只需证明它是一个格,即证明 $*$ 和 $\circ$ 运算满足吸收律和结合律.限于篇幅,这里不再赘述,有兴趣的读者可以自己尝试给出证明.

最后,不加证明,只是给出与有限布尔代数结构有关的结果.

定义 11.12　设 L 是格,$0\in L$,$a\in L$,若 $\forall b\in L$ 有

$$0<b\leqslant a\Leftrightarrow b=a$$

则称 a 为 L 中的*原子*.

考虑图 11.9 中的几个格.其中 L_1 的原子是 a,L_2 的原子是 a,b,c,L_3 的原子是 a 和 b.若 L 是正整数 n 的全体正因子关于整除关系构成的格,则 L 的原子恰为 n 的全体素因子.若 L 是集合 B 的幂集格,则 L 的原子就是由 B 中元素构成的单元集.

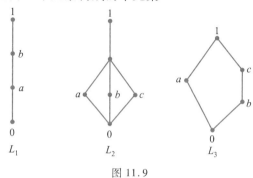

图 11.9

下面的定理说明有限布尔代数有着良好的结构.限于篇幅,这里只给出相关的结果,不再加以证明.

定理 11.8(有限布尔代数的表示定理)　设 B 是有限布尔代数,A 是 B 的全体原子构成的集合,则 B 同构于 A 的幂集代数 $P(A)$.

推论 1　任何有限布尔代数的基数为 2^n,$n\in\mathbf{N}$.

证　设 B 是有限布尔代数,A 是 B 的所有原子构成的集合,且 $|A|=n$,$n\in\mathbf{N}$.由定理 11.8 得 $B\cong P(A)$,而 $|P(A)|=2^n$,所以 $|B|=2^n$.

推论 2　任何等势的有限布尔代数都是同构的.

根据这个定理,有限布尔代数的基数都是 2 的幂,同时在同构的意义上对于任何 2^n,n 为自然数,仅存在一个 2^n 元的布尔代数.图 11.10 给出了 1 元、2 元、4 元和 8 元的布尔代数.

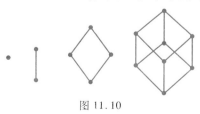

图 11.10

习　题　11

1. 图 11.11 给出了 6 个偏序集的哈斯图. 判断其中哪些是格. 如果不是格,说明理由.

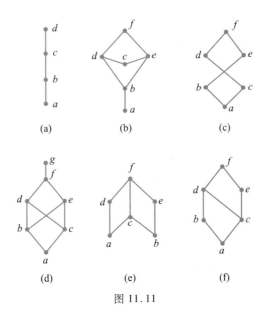

图 11.11

2. 下列集合对于整除关系都构成偏序集,判断哪些偏序集是格.

(1) $L = \{1, 2, 3, 4, 5\}$

(2) $L = \{1, 2, 3, 6, 12\}$

(3) $L = \{1, 2, 3, 4, 6, 9, 12, 18, 36\}$

(4) $L = \{1, 2, 2^2, \cdots\}$

3. (1) 画出 $<\mathbf{Z}_{16}, \oplus>$ 的子群格;

(2) 画出 3 元对称群 S_3 的子群格.

4. 设 L 是格,求下列公式的对偶式.

(1) $a \wedge (a \vee b) \leqslant a$

(2) $a \vee (b \wedge c) \leqslant (a \vee b) \wedge (a \vee c)$

(3) $b \vee (c \wedge a) \leqslant (b \vee c) \wedge a$

5. 设 L 为格, $\forall a_2, a_3, \cdots, a_n \in L$, 如果 $a_1 \wedge a_2 \wedge \cdots \wedge a_n = a_1 \vee a_2 \vee \cdots \vee a_n$, 证明 $a_1 = a_2 = \cdots = a_n$.

6. 设 L 是格, $a, b, c \in L$, 且 $a \leqslant b \leqslant c$, 证明: $a \vee b = b \wedge c$.

7. 针对图 11.7 中的格 L_2, 求出 L_2 的所有子格.

8. 设 $<L, \leqslant>$ 是格,任取 $a \in L$, 令

$$S = \{x \mid x \in L \wedge x \leqslant a\}$$

证明 $<S, \leqslant>$ 是 L 的子格.

9. 针对图 11.11 中的每个格,如果格中的元素存在补元,则求出这些补元.

10. 说明图 11.11 中的每个格是否为分配格、有补格和布尔格,并说明理由.

11. 设 $<L, \wedge, \vee, 0, 1>$ 是有界格,证明 $\forall a \in L$,有

$$a \wedge 0 = 0, a \vee 0 = a, a \wedge 1 = a, a \vee 1 = 1$$

12. 对下列各题给定的集合和运算判断它们是哪一类代数系统(半群、独异点、群、环、域、格、布尔代数),并说明理由.

(1) $S_1 = \left\{ 1, \dfrac{1}{2}, 2, \dfrac{1}{3}, 3, \dfrac{1}{4}, 4 \right\}$,$*$ 为普通乘法;

(2) $S_2 = \{a_1, a_2, \cdots, a_n\}$,$\forall a_i, a_j \in S_2, a_i * a_j = a_i$,这里的 n 是给定的正整数,且 $n \geqslant 2$;

(3) $S_3 = \{0, 1\}$,$*$ 为普通乘法;

(4) $S_4 = \{1, 2, 3, 6\}$,$\forall x, y \in S_4, x \circ y$ 和 $x * y$ 分别表示求 x 和 y 的最小公倍数和最大公约数;

(5) $S_5 = \{0, 1\}$,$*$ 表示模 2 加法,$\circ$ 为模 2 乘法.

13. 设 B 是布尔代数,B 中的表达式 f 是

$$(a \wedge b) \vee (a \wedge b \wedge c) \vee (b \wedge c)$$

(1) 化简 f;

(2) 求 f 的对偶式 f^*.

14. 设 B 是布尔代数,$\forall a, b \in B$,证明

$$a \leqslant b \Leftrightarrow a \wedge b' = 0 \Leftrightarrow a' \vee b = 1.$$

15. 对于 $n = 1, 2, 3, 4, 5$,给出所有不同构的 n 元格,并说明其中哪些是分配格、有补格和布尔格.

16. 设 $<B, \wedge, \vee, ', 0, 1>$ 是布尔代数,在 B 上定义二元运算 $\oplus$,$\forall x, y \in B$ 有

$$x \oplus y = (x \wedge y') \vee (x' \wedge y)$$

问:$<B, \oplus>$ 能否构成代数系统? 如果能,指出是哪一种代数系统. 为什么?

17. 设 B 是布尔代数,$\forall a, b, c \in B$,若 $a \leqslant c$,则有

$$a \vee (b \wedge c) = (a \vee b) \wedge c$$

称这个等式为模律,证明布尔代数适合模律.

18. 设 B 是布尔代数,$a_1, a_2, \cdots, a_n \in B$,证明:

(1) $(a_1 \vee a_2 \vee \cdots \vee a_n)' = a'_1 \wedge a'_2 \wedge \cdots \wedge a'_n$;

(2) $(a_1 \wedge a_2 \wedge \cdots \wedge a_n)' = a'_1 \vee a'_2 \vee \cdots \vee a'_n$.

19. 设 B_1, B_2, B_3 是布尔代数,证明:若 $B_1 \cong B_2, B_2 \cong B_3$,则 $B_1 \cong B_3$.

第4部分　组 合 数 学

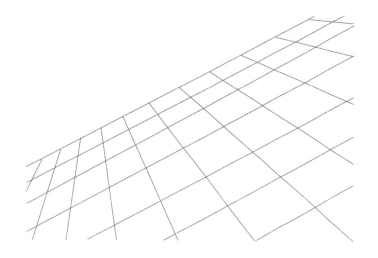

第 12 章
基本的组合计数公式

12.1 加法法则与乘法法则

加法法则与乘法法则是最基本的计数法则.

加法法则:设事件 A 有 m 种产生方式,事件 B 有 n 种产生方式,当 A 与 B 产生的方式不重叠时,"事件 A 或 B"有 $m+n$ 种产生方式.

加法法则使用的条件是事件 A 与 B 产生的方式不能重叠.也就是说,每一种产生的方式不能同时属于两个事件.

加法法则可以推广到 n 个事件的情况.设 $A_1, A_2, \cdots, A_n$ 是 n 个事件,它们的产生方式分别有 $p_1, p_2, \cdots, p_n$ 种,当其中任何两个事件产生的方式都不重叠时,事件"A_1 或 A_2 或 $\cdots$ 或 A_n"有 $p_1+p_2+\cdots+p_n$ 种产生的方式.

乘法法则:设事件 A 有 m 种产生方式,事件 B 有 n 种产生方式,当 A 与 B 产生的方式彼此独立时,"事件 A 与 B"有 mn 种产生方式.

乘法法则使用的条件是事件 A 与 B 产生的方式彼此独立.换句话说,事件 A 与事件 B 对产生方式的选择彼此没有影响.

乘法法则也可以推广到 n 个事件的情况.设 $A_1, A_2, \cdots, A_n$ 是 n 个事件,它们的产生方式分别有 $p_1, p_2, \cdots, p_n$ 种,当其中任何两个事件产生的方式都彼此独立时,事件"A_1 与 A_2 与 $\cdots$ 与 A_n"有 $p_1 p_2 \cdots p_n$ 种产生的方式.

可以用加法法则与乘法法则解决 n 元集上关系和函数的计数问题.

例 12.1   设 A 为 n 元集,问:

(1) A 上的自反关系有多少个?

(2) A 上的对称关系有多少个?

(3) A 上的反对称关系有多少个?

(4) A 上的函数有多少个? 其中双射函数有多少个?

解   (1) 在 A 上自反关系的关系矩阵中,主对角线元素都是 1,其他位置的元素可以是 1,也可以是 0,有 2 种选择.这种位置有 n^2-n 个,根据乘法法则,自反关系的个数是 2^{n^2-n}.

(2) 考虑 A 上对称关系的矩阵.先考虑主对角线上的元素.对于主对角线的每个位置,元素可以选择 0 或 1,有 2 种选法.再考虑不在主对角线上的元素,它们的值的选择并不是完全独立的.因为矩阵是对称的,i 行 j 列的元素 r_{ij} 必须与 j 行 i 列的元素 r_{ji} 相等.因此,当矩阵的上三角元素(或者下三角元素)的值确定以后,另一半对称位置的元素就完全确定了.这种能够独立选择 0 或者 1 的位置有 $(n^2-n)/2$ 个.加上主对角线的 n 个位置,总计 $(n^2+n)/2$ 个位置,根据乘法法则,构成矩阵的方法数是 $2^{(n^2+n)/2}$.

(3) 类似于(2)的分析,也分两步考虑,区别在于对非主对角线位置元素取值的约束条件不同.将这些位置分成 $(n^2-n)/2$ 组,每组包含处在对称位置的两个元素 r_{ij} 和 r_{ji}.根据反对称的性质,r_{ij} 与 r_{ji} 的取值有以下 3 种可能:

$$r_{ij}=1, r_{ji}=0; \quad r_{ij}=0, r_{ji}=1; \quad r_{ij}=r_{ji}=0.$$

因此所有这些位置元素的选择方法数为 $3^{(n^2-n)/2}$.再考虑到主对角线元素的选取,由乘法法则总方法数为 $2^n 3^{(n^2-n)/2}$.

(4) 设 $A=\{x_1, x_2, \cdots, x_n\}$,任何 A 上的函数 $f:A \to A$ 都可以表示成下述形式:

$$f=\{\langle x_1, y_1 \rangle, \langle x_2, y_2 \rangle, \cdots, \langle x_n, y_n \rangle\}$$

其中每个 $y_i (i=1,2,\cdots,n)$ 有 n 种可能的选择,根据乘法法则,有 n^n 个不同的函数.如果 f 是双射的,那么当 y_1 确定以后,y_2 只有 $n-1$ 种可能的取值.通过类似的分析可以知道,y_3 只有 $n-2$ 种可能的取值,$\cdots$,y_n 只有 1 种取值.根据乘法法则,构成双射函数的方法数是 $n(n-1)(n-2)\cdots 1 = n!$.

类似地,也可以用同样的方法计数 n 元集上的一元运算和二元运算的个数,甚至具有交换和幂等性质的运算个数等.

例 12.2   根据 IPv4 网络协议,每台计算机的地址是由 32 位二进制数字构成的串.如图 12.1所示,A 类地址第一位是 0,接着 7 位网络标识,再接着 24 位主机标识.B 类地址前两位是 10,接着 14 位网络标识,再接着 16 位主机标识.C 类地址前 3 位是 110,接着 21 位网络标识,再接着 8 位主机标识.此外,A 类地址中全 1 不能做网络标识,在 3 类地址中全 0 和全 1 都不能作为主机标识.问:按照 IPv4 协议,在 Internet 中有多少个有效的计算机地址?

解   令 N 是 Internet 上计算机的有效地址数,N_A,N_B 和 N_C 分别表示 A 类、B 类和 C 类的有效地址数.由加法法则,$N=N_A+N_B+N_C$.

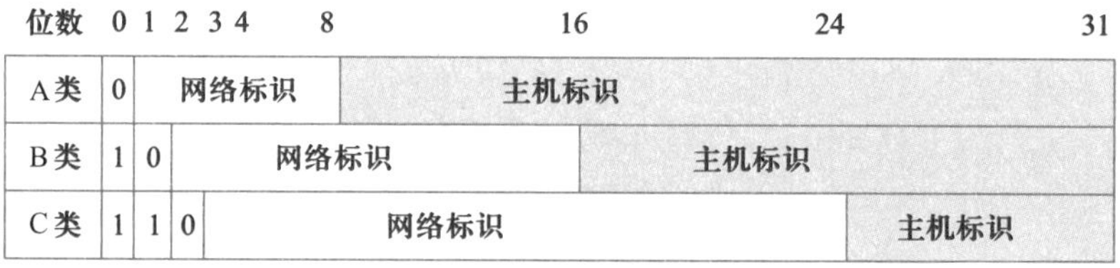

图 12.1

为了找到 N_A，由于 1111111 是无效的，故存在 $2^7 - 1 = 127$ 个 A 类的网络标识，对于每个网络标识，存在 $2^{24} - 2 = 16\ 777\ 214$ 个主机标识，这是由于全 0 和全 1 所组成的主机标识是无效的．因此，$N_A = 127 \times 16\ 777\ 214 = 2\ 130\ 706\ 178$．

为了找到 N_B 和 N_C，首先注意到存在 $2^{14} = 16\ 384$ 个 B 类网络标识和 $2^{21} = 2\ 097\ 152$ 个 C 类网络标识．对每个 B 类网络标识存在着 $2^{16} - 2 = 65\ 534$ 个主机标识，而对每个 C 类网络标识存在着 $2^8 - 2 = 254$ 个主机标识，这也是考虑到全 0 和全 1 组成的主机标识是无效的．因而，$N_B = 1\ 073\ 709\ 056$，$N_C = 532\ 676\ 608$．可以断言 IPv4 中计算机的有效地址总数是 $N = N_A + N_B + N_C = 2\ 130\ 706\ 178 + 1\ 073\ 709\ 056 + 532\ 676\ 608 = 3\ 737\ 091\ 842$．面向计算机的广泛使用，这些地址总数已经显得不够用了，正在更新的 IPv6 采用 128 位地址格式，这将能够提供更多的有效地址．

在这个例题中，先把所有的地址分成 A，B，C 三类，这种分类处理对应了加法法则；而在每一类的计数中使用了分步处理的思想：第一步计数网络标识的数目，第二步计数主机标识的数目，这种分步处理对应了乘法法则．许多计数问题都是通过分类处理和分步处理的思想来求解的．

12.2　排列与组合

排列和组合的计数是基本的计数问题．根据从集合中选择元素的有序与无序、是否允许重复等限制条件，可以将这个问题划分成 4 个子类型——集合的排列、集合的组合、多重集的排列、多重集的组合．先考虑不允许重复的选取——集合的排列与组合的计数．

定义 12.1　设 S 为 n 元集，

（1）从 S 中有序选取的 r 个元素称作 S 的一个 r 排列．S 的不同 r 排列总数记作 $P(n,r)$．$r = n$ 时的排列称作 S 的全排列．

（2）从 S 中无序选取的 r 个元素称作 S 的一个 r 组合．S 的不同 r 组合总数记作 $C(n,r)$．

关于 $P(n,r)$ 和 $C(n,r)$ 有下述公式．

定理 12.1　设 n,r 为自然数，规定 $0! = 1$，则

（1）$P(n,r) = \begin{cases} \dfrac{n!}{(n-r)!}, & n \geq r \\ 0, & n < r \end{cases}$

(2) $C(n,r) = \begin{cases} \dfrac{P(n,r)}{r!} = \dfrac{n!}{r!\ (n-r)!}, & n \geqslant r \\ 0, & n < r \end{cases}$

证　显然当 $n < r$ 时不存在满足条件的排列和组合,下面考虑 $n \geqslant r$ 的情况.

(1) 首先确定排列中的第一个元素,有 n 种选择的方式.然后确定排列的第 2 个元素,它只能取自剩下的 $n-1$ 个元素,有 $n-1$ 种选法.类似地,选择第 3 个元素,第 4 个元素,$\cdots$,第 r 个元素的方式数依次为 $n-2$,$n-3$,$\cdots$,$n-r+1$.根据乘法法则,总的选法数为

$$n(n-1)(n-2)\cdots(n-r+1) = \frac{n!}{(n-r)!}$$

(2) 分两步构成 r 排列.首先无序地选出 r 个元素,然后再构造这 r 个元素的全排列.无序选择 r 个元素的方法数是 $C(n,r)$;针对每种选法,能构造 $r!$ 个不同的全排列.根据乘法法则,不同的 r 排列数满足

$$P(n,r) = C(n,r)\ r!$$

组合数 $C(n,r)$ 恰好是二项式 $(x+y)^n$ 的展开式中 $x^r y^{n-r}$ 项的系数,通常称作二项式系数,有时也记作 $\dbinom{n}{r}$.

推论 1　元素依次排成一个圆圈的排列称作环排列.S 的 r 环排列数等于 $P(n,r)/r$.

证　设线排列的 r 个元素依次为 $a_1, a_2, \cdots, a_r$,将 a_1 接在 a_r 的后边就组成一个环排列.只要相邻关系不变,这 r 个元素中的任何一个作为线排列的首元素,首尾相连所构成的环排列都相同.因此环排列数是线排列数的 $1/r$.

推论 2　设 n,r 为正整数,则

(1) $C(n,r) = \dfrac{n}{r} C(n-1, r-1)$

(2) $C(n,r) = C(n, n-r)$

(3) $C(n,r) = C(n-1, r-1) + C(n-1, r)$

这 3 个公式都可以通过把定理 12.1 的公式代入右边化简得到.下面介绍另一种组合分析的证明方法.所谓组合分析,就是根据等式类型设计一个组合计数问题,使得公式两边都对应于这个问题的计数结果.下面以(2)和(3)为例来说明这种证明方法.

证　(2) 设 $S = \{1, 2, \cdots, n\}$ 是 n 元集合,对于 S 的任意 r 组合 $A = \{a_1, a_2, \cdots, a_r\}$,都存在一个 S 的 $n-r$ 组合 $S-A$ 与之对应.显然不同的 r 组合对应了不同的 $n-r$ 组合,反之也对,因此 S 的 r 组合数恰好与 S 的 $n-r$ 组合数相等.

(3) 考虑(2)中的 S 集合,将 S 的所有 r 组合划分成两类:包含 1 的 r 组合,不含 1 的 r 组合.如果一个 r 组合包含 1,那么它的其余 $r-1$ 个元素取自 $\{2, 3, \cdots, n\}$,有 $C(n-1, r-1)$ 种取法;如果一个 r 组合不含 1,那么它的其余 r 个元素都取自 $\{2, 3, \cdots, n\}$,有 $C(n-1, r)$ 种取法.根据加法法则,S 的 r 组合的总数等于 $C(n-1, r-1) + C(n-1, r)$.

上述公式有着广泛的应用. 例如, 利用(2)将 $C(100,98)$ 写作 $C(100,2)$. 而(3)中的公式就是我国古代著名的杨辉三角形(如图 12.2 所示), 也称作 Pascal 公式. 这些公式广泛用于组合公式的化简和恒等式的证明.

为了讨论允许重复的选取问题需要引入多重集的概念. 多重集 $S=\{n_1 \cdot a_1, n_2 \cdot a_2, \cdots, n_k \cdot a_k\}$, $a_1, a_2, \cdots, a_k$ 是 k 种不同的元素, n_i 表示 a_i 在 S 中出现的次数, 称作 a_i 的重复度, 其中 $0 < n_i \leq +\infty$, $i=1,2,\cdots,k$. 当 $n_i = +\infty$ 时表示有足够多的 a_i 以备选取. 例如, $S_1 = \{2 \cdot a, 3 \cdot b, 5 \cdot c\}$, $S_2 = \{\infty \cdot 1, \infty \cdot 2, \cdots, \infty \cdot k\}$ 都是多重集的实例. 多重集 S 的子集也是多重集, 可以记作 $A = \{x_1 \cdot a_1, x_2 \cdot a_2, \cdots, x_k \cdot a_k\}$, 其中 $0 \leq x_i \leq n_i$, $i=1,2,\cdots,k$. 如果元素 a_i 不出现在子集 A 中, 则 $x_i = 0$.

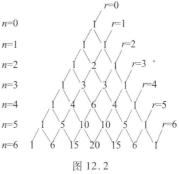

图 12.2

定义 12.2　设 $S=\{n_1 \cdot a_1, n_2 \cdot a_2, \cdots, n_k \cdot a_k\}$ 为多重集, $n = n_1 + n_2 + \cdots + n_k$ 表示 S 中元素的总数.

(1) 从 S 中有序选取的 r 个元素称作多重集 S 的一个 r 排列. $r=n$ 的排列称作 S 的全排列,

(2) 从 S 中无序选取的 r 个元素称作多重集 S 的一个 r 组合.

对于多重集 S 的 r 排列和组合数, 下面给出某些特殊情况的公式, 而一般的计数只能利用生成函数或包含排斥原理来求解. 有关生成函数的知识将在下一章介绍.

定理 12.2　设 $S=\{n_1 \cdot a_1, n_2 \cdot a_2, \cdots, n_k \cdot a_k\}$ 为多重集,

(1) S 的全排列数是 $\dfrac{n!}{n_1! \ n_2! \ \cdots n_k!}$.

(2) 若 $r \leq n_i$, $i=1,2,\cdots,k$, 那么 S 的 r 排列数是 k^r.

证　(1) 在 n 个位置中先选择 n_1 个位置放 a_1, 有 $C(n,n_1)$ 种方法; 再从剩下的 $n-n_1$ 个位置中选择 n_2 个位置放 a_2, 有 $C(n-n_1,n_2)$ 种方法; $\cdots$; 最后在 $n-n_1-n_2-\cdots-n_{k-1}$ 个位置中选择 n_k 个位置放 a_k, 有 $C(n-n_1-n_2-\cdots-n_{k-1},n_k)$ 方法. 根据乘法法则,

$$C(n,n_1)C(n-n_1,n_2)\cdots C(n-n_1-n_2-\cdots-n_{k-1},n_k)$$

$$=\frac{n!}{n_1!\ (n-n_1)!}\ \frac{(n-n_1)!}{n_2!\ (n-n_1-n_2)!}\ \cdots\ \frac{(n-n_1-\cdots-n_{k-1})!}{n_k!\ 0!}$$

$$=\frac{n!}{n_1!\ n_2!\ \cdots n_k!}$$

(2) r 个位置中的每个位置都有 k 种选法, 由乘法法则得 k^r.

多重集 $S=\{n_1 \cdot a_1, n_2 \cdot a_2, \cdots, n_k \cdot a_k\}$ 的全排列数也记作 $\dbinom{n}{n_1 \ n_2 \cdots n_k}$, 这个数恰好是多项式 $(x_1 + x_2 + \cdots + x_k)^n$ 的展开式中 $x_1^{n_1} x_2^{n_2} \cdots x_k^{n_k}$ 项的系数, 也称作多项式系数. 关于它的性质在后面还会进一步加以讨论.

再考虑多重集 S 的 r 组合.

定理 12.3　当 $r \leq n_i$, $i=1,2,\cdots,k$ 时, 多重集 S 的 r 组合数是 $C(k+r-1,r)$.

证　可以使用一一对应的思想来证明这个定理.

S 的一个 r 组合为 S 的一个子多重集 $\{x_1 \cdot a_1, x_2 \cdot a_2, \cdots, x_k \cdot a_k\}$,其中

$$x_1 + x_2 + \cdots + x_k = r,\ x_i\ 为非负整数,\ i = 1, 2, \cdots, k.$$

这个方程称作不定方程,可以在它的非负整数解 $x_1, x_2, \cdots, x_k$ 和 r 个 1、k 个 0 的排列之间建立一一对应:对于解 $x_1, x_2, \cdots, x_k$,排列具有下述形式:

$$\underbrace{1\ \ 1\ \ \cdots\ \ 1}_{x_1 \uparrow 1}\ 0\ \underbrace{1\ \ 1\ \ \cdots\ \ 1}_{x_2 \uparrow 1}\ 0\ \cdots\ 0\ \underbrace{1\ \ 1\ \ \cdots\ \ 1}_{x_k \uparrow 1}$$

其中 $k-1$ 个 0 将 r 个 1 分成 k 段,每段含有 1 的个数分别为 $x_1, x_2, \cdots, x_k$. 不难看出,这个排列是多重集 $S = \{r \cdot 1, (k-1) \cdot 0\}$ 的全排列,根据定理 12.2,这样的排列有

$$\frac{(r+k-1)!}{r!\ (k-1)!} = C(k+r-1, r)$$

个,因此 S 的 r 组合数是 $C(k+r-1, r)$.

与选取问题的计数类似,不定方程整数解的计数也是一个重要的组合计数模型,许多组合计数问题都可以使用这两个计数模型来求解,解决的关键在于将实际问题与适当的计数模型之间建立对应关系,然后应用相应的计数公式.

例 12.3　排列 26 个字母,使得 a 与 b 之间恰有 7 个字母,求排列的方法数.

解　采用分步处理的方法.先固定 a 和 b,中间插入 7 个字母,构成一个结构,有 $2P(24, 7)$ 种方法.将这个结构看作一个大字母再与其余 17 个字母进行全排列,有 18! 种排列的方法.根据乘法法则,$N = 2P(24, 7)$ 18!.

例 12.4　把 $2n$ 个人分成 n 组,每组 2 人,求不同的分法数 N.

解　因为这个分组是无序的,而且每个组的人数还有等于 2 的限制,没有直接的计数模型可以使用.如果是有序分组,可以采用分步处理的方法,先选出 2 个人放到第 1 组,接着在剩下的人中选出 2 个人放到第 2 组,$\cdots$,最后将剩下的 2 个人放到第 n 组.进行有序分组的另一种方法是:先找出所有 N 个无序分组,然后对每一个分组方案中的 n 个组用 $1, 2, \cdots, n$ 进行标记,标记的方法数恰好是 $n!$,从而得到所有的有序分组.因此这个问题的求解思路是:先计数有序分组的方法,然后除以 $n!$,就得到无序分组的方法数.

$$N = \frac{1}{n!} C(2n, 2) C(2n-2, 2) \cdots C(2, 2)$$

$$= \frac{1}{n!}\ \frac{(2n)!}{(2n-2)!\ 2}\ \frac{(2n-2)!}{(2n-4)!\ 2}\ \cdots\ \frac{2!}{0!\ 2} = \frac{(2n)!}{2^n n!}$$

例 12.4 告诉我们,利用有序与无序计数之间的关系求解计数问题是一种常用的技巧.

例 12.5　下面给出一段简单的程序,问:它的输出 x 是什么?

Algorithm

```
1.  x ← 0
2.  for i₁ ← 1 to n
```

3.　　　　for $i_2 \leftarrow 1$ to i_1

　　　　　　...

$k+1$.　　　　for $i_k \leftarrow 1$ to i_{k-1}

$k+2$.　　　　　$x \leftarrow x+1$

$k+3$.　　return x

解　程序中包含一个 k 重的嵌套循环,对于给定的 $i_1, i_2, \cdots, i_k$,其中 $1 \leq i_k \leq i_{k-1} \leq \cdots \leq i_1 \leq n$,循环体运行 1 次,就对 x 加 1. x 的初值是 0,于是 x 的输出就是循环体的执行次数.这恰好对应了整数序列 $i_1, i_2, \cdots, i_k$ 可能的取值个数,也就是多重集 $S = \{\infty \cdot 1, \infty \cdot 2, \cdots, \infty \cdot n\}$ 的 k 组合数.一旦从 S 中选定 k 个整数,按照从大到小的顺序排列(这里允许两个数相等),就唯一确定了一组 i_1, $i_2, \cdots, i_k$ 的值.根据定理 12.3,$x = C(n+k-1, k)$.

例 12.6　从 $S = \{1, 2, \cdots, n\}$ 中选择 k 个不相邻的数,有多少种方法?

解　设 $a_1, a_2, \cdots, a_k$ 是选出的 k 个不相邻的数,由这 k 个数对应生成另外的 k 个数 b_1, $b_2, \cdots, b_k$.产生规则是 $b_i = a_i - (i-1)$.例如,原来的数是 3,6,8,14;那么生成的数为 3,5,6,11.对于两组不同的 k 个数 $a_1, a_2, \cdots, a_k$ 与 $a_1', a_2', \cdots, a_k'$,生成的两组数 $b_1, b_2, \cdots, b_k$ 与 $b_1', b_2', \cdots, b_k'$ 也不相同.反之,如果生成的两组数不相同,那么原来的两组数也不相同.它们之间存在一一对应关系.只需计数生成的序列 $b_1, b_2, \cdots, b_k$ 有多少个,就可以得到原来问题的解.由于所有的 b_i 允许相邻,且 b_k 至多是 $n-(k-1)$,因此这些序列的个数就是从 $\{1, 2, \cdots, n-(k-1)\}$ 中无序选取 k 个元素的方法数,从而得到问题的解是 $C(n-(k-1), k) = C(n-k+1, k)$.

例 12.5 与 12.6 使用的求解技巧是一一对应的.有许多典型的组合计数问题,如选取问题、不定方程的非负整数解问题、放球问题,还有后面将要看到的非降路径问题、整数拆分问题等,对于这些问题已经得到相应的公式或者求解的方法.换句话说,已经建立了相应的组合计数模型.当遇到其他组合计数问题,如果可以与这些典型的计数模型一一对应,那么就可以直接应用有关的结果来求解.这是一种非常有用的方法.

12.3　二项式定理与组合恒等式

关于组合数 $C(n, r)$ 有许多有用的公式,有些公式的证明需要使用二项式定理.

定理 12.4(二项式定理)　设 n 是正整数,对一切 x 和 y,有

$$(x+y)^n = \sum_{k=0}^{n} \binom{n}{k} x^k y^{n-k}$$

二项式 $(x+y)^n$ 的展开式中每项的系数都是组合数,因此组合数也称作二项式系数.可以使用数学归纳法证明二项式定理,证明留作练习.这里使用组合分析的方法加以证明.

证　当乘积被展开时其中的项都是下述形式:$x^i y^{n-i}$,$i = 0, 1, 2, \cdots, n$.而构成形如 $x^i y^{n-i}$ 的项,

必须从 n 个二项式 $(x+y)$ 中选 i 个提供 x,其他的 $n-i$ 个提供 y. 因此, $x^i y^{n-i}$ 的系数是 $\binom{n}{i}$,定理得证.

在二项式定理中令 $y=1$ 可以得到以下推论.

推论　设 n 是正整数,则

$$(1+x)^n = \sum_{k=0}^{n} \binom{n}{k} x^k$$

下面给出有关二项式系数的一些主要的恒等式,这些恒等式也称作组合恒等式.

1. $\binom{n}{k} = \binom{n}{n-k}$ 　　　　　　　$n,k \in \mathbf{N}, n \geq k$ 　　　　　　　(12.1)

2. $\binom{n}{k} = \frac{n}{k} \binom{n-1}{k-1}$ 　　　　　　$n,k \in \mathbf{Z}^+, n \geq k$ 　　　　　　(12.2)

3. $\binom{n}{k} = \binom{n-1}{k} + \binom{n-1}{k-1}$ 　　　$n,k \in \mathbf{Z}^+, n \geq k$ 　　　　　　(12.3)

以上公式的证明已经在 12.2 节给出过. 递推式在计算组合数的序列和或恒等式证明中经常用到,主要用于组合数的化简或者变形.

4. $\sum_{k=0}^{n} \binom{n}{k} = 2^n$ 　　　　　　　$n \in \mathbf{N}$ 　　　　　　　(12.4)

5. $\sum_{k=0}^{n} (-1)^k \binom{n}{k} = 0$ 　　　　　$n \in \mathbf{N}$ 　　　　　　(12.5)

上述公式的组合数 $\binom{n}{k}$ 中的 n 不变,而 k 是随项的标号改变的,简称为变下项的求和公式. 这些公式的证明主要使用二项式定理或者组合分析方法. 这里只证明式 (12.4),式 (12.5) 的证明留给读者完成.

证　方法一. 在二项式定理中令 $x=y=1$ 即可.

方法二　组合分析法. 设 $S=\{1,2,\cdots,n\}$,下面计数 S 的所有子集. 一种方法就是分类处理,将所有的子集按照含有元素的多少进行分类. n 元集合的 k 子集个数是 $\binom{n}{k}$,根据加法法则,子集总数是 $\sum_{k=0}^{n} \binom{n}{k}$. 另一种方法是分步处理,为构成 S 的子集 A,依次考虑元素 $1,2,\cdots,n$ 是否加入 A. 每个元素有 2 种选择,根据乘法法则,子集总数是 2^n.

6. $\sum_{l=0}^{n} \binom{l}{k} = \binom{n+1}{k+1}, n,k \in \mathbf{N}$ 　　　　　　　(12.6)

证　使用组合分析的方法. 令 $S=\{a_1,a_2,\cdots,a_{n+1}\}$ 为 $n+1$ 元集合. 等式右边是 S 的 $k+1$ 子集数. 考虑另一种分类计数的方法. 将所有的 $k+1$ 子集分成如下 $n+1$ 类.

第 1 类:含 a_1,剩下的 k 个元素取自 $\{a_2,\cdots,a_{n+1}\}$,有 $\dbinom{n}{k}$ 种取法;

第 2 类:不含 a_1,含 a_2,剩下的 k 个元素取自 $\{a_3,\cdots,a_{n+1}\}$,有 $\dbinom{n-1}{k}$ 种方法;

$$\cdots$$

第 $n+1$ 类:不含 $a_1,a_2,\cdots,a_n$,含 a_{n+1},剩下的 k 个元素取自空集,有 $\dbinom{0}{k}$ 种方法.

根据加法法则,等式左边也是 S 的 $k+1$ 子集个数.

注意在式(12.6)中,当 $l<k$ 时等式左边的项都等于 0. 这个公式的组合数 $\dbinom{l}{k}$ 中的下项 k 不变,而上项 l 随项的序号改变,是变上项的求和式. 主要用于有关组合数序列的求和或者证明组合恒等式.

7. $\dbinom{n}{r}\dbinom{r}{k}=\dbinom{n}{k}\dbinom{n-k}{r-k}$ 　　　　$n\geqslant r\geqslant k,n,r,k\in\mathbf{N}$ 　　　　　　(12.7)

证　公式左边计数了先从 n 元集 S 中选取 r 个元素,然后在这 r 个元素中再选 k 个元素的方法.公式右边的 $\dbinom{n}{k}$ 是从 S 中直接选取 k 子集的方法数.显然前一种方法选择的同一个 k 子集会重复出现.例如,从集合 $\{a,b,c,d,e\}$ 中先选 4 子集,然后从这些 4 子集再选 3 子集.那么 3 子集 $\{b,c,d\}$ 可能被选出 2 次,一次是从 4 子集 $\{a,b,c,d\}$ 中选出的,另一次是从 4 子集 $\{b,c,d,e\}$ 中选出的.下面计算采用第一种方法时同一个 k 子集重复出现的次数.换句话说,就是计算有多少个 r 子集能够选出相同的 k 子集.设 k 子集为 A,一个 r 子集中除了 A 的元素外,剩下的 $r-k$ 个元素取自 $S-A$.因此,有 $\dbinom{n-k}{r-k}$ 个 r 子集能生成相同的 k 子集.这就证明了等式左边的值恰好是 $\dbinom{n}{k}$ 的 $\dbinom{n-k}{r-k}$ 倍.

8. $\displaystyle\sum_{k=0}^{r}\dbinom{m}{k}\dbinom{n}{r-k}=\dbinom{m+n}{r}$ 　　　　$m,n,r\in\mathbf{N},r\leqslant\min(m,n)$ 　　　(12.8)

9. $\displaystyle\sum_{k=0}^{n}\dbinom{m}{k}\dbinom{n}{k}=\dbinom{m+n}{m}$ 　　　　　　$m,n\in\mathbf{N}$ 　　　　　　　　(12.9)

如果在式(12.8)中用 n 替换 r 就可得到式(12.9).因此只需要证明式(12.8).

证　考虑集合 $A=\{a_1,a_2,\cdots,a_m\}$,$B=\{b_1,b_2,\cdots,b_n\}$.等式右边计数了从这两个集合中选出 r 个元素的方法.将这些选法按照含有 A 中元素的个数 k 进行分类,$k=0,1,\cdots,r$.考虑含有 A 中 k 个元素的选法数.先确定 A 中的 k 个元素,有 $\dbinom{m}{k}$ 种方式,接着确定 B 中的 $r-k$ 个元素,有

$\dbinom{n}{r-k}$ 种方法. 由乘法法则, 恰含 k 个 A 中元素的方法有 $\dbinom{m}{k}\dbinom{n}{r-k}$ 种, 根据加法法则对 k 求和定理得证.

上面给出了 8 个经常使用的组合恒等式, 其他还有许多组合恒等式没有列出来. 总结一下有关组合恒等式的证明方法, 大致有以下几种.

1. 已知恒等式代入并化简;

2. 使用二项式定理比较相同项的系数, 或者进行级数的求导或者积分;

3. 数学归纳法;

4. 组合分析方法.

例 12.7　证明以下组合恒等式.

(1) $\displaystyle\sum_{k=0}^{n} k\dbinom{n}{k} = n2^{n-1}$,　　$n \in \mathbf{Z}^+$

(2) $\displaystyle\sum_{k=0}^{n} k^2\dbinom{n}{k} = n(n+1)2^{n-2}$,　　$n \in \mathbf{Z}^+$

证　(1) 由二项式定理有

$$(1+x)^n = \sum_{k=0}^{n} \binom{n}{k} x^k$$

两边求导数得

$$n(1+x)^{n-1} = \sum_{k=1}^{n} \binom{n}{k} k x^{k-1}$$

在上面的公式中令 $x=1$ 即可.

$$
\begin{aligned}
(2)\ \sum_{k=0}^{n} k^2\binom{n}{k} &= \sum_{k=1}^{n} k^2\,\frac{n}{k}\binom{n-1}{k-1} && \text{消去变系数}\\
&= \sum_{k=1}^{n} kn\binom{n-1}{k-1} = n\sum_{k=1}^{n}\big[(k-1)+1\big]\binom{n-1}{k-1} && \text{常量外提}\\
&= n\sum_{k=1}^{n}(k-1)\binom{n-1}{k-1} + n\sum_{k=1}^{n}\binom{n-1}{k-1} && \text{拆项}\\
&= n\sum_{k=0}^{n-1} k\binom{n-1}{k} + n2^{n-1} && \text{改变求和的下限}\\
&= n(n-1)2^{n-2} + n2^{n-1} = n(n+1)2^{n-2} && \text{利用(1)的结果}
\end{aligned}
$$

组合数与另一个重要的计数模型非降路径问题有着密切的联系. 考察图 12.3. 设 m, n 是正整数, 从 $(0,0)$ 点到 (m,n) 点的非降路径是一条折线, 这条折线由 $m+n$ 次移动构成, 每次允许向上或者向右移动一步. 问: 不同的非降路径有多少条?

不同的路径取决于 $m+n$ 步的选择, 其中包含 m 步向右, n 步向上. 这种路径条数等于从 $m+n$

个位置中选 m 个位置的方法数,即 $\dbinom{m+n}{m}$ 或 $\dbinom{m+n}{n}$.

下面考虑这个问题的其他情况.

给定非负整数 a,b,m,n,其中 $a\leqslant m,b\leqslant n$. 从 (a,b) 点到 (m,n) 点的非降路径数等于从 $(0,0)$ 点到 $(m-a,n-b)$ 点的非降路径数,这相当于坐标平移,或者说两类路径之间一一对应. 因此,这种路径条数等于 $\dbinom{m-a+n-b}{m-a}$.

设 a,b,c,d,m,n 是非负整数,其中 $a\leqslant c\leqslant m,b\leqslant d\leqslant n$. 从 (a,b) 点经过 (c,d) 点到 (m,n) 点的非降路径数等于从 (a,b) 点到 (c,d) 点的非降路径数与从 (c,d) 点到 (m,n) 点的非降路径数之积. 这里采用了分步处理的思想.

利用非降路径模型可以解决实际的组合计数问题. 请看下面的例子.

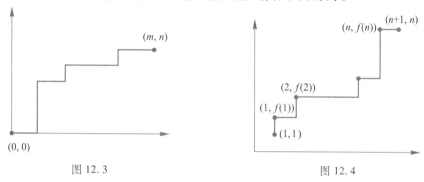

图 12.3　　　　　　　　　　　　　　图 12.4

例 12.8　求集合 $\{1,2,\cdots,n\}$ 上的单调递增函数个数.

解　考虑集合 $\{1,2,\cdots,n\}$ 上的单调递增函数 $f:\{1,2,\cdots,n\}\to\{1,2,\cdots,n\}$. 如图 12.4 所示,可以将自变量看作横坐标,对应的函数值看作纵坐标,得到 n 个点. 在图上增加 $(1,1)$ 和 $(n+1,n)$ 两个点,并按照下面的方法连接这 $n+2$ 个点:如果 $f(1)$ 不等于 1,那么从 $(1,1)$ 点开始向上连接到 $(1,f(1))$ 点. 从 $(1,f(1))$ 点先向右再向上连接到 $(2,f(2))$ 点,依照“先向右,后向上”的规则顺次连接 $(3,f(3)),\cdots$,直到 $(n+1,n)$ 点. 而这条连线恰好构成从 $(1,1)$ 点到 $(n+1,n)$ 点的一条非降路径. 显然这种非降路径与单调函数是一一对应的,只需计数非降路径条数就可以得到所求的单调函数个数. 根据公式,非降路径数是 $\dbinom{2n-1}{n}$. 因此,集合 $\{1,2,\cdots,n\}$ 上的单调递增函数个数也是 $\dbinom{2n-1}{n}$.

可以将上述结论推广. 设 $A=\{1,2,\cdots,m\}$,$B=\{1,2,\cdots,n\}$,那么从 A 到 B 的单调函数(包括单调递增与单调递减函数)个数等于从 $(1,1)$ 点到 $(m+1,n)$ 点的非降路径数的两倍,即 $2\dbinom{m+n-1}{m}$.

例 12.9　在计算机算法的设计中,栈是一种很重要的数据结构.下面考虑一个涉及栈输出的计数问题.设有正整数 $1,2,\cdots,n$,从小到大排成一个队列.将这些整数按照排列的次序依次压入一个栈(即后进先出栈).当后面的整数进栈时,已经在栈中的整数可以在任何时刻输出.问可能有多少种不同的输出序列.例如,整数 $1,2,3$ 可能的输出序列有 $1,2,3$;对应的操作是:1 进栈,1 出栈,2 进栈,2 出栈,3 进栈,3 出栈.也可能输出 $1,3,2$;对应的操作是:1 进栈,1 出栈,2 进栈,3 进栈,3 出栈,2 出栈.

解　将进栈、出栈分别记作 x,y,一个输出对应了 n 个 x,n 个 y 的排列,且排列的任何前缀中的 x 个数不少于 y 的个数.考虑非降路径的模型,从 $(0,0)$ 点出发,将排列中的 x 看作向右走一步,y 看作向上走一步,就可以得到一条从 $(0,0)$ 点到 (n,n) 点不穿过对角线的非降路径.

因为这种路径具有限制条件,不能直接使用前面的计数公式.可以采用下面的办法.将所有从 $(0,0)$ 点到 (n,n) 点的非降路径分成两类:穿过对角线的与不穿过对角线的.只要求出了穿过对角线的路径条数 N_1,那么从总数中减去 N_1 就得到所求的路径条数.下面要解决的是如何确定 N_1 的问题,使用的技巧仍旧是一一对应.

如图 12.5 所示,任何一条从 $(0,0)$ 点到 (n,n) 点穿过对角线的路径一定要接触直线 $y=x+1$,有可能接触多次,但最后会离开这条直线上的一点 P,沿直线 $y=x+1$ 下方的一条非降路径到达 (n,n) 点.把这条路径的前半段,即 $(0,0)$ 点到 P 点的部分,以直线 $y=x+1$ 为轴进行翻转,生成一段新的从 $(-1,1)$ 点到 P 点的部分非降路径(图 12.5 中虚线表示的路径).用这段新路径替换原来路径的前半段,就得到一条从 $(-1,1)$ 点到 (n,n) 点的非降路径.容易看出,这种路径与从 $(0,0)$ 点到 (n,n) 点中间穿过对角线的非降路径之间存在一

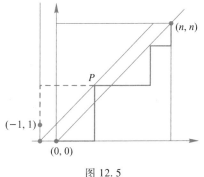

图 12.5

一对应.因此,从 $(0,0)$ 点到 (n,n) 点穿过对角线的非降路径数 $N_1=\dbinom{2n}{n-1}$.从 $(0,0)$ 点到 (n,n) 点的非降路径总数为 $\dbinom{2n}{n}$ 条,从而得到不同的输出序列个数是

$$N=\binom{2n}{n}-\binom{2n}{n-1}=\frac{(2n)!}{n!\;n!}-\frac{(2n)!}{(n-1)!\;(n+1)!}=\frac{1}{n+1}\binom{2n}{n}$$

这个问题也可以使用生成函数的方法求解,有关的说明将在 13 章给出.

12.4　多项式定理

二项式定理可以推广为*多项式定理*.

定理 12.5　设 n 为正整数，x_i 为实数，$i = 1, 2, \cdots, t$. 那么有

$$(x_1 + x_2 + \cdots + x_t)^n = \sum_{\substack{\text{满足} n_1 + \cdots + n_t = n \\ \text{的非负整数解}}} \binom{n}{n_1 \, n_2 \cdots n_t} x_1^{n_1} x_2^{n_2} \cdots x_t^{n_t}$$

这里 $\dbinom{n}{n_1 \, n_2 \cdots n_t} = \dfrac{n!}{n_1! \ n_2! \ \cdots n_t!}$，称作多项式系数.

证　展开式中的项 $x_1^{n_1} x_2^{n_2} \cdots x_t^{n_t}$ 是如下构成的：在 n 个因式中选 n_1 个因式贡献 x_1，从剩下的 $n - n_1$ 个因式中选 n_2 个因式贡献 x_2，$\cdots$，从剩下的 $n - n_1 - n_2 - \cdots - n_{t-1}$ 个因式中选 n_t 个因式贡献 x_t. 根据乘法法则，这种项的个数是

$$\binom{n}{n_1}\binom{n - n_1}{n_2} \cdots \binom{n - n_1 - \cdots - n_{t-1}}{n_t} = \frac{n!}{n_1! \ n_2! \ \cdots n_t!} = \binom{n}{n_1 \, n_2 \cdots n_t}.$$

不难看出二项式定理是多项式定理的特殊情况. 当 $t = 2$ 时，有

$$\binom{n}{n_1 \, n_2} = \frac{(n_1 + n_2)!}{n_1! \ n_2!} = C(n, n_1)$$

因此，多项式定理就变成了二项式定理.

多项式定理有下面的推论.

推论 1　在多项式定理的展开式中，右边不同的项数为不定方程 $n_1 + n_2 + \cdots + n_t = n$ 的非负整数解的个数 $\dbinom{n + t - 1}{n}$.

证　根据定理 12.5，项 $x_1^{n_1} x_2^{n_2} \cdots x_t^{n_t}$ 中的指数和方程 $n_1 + n_2 + \cdots + n_t = n$ 的非负整数解之间存在一一对应.

推论 2　$\sum \dbinom{n}{n_1 \, n_2 \cdots n_t} = t^n$，其中求和是对方程 $n_1 + n_2 + \cdots + n_t = n$ 的所有的非负整数解求和.

证　在多项式公式中令 $x_i = 1, i = 1, 2, \cdots, t$.

多项式系数 $\dbinom{n}{n_1 \, n_2 \cdots n_t}$ 经常在一些组合问题中出现，回顾 12.2 节，它恰好是多重集 $S = \{n_1 \cdot a_1, n_2 \cdot a_2, \cdots, n_t \cdot a_t\}$ 的全排列数，同时它也对应了 n 个不同的球放到 t 个不同的盒子里，使得第 1 个盒子含有 n_1 个球，第 2 个盒子含有 n_2 个球，$\cdots$，第 t 个盒子含有 n_t 个球的方法数. 先从 n 个球中选出 n_1 个球放入第 1 个盒子，然后从剩下的 $n - n_1$ 个球中选出 n_2 个球放入第 2 个盒子，$\cdots$，最后从 $n - n_1 - n_2 - \cdots - n_{t-1}$ 个球中选 n_t 个球放入第 t 个盒子. 根据乘法法则，放球的方法数恰好为

$$\binom{n}{n_1}\binom{n - n_1}{n_2} \cdots \binom{n - n_1 - \cdots - n_{t-1}}{n_t} = \frac{n!}{n_1! \ n_2! \ \cdots n_t!} = \binom{n}{n_1 \, n_2 \cdots n_t}$$

下面使用多项式系数的性质给出费马小定理的另一个证明.

例 12.10 证明:如果 p 是素数,那么对所有的 $n \not\equiv 0 \pmod{p}$ 有 $n^{p-1} \equiv 1 \pmod{p}$.

先证明一个引理.

引理　若 $\dbinom{p}{k_1 \, k_2 \cdots k_n} \neq 1$,则 $p \mid \dbinom{p}{k_1 \, k_2 \cdots k_n}$.

证　由于 p 是素数,根据全排列数的定义显然有

$$\binom{p}{k_1 \, k_2 \cdots k_n} = 1 \Leftrightarrow \text{存在某个} j \text{使得} k_j = p, \text{其他} k_i = 0, i \neq j.$$

于是由 $\dbinom{p}{k_1 \, k_2 \cdots k_n} \neq 1$ 可以推出 $k_1! \ k_2! \cdots k_n!$ 中不含 p. 由于 $\dbinom{p}{k_1 \, k_2 \cdots k_n} = \dfrac{p!}{k_1! \ k_2! \cdots k_n!}$ 是整

数,且 $k_1! \ k_2! \cdots k_n!$ 中不含 p,因此 $k_1! \ k_2! \cdots k_n!$ 整除 $(p-1)!$,从而证明了 $p \mid \dbinom{p}{k_1 \, k_2 \cdots k_n}$.

下面证明费马小定理.

证　根据多项式定理有

$$(x_1 + x_2 + \cdots + x_n)^p = \sum_{\sum k_i = p} \binom{p}{k_1 \, k_2 \cdots k_n} x_1^{k_1} x_2^{k_2} \cdots x_n^{k_n}$$

令所有的 $x_i = 1$ 得到

$$n^p = \sum_{\sum k_i = p} \binom{p}{k_1 \, k_2 \cdots k_n}$$

根据引理,当 $\dbinom{p}{k_1 \, k_2 \cdots k_n} \neq 1$,有 $p \mid \dbinom{p}{k_1 \, k_2 \cdots k_n}$. 右边恰有 n 项的值等于 1,其余各项之和为 $n^p - n$. p

整除其余的每一项,因此 $p \mid (n^p - n)$.

习　题　12

1. 从集合 $\{1, 2, \cdots, 1000\}$ 中选 3 个数使得其和是 4 的倍数,问:有多少种方法?

2. 以凸 n 边形顶点为顶点,以内部对角线为边的三角形有多少个?

3. 有多少个十进制三位数的数字恰有一个 8 和一个 9?

4. 由 1,2,3,4 这 4 种数字能构成多少个大于 230 的三位数?

5. 从集合 $\{1, 2, \cdots, 9\}$ 中选取不同数字构成七位数,如果 5 和 6 不相邻,则有多少种方法?

6. 有 n 个不同的整数,从中取出两组数来,要求第一组数里的最小数大于第二组数的最大数,问:有多少种方法?

7. 设 A 是 n 元集合,其中 n 是正整数,求 $\sum\limits_{B \subseteq A} |B|$.

8. 在 1 到 1 000 之间(包括 1 和 1 000 在内)有多少个整数的各位数字之和小于 7?

9. 用数字 0,1,2,3,4,5 能组成多少个没有重复数字且比 34521 大的五位数?

10. 有多少个大于 5 400,不含 2 和 7,且各位数字不重复的整数?

11. 设有 k 种明信片,每种张数不限.现在要分别寄给 n 个朋友,$k \geq n$.若给每个朋友寄 1 张明信片,有多少种寄法?若给每个朋友寄 1 张明信片,但每个人得到的明信片都不相同,则有多少种寄法?若给每个朋友寄 2 张不同的明信片(不同的人可以得到相同的明信片),则有多少种寄法?

12. 设有 k 类明信片,且第 i 类明信片的张数是 A_i,$i = 1,2,\cdots,k$.把它们全部送给 n 个朋友,问:有多少种方法?

13. 书架上有 24 卷百科全书,从其中选 5 卷使得任何 2 卷都不相继,问:这样的选法有多少种?

14. 由集合 $\{5 \cdot a,1 \cdot b,1 \cdot c,1 \cdot d,1 \cdot e\}$ 中的全体元素构成字母序列,求

(1) 没有两个 a 相邻的序列个数;

(2) b,c,d,e 中的任何两个字母都不相邻的序列个数.

15. 设 S 为 3 元集,S 上可以定义多少个不同的二元运算和一元运算?其中有多少个二元运算是可交换的?有多少个二元运算是幂等的?有多少个二元运算既不是可交换的,又不是幂等的?推广到 n 元集又有什么结果?

16. 设 $S = \{1,2,\cdots,n+1\}$,从 S 中选择 3 个数构成有序 3 元组 $<x,y,z>$ 使得 $z > x$ 且 $z > y$.

(1) 证明:若 $z = k+1$,则这样的有序 3 元组恰为 k^2 个;

(2) 将所有的有序 3 元组按照 $x = y,x < y,x > y$ 分成 A,B,C 三组,证明:

$$|A| = \binom{n+1}{2}, |B| = |C| = \binom{n+1}{3}$$

(3) 由(1)和(2)证明恒等式

$$1^2 + 2^2 + \cdots + n^2 = \binom{n+1}{2} + 2\binom{n+1}{3}$$

17. 假设计算机系统的每个用户有一个 4～6 个字符的登录密码,每个字符是大写字母或者数字,且每个密码必须至少包含一个数字.问有多少个可能的登录密码.

18. 求在 $(2x-3y)^{25}$ 的展开式中 $x^{12}y^{13}$ 的系数.

19. 用数学归纳法证明二项式定理.

20. 11^4 等于什么?你能用二项式定理马上给出这个结果吗?

21. 给定正整数 n,对于哪个 k 值,$C(n,k)$ 的值达到最大?证明你的结论.

22. 证明:

(1) $\displaystyle\sum_{k=0}^{n} (-1)^k \binom{n}{k} 2^{n-k} = 1$;

(2) $\displaystyle\sum_{k=0}^{n} (-1)^k \binom{n}{k} 3^{n-k} = 2^n$;

(3) $\displaystyle\sum_{k=1}^{n+1} \frac{1}{k} \binom{n}{k-1} = \frac{2^{n+1}-1}{n+1}$.

23. 求和:

(1) $\displaystyle\sum_{k=0}^{m} \binom{n-k}{m-k}$;

(2) $\displaystyle\binom{r+0}{0}\binom{m-0}{n-0} + \binom{r+1}{1}\binom{m-1}{n-1} + \cdots + \binom{r+n}{n}\binom{m-n}{n-n}$;

（3）$\sum\limits_{k=0}^{n} C(2n,2k)$.

24. 证明组合恒等式

（1）$\sum\limits_{k=2}^{n-1} (n-k)^2 \dbinom{n-1}{n-k} = n(n-1)2^{n-3} - (n-1)^2$；

（2）$\sum\limits_{k=r}^{n} (-1)^k \dbinom{n}{k}\dbinom{k}{r} = 0$；

（3）$\sum\limits_{k=0}^{n-1} \dbinom{n}{k}\dbinom{n}{k+1} = \dfrac{(2n)!}{(n-1)!\,(n+1)!}$；

（4）$\sum\limits_{k=0}^{n} (-1)^k \dfrac{1}{k+1} \dbinom{n}{k} = \dfrac{1}{n+1}$；

（5）$\sum\limits_{k=1}^{n} (-1)^{k-1} \dfrac{1}{k} \dbinom{n}{k} = 1 + \dfrac{1}{2} + \cdots + \dfrac{1}{n}$；

（6）$\sum\limits_{k=0}^{m} \dbinom{n-k}{m-k}\dbinom{r+k}{k} = \dbinom{n+r+1}{m}$.

25. 从 $S = \{\infty \cdot 0, \infty \cdot 1, \infty \cdot 2\}$ 中取 n 个数做排列,若不允许相邻位置的数相同,问:有多少种排法?

26. 给出多重集 $\{2 \cdot a, 1 \cdot b, 3 \cdot c\}$ 的所有的 3 排列与 3 组合.

27. 有 3 只蓝球、2 只红球、2 只黄球排成一列,若黄球不相邻,则有多少种方法?

28. $S = \{n_1 \cdot a_1, n_2 \cdot a_2, \cdots, n_k \cdot a_k\}$,求 S 的各种大小的子集总数.

29. $S = \{1 \cdot a_1, 1 \cdot a_2, \cdots, 1 \cdot a_t, \infty \cdot a_{t+1}, \infty \cdot a_{t+2}, \cdots, \infty \cdot a_k\}$,求 S 的 r 组合数.

第 13 章
递推方程与生成函数

这一章介绍几种重要的组合计数方法. 首先讨论递推方程的求解方法, 然后讨论生成函数的定义及性质, 并进一步介绍它们在组合计数中的应用.

13.1 递推方程的定义及实例

定义 13.1 设序列 $a_0, a_1, \cdots, a_n, \cdots$, 简记为 $\{a_n\}$, 一个把 a_n 与某些个 $a_i (i < n)$ 联系起来的等式称作关于序列 $\{a_n\}$ 的递推方程.

请看下面的例子.

例 13.1 Hanoi 塔

图 13.1 中有 A、B、C 三个柱子, 在 A 柱上放着 n 个圆盘(对于图 13.1, $n = 3$), 其中小圆盘放在大圆盘的上边. 从 A 柱将这些圆盘移到 C 柱上去. 如果把一个圆盘从一个柱子移到另一个柱子称作一次移动, 在移动和放置时允许使用 B 柱, 但不允许大圆盘放到小圆盘的上面. 问: 把所有的圆盘从 A 移到 C 总计需要多少次移动?

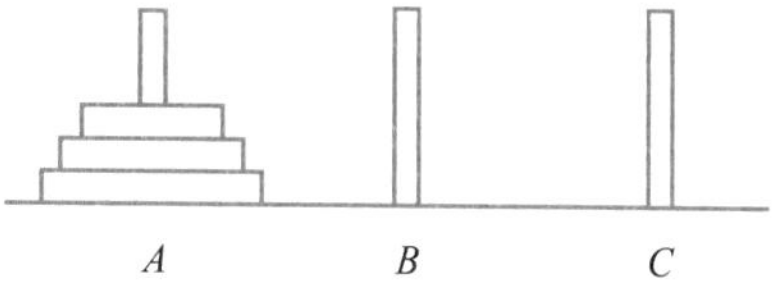

图 13.1

下面给出一种递归算法, 其中 Hanoi(X, Y, m) 表示从 X 柱到 Y 柱用 Hanoi 算法移动 m 只盘子的过程, move(X, Y) 表示从 X 柱移动 1 只盘子到 Y 柱的过程.

算法　Hanoi(A,C,n)

1. if $n=1$ then move(A,C)
2. else
3. 　　Hanoi($A,B,n-1$)
4. 　　move(A,C)
5. 　　Hanoi($B,C,n-1$)

设使用 Hanoi 算法移动 n 个盘子的总次数为 $T(n)$. 步骤3使用 Hanoi 算法递归地将 $n-1$ 个盘子从 A 柱移到 B 柱,移动次数为 $T(n-1)$;步骤4利用1次移动将最下面的大盘子从 A 柱移到 C 柱;步骤5还是用 Hanoi 算法将 B 柱上的 $n-1$ 个盘子移到 C 柱,移动次数为 $T(n-1)$.因此,得到递推方程

$$T(n)=2T(n-1)+1$$

这个方程的初值是 $T(1)=1$.后面将证明这个方程的解是 $T(n)=2^n-1$.

这个问题就是著名的 Hanoi 塔问题,据说古代的僧侣按照这种方法移动64个金盘子,他们认为当64个金盘子全部移完以后,世界的末日就到了.下面计算移动时间.如果每秒钟移动1次,那么64个盘子需要

$$2^{64}-1=18\ 446\ 744\ 073\ 709\ 551\ 615$$

秒,大约是5 000亿年.对于 Hanoi 塔问题,盘子的个数 n 代表问题规模,$T(n)$ 代表求解规模为 n 的问题所做的基本运算次数,它代表了这种算法的效率.Hanoi 算法的 $T(n)$ 是 n 的指数函数.不难看到,指数函数的值随着自变量 n 的增加呈爆炸性增长.对于比较大的 n,即使再提高 CPU 的速度,所占用的时间也是人们所不能承受的.正如上面的计算所显示的,即使1秒钟移动1亿次,64个盘子也需要超过5 000年的时间.因此在处理实际问题时,通常不能选择指数时间的算法.为了对算法的效率做出估计,求解递推方程是经常使用的方法.

例13.2　一个著名的数列称作 Fibonacci 数列,这个数列的项是

$$1,1,2,3,5,8,13,21,\cdots$$

它的第 n 项($n\geqslant2$)恰好等于第 $n-1$ 项与第 $n-2$ 项之和,即

$$f_n=f_{n-1}+f_{n-2},\quad f_0=1,\quad f_1=1$$

这个方程是关于 Fibonacci 数列的递推方程,可以证明该方程的解是

$$f_n=\frac{1}{\sqrt{5}}\left(\frac{1+\sqrt{5}}{2}\right)^{n+1}-\frac{1}{\sqrt{5}}\left(\frac{1-\sqrt{5}}{2}\right)^{n+1}$$

Fibonacci 数列出现在许多实际问题中.一个有趣的例子就是蜜蜂家族的构成.一个蜂群通常由蜂王、工蜂、雄蜂构成:只有1只雌蜂是蜂王;大多数雌蜂都是工蜂,负责采蜜、抚育幼蜂等,但不产卵;有少量只参与繁殖后代的雄蜂.所有雄蜂都由未受精的卵发育而成,只有母亲没有父亲;所有雌蜂则由受精卵发育而成,有父亲和母亲.蜂群中新生的雌蜂大部分将发育成工蜂,只有

被王浆喂养的少数雌蜂能够发育成蜂王. 这些新蜂王成熟之后将从拥挤的蜂巢分离, 寻找新巢, 建立新的蜂群. 这里以 ♀、♂ 符号分别代表雌蜂与雄蜂, 那么可以用图 13.2 描述一只雄蜂的祖先树. 问: 在这只雄蜂的家族中总共有多少个祖先? 他有 1 个母亲, 2 个祖父母, 3 个曾祖父母, 5 个曾曾祖父母, $\cdots$, 所有这些恰好构成 Fibonacci 数列 $\{f_n\}$. 这个结果的证明留给读者.

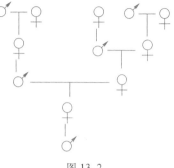

图 13.2

考虑一个串的计数问题. 有 n 位长的二进制串, 如果要求其中没有两个连续的 0, 求这样的串的个数 C_n. 考虑满足上述条件的 n 位二进制串. 如果它的最后一位是 1, 那么它的前 $n-1$ 位也构成满足上述要求的串, 这样的串有 C_{n-1} 个; 如果它的最后一位是 0, 那么它的第 $n-1$ 位只能是 1, 剩下的 $n-2$ 位构成满足上述要求的串, 这样的串有 C_{n-2} 个. 根据加法法则有 $C_n = C_{n-1} + C_{n-2}$,
初值 $C_0 = 1$ (空串), $C_1 = 2$ (串 0 和 1). 不难看出 $C_i = f_{i+1}$. $\{C_n\}$ 和 $\{f_n\}$ 是满足同一个递推式的许多序列中的两个, 这些序列的项之间的依赖关系一样, 由于初值不同, 项不相等. 但是, 这些项的表达式具有共同的形式, 只是个别参数的取值有所不同. 这个特点将成为求解这类递推方程的基础. 上述递推方程可以看成 Fibonacci 数的递归定义, 它用前面的项给出第 n 项 f_n 的表达式, 但没有显式给出 f_n 的值. 从这个表达式看不出随 n 的增长这个值究竟有多大? 当通过解递推方程了解 f_n 是指数函数时, 可以清楚地知道: 任何枚举上述 n 位二进制串的算法对于比较大的 n 都是没办法工作的.

以上给出的实例都需要求解递推方程. 下面分别讨论不同的求解方法.

13.2 递推方程的公式解法

常系数线性递推方程是一类常用的递推方程, 前面关于 Hanoi 塔和 Fibonacci 数列的递推方程都是常系数线性的递推方程, 可以使用公式法求解. 先给出它的定义.

定义 13.2 设递推方程满足

$$\begin{cases} H(n) - a_1 H(n-1) - a_2 H(n-2) - \cdots - a_k H(n-k) = f(n) \\ H(0) = b_0, H(1) = b_1, H(2) = b_2, \cdots, H(k-1) = b_{k-1} \end{cases} \tag{13.1}$$

其中 $a_1, a_2, \cdots, a_k$ 为常数, $a_k \neq 0$, 这个方程称作 k 阶常系数线性递推方程. $b_0, b_1, \cdots, b_{k-1}$ 为 k 个初值. 当 $f(n) = 0$ 时称这个递推方程为齐次方程.

上述关于 Hanoi 塔的递推方程不是齐次的, 而关于 Fibonacci 数列的递推方程是齐次的.

为了说明常系数线性齐次递推方程的解的结构, 需要引入特征根的概念.

定义 13.3 设给定常系数线性齐次递推方程如下.

$$\begin{cases} H(n) - a_1 H(n-1) - a_2 H(n-2) - \cdots - a_k H(n-k) = 0 \\ H(0) = b_0, H(1) = b_1, H(2) = b_2, \cdots, H(k-1) = b_{k-1} \end{cases} \tag{13.2}$$

方程 $x^k - a_1 x^{k-1} - \cdots - a_k = 0$ 称作该递推方程的特征方程,特征方程的根称作递推方程的特征根.

下面的定理给出了递推方程及其特征根之间的关系.

定理 13.1 设 q 是非零复数,则 q^n 是递推方程(13.2)的解当且仅当 q 是它的特征根.

证 $\qquad\qquad q^n$ 是递推方程的解

$$\Leftrightarrow q^n - a_1 q^{n-1} - a_2 q^{n-2} - \cdots - a_k q^{n-k} = 0$$

$$\Leftrightarrow q^{n-k}(q^k - a_1 q^{k-1} - a_2 q^{k-2} - \cdots - a_k) = 0$$

$$\Leftrightarrow q^k - a_1 q^{k-1} - a_2 q^{k-2} - \cdots - a_k = 0 \qquad (因为 q \neq 0)$$

$$\Leftrightarrow q \text{ 是它的特征根}$$

定理 13.2 设 $h_1(n)$ 和 $h_2(n)$ 是递推方程(13.2)的解,c_1, c_2 为任意常数,则 $c_1 h_1(n) + c_2 h_2(n)$ 也是这个递推方程的解.

证 将 $c_1 h_1(n) + c_2 h_2(n)$ 代入该递推方程进行验证.

根据定理 13.1 和 13.2,对 k 进行归纳,不难得到以下推论.

推论 若 $q_1, q_2, \cdots, q_k$ 是递推方程(13.2)的特征根,则 $c_1 q_1^n + c_2 q_2^n + \cdots + c_k q_k^n$ 是该递推方程的解,其中 $c_1, c_2, \cdots, c_k$ 是任意常数.

以上推论说明 $c_1 q_1^n + c_2 q_2^n + \cdots + c_k q_k^n$ 是递推方程的解.下面的问题是:除了这种形式的解以外,是否存在其他形式的解? 为了解决这个问题,先定义通解.

定义 13.4 若对递推方程(13.2)由不同的初值确定的每个解 $h(n)$ 都存在一组常数 $c_1', c_2', \cdots, c_k'$,使得

$$h(n) = c_1' q_1^n + c_2' q_2^n + \cdots + c_k' q_k^n$$

成立,则称 $c_1 q_1^n + c_2 q_2^n + \cdots + c_k q_k^n$ 为该递推方程的通解.

下面的定理说明,当 k 个特征根彼此不等时,上述的解就是递推方程(13.2)的通解.

定理 13.3 设 $q_1, q_2, \cdots, q_k$ 是递推方程(13.2)不等的特征根,则 $H(n) = c_1 q_1^n + c_2 q_2^n + \cdots + c_k q_k^n$ 为该递推方程的通解.

证 根据前面的推论知道 $H(n)$ 是解,下面证明这个解是通解.设 $h(n)$ 是递推方程(13.2)的任意一个解,其中 $h(0), h(1), \cdots, h(k-1)$ 由初值 $b_0, b_1, \cdots, b_{k-1}$ 唯一确定.将初值代入得到以下线性方程组.

$$\begin{cases} c_1 + c_2 + \cdots + c_k = b_0 \\ c_1 q_1 + c_2 q_2 + \cdots + c_k q_k = b_1 \\ \qquad\qquad \cdots \\ c_1 q_1^{k-1} + c_2 q_2^{k-1} + \cdots + c_k q_k^{k-1} = b_{k-1} \end{cases}$$

如果这个方程组有唯一解 $c_1', c_2', \cdots, c_k'$,那么说明 $h(n) = c_1' q_1^n + c_2' q_2^n + \cdots + c_k' q_k^n$,从而证明了

$H(n)$ 是递推方程的通解. 由于上述方程组的系数行列式是范德蒙德行列式 $\displaystyle\prod_{1\leqslant i<j\leqslant k}(q_i-q_j)$, 当 $q_i\neq q_j$ 时, 这个行列式不等于 0, 因此线性方程组有唯一解.

例 13.3　求解 Fibonnaci 数列的递推方程

解　递推方程是 $f_n=f_{n-1}+f_{n-2}$, 初值是 $f_0=1$, $f_1=1$. 它的特征方程是 $x^2-x-1=0$, 求解得到特征根为 $\dfrac{1+\sqrt{5}}{2}$, $\dfrac{1-\sqrt{5}}{2}$. 因此, 递推方程的通解为

$$f_n=c_1\left(\frac{1+\sqrt{5}}{2}\right)^n+c_2\left(\frac{1-\sqrt{5}}{2}\right)^n$$

其中 c_1, c_2 为待定常数. 代入初值 $f_0=1$, $f_1=1$, 得

$$\begin{cases}c_1+c_2=1\\ c_1\left(\dfrac{1+\sqrt{5}}{2}\right)+c_2\left(\dfrac{1-\sqrt{5}}{2}\right)=1\end{cases}$$

解得待定常数 $c_1=\dfrac{1}{\sqrt{5}}\cdot\dfrac{1+\sqrt{5}}{2}$, $c_2=-\dfrac{1}{\sqrt{5}}\cdot\dfrac{1-\sqrt{5}}{2}$, 从而得到递推方程的解为

$$f_n=\frac{1}{\sqrt{5}}\left(\frac{1+\sqrt{5}}{2}\right)^{n+1}-\frac{1}{\sqrt{5}}\left(\frac{1-\sqrt{5}}{2}\right)^{n+1}.$$

递推方程(13.2)的特征根中如果存在重根, 当把对应这些特征根的项 q_i^n 进行线性组合时, 那些对应于同一个重根的项就归并成一项. 于是, 当把这个通解代入初值时, 所得到的线性方程组中方程的个数将比未知数的个数多. 这样的方程组可能无解. 解决的方法是必须使用线性无关的解来构造通解. 定理 13.4 给出通解的表达式. 限于篇幅, 这里不再给出证明.

定理 13.4　设 $q_1,q_2,\cdots,q_t$ 是递推方程(13.2)的不相等的特征根, 且 q_i 的重数为 e_i, 其中 $i=1,2,\cdots,t$. 令

$$H_i(n)=(c_{i1}+c_{i2}n+\cdots+c_{ie_i}n^{e_i-1})q_i^n$$

那么该递推方程的通解是

$$H(n)=\sum_{i=1}^{t}H_i(n)$$

例 13.4　求解以下递推方程

$$\begin{cases}H(n)-3H(n-1)+4H(n-3)=0\\ H(0)=1,H(1)=0,H(2)=0\end{cases}$$

解　特征方程 $x^3-3x^2+4=0$, 特征根 $-1,2,2$, 通解为

$$H(n)=(c_1+c_2n)2^n+c_3(-1)^n$$

其中待定常数满足以下方程组

$$\begin{cases}c_1+c_3=1\\ 2c_1+2c_2-c_3=0\\ 4c_1+8c_2+c_3=0\end{cases}$$

解得 $c_1 = \dfrac{5}{9}, c_2 = -\dfrac{1}{3}, c_3 = \dfrac{4}{9}$，原方程的解为

$$H(n) = \frac{5}{9}2^n - \frac{1}{3}n2^n + \frac{4}{9}(-1)^n$$

下面考虑非齐次的递推方程.常系数线性非齐次递推方程的标准型是

$$H(n) - a_1 H(n-1) - \cdots - a_k H(n-k) = f(n) \tag{13.3}$$

其中 $n \geqslant k, a_k \neq 0, f(n) \neq 0$.

为了求解上述方程,必须了解通解的结构.这里的通解与定义 13.4 关于齐次方程通解在概念上是一致的.

定理 13.5 设 $\overline{H(n)}$ 是对应的齐次方程(13.2)的通解,$H^*(n)$ 是一个特解,则

$$H(n) = \overline{H(n)} + H^*(n)$$

是递推方程(13.3)的通解.

证 将 $H(n)$ 代入就可以验证它是递推方程(13.3)的解.下面证明它是通解.

设 $h(n)$ 是递推方程(13.3)的一个解,只需证明 $h(n)$ 可以表示为对应齐次方程的一个解与特解 $H^*(n)$ 之和.因为 $h(n)$ 与 $H^*(n)$ 都是递推方程(13.3)的解,因此

$$h(n) - a_1 h(n-1) - \cdots - a_k h(n-k) = f(n)$$
$$H^*(n) - a_1 H^*(n-1) - \cdots - a_k H^*(n-k) = f(n)$$

将以上两个式子相减得

$$[h(n) - H^*(n)] - a_1[h(n-1) - H^*(n-1)] - \cdots - a_k[h(n-k) - H^*(n-k)] = 0$$

这说明 $h(n) - H^*(n)$ 是对应齐次方程的一个解,换句话说,$h(n)$ 是对应齐次方程的一个解与特解 $H^*(n)$ 之和.

定理 13.5 说明递推方程(13.3)的通解结构是对应的齐次方程的通解加上一个特解,而特解的形式依赖于 $f(n)$.求解的关键是确定一个特解,可以先根据 $f(n)$ 写出特解的函数形式,然后用待定系数法确定其中的系数.下面针对某些特殊函数形式进行讨论.

第一种情况:$f(n)$ 为 n 的 t 次多项式,那么特解一般也为 n 的 t 次多项式.但是如果递推方程的特征根是1,就必须提高所设定特解的多项式次数.因为当把这个特解代入原方程时,最高次项和常数项都会消去,于是化简后等式左边多项式的次数将低于右边函数 $f(n)$ 的次数.

例 13.5 针对下面的顺序插入排序算法估计它在最坏情况下的时间复杂度 $W(n)$.

算法 Insertsort(A, n)

1. for $j \leftarrow 2$ to n
2.   do $x \leftarrow A[j]$
3. $i \leftarrow j - 1$
4.   while $i > 0$ and $A[i] > x$ // 行 4-7 将 $A[j]$ 插入 $A[1..j-1]$
5.   do $A[i+1] \leftarrow A[i]$
6. $i \leftarrow i - 1$

7. $\quad A[i+1] \leftarrow x$

对 n 个数的数组 A 进行排序,算法对 A 的第 1 项不做任何工作.接着只需 1 次比较就可以把第 2 项插到恰当的位置.然后算法将第 3 项插入由排好序的前 2 项构成的子数组中,这至多需要 2 次比较.… 如果前 $j-1$ 项已经排好,插入第 j 项至多需要 $j-1$ 次比较.因此,对于 n 个数的数组,在最坏情况下算法所做的比较次数 $W(n)$ 满足以下递推方程:

$$\begin{cases} W(n) = W(n-1) + n-1 \\ W(1) = 0 \end{cases}$$

整理成标准型

$$\begin{cases} W(n) - W(n-1) = n-1 \\ W(1) = 0 \end{cases}$$

这里的函数 $f(n)$ 是 n 的一次多项式,但是特征根是 1.如果把特解设为 $W^*(n) = P_1 n + P_2$,将它代入递推方程,得

$$P_1 n + P_2 - (P_1(n-1) + P_2) = n-1$$

化简得 $P_1 = n-1$,左边是 n 的 0 次多项式,右边是 n 的 1 次多项式.没有常数 P_1 能够使它成立.根据上面的分析,将特解设为 $W^*(n) = P_1 n^2 + P_2 n$,代入递推方程得

$$(P_1 n^2 + P_2 n) - [P_1(n-1)^2 + P_2(n-1)] = n-1$$

化简得

$$2P_1 n - P_1 + P_2 = n-1$$

解得 $P_1 = 1/2, P_2 = -1/2$.于是通解为

$$W(n) = c \cdot 1^n + n(n-1)/2 = c + n(n-1)/2$$

代入初值 $W(1) = 0$,得 $c=0$,最终得到 $W(n) = n(n-1)/2$.这说明插入排序在最坏情况下是 $O(n^2)$ 的算法.

例 13.6　Hanoi 塔问题的递推方程是

$$H(n) = 2H(n-1) + 1$$

这是一个含有 0 次多项式函数的非齐次的递推方程.设特解为 $H^*(n) = P$,代入原方程得 $P = 2P+1$,因此 $P = -1$.从而得到递推方程的通解是

$$H(n) = c2^n - 1$$

代入初值 $H(1) = 1$,得 $c=1$,解为 $H(n) = 2^n - 1$.

第二种情况:$f(n)$ 为指数函数 $A\beta^n$,这里的 A 代表某个常数.若 β 不是特征根,则特解为 $P\beta^n$,其中 P 为待定系数;若 β 是 $e(e \geqslant 1)$ 重特征根,则特解为 $Pn^e\beta^n$.

例 13.7　求解下述递推方程

$$\begin{cases} a_n - 4a_{n-1} + 4a_{n-2} = 2^n \\ a_0 = 1, a_1 = 5 \end{cases}$$

解　因为 2 是对应齐次方程的二重特征根,因此特解是 $a_n^* = Pn^2 2^n$,代入递推方程得

$$Pn^2 2^n - 4P(n-1)^2 2^{n-1} + 4P(n-2)^2 2^{n-2} = 2^n$$

解得 $P = 1/2$. 因此原递推方程的通解是

$$a_n = c_1 2^n + c_2 n 2^n + n^2 2^{n-1}$$

代入初值得

$$\begin{cases} c_1 = 1 \\ 2c_1 + 2c_2 + 1 = 5 \end{cases}$$

解得 $c_1 = c_2 = 1$, 从而得到递推方程的解是 $a_n = 2^n + n 2^n + n^2 2^{n-1}$.

13.3 递推方程的其他解法

公式解法只能用于常系数线性递推方程, 对于某些其他形式的递推方程, 还可以使用换元法、迭代归纳法等技术求解. 先考虑换元法, 换元法的基本思想就是将原来关于某个变元的递推方程通过函数变换转成关于其他变元的常系数线性递推方程, 然后使用公式法求解. 在得到解以后, 再利用相反的变换将解转变成关于原来变元的函数. 请看下面的例子.

例 13.8 *二分归并排序算法.*

这个算法的主要思想是: 将被排序的数组划分成相等的两个子数组, 然后递归使用同样的算法分别对两个子数组排序, 最后将两个排好序的子数组归并成一个数组. 归并的过程如下: 假设两个子数组是 A 和 B, 它们的元素都按照从小到大的顺序排列. 将 A 与 B 归并后的数组记作 C. 设定两个指针 p_1, p_2, 初始分别指向 A 和 B 的最小元素. 归并时只需比较 p_1 和 p_2 指向的元素, 哪个元素小, 就把它从原来的数组移到 C, 原来指向它的指针向后移动一个位置. 如果 A 或 B 中一个数组 (如 A) 的元素已经被全部移走, 那么比较过程结束, 剩下的工作就是将 B 中剩下的元素顺序移到 C 的后面. 算法描述如下.

算法 $\text{Mergesort}(A, p, r)$ // 对数组 A 的下标 p 到 r 之间的数排序

1. if $p < r$
2. then $q \leftarrow \lfloor (p+r)/2 \rfloor$ // q 为 p 到 r 的中点, $\lfloor x \rfloor$ 是不超过 x 的最大整数
3. $\quad\quad \text{Mergesort}(A, p, q)$
4. $\quad\quad \text{Mergesort}(A, q+1, r)$
5. $\quad\quad \text{Merge}(A, p, q, r)$ // 把排好序的数组 $A[p..q]$ 与 $A[q+1..r]$ 归并.

如果 $n = 2^k$, 以比较作为基本运算, 试给出最坏情况下归并排序算法的时间复杂度函数.

解 设 $W(n)$ 表示归并排序算法在最坏情况下所做的比较次数, 根据上面的分析, 分别排序 A 和 B 的工作量为 $2W(n/2)$. 在归并 A 和 B 时, 每比较 1 次, 就可以移走 1 个元素. 因为 A 和 B 总共有 n 个元素, 至多需要 $n-1$ 次比较, 就可以完成归并工作. 因此, 对 n 个数进行二分归并排序在最坏情况下的比较次数满足如下递归方程:

$$\begin{cases} W(n) = 2W(n/2) + n - 1, n = 2^k \\ W(1) = 0 \end{cases}$$

将 $n = 2^k$ 代入,该递推方程可以转换成关于变元 k 的常系数线性递推方程.即

$$\begin{cases} H(k) = 2H(k-1) + 2^k - 1 \\ H(0) = 0 \end{cases}$$

该方程是非齐次的,其函数部分是 $2^k - 1$,为指数函数 2^k 与多项式函数 -1 之和,因此特解也是指数函数与多项式函数的组合形式.由于 2 是特征根,令

$$H^*(k) = P_1 k 2^k + P_2$$

将这个特解代入原方程,解得 $P_1 = P_2 = 1$,从而得到

$$H^*(k) = k 2^k + 1$$

根据特解得到通解

$$H(k) = c 2^k + k 2^k + 1$$

代入初值,得 $c = -1$,因此得到原方程的解

$$H(k) = -2^k + k 2^k + 1$$

将 $k = \log n$ 代入得

$$W(n) = n \log n - n + 1$$

这正好验证了 $W(n) = O(n \log n)$.

下面考虑迭代归纳法.所谓迭代,就是从原始递推方程开始,利用方程所表达的数列中后项对前项的依赖关系,把表达式中的后项用相等的前项的表达式代入,直到表达式中没有函数项为止.这时等式右边可能是一系列迭代后的项之和,然后,将右边的项求和并将结果进行化简.为了保证结果的正确性,往往需要代入原递推方程进行验证.下面用迭代归纳法求解归并排序的递推方程:

$$\begin{cases} W(n) = 2W(n/2) + n - 1, n = 2^k \\ W(1) = 0 \end{cases}$$

在这个递推方程中,函数项是 $W(n)$.通过一次迭代,$W(n)$ 被 $W(n/2)$ 替换.在接着的迭代中,$W(n/2)$ 将被 $W(n/4)$ 替换,$W(n/4)$ 将被 $W(n/8)$ 替换,$\cdots$,直到右边的函数项只有 $W(1)$ 为止.具体的求解过程如下.

$$\begin{aligned} W(n) &= 2W(2^{k-1}) + 2^k - 1 \\ &= 2[2W(2^{k-2}) + 2^{k-1} - 1] + 2^k - 1 \\ &= 2^2 W(2^{k-2}) + 2^k - 2 + 2^k - 1 \\ &= 2^2[2W(2^{k-3}) + 2^{k-2} - 1] + 2^k - 2 + 2^k - 1 \\ &= 2^3 W(2^{k-3}) + 2^k - 2^2 + 2^k - 2 + 2^k - 1 \\ &\quad \cdots \\ &= 2^k W(1) + k 2^k - (2^{k-1} + 2^{k-2} + \cdots + 2 + 1) \\ &= k 2^k - 2^k + 1 \end{aligned}$$

$$= n\log n - n + 1$$

对结果进行验证. 使用数学归纳法. 把 $n=1$ 代入上述公式得

$$W(1) = 1\ \log 1 - 1 + 1 = 0$$

符合初始条件. 假设对于任何小于 n 的正整数 t, $W(t)$ 都是正确的, 将结果代入原递推方程的右边得

$$
\begin{aligned}
2W(n/2) + n - 1 &= 2(2^{k-1}\log 2^{k-1} - 2^{k-1} + 1) + 2^k - 1 \\
&= 2^k(k-1) - 2^k + 2 + 2^k - 1 = k2^k - 2^k + 1 \\
&= n\log n - n + 1 = W(n)
\end{aligned}
$$

这说明得到的解满足原来的递推方程.

迭代方法一般适用于一阶的递推方程, 对于某些二阶以上的递推方程, 需要先进行化简. 请看下面的例子.

例 13.9   前面曾经使用包含排斥原理求解错位排列的计数问题 (见例 6.7), 现在用递推方程来求解这个问题.

解   将 n 位的错位排列按照它的第一位是 $2,3,\cdots,n$ 等分成 $n-1$ 个组, 不难看出每个组的排列个数一样多. 考虑其中的一组, 不妨设它的第 1 位是 2. 那么它的第 2 位可能是 1, 也可能不是 1. 如果第 2 位是 1, 那么剩下的 $n-2$ 位是 $3,4,\cdots,n$ 的错位排列, 有 D_{n-2} 个; 如果第 2 位不是 1, 那么从第 2 位到第 n 位构成 $1,3,4,\cdots,n$ 的错位排列, 有 D_{n-1} 个. 根据这个分析得到下述递推方程和初值.

$$
\begin{cases}
D_n = (n-1)(D_{n-1} + D_{n-2}) \\
D_1 = 0, D_2 = 1
\end{cases}
$$

这个方程不是常系数线性的, 不能使用公式法. 由于它是二阶的, 如果直接迭代, 所得到的项太多, 求和比较困难. 这里先使用差消的方法把它转换为一阶方程. 因为

$$D_n - nD_{n-1} = -(D_{n-1} - (n-1)D_{n-2}) = \cdots = (-1)^{n-2}(D_2 - 2D_1) = (-1)^{n-2}$$

从而得到一阶递推方程

$$D_n = nD_{n-1} + (-1)^n, D_1 = 0$$

不断迭代得

$$
\begin{aligned}
D_n &= n(n-1)D_{n-2} + n(-1)^{n-1} + (-1)^n \\
&= n(n-1)(n-2)D_{n-3} + n(n-1)(-1)^{n-2} + n(-1)^{n-1} + (-1)^n \\
&\quad \cdots \\
&= n(n-1)\cdots 2D_1 + n(n-1)\cdots 3(-1)^2 + n(n-1)\cdots 4(-1)^3 + \cdots + n(-1)^{n-1} + (-1)^n \\
&= n!\ \left[1 - \frac{1}{1!} + \frac{1}{2!} - \cdots + (-1)^n \frac{1}{n!}\right]
\end{aligned}
$$

这个结果与第 6 章使用包含排斥原理得到的结果完全一样.

使用差消法也可以将某些高阶递推方程化简为一阶递推方程. 下面的例子是关于快速排序算法平均情况下复杂度 $T(n)$ 的递推方程. 快速排序是实践中广泛应用的排序算法. 这种算法的

基本思想是:设要排序的数组是 $A[p..r]$,不妨假设 A 中的元素彼此不等.以 A 的首元素 $A[p]$ 作为标准,对 A 进行划分,使得所有小于 $A[p]$ 的元素构成子数组 A_1,所有大于 $A[p]$ 的元素构成子数组 A_2.需要说明的是,这个划分过程 Partition 并不对子数组 A_1 和 A_2 进行排序,只是把原来规模为 n 的问题转变成两个小规模的子问题.然后算法分别递归地对 A_1 和 A_2 进行排序.这个递归调用过程一直进行下去,直到子问题的数组只含有 1 个元素为止.下面给出快速排序算法的伪码描述.

算法　Quicksort(A,p,r) // p 和 r 分别表示数组 A 的首元素和末元素的下标

1.　if　　$p<r$
2.　then $q \leftarrow$ Partition(A,p,r) // 划分数组 A 为 $A[p..q-1]$ 和 $A[q+1..r]$
3.　　　　$A[p] \leftrightarrow A[q]$
4.　　　　Quicksort$(A,p,q-1)$
5.　　　　Quicksort$(A,q+1,r)$

其中的划分过程 Partition 描述如下.

算法　Partition(A,p,r)

1.　$x \leftarrow A[p]$　　// 选首元素作为划分标准 x
2.　$i \leftarrow p-1$
3.　$j \leftarrow r+1$
4.　while true do
5.　　　　repeat $j \leftarrow j-1$
6.　　　　until $A[j]<x$　// $A[j]$ 是从后向前找到的第一个比 x 小的元素
7.　　　　repeat $i \leftarrow i+1$
8.　　　　until $A[i]>x$　// $A[i]$ 是从前向后找到的第一个比 x 大的元素
9.　　　　if $i < j$　// 继续搜索 $A[i]$ 到 $A[j]$ 之间的范围
10.　　　　then $A[i] \leftrightarrow A[j]$　// $A[i]$ 与 $A[j]$ 交换,回到行 4
11.　　　　else return j // 结束 While 循环

考虑下面的划分实例,设数组 $A[1..13]$ 初始是

| 27 | 99 | 0 | 8 | 13 | 64 | 86 | 16 | 7 | 10 | 88 | 25 | 90 |

A 的首元素是 27,它就是划分数组的标准.算法 Quicksort 先调用 Partition 过程,Partition 过程的步骤 5 到步骤 6 从后向前寻找第一个比 27 小的数,第一次找到 25;然后步骤 7 到步骤 8 从前向后找第一个比 27 大的数,就是 99.这时 $i=2$,$A[2]=99$,$j=12$,$A[12]=25$,过程进行到步骤 10,99 和 25 交换.交换后的数组变成

| 27 | 25 | 0 | 8 | 13 | 64 | 86 | 16 | 7 | 10 | 88 | 99 | 90 |

接着,过程 Partition 回到步骤 4,从当前交换的位置继续向中间搜索,寻找下一对交换的位置.不难看到,下一次需要交换的是 64 和 10,交换后的数组是

| 27 | 25 | 0 | 8 | 13 | 10 | 86 | 16 | 7 | 64 | 88 | 99 | 90 |

继续这个过程,交换 86 和 7,得到

　　$\underline{27}$　25　0　8　13　10　7　16　86　64　88　99　90

下面的搜索将导致 i 大于 j,步骤 9 的条件不再满足,过程 Partition 结束,返回 $q=8$. 算法 Quicksort 继续进行第 3 行,把 27 和 16 交换,得到

　　16　25　0　8　13　10　7　$\underline{27}$　86　64　88　99　90

以 27 为界,原来的数组被划分成两个子数组:$[16,25,0,8,13,10,7]$ 与 $[86,64,88,99,90]$. 算法 Quicksort 的步骤 4、步骤 5 接着递归地对这两个子数组继续排序.

　　考虑算法 Quicksort 在平均情况下的时间复杂度. 如果首元素恰好是最小元素,用它作为划分标准,得到的子数组分别是空数组和具有 $n-1$ 个元素的数组;如果首元素恰好是第二小元素,划分后得到的子数组分别是 1 个元素和 $n-2$ 个元素的数组,等等. 一般说来,如果首元素处在第 k 个位置,那么划分后的两个子问题的规模分别为 $k-1$ 和 $n-k$,其中 $k=1,2,\cdots,n$. 假定这 n 种情况出现的可能性相等,为计算平均时间复杂度,只需要对这 n 种情况分别计算各自的比较次数,然后取平均值即可.

　　设 Quicksort 算法对于规模为 n 的输入的平均比较次数是 $T(n)$. 若首元素处在第 k 个位置,划分后的子问题规模分别为 $k-1$ 和 $n-k$,平均比较次数分别是 $T(k-1)$ 和 $T(n-k)$,而划分过程 Partition 需要的比较次数是 $O(n)$,因此总的比较次数为 $T(k-1)+T(n-k)+O(n)$. 对 $k=1,2,\cdots,n$ 求和,去掉 $T(0)=0$ 的项,就得到

$$2\sum_{k=1}^{n-1}T(k)+O(n^2)$$

把上式除以 n 就得到平均比较次数 $T(n)$,因而得到下述递推方程.

$$\begin{cases} T(n)=\dfrac{2}{n}\sum_{i=1}^{n-1}T(i)+O(n),n\geqslant 2 \\ T(1)=0 \end{cases}$$

从这个方程不难看出,$T(n)$ 依赖于 $T(n-1),T(n-2),\cdots,T(1)$ 等所有的项,这种递推方程也称作全部历史递推方程. 求解过程给在例 13.10.

　　例 13.10　求解关于快速排序算法平均复杂度 $T(n)$ 的递推方程.

　　解　先使用查消法将原方程化简成一阶的方程. 由原方程得到

$$nT(n)=2\sum_{i=1}^{n-1}T(i)+cn^2 \qquad\qquad c\text{ 为某个常数}$$

$$(n-1)T(n-1)=2\sum_{i=1}^{n-2}T(i)+c(n-1)^2$$

将两个方程相减得到

$$nT(n)-(n-1)T(n-1)=2T(n-1)+O(n)$$

化简得到

$$nT(n) = (n+1)T(n-1) + O(n)$$

变形并迭代得到

$$\frac{T(n)}{n+1} = \frac{T(n-1)}{n} + \frac{c}{n+1} = \cdots = c\left[\frac{1}{n+1} + \frac{1}{n} + \cdots + \frac{1}{3} + \frac{T(1)}{2}\right] = c\left[\frac{1}{n+1} + \frac{1}{n} + \cdots + \frac{1}{3}\right]$$

上面公式中的 c 是某个常数,求和使用了积分作为近似结果,请见图 13.3.根据积分有

$$\frac{1}{n+1} + \frac{1}{n} + \cdots + \frac{1}{3} \leqslant \int_2^{n+1} \frac{1}{x}\mathrm{d}x = \ln x \Big|_2^{n+1} = \ln(n+1) - \ln 2 = O(\log n)$$

因此得到原递推方程的解 $T(n) = O(n\log n)$.

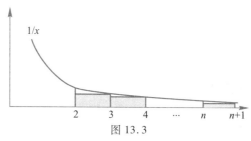

图 13.3

　　如上面的例子所示,许多递推方程不能求出精确的解,但是可以估计出函数的阶,这对于算法分析工作是有意义的.

　　用递归树的模型可以说明上述迭代的思想.下面以二分归并排序算法的递推方程

$$\begin{cases} W(n) = 2W(n/2) + n - 1, & n = 2^k \\ W(1) = 0 \end{cases}$$

为例来构造递归树.递归树是一棵带权的二叉树,每个结点都有权.初始的递归树只有一个结点,它的权标记为 $W(n)$.然后不断进行迭代,直到树中不再含有权为函数的结点为止.迭代规则就是把递归树中权为函数的结点,如 $W(n),W(n/2),W(n/4)$ 等,用和这个函数相等的递推方程右部的子树来代替.这种子树只有 2 层,树根标记为方程右部除了函数之外的剩余表达式,每一片树叶则代表方程右部的一个函数项.例如,第一步迭代,树中唯一的结点(第 0 层)$W(n)$ 可以用根是 $n-1$、2 片树叶都是 $W(n/2)$ 的子树来代替.代替以后递归树由 1 层变成了 2 层.第二步迭代,应该用根为 $n/2-1$、2 片树叶都是 $W(n/4)$ 的子树来代替树中权为 $W(n/2)$ 的叶结点(第 1 层),代替后递归树就变成了 3 层.照这样进行下去,每迭代一次,递归树就增加一层,直到树叶都变成初值 1 为止.整个迭代过程与递归树的生成过程完全对应起来,正如图 13.4 所示.不难看出,在整个迭代过程中,递归树中全部结点的权之和不变,总是等于函数 $W(n)$.

　　为了计算最终的递归树中所有结点的权之和,可以采用分层计算的方法.递归树有 k 层,各层结点的值之和分别为

$$n-1, \quad n-2, \quad n-4, \quad \cdots, \quad n-2^{k-1}$$

因此总和为

$$nk - (1 + 2 + \cdots + 2^{k-1}) = nk - (2^k - 1) = n\log n - n + 1$$

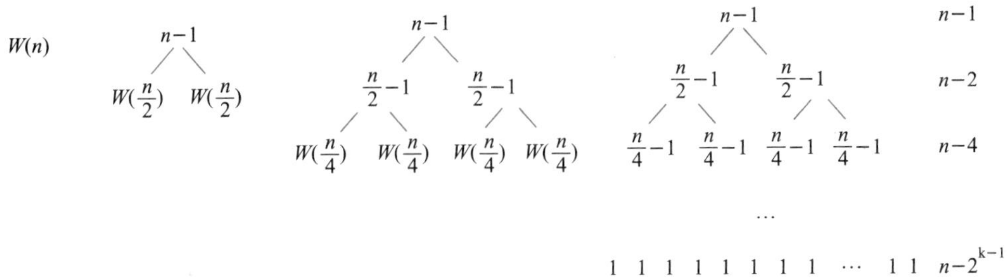

图 13.4

这个结果与前面用换元法计算的结果完全一致.

递归算法是一种常用的算法,它的特点就是在算法中要递归调用自己.递归算法的分析中经常用到递推方程.分治策略是算法设计中的一种重要技术,它的主要思想是将原问题分解成规模更小的子问题,分别求解每个子问题,然后将子问题的解进行综合,从而得到原问题的解.设 a,b 为正整数,n 为问题的输入规模,n/b 为子问题的输入规模,a 为子问题个数,$d(n)$ 为将原问题分解成子问题以及将子问题的解综合得到原问题解的代价.例如,对 n 个正整数进行二分归并排序,那么 $b=2,a=2,d(n)=n-1$.一般情况下有

$$\begin{cases} T(n)=aT(n/b)+d(n),n=b^k \\ T(1)=1 \end{cases} \tag{13.4}$$

经过迭代得到

$$T(n) = a^2 T(n/b^2) + ad(n/b) + d(n)$$
$$\cdots$$
$$= a^k T(n/b^k) + a^{k-1} d(n/b^{k-1}) + a^{k-2} d(n/b^{k-2}) + \cdots + ad(n/b) + d(n)$$
$$= a^k + \sum_{i=0}^{k-1} a^i d(n/b^i)$$

其中

$$a^k = a^{\log_b n} = n^{\log_b a}$$

当 $d(n)=c$ 时,代入上式得到

$$T(n) = \begin{cases} a^k + c\dfrac{a^k - 1}{a-1} = O(a^k) = O(n^{\log_b a}), & a \neq 1 \\ a^k + kc = O(\log n), & a = 1 \end{cases} \tag{13.5}$$

当 $d(n)=cn$ 时,代入上式得到

$$T(n) = a^k + \sum_{i=0}^{k-1} a^i \frac{cn}{b^i} = a^k + cn \sum_{i=0}^{k-1} \left(\frac{a}{b}\right)^i$$

$$= \begin{cases} n^{\log_b a} + cn \dfrac{(a/b)^k - 1}{a/b - 1} = O(n), & a < b \\[2mm] n + cnk = O(n\log n), & a = b \\[2mm] a^k + cn \dfrac{(a/b)^k - 1}{a/b - 1} = a^k + c\dfrac{a^k - b^k}{a/b - 1} = O(n^{\log_b a}), & a > b \end{cases} \tag{13.6}$$

这些结果可以直接用于求解递推方程,例如,二分归并排序的递推方程是

$$\begin{cases} W(n) = 2W(n/2) + n - 1, n = 2^k \\ W(1) = 0 \end{cases}$$

其中 $a = 2, b = 2, d(n) = O(n)$,根据上面的结果有 $W(n) = O(n\log n)$

这些公式在递归算法的分析中经常会用到.下面给出一个实际应用的例子.

例 13.11　设 n 为正整数且恰好是 2 的幂.下述算法 Power 是计算 a^n 的算法.

算法　Power(a, n)

1. if $n = 1$ then return a

2. else $x \leftarrow$ Power$(a, n/2)$

3. return $x * x$　// x 与 x 相乘

针对这个算法考虑下面的问题.

（1）设 a 为实数,如果以两个数的相乘做基本运算,估计算法 Power 最坏情况下的时间复杂度.

（2）在 Fibonacci 数列 $1, 1, 2, 3, 5, 8$ 等的前面加上一个 0,得到数列 $\{F_n\}$,证明

$$\begin{pmatrix} F_{n+1} & F_n \\ F_n & F_{n-1} \end{pmatrix} = \begin{pmatrix} 1 & 1 \\ 1 & 0 \end{pmatrix}^n$$

（3）对于 $n = 2^k$,k 为正整数,如何利用上述公式和算法 Power 计算 F_n?把这个算法与直接利用递推公式计算 F_n 的算法进行比较,哪个效率更高?为什么?

解　（1）令 $T(n)$ 表示 Power 算法最坏情况下的计算复杂度,则 $T(n)$ 满足

$$T(n) = T(n/2) + 1, T(1) = 0$$

根据公式（13.5）得到 $T(n) = O(\log n)$.

（2）对 n 归纳.$n = 1$ 显然为真.假设 n 为真,则

$$\begin{pmatrix} F_{n+2} & F_{n+1} \\ F_{n+1} & F_n \end{pmatrix} = \begin{pmatrix} F_{n+1} + F_n & F_{n+1} \\ F_n + F_{n-1} & F_n \end{pmatrix} = \begin{pmatrix} F_{n+1} & F_n \\ F_n & F_{n-1} \end{pmatrix} \cdot \begin{pmatrix} 1 & 1 \\ 1 & 0 \end{pmatrix}$$

$$= \begin{pmatrix} 1 & 1 \\ 1 & 0 \end{pmatrix}^n \cdot \begin{pmatrix} 1 & 1 \\ 1 & 0 \end{pmatrix} = \begin{pmatrix} 1 & 1 \\ 1 & 0 \end{pmatrix}^{n+1}$$

（3）根据

$$\begin{pmatrix} F_n & F_{n-1} \\ F_{n-1} & F_{n-2} \end{pmatrix} = \begin{pmatrix} 1 & 1 \\ 1 & 0 \end{pmatrix}^{n-1}$$

只要利用 Power 算法计算出上述 2 阶矩阵的 $n-1$ 次幂,就得到了 F_n.两个 2 阶矩阵相乘需要 8 次乘法,使用 Power 算法完成整个计算需要 $O(\log n)$ 次乘法.而按照递归定义直接从初值计算 F_n 需要 $O(n)$ 次加法.对于比较大的 n,显然 $O(\log n)$ 比起 $O(n)$ 的值要小很多,因此使用 Power 算法效率更高.

13.4　生成函数及其应用

生成函数是与序列相对应的形式幂级数,利用生成函数可以直接求解组合计数序列.为了处理幂级数的需要,先引入牛顿二项式系数 $\begin{pmatrix} r \\ n \end{pmatrix}$.

定义 13.5　设 r 为实数,n 为整数,引入形式符号

$$\begin{pmatrix} r \\ n \end{pmatrix} = \begin{cases} 0, & n < 0 \\ 1, & n = 0 \\ \dfrac{r(r-1)\cdots(r-n+1)}{n!}, & n > 0 \end{cases}$$

称作**牛顿二项式系数**.

例如

$$\begin{pmatrix} -2 \\ 5 \end{pmatrix} = \frac{(-2)(-3)(-4)(-5)(-6)}{5!} = -6$$

$$\begin{pmatrix} 1/2 \\ 4 \end{pmatrix} = \frac{\frac{1}{2}\left(\frac{1}{2}-1\right)\left(\frac{1}{2}-2\right)\left(\frac{1}{2}-3\right)}{4!} = \frac{1(-1)(-3)(-5)}{2^4 4!} = \frac{-5}{128}$$

$$\begin{pmatrix} 4 \\ 3 \end{pmatrix} = \frac{4 \cdot 3 \cdot 2}{3!} = 4$$

表面上看,这个符号与二项式系数的符号一样,但是在这里它只是一个形式符号,不具有任何组合意义.当 r 为自然数时,牛顿二项式系数就成为普通的二项式系数,这时才与集合的组合计数联系到一起.

与二项式定理对应,也有一个牛顿二项式定理,它恰好表示了某些函数的幂级数.

定理 13.6（牛顿二项式定理）　设 α 为实数,则对一切实数 $x, y, |x/y| < 1$,有

$$(x+y)^\alpha = \sum_{n=0}^{\infty} \begin{pmatrix} \alpha \\ n \end{pmatrix} x^n y^{\alpha-n}, \text{其中} \begin{pmatrix} \alpha \\ n \end{pmatrix} = \frac{\alpha(\alpha-1)\cdots(\alpha-n+1)}{n!}$$

这个定理的证明可以在一般的数学分析书中找到,这里不再赘述.当 $\alpha = m$ 时,这个定理就变成二项式定理(定理 12.4);若 $\alpha = -m$,其中 m 为正整数,那么

$$\begin{pmatrix} \alpha \\ n \end{pmatrix} = \begin{pmatrix} -m \\ n \end{pmatrix} = \frac{(-m)(-m-1)\cdots(-m-n+1)}{n!}$$

$$= \frac{(-1)^n m(m+1)\cdots(m+n-1)}{n!} = (-1)^n \binom{m+n-1}{n}$$

这时令 $x=z,y=1$，牛顿二项式定理就变成

$$(1+z)^{-m} = \frac{1}{(1+z)^m} = \sum_{n=0}^{\infty} (-1)^n \binom{m+n-1}{n} z^n, \quad |z|<1$$

在上面式子中用 $-z$ 代替 z，就得到

$$(1-z)^{-m} = \frac{1}{(1-z)^m} = \sum_{n=0}^{\infty} \binom{m+n-1}{n} z^n, |z|<1$$

特别当 $m=1$ 或 2 时有

$$\frac{1}{1-x} = 1 + x + x^2 + \cdots$$

$$\frac{1}{(1-x)^2} = \sum_{n=0}^{\infty} (n+1)x^n$$

当 $\alpha = 1/2$ 时，牛顿二项式定理就变成

$$(1+x)^{\frac{1}{2}} = \sum_{n=0}^{\infty} \binom{\frac{1}{2}}{n} x^n = 1 + \sum_{n=1}^{\infty} \frac{\frac{1}{2}\left(\frac{1}{2}-1\right)\cdots\left(\frac{1}{2}-n+1\right)}{n!} x^n$$

$$= 1 + \sum_{n=1}^{\infty} \frac{(-1)^{n-1} 1\times 3\times 5\times\cdots\times(2n-3)}{2^n n!} x^n$$

$$= 1 + \sum_{n=1}^{\infty} \frac{(-1)^{n-1}(2n-2)!}{2^n n! \cdot 2^{n-1}(n-1)!} x^n$$

$$= 1 + \sum_{n=1}^{\infty} \frac{(-1)^{n-1}}{2^{2n-1} n} \binom{2n-2}{n-1} x^n$$

这些公式将在后面求解计数问题中用到. 下面讨论生成函数.

定义 13.6　设序列 $\{a_n\}$，构造形式幂级数

$$G(x) = a_0 + a_1 x + a_2 x^2 + \cdots + a_n x^n + \cdots$$

称 $G(x)$ 为序列 $\{a_n\}$ 的生成函数.

例如，$\{C(m,n)\}$ 的生成函数为 $(1+x)^m$，给定正整数 k，$\{k^n\}$ 的生成函数为

$$G(x) = 1 + kx + k^2 x^2 + k^3 x^3 + \cdots = \frac{1}{1-kx}$$

生成函数与序列是一一对应的，我们经常使用生成函数做工具来求解序列的通项公式，而这些项恰好代表了某个组合计数问题的解. 给定序列 $\{a_n\}$ 或关于 a_n 的递推方程，如何求它的生成函数 $G(x)$ 呢？反之，给定生成函数 $G(x)$，如何求对应序列的通项公式 a_n 呢？请看下面的例子.

例 13.12　求序列 $\{a_n\}$ 的生成函数.

(1) $a_n = 7 \cdot 3^n$

(2) $a_n = (-1)^n (n+1)$

解 (1) $G(x) = 7 \sum\limits_{n=0}^{\infty} 3^n x^n = 7 \sum\limits_{n=0}^{\infty} (3x)^n = \dfrac{7}{1-3x}$

(2) $G(x) = \sum\limits_{n=0}^{\infty} (-1)^n (n+1) x^n$

对 $G(x)$ 积分得

$$\int_0^x G(x)\,\mathrm{d}x = \int_0^x \sum_{n=0}^{\infty} (-1)^n (n+1) x^n \mathrm{d}x = \sum_{n=0}^{\infty} (-1)^n \int_0^x (n+1) x^n \mathrm{d}x$$

$$= \sum_{n=0}^{\infty} (-1)^n x^{n+1} = x \sum_{n=0}^{\infty} (-x)^n = \frac{x}{1+x}$$

对两边求导得到

$$G(x) = \left(\frac{x}{1+x}\right)' = \frac{1}{1+x} - \frac{x}{(1+x)^2} = \frac{1+x-x}{(1+x)^2} = \frac{1}{(1+x)^2}$$

给定序列 $\{a_n\}$ 的生成函数,求 a_n. 基本方法就是利用部分分式的待定系数法将原来的函数化成基本生成函数的表达式之和,然后利用这些基本生成函数的展开式求出 a_n.

例 13.13 已知 $\{a_n\}$ 的生成函数为 $G(x) = \dfrac{2+3x-6x^2}{1-2x}$,求 a_n.

解 $G(x) = \dfrac{2+3x-6x^2}{1-2x} = \dfrac{2}{1-2x} + 3x = 2\sum\limits_{n=0}^{\infty} (2x)^n + 3x = \sum\limits_{n=0}^{\infty} 2^{n+1} x^n + 3x$

因此 $a_n = \begin{cases} 2^{n+1}, & n \neq 1 \\ 2^2 + 3 = 7, & n = 1 \end{cases}$.

生成函数在组合问题中有着广泛的应用. 可以用生成函数求解递推方程,特别是某些不适合使用公式法和迭代归纳法的方程,下面关于 Catalan 数 h_n 的递推方程就是一个例子.

例 13.14 求解递推方程

$$\begin{cases} h_n = \sum\limits_{k=1}^{n-1} h_k h_{n-k}, & n \geq 2 \\ h_1 = 1 \end{cases}$$

解 设 $\{h_n\}$ 的生成函数为 $H(x) = \sum\limits_{n=1}^{\infty} h_n x^n$,两边平方得

$$H^2(x) = \sum_{k=1}^{\infty} h_k x^k \cdot \sum_{l=1}^{\infty} h_l x^l = \sum_{k=1}^{\infty} \sum_{l=1}^{\infty} h_k h_l x^{k+l}$$

$$= \sum_{n=2}^{\infty} x^n \sum_{k=1}^{n-1} h_k h_{n-k} = \sum_{n=2}^{\infty} h_n x^n$$

$$= H(x) - h_1 x = H(x) - x$$

这是一个关于 $H(x)$ 的一元二次方程,利用求根公式得到

$$H_1(x) = \frac{1 + (1-4x)^{\frac{1}{2}}}{2}, \ H_2(x) = \frac{1 - (1-4x)^{\frac{1}{2}}}{2}$$

由于 $H(0) = 0$，因此取 $H(x) = H_2(x)$．将 $H(x)$ 展开得

$$
\begin{aligned}
H(x) &= \frac{1 - (1-4x)^{\frac{1}{2}}}{2} = \frac{1}{2} - \frac{1}{2}(1-4x)^{\frac{1}{2}} \\
&= \frac{1}{2} - \frac{1}{2}\left[1 + \sum_{n=1}^{\infty} \frac{(-1)^{n-1}}{n2^{2n-1}}\binom{2n-2}{n-1}(-4x)^n\right] \\
&= \sum_{n=1}^{\infty} \frac{(-1)^n}{n2^{2n}}\binom{2n-2}{n-1}(-1)^n 2^{2n}x^n \\
&= \sum_{n=1}^{\infty} \frac{1}{n}\binom{2n-2}{n-1}x^n
\end{aligned}
$$

因此 $h_n = \dfrac{1}{n}\dbinom{2n-2}{n-1}$．

回顾例 12.9 关于栈输出结果的计数实例，通过使用非降路径的模型，得到 n 个元素的栈的不同输出的个数是 $\dfrac{1}{n+1}\dbinom{2n}{n}$，这个数恰好是第 $n+1$ 个 Catalan 数．下面使用生成函数的方法求解这个问题．

考虑字符序列 $1, 2, \cdots, n$．当某个字符 X 进栈时，在 X 前面记录一个左括号（；当 X 出栈时在 X 后面记录一个右括号）．在这两个括号之间，除 X 之外的其他字符就是在 X 之后进栈并且在 X 之前出栈的字符．例如，$(1(2(3))(4))$ 表示的过程是：

$$1 \text{ 进栈}, 2 \text{ 进栈}, 3 \text{ 进栈}, 3 \text{ 出栈}, 2 \text{ 出栈}, 4 \text{ 进栈}, 4 \text{ 出栈}, 1 \text{ 出栈}.$$

按照上述对应规则，栈的任何一种输出都对应了 n 个字符的进栈、出栈的一种操作序列，而这个操作序列又对应了 n 对括号的合理配对的方法数．显然，在 n 次进栈、n 次出栈的操作序列中，从开始到中间的任何位置，进栈次数不可能少于出栈次数．这就意味着在括号配对的序列中，从左边算起到序列的任何位置，左括号的数目都不少于右括号的数目．

设 n 对括号的配对方法数是 $T(n)$，考虑与最左边的左括号配对的右括号的位置，在这对括号中间有 k 对其他括号，这 k 对括号有 $T(k)$ 种配对方法；而在这对括号的后面有 $n-1-k$ 对括号，其配对方法数是 $T(n-1-k)$．因此，对于给定的 k，构成输出序列的方法数是 $T(k)T(n-1-k)$．由于 k 可能的取值是 $0, 1, 2, \cdots, n-1$．根据加法法则，可以得到递推方程

$$
\begin{cases}
T(n) = \displaystyle\sum_{k=0}^{n-1} T(k)T(n-1-k) \\
T(0) = 1
\end{cases}
$$

设序列 $\{T(n)\}$ 的生成函数是 $T(x)$，那么有 $T(x) = \displaystyle\sum_{n=0}^{\infty} T(n)x^n$，从而得到

$$T^2(x) = \left[\sum_{k=0}^{\infty} T(k)x^k\right]\left[\sum_{l=0}^{\infty} T(l)x^l\right] = \sum_{n=1}^{\infty} x^{n-1}\left[\sum_{k=0}^{n-1} T(k)T(n-1-k)\right]$$

$$= \sum_{n=1}^{\infty} T(n)x^{n-1} = \frac{T(x)-1}{x}$$

求解关于 $T(x)$ 的一元二次方程,得到 $2xT(x) = 1\pm\sqrt{1-4x}$. 由于 $x\to 0$ 时,上式的左边趋于 0,因此取根为 $T(x) = \dfrac{1-\sqrt{1-4x}}{2x}$,展开成幂级数得

$$T(x) = \sum_{n=0}^{\infty} \frac{1}{n+1}\binom{2n}{n}x^n$$

因此,不同输出的个数就是右边展开式中 x^n 的系数,即 $\dfrac{1}{n+1}\binom{2n}{n}$.

通过这个例子可以看到,可以使用生成函数来求解关于 $\{a_n\}$ 的递推方程.主要步骤是:

1. 先设定序列 $\{a_n\}$ 的生成函数 $G(x)$.

2. 利用递推方程的依赖关系导出关于生成函数 $G(x)$ 的方程(可以是一次方程、二次方程、二元一次方程组、微分方程等不同的形式).

3. 通过求解方程得到 $G(x)$ 的函数表达式.

4. 将 $G(x)$ 展开成幂级数,其中 x^n 项的系数就是 a_n.

生成函数除了上述应用之外,还可以用来计算多重集的 r 组合数.

设

$$S = \{n_1 \cdot a_1, n_2 \cdot a_2, \cdots, n_k \cdot a_k\}$$

是多重集,S 的一个 r 组合就是一个子多重集 $\{x_1 \cdot a_1, x_2 \cdot a_2, \cdots, x_k \cdot a_k\}$,其中 x_i 表示在这个 r 组合中含有元素 a_i 的个数.因此 x_i 是非负整数,$x_i \leqslant n_i$,$i = 1, 2, \cdots, k$.,并且所有的 x_i 之和应该等于 r.于是得到不定方程

$$x_1 + x_2 + \cdots + x_k = r, \quad x_i \leqslant n_i, i = 1, 2, \cdots, k$$

这就建立了 S 的 r 组合与上述不定方程的解之间的一一对应关系.考虑函数

$$G(y) = (1+y+\cdots+y^{n_1})(1+y+\cdots+y^{n_2})\cdots(1+y+\cdots+y^{n_k}),$$

右边展开式中的每个项,恰好由 k 个因式 y^{x_i} 相乘构成,因此具有下述形式:$y^{x_1+x_2+\cdots+x_k}$.展开式中 y^r 的系数,恰好是上述不定方程的解的个数,也就是多重集 S 的 r 组合数.

例 13.15 求 $S = \{3 \cdot a, 4 \cdot b, 5 \cdot c\}$ 的 10 组合数 N.

解 生成函数

$$G(y) = (1+y+y^2+y^3)(1+y+y^2+y^3+y^4)(1+y+y^2+y^3+y^4+y^5)$$
$$= (1+2y+3y^2+4y^3+4y^4+3y^5+2y^6+y^7)(1+y+y^2+y^3+y^4+y^5)$$
$$= 1+\cdots+3y^{10}+2y^{10}+y^{10}+\cdots$$

其中 y^{10} 的系数是 6,因此 $N = 6$.

从上面的分析可以看到,利用生成函数可以求不定方程的解的个数.下面对不定方程的解的

计数问题进一步加以分析. 考虑不定方程

$$x_1 + x_2 + \cdots + x_k = r, \quad x_i \text{ 为自然数}$$

根据定理 12.3, 解的个数是 $C(k+r-1,r)$, 下面通过生成函数的方法求解这个问题. 类似于上面的分析, 生成函数为

$$G(y) = (1 + y + \cdots)^k = \frac{1}{(1-y)^k}$$

$$= \sum_{r=0}^{\infty} \frac{(-k)(-k-1)\cdots(-k-r+1)}{r!}(-y)^r$$

$$= \sum_{r=0}^{\infty} \frac{(-1)^r(k)(k+1)\cdots(k+r-1)}{r!}(-1)^r y^r = \sum_{r=0}^{\infty} \binom{k+r-1}{r} y^r$$

其中 y^r 的系数是 $N = C(k+r-1,r)$.

考虑对变量取值存在限制情况下的不定方程

$$x_1 + x_2 + \cdots + x_k = r, \quad l_i \leqslant x_i \leqslant t_i$$

这时没有一般的公式, 生成函数是

$$G(y) = (y^{l_1} + y^{l_1+1} + \cdots + y^{t_1})(y^{l_2} + y^{l_2+1} + \cdots + y^{t_2}) \cdots (y^{l_k} + y^{l_k+1} + \cdots + y^{t_k})$$

$G(x)$ 的展开式中 y^r 的系数就是不定方程的解的个数.

对于某些不定方程, 变量的系数不全是 1, 而用其他正整数作为系数, 即

$$p_1 x_1 + p_2 x_2 + \cdots + p_k x_k = r, x_i \in \mathbf{N}, p_1, p_2, \cdots, p_k \text{ 为正整数}.$$

那么也可以使用生成函数的方法求解, 对应的生成函数是

$$G(y) = (1 + y^{p_1} + y^{2p_1} + \cdots)(1 + y^{p_2} + y^{2p_2} + \cdots) \cdots (1 + y^{p_k} + y^{2p_k} + \cdots)$$

$G(x)$ 的展开式中 y^r 的系数就是这个不定方程的解的个数.

最后需要说明的是, 在不定方程既存在限制条件, 同时系数也不全为 1 的情况下, 也可以参照上面的方法写出对应的生成函数. 请读者思考这种生成函数的形式.

下面给出一个用生成函数求解实际问题的例子.

例 13.16 设 n 为自然数, 求平面上由直线 $x + 2y = n$ 与两个坐标轴所围成的直角三角形内 (包括边上) 的整点个数, 其中整点表示横、纵坐标都是整数的点.

解 对于 $r = 0, 1, \cdots, n$, 直线 $x + 2y = r$ 上的整点个数就是不定方程 $x + 2y = r$ 的非负整数解的个数 a_r, 设关于 $\{a_r\}$ 的生成函数为 $A(z)$, 则

$$A(z) = \frac{1}{(1-z)(1-z^2)} = \frac{1}{4} \cdot \frac{1}{1+z} + \left(-\frac{z}{4} + \frac{3}{4}\right)\frac{1}{(1-z)^2}$$

$$= \frac{1}{4}\sum_{r=0}^{\infty}(-1)^r z^r - \frac{z}{4}\sum_{r=0}^{\infty}(1+r)z^r + \frac{3}{4}\sum_{r=0}^{\infty}(1+r)z^r$$

于是求得

$$a_r = \frac{r}{2} + \frac{3}{4} + \frac{1}{4}(-1)^r$$

对 r 求和就得到三角形中的全体整点个数

$$N = \sum_{r=0}^{n} a_r = \sum_{r=0}^{n} \left[\frac{r}{2} + \frac{3}{4} + \frac{1}{4}(-1)^r \right]$$

$$= \frac{1}{4}(n+1)(n+3) + \frac{1}{8}\left[1 + (-1)^n \right]$$

$$= \begin{cases} \dfrac{1}{4}(n+2)^2, & n \text{ 为偶数} \\[2mm] \dfrac{1}{4}(n+1)(n+3), & n \text{ 为奇数} \end{cases}$$

使用生成函数还可以求解正整数拆分的计数问题. 这也是一个常用的组合计数模型. 所谓正整数拆分, 就是将给定正整数 N 表示成若干个正整数之和. 根据拆分后的组成部分是否允许重复、是否有序, 可以将拆分问题划分成 4 类. 表 13.1 给出了 3 的对应于不同分类的拆分方案.

表 13.1

	有序	无序
不重复	3 = 3 3 = 1+2 3 = 2+1	3 = 3 3 = 1+2
重复	3 = 3 3 = 1+2 3 = 2+1 3 = 1+1+1	3 = 3 3 = 1+2 3 = 1+1+1

下面考虑拆分问题的计数, 首先考虑无序拆分.

设 N 是给定正整数, 将 N 无序拆分成正整数 $a_1, a_2, \cdots, a_n$, 则有等式

$$a_1 x_1 + a_2 x_2 + \cdots + a_n x_n = N.$$

这个问题可以归结为不定方程的解的计数问题. 如果拆分后的部分不允许重复, 那么对应的生成函数是

$$G(y) = (1 + y^{a_1})(1 + y^{a_2}) \cdots (1 + y^{a_n})$$

如果允许重复, 对应的生成函数是

$$G(y) = (1 + y^{a_1} + y^{2a_1} + \cdots)(1 + y^{a_2} + y^{2a_2} + \cdots) \cdots (1 + y^{a_n} + y^{2a_n} + \cdots)$$

$$= \frac{1}{(1 - y^{a_1})(1 - y^{a_2}) \cdots (1 - y^{a_n})}$$

例 13.17　证明任何正整数都可以唯一地表示成二进制数.

证　设正整数为 N, 不难看出, 将 N 拆分成 2 的幂 $2^0, 2^1, 2^2, 2^3, \cdots$, 且不允许重复的方案, 恰好与 N 表示成一个二进制数的方法对应. 因此, N 的二进制表示法的个数与上述拆分方案数相

等. 根据前面的分析,拆分方案数的生成函数是

$$G(y) = (1+y)(1+y^2)(1+y^4)(1+y^8)\cdots$$

展开为

$$G(x) = \frac{1-y^2}{1-y}\frac{1-y^4}{1-y^2}\frac{1-y^8}{1-y^4}\cdots = \frac{1}{1-y} = \sum_{n=0}^{\infty} y^n$$

在上述幂级数中,由于每项的系数都是 1,因此对于所有的 n,$a_n = 1$,这就证明了正整数 N 只能表示成唯一的二进制数.

如果对正整数被拆分后的部分的大小加以限制,那么可以使用生成函数计算拆分的方案数. 如果对拆分部分的数目加以限制,则不能直接写出相应的生成函数,但是可以使用组合对应的方法来解决这类问题,请看下面的例子.

例 13.18　给定 r,求将正整数 N 无序并允许重复地拆分成 k 个部分($k \leqslant r$)的方法数.

解　考虑任意一个将 N 无序并允许重复地拆分成 k 个部分($k \leqslant r$)的方案,可以用一个图来表示这个方案. 首先将正整数被拆分后的部分按照从大到小的顺序排列. 例如,对于下述拆分方案 $16 = 6+5+3+2$($k \leqslant 4$),4 个部分的排列顺序是:$6,5,3,2$. 如图 13.5(a)所示,拆分后的每个数从左到右分别用一列点来表示,即第 1 列 6 个点,第 2 列 5 个点,第 3 列 3 个点,第 4 列 2 个点. 这个图称作 Ferrers 图. 由于数是从大到小排列的,因此左边的列上的点数不少于右边的列上的点数.

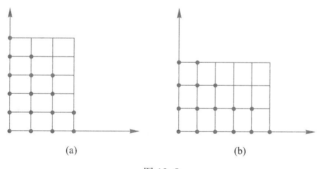

(a)　　　　　　　　　　(b)

图 13.5

将 Ferrers 图看作一个直角坐标系,然后将它围绕 $y=x$ 的直线翻转 $180°$,就得到另一个共轭的 Ferrers 图,如图 13.5(b)所示. 这个图恰好对应了拆分后每个部分都不超过 4 的一种方案,即

$$16 = 4+4+3+2+2+1$$

因此,问题就转变为:求将 N 无序并允许重复地拆分成不超过 r 的数的方案数. 对应的生成函数是

$$G(y) = \frac{1}{(1-y)(1-y^2)\cdots(1-y^r)}$$

$G(x)$ 的展开式中 y^N 的系数就是所需要的结果.

例 13.19　设将 n 无序拆分成恰好 r 个部分的方案有 $p_r(n)$ 种,证明对于给定的 r 有

$$p_r(n) \sim \frac{n^{r-1}}{r!\,(r-1)!}$$

证　考虑 n 的一种无序拆分方案 $n = x_1 + x_2 + \cdots x_r$,其中 $x_1 \geqslant x_2 \geqslant \cdots \geqslant x_r \geqslant 1$,把 $x_1, x_2, \cdots, x_r$ 做排列就可以得到方程 $x_1 + x_2 + \cdots x_r = n$ 的一组正整数解.由于 $x_1, x_2, \cdots, x_r$ 中的数可能存在重复,因此排列数至多是 $r!$,从而得到

$$r!\, p_r(n) \geqslant \binom{n-1}{r-1}$$

另一方面,对于上述 $x_1, x_2, \cdots, x_r$,令 $y_i = x_i + r - i, i = 1, 2, \cdots, r$,就得到一组对应的 $y_1, y_2, \cdots, y_r$,例如 $10 = 4 + 4 + 2$,这里 $n = 10, r = 3, x_1 = x_2 = 4, x_3 = 2$,那么对应的 $y_1 = 6, y_2 = 5, y_3 = 2$ 且 $y_1 + y_2 + y_3 = 13$.显然 $y_1 > y_2 > \cdots > y_r$,且

$$y_1 + y_2 + \cdots + y_r = n + \frac{r(r-1)}{2}$$

这个方程的正整数解的个数恰好等于上述 $y_1, y_2, \cdots, y_r$ 的全排列数.因为 $y_1, y_2, \cdots, y_r$ 是彼此不等的,全排列数恰好是 $r!$ 种,大于等于 $x_1, x_2, \cdots, x_r$ 的全排列数 $r!\, p_r(n)$,因此有

$$r!\, p_r(n) \leqslant \binom{n + \frac{r(r-1)}{2} - 1}{r-1}$$

综合上述两个结果得

$$\frac{(n-1)!}{(n-r)!} \leqslant r!\,(r-1)!\, p_r(n) \leqslant \frac{\left[n + \frac{r(r-1)}{2} - 1\right]!}{\left[n + \frac{r(r-1)}{2} - r\right]!}$$

从上述公式不难看出,当 r 给定时,随着 n 的增长,$p_r(n)$ 趋向于 $\dfrac{n^{r-1}}{r!\,(r-1)!}$.

这个结果给出了拆分方案数 $p_r(n)$ 随着 n 增长的一个近似估计.例如,把 n 拆分成 3 个部分,拆分方案数 $p_3(n)$ 是 $O(n^2)$ 的量级;把 n 拆分成 7 个部分,拆分方案数 $P_7(n)$ 相当于 $O(n^6)$ 量级.

下面考虑有序拆分的计数问题.

定理 13.7　设 N 是正整数,将 N 允许重复地有序拆分成 r 个部分的方案数为 $C(N-1, r-1)$.

证　设 $N = a_1 + a_2 + \cdots + a_r$ 是满足条件的拆分,则令

$$S_i = \sum_{k=1}^{i} a_i, \quad i = 1, 2, \cdots, r$$

那么

$$0 < S_1 < S_2 < \cdots < S_r = N$$

不难看出,拆分方案与这些 S_i 的选择方法是一一对应的.下面计数对这些 S_i 有多少种不同的选择方法.由于 $r-1$ 个 $S_i(i = 1, 2, \cdots, r-1)$ 取值于集合 $\{1, 2, \cdots, N-1\}$,选择方法数是 $C(N-1, r-1)$.

根据这个定理,使用加法法则,不难得到下述推论.

推论　对正整数 N 做任意重复的有序拆分,方案数为 $\sum\limits_{r=1}^{N}\binom{N-1}{r-1}=2^{N-1}$

对于不允许重复的有序拆分问题,可以分两步处理.先将 N 不允许重复进行无序拆分,对应的生成函数是

$$G(x)=(1+x)(1+x^2)\cdots(1+x^n)$$

$G(x)$ 中 x^N 的系数就是无序拆分的方案数.针对每种无序的拆分方案,计数被拆分部分的全排列数,然后将所有的结果相加,就可以得到所求的拆分方案数.

以上用生成函数解决了多重集的 r 组合数、不定方程解的计数、正整数拆分方案的计数等问题.

13.5　指数生成函数及其应用

13.4 节已经看到生成函数在组合计数问题中的广泛应用,本节将进一步引入指数生成函数,并讨论它在有序计数中的应用.

定义 13.7　设 $\{a_n\}$ 为序列,称

$$G_e(x)=\sum_{n=0}^{\infty}a_n\frac{x^n}{n!}$$

为 $\{a_n\}$ 的指数生成函数.

例 13.20　给定正整数 m, $a_n=P(m,n)$,则 $\{a_n\}$ 的指数生成函数为

$$G_e(x)=\sum_{n=0}^{\infty}P(m,n)\frac{x^n}{n!}=\sum_{n=0}^{\infty}\frac{m!}{n!\,(m-n)!}x^n=\sum_{n=0}^{\infty}\binom{m}{n}x^n=(1+x)^m$$

不难看出,$(1+x)^m$ 既是集合组合数序列 $\{C(m,n)\}$ 的普通生成函数,也是集合排列数序列 $\{P(m,n)\}$ 的指数生成函数.

例 13.21　设 $b_n=1$,则 $\{b_n\}$ 的指数生成函数为

$$G_e(x)=\sum_{n=0}^{\infty}\frac{x^n}{n!}=e^x$$

使用指数生成函数可以求解多重集的排列问题.

定理 13.8　设 $S=\{n_1\cdot a_1,n_2\cdot a_2,\cdots,n_k\cdot a_k\}$ 为多重集,则 S 的 r 排列数的指数生成函数为

$$G_e(x)=f_{n_1}(x)f_{n_2}(x)\cdots f_{n_k}(x)$$

其中

$$f_{n_i}(x)=1+x+\frac{x^2}{2!}+\cdots+\frac{x^{n_i}}{n_i!},\ i=1,2,\cdots,k$$

证　考察上述指数生成函数展开式中 x^r 的项,它是由 k 个因式的乘积构成的,并具有下述

形式：

$$\frac{x^{m_1}}{m_1!}\frac{x^{m_2}}{m_2!}\cdots\frac{x^{m_k}}{m_k!}$$

其中 $\dfrac{x^{m_i}}{m_i!}$ 来自 $f_{n_i}(x)$. 注意到 $m_1,m_2,\cdots,m_k$ 满足下述不定方程：

$$m_1+m_2+\cdots+m_k=r$$
$$0\leqslant m_i\leqslant n_i,\ i=1,2,\cdots,k$$

(13.7)

即

$$\frac{x^{m_1+m_2+\cdots+m_k}}{m_1!\ m_2!\ \cdots m_k!}=\frac{x^r}{r!}\frac{r!}{m_1!\ m_2!\ \cdots m_k!}$$

因此

$$a_r=\sum\frac{r!}{m_1!\ m_2!\ \cdots m_k!}$$

其中求和是对满足方程(13.7)的一切非负整数解来求. 一个非负整数解对应了 S 的一个子多重集 $\{m_1\cdot a_1,m_2\cdot a_2,\cdots m_k\cdot a_k\}$，即 S 的一个 r 组合，而该组合的全排列数是 $\dfrac{r!}{m_1!\ m_2!\ \cdots m_k!}$，因此 a_r 代表了 S 的所有 r 排列数.

例 13.22 由 1，2，3，4 组成的五位数中，要求 1 出现不超过 2 次，但不能不出现，2 出现不超过 1 次，3 出现至多 3 次，4 出现偶数次. 求这样的五位数个数 N.

解
$$G_e(x)=\left(\frac{x}{1!}+\frac{x^2}{2!}\right)(1+x)\left(1+x+\frac{x^2}{2!}+\frac{x^3}{3!}\right)\left(1+\frac{x^2}{2!}+\frac{x^4}{4!}\right)$$
$$=x+5\frac{x^2}{2!}+18\frac{x^3}{3!}+64\frac{x^4}{4!}+215\frac{x^5}{5!}+\cdots$$
$$N=215$$

例 13.23 由 A，B，C，D，E，F 构成长度为 n 的序列，如果要求在排列中 A 与 B 出现的次数之和为偶数，问：这样的序列有多少个？

解 设所求序列数为 a_n，在这样的序列中 A 和 B 出现次数的奇偶性一样，指数函数中对应于 A 和 B 的成分或者同时为 $\dfrac{e^x+e^{-x}}{2}$，或者同时为 $\dfrac{e^x-e^{-x}}{2}$. 因此，$\{a_n\}$ 的指数生成函数为

$$G_e(x)=\left(\frac{e^x+e^{-x}}{2}\right)^2e^{4x}+\left(\frac{e^x-e^{-x}}{2}\right)^2e^{4x}$$
$$=\frac{e^{2x}+e^{-2x}}{2}e^{4x}=\frac{1}{2}e^{6x}+\frac{1}{2}e^{2x}$$

将这个函数展开得到 $x^n/n!$ 项的系数是

$$a_n=\frac{6^n+2^n}{2}$$

13.6　Catalan 数与 Stirling 数

有很多种重要的组合计数,如集合的排列数 $P(m,n)$、集合的组合数 $C(m,n)$、多重集的全排列数、Fibonacci 数、Catalan 数、Stirling 数等.这些计数被广泛应用于各个领域的实际问题中.本节主要讨论 Catalan 数与 Stirling 数.

定义 13.8　给定一个凸 $n+1$ 边形,通过在内部不相交的对角线把它划分成三角形,不同的划分方案数称作 Catalan 数,记作 h_n.

例如,$h_4=5$,说明对一个五边形进行三角划分,共有 5 种不同的方案.图 13.6 列出了这 5 种方案.

图 13.6

为确定 h_n,先要建立关于 h_n 的递推方程.考虑 $n+1$ 条边的多边形,端点分别被标记为 $A_1,A_2,\cdots,A_{n+1}$.将 A_1A_{n+1} 的边记为 a,作为三角形的底边.选择底边以外的顶点 $A_{k+1}(k=1,2,\cdots,n-1)$,那么底边 a,边 $A_{k+1}A_1$ 和 $A_{n+1}A_{k+1}$ 就构成三角形 T,T 将多边形划分成 R_1 和 R_2 两个部分,分别为 $k+1$ 边形和 $n-k+1$ 边形.划分结果如图 13.7 所示.$k+1$ 边形 R_1 和 $n-k+1$ 边形 R_2 的三角划分方案数分别为 h_k 和 h_{n-k},根据乘法法则和加法法则,$\sum_{k=1}^{n-1} h_k h_{n-k}$ 就是 $n+1$ 边形的划分方案总数.因此得到下述递推方程:

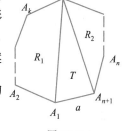

图 13.7

$$\begin{cases} h_n = \sum_{k=1}^{n-1} h_k h_{n-k}, & n \geqslant 2 \\ h_1 = 1 \end{cases}$$

例 13.14 利用生成函数求解过这个递推方程,它的解是

$$h_n = \frac{1}{n}\binom{2n-2}{n-1}$$

Catalan 数出现在许多组合计数问题中,如前面遇到的从 $(0,0)$ 点到 (n,n) 点除端点外不接触对角线的非降路径计数问题、堆栈输出序列的计数问题等.矩阵乘法在科学计算中有着广泛的应用,下面考虑一个矩阵链相乘问题.

例 13.24　设 $A_1,A_2,\cdots,A_n$ 为 n 个矩阵的序列,其中 A_i 为 P_{i-1} 行、P_i 列的矩阵,$i=1,$

$2,\cdots,n$. 问题的输入是上述矩阵的行数和列数 $P_0,P_1,\cdots,P_n$ 构成的序列,即向量 $\boldsymbol{P}=<P_0,P_1,\cdots,$ $P_n>$. 例如,$\boldsymbol{P}=<10,100,5,50>$ 表示有 3 个矩阵 $\boldsymbol{A}_1,\boldsymbol{A}_2,\boldsymbol{A}_3$,其中

$$\boldsymbol{A}_1:10\times100,\quad \boldsymbol{A}_2:100\times5,\quad \boldsymbol{A}_3:5\times50$$

给定两个矩阵 $\boldsymbol{A}_1$ 和 $\boldsymbol{A}_2$,其输入为 $\boldsymbol{P}=<P_0,P_1,P_2>$. 这意味着 $\boldsymbol{A}_1=(a_{ij})$,$i=1,2,\cdots,P_0$,$j=1$,$2,\cdots,P_1$,$\boldsymbol{A}_2=(b_{jk})$,$j=1,2,\cdots,P_1$,$k=1,2,\cdots,P_2$. $\boldsymbol{A}_1$ 与 $\boldsymbol{A}_2$ 的乘积 $\boldsymbol{A}=(c_{ik})$ 含有 $P_0\times P_2$ 个项,对于给定的 i 和 k,项 c_{ik} 的计算依照下面的公式

$$c_{ik}=\sum_{j=1}^{P_1}a_{ij}b_{jk}$$

这需要做 P_1 次乘法和 P_1-1 次加法. 因此计算项 c_{ik} 需要 P_1 次乘法. 于是,计算整个乘积 $\boldsymbol{A}$ 需要做 $P_0P_1P_2$ 次乘法.

考虑矩阵链 $\boldsymbol{A}_1,\boldsymbol{A}_2,\cdots,\boldsymbol{A}_n$,其输入是 $\boldsymbol{P}=<P_0,P_1,\cdots,P_n>$. 要计算乘积 $\boldsymbol{A}=\boldsymbol{A}_1\boldsymbol{A}_2\cdots\boldsymbol{A}_n$,需要通过 $n-1$ 次两个矩阵的相乘来完成. 如果采用不同的乘法次序,所做的工作量(乘法次数)是不一样的. 例如,对于上面给出的 $\boldsymbol{A}_1$,$\boldsymbol{A}_2$ 和 $\boldsymbol{A}_3$,采用下面两种乘法顺序所做的工作量分别为

$$(\boldsymbol{A}_1\boldsymbol{A}_2)\boldsymbol{A}_3:10\times100\times5+10\times5\times50=7\ 500$$
$$\boldsymbol{A}_1(\boldsymbol{A}_2\boldsymbol{A}_3):10\times100\times50+100\times5\times50=75\ 000$$

显然第 1 种乘法次序比第 2 种乘法次序要好得多,它的工作量仅是第 3 种的 1/10. 问题是:给定矩阵链输入 $\boldsymbol{P}=<P_0,P_1,\cdots,P_n>$,如何确定一种乘法次序,使得总的工作量达到最小?

这是一个组合优化问题. 问题的搜索空间是所有可能的乘法次序,每种次序对应一个表示工作量的值. 一种简单的算法就是:按照某种搜索顺序,遍历整个搜索空间,对每个可能的乘法次序计算工作量,最终找到具有最小工作量的乘法次序.

这种蛮力算法在许多简单问题中是非常有效的. 但是对于这个问题它能够工作吗? 需要估计一下搜索空间的大小.

用 $\boldsymbol{A}_{i\ldots j}$ 表示矩阵链 $\boldsymbol{A}_i\boldsymbol{A}_{i+1}\cdots\boldsymbol{A}_j$. 假设 $n-1$ 次相乘的最后一次发生在两个部分 $\boldsymbol{A}_{1\ldots m}$ 和 $\boldsymbol{A}_{m+1\ldots n}$ 之间,其中 $1\leqslant m<n$. 那么,n 个矩阵相乘的次序个数 T_n 满足

$$T_n=\sum_{m=1}^{n-1}T_mT_{n-m},\ n\geqslant2,\ T_1=1$$

这与 Catalan 数 h_n 的递推方程和初值完全一样. 因此,$T_n=\dfrac{1}{n}\dbinom{2n-2}{n-1}=\Theta\left(\dfrac{1}{n}\dfrac{(2n)!}{n!\ n!}\right)$. 利用 Stirling 公式 $n!=\sqrt{2\pi n}\left(\dfrac{n}{e}\right)^n\left(1+\Theta\left(\dfrac{1}{n}\right)\right)$ 得到

$$T_n=\Theta\left(\frac{1}{n}\frac{\sqrt{2\pi 2n}\left(\dfrac{2n}{e}\right)^{2n}}{\sqrt{2\pi n}\left(\dfrac{n}{e}\right)^n\sqrt{2\pi n}\left(\dfrac{n}{e}\right)^n}\right)$$

$$=\Theta\left(\frac{1}{n}\frac{n^{\frac{1}{2}}2^{2n}n^{2n}e^ne^n}{e^{2n}n^{\frac{1}{2}}n^nn^{\frac{1}{2}}n^n}\right)=\Theta(2^{2n}/n^{\frac{3}{2}})$$

这是指数量级的搜索空间,因此蛮力算法的时间复杂度是指数函数,对于较大的 n 是不能工作的. 而动态规划的算法设计技术可以在 $O(n^3)$ 的时间复杂度下求得这个问题的最优解.

除了 Catalan 数之外,还有许多其他的重要计数. 下面考虑第一类 Stirling 数.

定义 13.9　考虑多项式 $x(x-1)(x-2)\cdots(x-n+1)$ 的展开式

$$S_n x^n - S_{n-1} x^{n-1} + S_{n-2} x^{n-2} - \cdots + (-1)^{n-1} S_1 x$$

将上述展开式中 x^r 的系数的绝对值 S_r 记作 $\begin{bmatrix} n \\ r \end{bmatrix}$,称作第一类 Stirling 数.

不难证明第一类 Stirling 数满足下面的递推方程:

$$\begin{cases} \begin{bmatrix} n \\ r \end{bmatrix} = (n-1)\begin{bmatrix} n-1 \\ r \end{bmatrix} + \begin{bmatrix} n-1 \\ r-1 \end{bmatrix}, n > r \geqslant 1 \\[2mm] \begin{bmatrix} n \\ 0 \end{bmatrix} = 0, \begin{bmatrix} n \\ 1 \end{bmatrix} = (n-1)! \end{cases}$$

证　将等式

$$x(x-1)\cdots(x-n+2) = \begin{bmatrix} n-1 \\ n-1 \end{bmatrix} x^{n-1} - \begin{bmatrix} n-1 \\ n-2 \end{bmatrix} x^{n-2} + \cdots$$

代入下述等式后得到

$$x(x-1)\cdots(x-n+2)(x-n+1) = \left(\begin{bmatrix} n-1 \\ n-1 \end{bmatrix} x^{n-1} - \begin{bmatrix} n-1 \\ n-2 \end{bmatrix} x^{n-2} + \cdots \right)(x-n+1)$$

由于两边的 x^r 的系数应该相等,所以有

$$\begin{bmatrix} n \\ r \end{bmatrix} = (n-1)\begin{bmatrix} n-1 \\ r \end{bmatrix} + \begin{bmatrix} n-1 \\ r-1 \end{bmatrix}$$

下面计算两个初值. 根据第一类 Stirling 数的定义,不难得到 $\begin{bmatrix} n \\ 0 \end{bmatrix} = 0$. 为得到展开式中 x 项的系数,除了乘积项中的第一项提供 x 之外,其他各项只能提供常数,即分别贡献 $-1, -2, \cdots,$ $-(n-1)$. 如果不考虑正负号,这些项的乘积是 $(n-1)!$. 因此 $\begin{bmatrix} n \\ 1 \end{bmatrix} = (n-1)!$.

第一类 Stirling 数的递推公式与 Pascal 公式具有类似的形式,可以使用类似杨辉三角形的图示方法将上述递推公式用图形来表示.

除了上述递推公式外,可以证明第一类 Stirling 数还满足以下恒等式:

1. $\begin{bmatrix} n \\ n \end{bmatrix} = 1$

2. $\begin{bmatrix} n \\ n-1 \end{bmatrix} = \binom{n}{2} = \dfrac{n(n-1)}{2}$

3. $\displaystyle\sum_{r=1}^{n} \begin{bmatrix} n \\ r \end{bmatrix} = n!$

其中前两个恒等式的证明比较简单,只需使用第一类 Stirling 数的定义. 第 3 个恒等式可以采用组合分析的方法.

考虑 n 元对称群 S_n 中所有的 n 元置换,先把每个置换表示成轮换之积. 然后按照含有轮换的个数进行分类. 设含有 r 个轮换的 n 元置换有 $S(n,r)$ 个. 下面考虑构成这种置换的方法. 一种方法是在由 $1,2,\cdots,n-1$ 构成的、含有 $r-1$ 个轮换的置换后面增加一个 1 轮换 (n);这种方法有 $S(n-1,r-1)$ 种. 另一种方法是在 $1,2,\cdots,n-1$ 构成的、含有 r 个轮换的置换上插入 n. 对于给定的含有 $n-1$ 个元素的置换,不同的插入位置恰好 $n-1$ 种,因此这种方法有 $(n-1)S(n-1,r)$. 根据加法法则得到递推方程:

$$S(n,r) = S(n-1,r-1) + (n-1)S(n-1,r)$$

显然 $S(n,0) = 0$. 而 $S(n,1) = (n-1)!$,因为含有 1 个轮换的置换是 $1,2,\cdots,n$ 的一个环排列,n 个元素的环排列数恰好是 $(n-1)!$. 这个递推方程和初值与第一类 Stirling 数完全一样. 因此

$$S(n,r) = \begin{bmatrix} n \\ r \end{bmatrix}$$

第一类 Stirling 数与 n 个不同文字划分的计数相关,在这些划分中 n 个文字被分成 r 个环排列. 与 n 个不同对象的划分相关的另一类计数是第二类 Stirling 数,通常用放球问题来定义它.

定义 13.10 n 个不同的球恰好放到 r 个相同的盒子里的方法数称作第二类 Stirling 数,记作 $\begin{Bmatrix} n \\ r \end{Bmatrix}$.

例如,$S(4,2) = 7$,下面给出这 7 种放球方案.

$$a,b,c|d \qquad a,c,d|b \qquad a,b,d|c \qquad b,c,d|a$$
$$a,b|c,d \qquad a,c|b,d \qquad a,d|b,c$$

可以证明第二类 Stirling 数满足下述递推方程:

$$\begin{cases} \begin{Bmatrix} n \\ r \end{Bmatrix} = r \begin{Bmatrix} n-1 \\ r \end{Bmatrix} + \begin{Bmatrix} n-1 \\ r-1 \end{Bmatrix} \\ \begin{Bmatrix} n \\ 0 \end{Bmatrix} = 0, \begin{Bmatrix} n \\ 1 \end{Bmatrix} = 1 \end{cases}$$

证 将 n 个不同的球恰好放到 r 个盒子. 取球 a_1,把放球的方法进行如下分类.

若 a_1 单独放在一个盒子里,剩下的是对其他 $n-1$ 个球的放置问题,有 $\begin{Bmatrix} n-1 \\ r-1 \end{Bmatrix}$ 种方法. 若 a_1

与别的球放在同一盒子里,则可以先把 $n-1$ 个球恰好放到 r 个盒子里,有 $\begin{Bmatrix} n-1 \\ r \end{Bmatrix}$ 方法,然后把 a_1

插入 r 个盒子,有 r 种方法. 因此,总共 $r \begin{Bmatrix} n-1 \\ r \end{Bmatrix}$ 种方法. 根据加法法则得到 $\begin{Bmatrix} n \\ r \end{Bmatrix} = r \begin{Bmatrix} n-1 \\ r \end{Bmatrix} + \begin{Bmatrix} n-1 \\ r-1 \end{Bmatrix}$.

根据第二类 Stirling 数的定义,不难得到 $\begin{Bmatrix} n \\ 0 \end{Bmatrix} = 0, \begin{Bmatrix} n \\ 1 \end{Bmatrix} = 1$.

第二类 Stirling 数的递推公式也可以采用图形表示. 图 13.8 给出了当 $n=1,2,3,4,5$ 时所有第二类 Stirling 数的值.

第二类 Stirling 数满足以下恒等式.

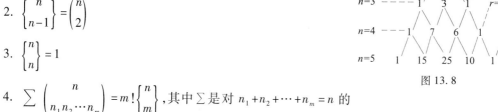

图 13.8

1. $\left\{\begin{matrix} n \\ 2 \end{matrix}\right\} = 2^{n-1} - 1$

2. $\left\{\begin{matrix} n \\ n-1 \end{matrix}\right\} = \binom{n}{2}$

3. $\left\{\begin{matrix} n \\ n \end{matrix}\right\} = 1$

4. $\displaystyle\sum \binom{n}{n_1\, n_2\, \cdots\, n_m} = m!\left\{\begin{matrix} n \\ m \end{matrix}\right\}$,其中 $\sum$ 是对 $n_1 + n_2 + \cdots + n_m = n$ 的正整数解求和.

5. $\displaystyle\sum_{k=1}^{m} \binom{m}{k}\left\{\begin{matrix} n \\ k \end{matrix}\right\} k! = m^n$

6. $\left\{\begin{matrix} n+1 \\ r \end{matrix}\right\} = \displaystyle\sum_{i=0}^{n} \binom{n}{i}\left\{\begin{matrix} i \\ r-1 \end{matrix}\right\}$

这里选证其中的某些公式,剩下的留给读者思考.

证 1. 将 n 个不同的球放到 2 个盒子里. 先选定一个球,如 a_1,把它放在一个盒子里. 然后放剩下的 $n-1$ 个球,每个球有 2 种选择,总计 2^{n-1} 种放法. 但是,这些球全落入 a_1 所在盒子的选法不符合要求,所以要从中减去 1 种选法.

4. 使用组合分析的方法证明. 首先证明等式左边计数了 n 个不同的球恰好放到 m 个不同的盒子的方法. 当所有的 n_i 为正整数,且 $n_1 + n_2 + \cdots + n_m = n$ 时,$\binom{n}{n_1\, n_2\, \cdots\, n_m}$ 对应了 n 个不同的球恰好放到 m 个不同盒子里,并且使得第一个盒子含有 n_1 个球、第二个盒子含有 n_2 个球、$\cdots$、第 m 个盒子含有 n_m 个球的方法数. 对所有满足上述条件的 $n_1, n_2, \cdots, n_m$,通过对 $\binom{n}{n_1\, n_2\, \cdots\, n_m}$ 求和就得到 n 个不同的球恰好放到 m 个不同的盒子的方法数. 再看等式右边. 先把 n 个不同的球放到 m 个相同的盒子,有 $\left\{\begin{matrix} n \\ m \end{matrix}\right\}$ 种方法;然后对盒子进行编号,编号的方式有 $m!$ 种. 因此,$m!\left\{\begin{matrix} n \\ m \end{matrix}\right\}$ 也计数了 n 个不同的球恰好放到 m 个不同的盒子的方法.

6. 等式左边计数了 $n+1$ 个不同的球恰好放入 r 个相同的盒子的方法. 先选定一个球,如 a_1,把它放在一个盒子里. 将其余 n 个球的放法根据剩下 $r-1$ 个盒子含有的球数 i 进行分类,$i=0,1,$ $\cdots, r-1, r, \cdots, n$. 对于给定的 i,先从 n 个不同的球中选出 i 个球,有 $\binom{n}{i}$ 种选法. 然后将这 i 个球恰

好放入 $r-1$ 个相同的盒子,有 $\begin{Bmatrix} i \\ r-1 \end{Bmatrix}$ 种放法. 这里要注意,当 $i<r-1$ 时, $\begin{Bmatrix} i \\ r-1 \end{Bmatrix}$ 的值等于 0. 对 i 求和就得到 $n+1$ 个不同的球恰好放入 r 个相同的盒子的方法数.

第二类 Stirling 数来源于一个重要的组合计数问题——放球问题,这个问题可以按照球是否有区别、盒子是否有区别、是否允许空盒等约束条件划分成 8 种子类型,通过一一对应的技巧,可以使用放球问题的计数结果来求解其他组合计数问题. 设有 n 个球,m 个盒子,下面将与这个放球问题相关的计数结果列在表 13.2.

表 13.2

球区别	盒区别	是否空盒	模型	方案计数
有	有	有	选取	m^n
有	有	无	放球子模型	$m! \begin{Bmatrix} n \\ m \end{Bmatrix}$
有	无	有		$\sum\limits_{k=1}^{m} \begin{Bmatrix} n \\ k \end{Bmatrix}$
有	无	无		$\begin{Bmatrix} n \\ m \end{Bmatrix}$
无	有	有	不定方程	$C(n+m-1,n)$
无	有	无		$C(n-1,m-1)$
无	无	有	正整数拆分	$G(x)=\dfrac{1}{(1-x)(1-x^2)\cdots(1-x^m)}$, x^n 系数
无	无	无		$G(x)=\dfrac{x^m}{(1-x)(1-x^2)\cdots(1-x^m)}$, x^n 系数

下面考虑集合上的二元关系与函数的计数问题.

例 13.25　设 A,B 为集合,其中 $|A|=n$,$|B|=m$,问:

(1) 从 A 到 B 的关系有多少个?

(2) A 上关系有多少个? 其中等价关系有多少个?

(3) 从 A 到 B 的函数有多少个? 其中单射函数有多少个? 满射函数有多少个? 双射函数有多少个?

解　(1) $|A|=n$,$|B|=m$,从 A 到 B 的关系是 $A\times B$ 的子集,$|A\times B|=mn$,因此从 A 到 B 有 2^{mn} 个不同的二元关系.

(2) A 上的关系有 2^{n^2} 个. 任何 A 上的等价关系都对应于 A 的划分. 根据划分块的个数 k 将划分进行分类,其中 $k=1,2,\cdots,n$. 具有 k 个划分块的划分相当于将 n 个不同的球恰好放入 k 个相同盒子的放球方案数,因此是第二类 Stirling 数 $\begin{Bmatrix} n \\ k \end{Bmatrix}$,对 k 求和就得到所有的划分个数,也就是等价关系的个数. 因此 $\sum\limits_{k=1}^{n}\begin{Bmatrix} n \\ k \end{Bmatrix}$ 是 A 上的等价关系个数.

（3）从 A 到 B 的函数有 m^n 个, 而一个单射函数对应于从 m 个元素中选 n 个元素的一种排列, 因此单射函数有 $P(m,n)=m(m-1)\cdots(m-n+1)$ 个. 下面考虑满射函数, 将 m 个函数值看成 m 个不同的盒子, 将 n 个自变量看成 n 个不同的球, 将它们恰好放入 m 个不同的盒子, 放球的方法数就是满射函数的个数, 即 $m!\begin{Bmatrix} n \\ m \end{Bmatrix}$. 双射函数仅当 $m=n$ 的情况下成立, 这时 $P(n,n)=n!\begin{Bmatrix} n \\ n \end{Bmatrix}=n!$, 因此恰好有 $n!$ 个双射函数.

回顾例 8.7, 根据包含排斥原理, 满射函数个数是 $\sum\limits_{r=0}^{m}(-1)^r C(m,r)(m-r)^n$. 可以证明

$$\sum_{r=0}^{m}(-1)^r C(m,r)(m-r)^n = m!\begin{Bmatrix} n \\ m \end{Bmatrix}$$

证　考虑 $(e^x-1)^m$ 的展开式. 有两种展开方法. 首先, 类似于指数生成函数展开得到:

$$(e^x-1)^m = \left(x+\frac{x^2}{2}+\cdots\right)^m = \sum_{n=0}^{\infty} a_n \frac{x^n}{n!}$$

其中 $\dfrac{x^n}{n!}$ 项的系数是 $a_n = \sum\dfrac{n!}{n_1!\ n_2!\ \cdots n_m!}$, 这里的求和是对满足方程 $n_1+n_2+\cdots+n_m=n$ 的一切正整数解来求. 根据第二类 Stirling 数的性质 4 有

$$a_n = \begin{cases} 0 \\ \sum\dfrac{n!}{n_1!\ n_2!\ \cdots n_m!} = \sum\begin{pmatrix} n \\ n_1 n_2 \cdots n_m \end{pmatrix} = m!\begin{Bmatrix} n \\ m \end{Bmatrix} \end{cases}$$

其次, 先按照二项式定理展开, 然后再将每个项的 e^{rx} 展开成幂级数, 得到:

$$(e^x-1)^m = \begin{pmatrix} m \\ 0 \end{pmatrix} e^{mx} - \begin{pmatrix} m \\ 1 \end{pmatrix} e^{(m-1)x} + \cdots + (-1)^m \begin{pmatrix} m \\ m \end{pmatrix} \times 1$$

$$= \begin{pmatrix} m \\ 0 \end{pmatrix}\left(1+\frac{m}{1!}x+\frac{m^2}{2!}x^2+\cdots\right) - \begin{pmatrix} m \\ 1 \end{pmatrix}\left(1+\frac{m-1}{1!}x+\frac{(m-1)^2}{2!}x^2+\cdots\right) + \cdots + (-1)^m \begin{pmatrix} m \\ m \end{pmatrix}\times 1$$

上式中 $\dfrac{x^n}{n!}$ 项的系数是

$$\begin{pmatrix} m \\ 0 \end{pmatrix} m^n - \begin{pmatrix} m \\ 1 \end{pmatrix}(m-1)^n + \begin{pmatrix} m \\ 2 \end{pmatrix}(m-2)^n - \cdots + (-1)^{m-1}\begin{pmatrix} m \\ m-1 \end{pmatrix}\times 1^n$$

$$= \sum_{r=0}^{m-1}(-1)^r C(m,r)(m-r)^n + 0$$

$$= \sum_{r=0}^{m}(-1)^r C(m,r)(m-r)^n$$

于是得到 $\displaystyle\sum_{r=0}^{m}(-1)^{r}C(m,r)(m-r)^{n}=m!\begin{Bmatrix}n\\m\end{Bmatrix}$.

习　题　13

1. 证明蜜蜂家族中一只雄蜂的第 n 代祖先个数是 Fibonacci 数 f_n.

2. 设 f_n 是 Fibonacci 数,计算 $f_0-f_1+f_2-\cdots+(-1)^n f_n$.

3. 证明以下关于 Fibonacci 数的恒等式.

（1）$f_{n-1}^2+f_n^2=f_{2n}$;

（2）$f_n\cdot f_{n+1}-f_{n-1}\cdot f_{n-2}=f_{2n}$.

4. 设 f_n 是 Fibonacci 数:

（1）证明 $f_n\cdot f_{n+2}-f_{n+1}^2=\pm 1$;

（2）当 n 是什么值时,等式右边是 1? 当 n 是什么值时,等式右边是 -1?

5. 设有递推方程 $L_n=L_{n-1}+L_{n-2}$, $n\geqslant 2$,且 $L_0=2$, $L_1=1$,求 $L_{2n+2}-(L_1+L_3+\cdots+L_{2n+1})$.

6. 求解递推方程:

（1）$\begin{cases}a_n-7a_{n-1}+12a_{n-2}=0\\a_0=4,a_1=6\end{cases}$

（2）$\begin{cases}a_n+6a_{n-1}+9a_{n-2}=3\\a_0=0,a_1=1\end{cases}$

（3）$\begin{cases}a_n-3a_{n-1}+2a_{n-2}=1\\a_0=4,a_1=6\end{cases}$

（4）$\begin{cases}a_n-7a_{n-1}+10a_{n-2}=3^n\\a_0=0,a_1=1\end{cases}$

（5）$\begin{cases}a_n-na_{n-1}=n!,n\geqslant 1\\a_0=2\end{cases}$

7. 已知方程 $C_0H_n+C_1H_{n-1}+C_2H_{n-2}=6$ 的解是 3^n+4^n+2,其中 C_0,C_1,C_2 是常数,求 C_0,C_1,C_2.

8. 有 n 条封闭的曲线,两两相交于两点,并且任意 3 条都不交于一点,求这 n 条封闭曲线把平面划分成的区域个数.

9. 双 Hanoi 塔问题是 Hanoi 塔问题的一种推广,与 Hanoi 塔的不同之处在于:$2n$ 个圆盘,分成大小不同的 n 对,每对圆盘完全相同. 初始,这些圆盘按照从大到小的次序从下到上放在 A 柱上,最终要把它们全部移到 C 柱,移动的规则与 Hanoi 塔相同.

（1）设计一个移动的算法;

（2）计算你的算法所需的移动次数.

10. 在长方形 $ABDC$ 中,$AC/AB=(1+\sqrt{5})/2$. 做线段 EF,使 $ABFE$ 是一个正方形,证明长方形 $EFDC$ 和 $ACDB$ 相似. 如果重复这个过程,就得到图 13.9 中的图形. 证明每一步得到的长方形都和原来的长方形相似.

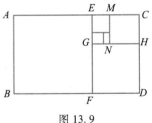

图 13.9

11. 某公司有 n 千万元可以用于对 a,b,c 三个项目的投资. 假设每年投资一个项目, 投资的规则是: 或者对 a 投资 1000 万元, 或者对 b 投资 2000 万元, 或者对 c 投资 2000 万元. 问: 用完 n 千万元有多少种不同的方案?

12. 求 n 位 0-1 串中相邻两位不出现 11 的串的个数.

13. 一个质点在水平方向运动, 每秒钟它走过的距离等于它前一秒钟走过距离的 2 倍. 设质点的初始位置为 3, 并设第一步走了 1 个单位长的距离. 求第 t 秒钟质点的位置.

14. 一个 $1 \times n$ 的方格图形用红、蓝两色涂色每个方格, 如果每个方格只能涂一种颜色, 且不允许两个红格相邻, 问: 有多少种涂色方案?

15. 使用两个不同的信号在通信信道发送信息. 传送一个信号需要 2 μs, 传送另一个信号需要 3 μs. 一个信息的每个信号紧跟着下一个信号.

(1) 求与在 n μs 中可以发送的不同信号数有关的递推方程;

(2) 对于 (1) 的递推方程, 初始条件是什么?

(3) 在 12 μs 内可以发送多少个不同的信息?

16. 已知数列 $\{a_n\}$ 的生成函数是 $A(x) = (1 + x - x^2)/(1 - x)$, 求 a_n.

17. 设数列 $\{a_n\}$, $\{b_n\}$, $\{c_n\}$ 的生成函数分别为 $A(x), B(x), C(x)$, 其中 $a_n = 0 (n \geqslant 3)$, $a_0 = 1$, $a_1 = 3$, $a_2 = 2$; $c_n = 5^n$, $n \in \mathbf{N}$. 如果 $A(x) B(x) = C(x)$, 求 b_n.

18. 分别确定下列数列 $\{a_n\}$ 的生成函数, 其中

(1) $a_n = (-1)^n (n + 1)$;

(2) $a_n = (-1)^n 2^n$;

(3) $a_n = n + 5$.

19. 设序列 $\{a_n\}$, $\{b_n\}$, $\{c_n\}$ 的生成函数分别为 $A(x), B(x)$ 和 $C(x)$, 证明:

(1) 若 $b_n = \alpha a_n$, 则 $B(x) = \alpha A(x)$;

(2) 若 $c_n = a_n + b_n$, 则 $C(x) = A(x) + B(x)$;

(3) 若 $c_n = \sum_{i=0}^{n} a_i b_{n-i}$, 则 $C(x) = A(x) \cdot B(x)$;

(4) 若 $b_n = \begin{cases} 0, & n < l, \\ a_{n-l}, & n \geqslant l, \end{cases}$ 则 $B(x) = x^l A(x)$;

(5) 若 $b_n = a_{n+l}$, 则 $B(x) = \dfrac{A(x) - \sum_{n=0}^{l-1} a_n x^n}{x^l}$;

(6) 若 $b_n = \sum_{i=0}^{n} a_i$, 则 $B(x) = \dfrac{A(x)}{1-x}$;

(7) 若 $b_n = \sum_{i=n}^{\infty} a_i$, 且 $A(1) = \sum_{n=0}^{\infty} a_i$ 收敛, 则 $B(x) = \dfrac{A(1) - x A(x)}{1-x}$;

(8) 若 $b_n = \alpha^n a_n$, 则 $B(x) = A(\alpha x)$;

(9) 若 $b_n = n a_n$, 则 $B(x) = x A'(x)$;

(10) 若 $b_n = \dfrac{a_n}{n+1}$, 则 $B(x) = \dfrac{1}{x} \int_0^x A(x) \, \mathrm{d}x$.

20. 使用生成函数求解递推方程 $a_k = 3 a_{k-1}$, $k = 1, 2, 3, \cdots$, 初始条件 $a_0 = 2$.

21. 设多重集 $S = \{\infty \cdot a_1, \infty \cdot a_2, \infty \cdot a_3, \infty \cdot a_4\}$, c_n 是 S 的满足以下条件的 n 组合数, 且数列 $\{c_n\}$ 的生成函数

为 $C(x)$,求 $C(x)$.

(1) 每个 a_i 出现奇数次,$i=1,2,3,4$;

(2) a_1 不出现,a_2 至多出现 1 次;

(3) 每个 a_i 至少出现 10 次.

22. 设 a_r 是用 3 元、4 元和 20 元的邮票在邮件上贴满 r 元邮费的方式数.求 $\{a_r\}$ 的生成函数.

(1) 假设不考虑贴邮票的次序;

(2) 假设邮票贴成一行并且考虑贴的次序.

23. 把 n 个苹果(n 为奇数)恰好分给 3 个孩子,如果第一个孩子和第二个孩子分的苹果数不相同,问有多少种分法?

24. 如果传送信号 A 要 1 微秒,传送信号 B 和 C 各需要 2 微秒,一个信息是字符 A,B 或 C 构成的有限长度的字符串(不考虑空串),问在 n 微秒内可以传送多少个不同的信息?

25. 设三角形 ABC 的边长为整数,且 $AB+BC+AC$ 为奇数 $2n+1$,其中 n 为给定的正整数.问这样的三角形有多少个?

26. 分别确定下面数列 $\{a_n\}$ 的指数生成函数,其中

(1) $a_n = n!$;

(2) $a_n = 2^n \cdot n!$;

(3) $a_n = (-1)^n$.

27. 设数列 $\{a_n\}$、$\{b_n\}$ 的指数生成函数分别为 $A_e(x)$ 和 $B_e(x)$,证明

$$A_e(x) \cdot B_e(x) = \sum_{n=0}^{\infty} c_n \frac{x^n}{n!},\text{其中 } c_n = \sum_{k=0}^{n} \binom{n}{k} a_k b_{n-k}$$

28. 一个 $1 \times n$ 的方格图形用红、蓝、绿或橙色 4 种颜色涂色,如果有偶数个方格被涂成红色,还有偶数个方格被涂成绿色,问:有多少种方案?

29. 确定由 n 个奇数字组成并且 1 和 3 每个数字出现偶数次的数的个数.

30. 设 Σ 是一个字母表且 $|\Sigma| = n > 1$,a 和 b 是 Σ 中两个不同的字母.试求 Σ 上的 a 和 b 均出现的长为 $k>1$ 的字(字符串)的个数.

31. 证明

$$\sum_{k=1}^{n} \begin{Bmatrix} n \\ k \end{Bmatrix} x(x-1)\cdots(x-k+1) = x^n$$

32. 把 5 项任务分给 4 个人,如果每个人至少得到 1 项任务,问:有多少种方式?

33. 设 A 是由 $n(n>1)$ 个不等的正整数构成的集合,其中 $n=2^k$,k 为正整数.考虑下述在 A 中找最大数和最小数的算法 MaxMin:如果 A 中只有 2 个数,那么比较 1 次就可以确定最大数与最小数.否则,将 A 划分成相等的两个子集 A_1 与 A_2.用算法 MaxMin 递归地在 A_1 与 A_2 中找最大数与最小数.令 a_1,a_2 分别表示 A_1 与 A_2 中的最大数,b_1 与 b_2 分别表示 A_1 与 A_2 中的最小数,那么 $\max(a_1,a_2)$ 与 $\min(b_1,b_2)$ 就是所需要的结果.

(1) 用伪码描述算法的主要步骤;

(2) 对于规模为 n 的输入,计算算法 MaxMin 最坏情况下所做的比较次数.

34. 在 Internet 上的搜索引擎经常需要对信息进行比较.例如,可以通过某个人对一些事物的排名来估计他(或她)对各种不同信息的兴趣,从而实现个性化的服务.对于不同的排名结果可以用逆序来评价它们之间的差异.考虑 $1,2,\cdots,n$ 的排列 $i_1 i_2 \cdots i_n$,如果其中存在 i_j,i_k,使得 $j<k$ 但是 $i_j>i_k$,那么就称 (i_j,i_k) 是这个排列的一个逆

序.一个排列含有逆序的个数称作这个排列的*逆序数*.例如,排列 263451 含有 8 个逆序 $(2,1)$,$(6,3)$,$(6,4)$,$(6,5)$,$(6,1)$,$(3,1)$,$(4,1)$,$(5,1)$,它的逆序数就是 8.显然,由 $1,2,\cdots,n$ 构成的所有 $n!$ 个排列中,最小的逆序数是 0,对应的排列就是 $12\cdots n$;最大的逆序数是 $n(n-1)/2$,对应的排列就是 $n(n-1)\cdots 21$.逆序数越大的排列与原始排列的差异度就越大.不难看到,如果使用顺序枚举逆序的蛮力算法来计算排列的逆序数,最坏情况下需要 $O(n^2)$ 的时间.利用二分归并排序算法 Mergesort 可以设计一个计数逆序的更好的算法,它仅使用 $O(n\log n)$ 的时间.它的主要思想是:在递归调用算法分别对子数组 L_1 与 L_2 排序时,计数每个子数组内部的逆序;在归并排好序的子数组 L_1 与 L_2 的过程中,计数 L_1 的元素与 L_2 的元素之间产生的逆序.在算法运行中每次得到的逆序数都加到逆序总数上.下面是一个归并过程的例子.

　　假如两个排好序的子数组是 1,4,5 和 2,3,6,在归并时,先比较 1 和 2,1<2,没有逆序,移走 1,第一个数组剩下 2 个数;接着比较 4 和 2,4>2,第一个数组的 4,5 都与 2 构成逆序,即 $(4,2)$,$(5,2)$,产生的逆序数恰好等于第一个数组剩下的元素个数.移走 2,逆序总数加 2.接着比较 4 和 3,移走 3,再增加 2 个逆序;接着比较 4 和 6,移走 4,不增加逆序;比较 5 和 6,移走 5,不增加逆序.在这个过程中逆序数共增加了 4,恰好等于 1,4,5 与序列 2,3,6 的数之间构成的逆序总数.

　　(1) 根据上面的描述写出算法的伪码;

　　(2) 如果 n 是 2 的幂,计算算法使用的比较次数.

第 5 部分　图　　论

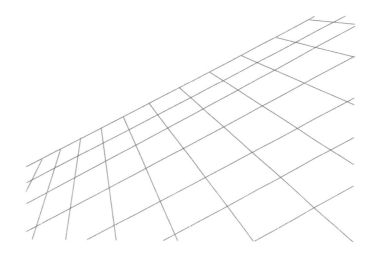

第 14 章
图的基本概念

14.1　图

在日常生活、生产活动及科学研究中,人们常用点表示事物,用点与点之间是否有连线表示事物之间是否有某种关系,这样构成的图形就是图论中的图.其实,集合论中二元关系的关系图都是图论中的图.在这些图中,人们只关心点之间是否有连线,而不关心点的位置,以及连线的曲直,这就是图论中的图与几何学中的图形的本质区别.为了给出图论中图的抽象而严格的数学定义,先给出无序积的概念.

设 A,B 为任意的两个集合,称

$$\{\{a,b\} \mid a \in A \land b \in B\}$$

为 A 与 B 的无序积,记作 $A\&B$.

为方便起见,将无序积中的无序对 $\{a,b\}$,记为 (a,b),并且允许 $a=b$.需要指出的是,无论 a,b 是否相等,均有 $(a,b)=(b,a)$,因而 $A\&B=B\&A$.

定义 14.1　一个无向图 G 是一个有序的二元组 $<V,E>$,其中

(1) V 是一个非空有穷集,称作顶点集,其元素称作顶点或结点.

（2）E 是无序积 $V\&V$ 的有穷多重子集①,称作边集,其元素称作无向边,简称为边.

定义 14.2　一个有向图 D 是一个有序的二元组 $<V,E>$,其中

（1）V 同定义 14.1（1）.

（2）E 是笛卡儿积 $V\times V$ 的有穷多重子集,称作边集,其元素称作有向边,简称为边.

通常用图形来表示无向图和有向图:用小圆圈（或实心点）表示顶点,用顶点之间的连线表示无向边,用带箭头的连线表示有向边.

例 14.1　（1）给定无向图 $G=<V,E>$,其中 $V=\{v_1,v_2,v_3,v_4,v_5\}$,$E=\{(v_1,v_1),(v_1,v_2),(v_2,v_3),(v_2,v_3),(v_2,v_5),(v_1,v_5),(v_4,v_5)\}$;

（2）给定有向图 $D=<V,E>$,其中,$V=\{a,b,c,d\}$,$E=\{<a,a>,<a,b>,<a,b>,<a,d>,<d,c>,<c,d>,<c,b>\}$;

画出 G 与 D 的图形.

解　图 14.1 中（a）,（b）分别给出了无向图 G 和有向图 D 的图形.

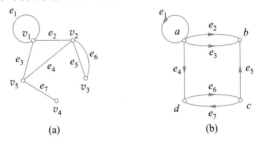

图 14.1

与定义 14.1 和定义 14.2 有关的还有下面一些概念和规定.

1. 无向图和有向图统称作图,但有时也常把无向图简称作图. 通常用 G 表示无向图,D 表示有向图,有时也用 G 泛指图（无向的或有向的）. 用 $V(G)$,$E(G)$ 分别表示 G 的顶点集和边集,$|V(G)|$,$|E(G)|$ 分别是 G 的顶点数和边数. 有向图也有类似的符号.

2. 顶点数称作图的阶,n 个顶点的图称作 n 阶图.

3. 一条边也没有的图称作零图. n 阶零图记作 N_n. 1 阶零图 N_1 称作平凡图. 平凡图只有一个顶点,没有边.

4. 在图的定义中规定顶点集 V 为非空集,但在图的运算中可能产生顶点集为空集的运算结果,为此规定顶点集为空集的图为空图,并将空图记作 $\varnothing$.

5. 当用图形表示图时,如果给每一个顶点和每一条边指定一个符号（字母或数字,当然字母还可以带下标）,则称这样的图为标定图,否则称作非标定图.

---

① 元素可以重复出现的集合称作多重集合. 某元素重复出现的次数称作该元素的重复度. 例如,在多重集合 $\{a,a,b,b,b,c,d\}$ 中,a,b,c,d 的重复度分别为 2,3,1,1. 从多重集合的角度考虑,无元素重复出现的集合是各元素重复度均为 1 的多重集.

6. 将有向图的各条有向边改成无向边后所得到的无向图称作这个有向图的基图.

7. 设 $G = <V, E>$ 为无向图，$e_k = (v_i, v_j) \in E$，称 v_i, v_j 为 e_k 的端点，e_k 与 $v_i(v_j)$ 关联. 若 $v_i \neq v_j$，则称 e_k 与 $v_i(v_j)$ 的关联次数为 1；若 $v_i = v_j$，则称 e_k 与 v_i 的关联次数为 2，并称 e_k 为环. 如果顶点 v_l 不与边 e_k 关联，则称 e_k 与 v_l 的关联次数为 0.

若两个顶点 v_i 与 v_j 之间有一条边连接，则称这两个顶点相邻. 若两条边至少有一个公共端点，则称这两条边相邻.

8. 设 $D = <V, E>$ 为有向图，$e_k = <v_i, v_j> \in E$，称 v_i, v_j 为 e_k 的端点，v_i 为 e_k 的始点，v_j 为 e_k 的终点，并称 e_k 与 $v_i(v_j)$ 关联. 若 $v_i = v_j$，则称 e_k 为 D 中的环.

若两个顶点之间有一条有向边，则称这两个顶点相邻. 若两条边中一条边的终点是另一条边的始点，则称这两条边相邻.

图（无向的或有向的）中没有边关联的顶点称作孤立点.

9. 设无向图 $G = <V, E>$，$\forall v \in V$，称

$$N_G(v) = \{u \mid u \in V \wedge (u, v) \in E \wedge u \neq v\}$$

为 v 的邻域，称

$$\overline{N}_G(v) = N_G(v) \cup \{v\}$$

为 v 的闭邻域，称

$$I_G(v) = \{e \mid e \in E \wedge e \text{ 与 } v \text{ 相关联}\}$$

为 v 的关联集.

设有向图 $D = <V, E>$，$\forall v \in V$，称

$$\Gamma_D^+(v) = \{u \mid u \in V \wedge <v, u> \in E \wedge u \neq v\}$$

为 v 的后继元集，称

$$\Gamma_D^-(v) = \{u \mid u \in V \wedge <u, v> \in E \wedge u \neq v\}$$

为 v 的先驱元集，称

$$N_D(v) = \Gamma_D^+(v) \cup \Gamma_D^-(v)$$

为 v 的邻域，称

$$\overline{N}_D(v) = N_D(v) \cup \{v\}$$

为 u 的闭邻域.

在图 14.1(a) 中，$N_G(v_1) = \{v_2, v_5\}$，$\overline{N}_G(v_1) = \{v_1, v_2, v_5\}$，$I_G(v_1) = \{e_1, e_2, e_3\}$，在图 14.1(b) 中，$\Gamma_D^+(d) = \{c\}$，$\Gamma_D^-(d) = \{a, c\}$，$N_D(d) = \{a, c\}$，$\overline{N}_D(d) = \{a, c, d\}$.

定义 14.3　在无向图中，如果关联一对顶点的无向边多于 1 条，则称这些边为平行边，平行边的条数称作重数. 在有向图中，如果关联一对顶点的有向边多于 1 条，并且这些边的始点与终点相同（也就是它们的方向相同），则称这些边为平行边. 含平行边的图称作多重图，既不含平行边也不含环的图称作简单图.

在图 14.1(a) 中，e_5 与 e_6 是平行边. 在图 14.1(b) 中，e_2 与 e_3 是平行边，而 e_6 与 e_7 不是平行边. 图 14.1(a), (b) 两个图都不是简单图.

定义 14.4　设 $G = <V,E>$ 为无向图，$\forall v \in V$，称 v 作为边的端点的次数为 v 的度数，简称为度，记作 $d_G(v)$. 在不发生混淆时，略去下标 G，简记为 $d(v)$. 设 $D = <V,E>$ 为有向图，$\forall v \in V$，称 v 作为边的始点的次数为 v 的出度，记作 $d_D^+(v)$，简记为 $d^+(v)$. 称 v 作为边的终点的次数为 v 的入度，记作 $d_D^-(v)$，简记为 $d^-(v)$. 称 $d^+(v) + d^-(v)$ 为 v 的度数，记作 $d_D(v)$，简记为 $d(v)$.

注意：在无向图中，顶点 v 上的环以 v 作 2 次端点. 在有向图中，顶点 v 上的环以 v 作一次始点和一次终点，共作 2 次端点.

在无向图 G 中，令

$$\Delta(G) = \max\{d(v) \mid v \in V(G)\}$$
$$\delta(G) = \min\{d(v) \mid v \in V(G)\}$$

分别称为 G 的最大度和最小度. 可以类似定义有向图 D 的最大度 $\Delta(D)$、最小度 $\delta(D)$ 和最大出度 $\Delta^+(D)$、最小出度 $\delta^+(D)$、最大入度 $\Delta^-(D)$、最小入度 $\delta^-(D)$.

$$\Delta(D) = \max\{d(v) \mid v \in V(D)\}$$
$$\delta(D) = \min\{d(v) \mid v \in V(D)\}$$
$$\Delta^+(D) = \max\{d^+(v) \mid v \in V(D)\}$$
$$\delta^+(D) = \min\{d^+(v) \mid v \in V(D)\}$$
$$\Delta^-(D) = \max\{d^-(v) \mid v \in V(D)\}$$
$$\delta^-(D) = \min\{d^-(v) \mid v \in V(D)\}$$

并把它们分别简记为 $\Delta, \delta, \Delta^+, \delta^+, \Delta^-, \delta^-$.

另外，称度数为 1 的顶点为悬挂顶点，与它关联的边称作悬挂边. 度为偶数（奇数）的顶点称作偶度（奇度）顶点.

在图 14.1(a) 中，$d(v_1) = 4$（注意，环提供 2 度），$\Delta = 4, \delta = 1$，v_4 是悬挂顶点，e_7 是悬挂边. 在图 14.1(b) 中，$d^+(a) = 4, d^-(a) = 1$（环 e_1 提供 1 个出度和 1 个入度），$d(a) = 4 + 1 = 5$. $\Delta = 5, \delta = 3, \Delta^+ = 4$（在 a 点达到），$\delta^+ = 0$（在 b 点达到），$\Delta^- = 3$（在 b 点达到），$\delta^- = 1$（在 a 和 c 点达到）.

下述定理是欧拉于 1736 年给出的，称作握手定理，是图论的基本定理.

定理 14.1　在任何无向图中，所有顶点的度数之和等于边数的 2 倍.

证　图中每条边（包括环）均有两个端点，所以在计算各顶点度数之和时，每条边均提供 2 度. m 条边，共提供 $2m$ 度.

定理 14.2　在任何有向图中，所有顶点的度数之和等于边数的 2 倍；所有顶点的入度之和等于所有顶点的出度之和，都等于边数.

本定理的证明类似于定理 14.1.

推论　任何图（无向的或有向的）中，奇度顶点的个数是偶数.

证　设图 $G = <V,E>$，令

$$V_1 = \{v \mid v \in V \wedge d(v) \text{ 为奇数}\}$$
$$V_2 = \{v \mid v \in V \wedge d(v) \text{ 为偶数}\}$$

则 $V_1 \cup V_2 = V, V_1 \cap V_2 = \varnothing$，由握手定理可知

$$2m = \sum_{v \in V} d(v) = \sum_{v \in V_1} d(v) + \sum_{v \in V_2} d(v)$$

由于 $2m$, $\sum_{v \in V_2} d(v)$ 均为偶数, 所以 $\sum_{v \in V_1} d(v)$ 为偶数, 但因 V_1 中顶点度数为奇数, 所以 $|V_1|$ 必为偶数.

设 $G = \langle V, E \rangle$ 为一个 n 阶无向图, $V = \{v_1, v_2, \cdots, v_n\}$, 称 $d(v_1), d(v_2), \cdots, d(v_n)$ 为 G 的 度数列. 对于顶点标定的无向图, 它的度数列是唯一的. 反之, 对于给定的非负整数列 $d = (d_1, d_2, \cdots, d_n)$, 若存在以 $V = \{v_1, v_2, \cdots, v_n\}$ 为顶点集的 n 阶无向图 G, 使得 $d(v_i) = d_i$, 则称 d 是 可图化的. 特别地, 若所得到的图是简单图, 则称 d 是 可简单图化的. 对有向图还可以类似定义 出度列 和 入度列.

在图 14.1 中, (a) 的度数列为 $4, 4, 2, 1, 3$. (b) 的度数列为 $5, 3, 3, 3$, 出度列为 $4, 0, 2, 1$, 入度列为 $1, 3, 1, 2$.

问题是非负整数列 $d = (d_1, d_2, \cdots, d_n)$ 在什么条件下是可图化的和可简单图化的.

定理 14.3　非负整数列 $d = (d_1, d_2, \cdots, d_n)$ 是可图化的当且仅当 $\sum_{i=1}^{n} d_i$ 为偶数.

证　由定理 14.1, 必要性显然. 下面证明充分性. 由已知条件可知, d 中有 $2k$ $\left(0 \leq k \leq \left\lfloor \dfrac{n}{2} \right\rfloor \right)$ 个奇数, 不妨设它们为 $d_1, d_2, \cdots, d_k, d_{k+1}, d_{k+2}, \cdots, d_{2k}$. 构造以 d 为度数列的 n 阶无向图 $G = \langle V, E \rangle$ 如下: $V = (v_1, v_2, \cdots, v_n)$, 在顶点 v_r 与 v_{r+k} 之间连边, $r = 1, 2, \cdots, k$. 若 d_i 为偶数, 令 $d_i' = d_i$, 若 d_i 为奇数, 令 $d_i' = d_i - 1$, 得 $d' = (d_1', d_2', \cdots, d_n')$, 则 d_i' 均为偶数. 再在 v_i 处画 $d_i'/2$ 条环, $i = 1, 2, \cdots, n$. 这就证明了 d 是可图化的.

由定理 14.3, $(3, 3, 2, 1)$, $(3, 2, 2, 1, 1)$ 不是可图化的, 而 $(3, 3, 2, 2)$, $(3, 2, 2, 2, 1)$ 是可图化的.

下述定理是显然的.

定理 14.4　设 G 为任意 n 阶无向简单图, 则 $\Delta(G) \leq n - 1$.

例 14.2　判断下列各非负整数列哪些是可图化的? 哪些是可简单图化的?

(1) $(5, 5, 4, 4, 2, 1)$

(2) $(5, 4, 3, 2, 2)$

(3) $(3, 3, 3, 1)$

(4) $(d_1, d_2, \cdots, d_n)$, $d_1 > d_2 > \cdots > d_n \geq 1$ 且 $\sum_{i=1}^{n} d_i$ 为偶数

(5) $(4, 4, 3, 3, 2, 2)$

解　由定理 14.3, 除 (1) 不可图化外, 其余各序列都可以图化. 但除了 (5) 中序列外, 其余的都是不可简单图化的. (2) 中序列有 5 个数, 最大的数是 5. 根据定理 14.4, 它不可简单图化. 类似可证 (4) 不可简单图化.

假设 (3) 可以简单图化, 设 $G = \langle V, E \rangle$ 以 $(3, 3, 3, 1)$ 为度数列. 不妨设 $V = \{v_1, v_2, v_3, v_4\}$, 且 $d(v_1) = d(v_2) = d(v_3) = 3$, $d(v_4) - 1$. 由于 $d(v_4) = 1$, 因而 v_4 只能与 v_1, v_2, v_3 之一相邻, 不妨设与

v_1 相邻. 于是 v_2 只能与 v_1 和 v_3 相邻, v_3 只能与 v_1 和 v_2 相邻, 不可能有 3 度. 因而, (3) 不可简单图化.

（5）是可简单图化的, 图 14.2 中两个 6 阶无向简单图都以 $(4,4,3,3,2,2)$ 为度数列.

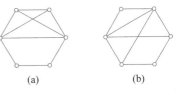

图 14.2

定义 14.5　设 $G_1 = <V_1, E_1>$, $G_2 = <V_2, E_2>$ 为两个无向图（两个有向图）, 若存在双射函数 $f: V_1 \to V_2$, 使得 $\forall v_i, v_j \in V_1$, $(v_i, v_j) \in E_1$ 当且仅当 $(f(v_i), f(v_j)) \in E_2$（$<v_i, v_j> \in E_1$ 当且仅当 $<f(v_i), f(v_j)> \in E_2$）, 并且 (v_i, v_j) 与 $(f(v_i), f(v_j))$（$<v_i, v_j>$ 与 $<f(v_i), f(v_j)>$）的重数相同, 则称 G_1 与 G_2 同构, 记作 $G_1 \cong G_2$.

在图 14.3 中, (a) 称作**彼得松(Peterson)图**, (b), (c) 均与 (a) 同构. (d), (e), (f) 各图彼此间都不同构.

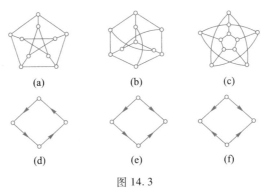

图 14.3

图之间的同构关系 "$\cong$" 构成全体图集合上的二元关系. 它是等价关系, 具有自反性、对称性和传递性. 在这个等价关系的每个等价类中的图在同构意义下都可以看成一个图. 在图 14.3 中, (a), (b), (c) 可以看成一个图, 它们都是彼得松图. 至今还没有找到判断两个图是否同构的便于检查的充分必要条件. 显然阶数相同、边数相同、度数列相同等都是必要条件, 但都不是充分条件. 如图 14.2 中的两个图有相同的度数列, 但它们不同构.

定义 14.6　设 G 为 n 阶无向简单图, 若 G 中每个顶点均与其余的 $n-1$ 个顶点相邻, 则称 G 为 n 阶无向完全图, 简称为 n 阶完全图, 记作 $K_n (n \geq 1)$.

设 D 为 n 阶有向简单图, 若 D 中每个顶点都邻接到其余的 $n-1$ 个顶点, 则称 D 为 n 阶有向完全图.

设 D 为 n 阶有向简单图, 若 D 的基图为 n 阶无向完全图 K_n, 则称 D 为 n 阶竞赛图.

在图 14.4 中, (a) 为 K_5, (b) 为 3 阶有向完全图, (c) 为 4 阶竞赛图.

易知, n 阶无向完全图, n 阶有向完全图, n 阶竞赛图的边数分别为 $\dfrac{n(n-1)}{2}$, $n(n-1)$, $\dfrac{n(n-1)}{2}$.

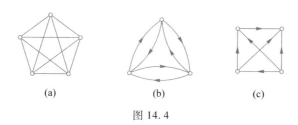

图 14.4

定义 14.7 设 G 为 n 阶无向简单图,若 $\forall v \in V(G)$,均有 $d(v)=k$,则称 G 为 k-正则图.

由定义可知,n 阶零图是 0-正则图,n 阶无向完全图是 $(n-1)$-正则图,彼得松图是 3-正则图. 由握手定理可知,n 阶 k-正则图中,边数 $m=\dfrac{kn}{2}$,因而当 k 为奇数时,n 必为偶数.

定义 14.8 设 $G=<V,E>$,$G'=<V',E'>$ 为两个图(同为无向图或同为有向图),若 $V' \subseteq V$ 且 $E' \subseteq E$,则称 G' 为 G 的子图,G 为 G' 的母图,记作 $G' \subseteq G$. 又若 $V' \subset V$ 或 $E' \subset E$,则称 G' 为 G 的真子图. 若 $V'=V$,则称 G' 为 G 的生成子图.

设 $G=<V,E>$,$V_1 \subset V$ 且 $V_1 \neq \varnothing$,称以 V_1 为顶点集,以 G 中两个端点都在 V_1 中的边组成边集 E_1 的图为 G 的 V_1 导出的子图,记作 $G[V_1]$. 又设 $E_1 \subset E$ 且 $E_1 \neq \varnothing$,称以 E_1 为边集,以 E_1 中边关联的顶点为顶点集 V_1 的图为 G 的 E_1 导出的子图,记作 $G[E_1]$.

在图 14.5 中,取 $V_1 = \{a,b,c\}$,(b)是(a)的 V_1 导出的子图. 取 $E_1 = \{e_1, e_3\}$,(c)是(a)的 E_1 导出的子图.

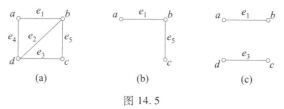

图 14.5

例 14.3 (1)画出 4 阶 3 条边的所有非同构的无向简单图.

(2)画出 3 阶 2 条边的所有非同构的有向简单图.

解 (1)由握手定理,所画的无向简单图各顶点度数之和为 $2 \times 3 = 6$,最大度数小于等于 3. 于是所求无向简单图的度数列应满足的条件是,将 6 分成 4 个非负整数,每个整数均大于等于 0 且小于等于 3,并且奇数的个数为偶数. 将这样的整数列排出来只有下面 3 种情况.

(a)3,1,1,1

(b)2,2,1,1

(c)2,2,2,0

将每个度数列所有非同构的图都画出来即得所要求的全部非同构的图,分别见图 14.6(a),(b),(c).

（2）由握手定理可知,所画有向简单图各顶点度数之和为 4,最大出度和最大入度均小于等于 2.度数列及入度出度列为

（a）度数列 1,2,1

（a.1）入度列 0,1,1,出度列 1,1,0

（a.2）入度列 0,2,0,出度列 1,0,1

（a.3）入度列 1,0,1,出度列 0,2,0

（b）度数列 2,2,0,入度列 1,1,0,出度列 1,1,0

4 个所要求的有向简单图分别见图 14.6(d),(e),(f),(g).

对于一般情况,给定正整数 n 和 $m\left(m\leqslant\dfrac{n(n-1)}{2}\right)$,构造所有非同构的 n 阶 m 条边的无向(有向)简单图仍是目前还没有解决的难题.

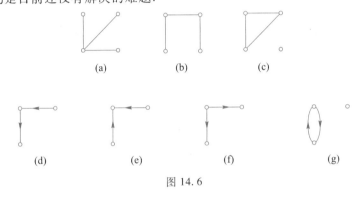

图 14.6

定义 14.9 设 $G=<V,E>$ 为 n 阶无向简单图,令 $\overline{E}=\{(u,v)\mid u\in V\wedge v\in V\wedge u\neq v\wedge(u,v)\notin E\}$,称 $\overline{G}=<V,\overline{E}>$ 为 G 的补图.

若图 $G\cong\overline{G}$,则称 G 为自补图.

在图 14.6 中,(a)与(c)互为补图,(b)是自补图.

定义 14.10 设 $G=<V,E>$ 为无向图.

（1）设 $e\in E$,用 $G-e$ 表示从 G 中去掉边 e,称作删除边 e. 又设 $E'\subset E$,用 $G-E'$ 表示从 G 中删除 E' 中的所有边,称作删除 E'.

（2）设 $v\in V$,用 $G-v$ 表示从 G 中去掉 v 及所关联的一切边,称作删除顶点 v. 又设 $V'\subset V$,用 $G-V'$ 表示从 G 中删除 V' 中所有的顶点,称作删除 V'.

（3）设 $e=(u,v)\in E$,用 $G\backslash e$ 表示从 G 中删除 e 后,将 e 的两个端点 u,v 用一个新的顶点 w（可以用 u 或 v 充当 w）代替,并使 w 关联除 e 以外 u,v 关联的所有边,称作边 e 的收缩.

（4）设 $u,v\in V(u,v$ 可能相邻,也可能不相邻),用 $G\cup(u,v)$（或 $G+(u,v)$）表示在 u,v 之间加一条边 (u,v),称作加新边.

在收缩边和加新边过程中可能产生环和平行边.

在图 14.7 中, 设(a)中图为 G, 则(b)为 $G-e_5$, (c)为 $G-\{e_1,e_4\}$, (d)为 $G-v_5$, (e)为 $G-\{v_4, v_5\}$, 而(f)为 $G\backslash e_5$.

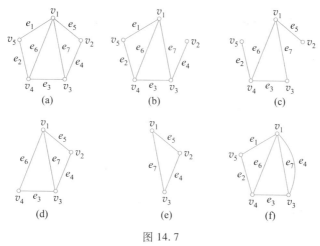

图 14.7

14.2　通路与回路

定义 14.11　设 G 为无向标定图, G 中顶点与边的交替序列 $\Gamma = v_{i_0}e_{j_1}v_{i_1}e_{j_2}\cdots e_{j_l}v_{i_l}$ 称作 v_{i_0} 到 v_{i_l} 的**通路**, 其中 $v_{i_{r-1}}, v_{i_r}$ 为 e_{j_r} 的端点, $r=1,2,\cdots,l$, v_{i_0}, v_{i_l} 分别称为 Γ 的**始点**与**终点**, Γ 中边的条数称作它的**长度**. 若又有 $v_{i_0}=v_{i_l}$, 则称 Γ 为**回路**. 若 Γ 的所有边各异, 则称 Γ 为**简单通路**. 若又有 $v_{i_0}=v_{i_l}$, 则称 Γ 为**简单回路**. 若所有顶点(除 v_{i_0} 与 v_{i_l} 可能相同外)各异, 所有边也各异, 则称 Γ 为**初级通路或路径**. 若又有 $v_{i_0}=v_{i_l}$, 则称 Γ 为**初级回路或圈**. 将长度为奇数的圈称作**奇圈**, 长度为偶数的圈称作**偶圈**.

注意, 在初级通路与初级回路的定义中, 仍将初级回路看成初级通路(路径)的特殊情况, 但是在应用中, 初级通路(路径)通常都是始点与终点不相同的, 长为 1 的圈只能由环生成, 长为 2 的圈只能由平行边生成, 因而在简单无向图中, 圈的长度至少为 3.

另外, 若 Γ 中有边重复出现, 则称 Γ 为**复杂通路**. 若又有 $v_{i_0}=v_{i_l}$ 则称 Γ 为**复杂回路**.

在有向图中, 通路、回路及分类的定义与无向图中的非常类似, 只是要注意有向边方向的一致性.

根据定义, 回路是通路的特殊情况; 初级通路(回路)必是简单通路(回路), 但反之不真.

在简单图中可以只用顶点序列表示通路(回路), 写成 $\Gamma = v_{i_1}v_{i_2}\cdots v_{i_l}$.

定理 14.5　在 n 阶图 G 中, 若从顶点 u 到 $v(u\neq v)$ 存在通路, 则从 u 到 v 存在长度小于等于 $n-1$ 的通路.

证　设 $\Gamma = v_0e_1v_1e_2\cdots e_lv_l(v_0=u, v_l=v)$ 为 G 中从 u 到 v 的通路. 若 $l\leqslant n-1$, 则定理成立. 假设

$l>n-1$,此时 Γ 上的顶点数大于 G 中的顶点数,于是必存在 $k,s,0\leqslant k<s\leqslant l$,使得 $v_s=v_k$,即在 Γ 上存在 v_k 到自身的回路 C,在 Γ 上删除 C,得到 $\Gamma'=v_0e_1e_2\cdots v_ke_{s+1}\cdots e_lv_l$,$\Gamma'$ 仍为从 u 到 v 的通路,且长度至少比 Γ 少 1. 若 Γ' 还不满足要求,重复上述过程. 由于 G 是有限图,经过有限步后,必得到 u 到 v 长度小于等于 $n-1$ 的通路.

推论　在 n 阶图 G 中,若从顶点 u 到 $v(u\neq v)$ 存在通路,则 u 到 v 一定存在长度小于等于 $n-1$ 的初级通路(路径).

类似可证明下面的定理和推论.

定理 14.6　在 n 阶图 G 中,若存在 v 到自身的回路,则一定存在 v 到自身长度小于等于 n 的回路.

推论　在 n 阶图 G 中,若存在 v 到自身的简单回路,则一定存在 v 到自身长度小于等于 n 的初级回路.

长度相同的圈都是同构的,因此在同构意义下给定长度的圈只有一个. 在标定图中,圈表示成顶点和边的标记序列. 只要两个标记序列不同,就认为这两个圈不同,称这两个圈在定义意义下不同.

例 14.4　无向完全图 K_3 的顶点依次标定为 a,b,c. 在定义意义下,K_3 中有多少个不同的圈?

解　在同构意义下,K_3 中只有一个长为 3 的圈. 但在定义意义下,不同起点(终点)的圈是不同的,顶点间排列顺序不同的圈也看成是不同的,因而 K_3 中有 6 个不同的长度为 3 的圈:$abca$, $acba$,$bacb$,$bcab$,$cabc$,$cbac$. 如果只考虑起点(终点)的差异,而不考虑顺时针和逆时针的差异,应该有 3 种不同的圈,当然它们的长度都是 3.

14.3　图的连通性

首先讨论无向图的连通性.

定义 14.12　设无向图 $G=<V,E>$,若 $u,v\in V$ 之间存在通路,则称 u,v 是连通的,记作 $u\sim v$. 规定:$\forall v\in V,v\sim v$.

若无向图 G 是平凡图或 G 中任何两个顶点都是连通的,则称 G 为连通图,否则称 G 为非连通图.

由定义不难看出,无向图中顶点之间的连通关系 $\sim$ 是 V 上的等价关系,具有自反性、对称性和传递性.

完全图 $K_n(n\geqslant 1)$ 都是连通图,而零图 $N_n(n\geqslant 2)$ 都是非连通图.

定义 14.13　设无向图 $G=<V,E>$,V_i 是 V 关于顶点之间的连通关系 $\sim$ 的一个等价类,称导出子图 $G[V_i]$ 为 G 的一个连通分支. G 的连通分支数记作 $p(G)$.

由定义,若 G 为连通图,则 $p(G)=1$;若 G 为非连通图,则 $p(G)\geqslant 2$. 在所有的 n 阶无向图中,n 阶零图是连通分支最多的,$p(N_n)=n$.

定义 14.14 设 u,v 为无向图 G 中的任意两个顶点,若 $u \sim v$,则称 u,v 之间长度最短的通路为 u,v 之间的**短程线**. 短程线的长度称为 u,v 之间的**距离**,记作 $d(u,v)$. 当 u,v 不连通时,规定 $d(u,v)=\infty$.

距离有以下性质:$\forall u,v,w \in V(G)$,

1. $d(u,v) \geqslant 0$,且当且仅当 $u=v$ 时等号成立.

2. 具有对称性:$d(u,v)=d(v,u)$.

3. 满足三角不等式:$d(u,v)+d(v,w) \geqslant d(u,w)$.

例 14.5 一个农夫带着一条狗、一只羊和一筐白菜来到河的南岸. 河边有一条小船,小船一次只能运载农夫和他带的一样东西(狗、羊或白菜). 而在农夫不在场的情况下,狗和羊,羊和白菜不能放在一块,因为狗要咬羊,羊会吃白菜. 问:农夫怎样才能把他的 3 样东西安全地运到河对岸? 至少需要来回几次?

解 用顶点表示可能的状况. 例如,(人狗羊菜,∅)表示人狗羊菜都在南岸,北岸什么也没有;(人羊,狗菜)表示人羊在南岸,狗菜在北岸. 两个顶点之间有一条边当且仅当一次摆渡使表示的一种状态变成另一种状态,如图 14.8 所示. 于是,从(人狗羊菜,∅)到(∅,人狗羊菜)的一条通路给出农夫把他的 3 样东西安全地运到河对岸的一种方法,而这两点之间的距离是至少需要来回的次数. 不难看出,(人狗羊菜,∅)(狗菜,人羊)(人狗菜,羊)(菜,人狗羊)(人羊菜,狗)(羊,人狗菜)(人羊,狗菜)(∅,人狗羊菜)是一条短程线,距离为 7. 农夫至少要摆渡 7 次,7 次摆渡如下:1. 带羊到北岸,2. 空手回到南岸,3. 带狗到北岸,4. 带羊回到南岸,5. 带菜到北岸,6. 空手回到南岸,7. 带羊到北岸.

另一条短程线是(人狗羊菜,∅)(狗菜,人羊)(人狗菜,羊)(狗,人羊菜)(人狗羊,菜)(羊,人狗菜)(人羊,狗菜)(∅,人狗羊菜),它给出的摆渡方法与上面的稍有不同,当然也是 7 次.

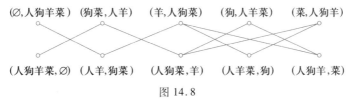

图 14.8

下面讨论无向图的连通程度.

定义 14.15 设无向图 $G = \langle V,E \rangle$. 若存在 $V' \subset V$ 使得 $p(G-V') > p(G)$,且对于任意的 $V'' \subset V'$,均有 $p(G-V'') = p(G)$,则称 V' 是 G 的**点割集**. 若 $V' = \{v\}$,则称 v 为**割点**.

在图 14.9 中,$\{v_2,v_4\}$,$\{v_3\}$,$\{v_5\}$ 都是点割集,而 v_3,v_5 都是割点. 注意,v_1 与悬挂顶点 v_6 不在任何点割集中.

定义 14.16 设无向图 $G = \langle V,E \rangle$,若存在 $E' \subseteq E$ 使得 $p(G-E') > p(G)$,且对于任意的 $E'' \subset E'$,均有 $p(G-E'') = p(G)$,则称 E' 是 G 的**边割集**,或简称为**割集**. 若 $E' = \{e\}$,则称 e 为

割边或桥.

在图 14.9 中，$\{e_6\}$，$\{e_5\}$，$\{e_2,e_3\}$，$\{e_1,e_2\}$，$\{e_3,e_4\}$，$\{e_1,e_4\}$，$\{e_1,e_3\}$，$\{e_2,e_4\}$ 都是割集，其中 e_6，e_5 是桥.

定义 14.17 设 G 为无向连通图且不是完全图，则称

$$\kappa(G) = \min\{|V'| \mid V' \text{为 } G \text{ 的点割集}\}$$

为 G 的**点连通度**，简称为**连通度**. $\kappa(G)$ 有时简记为 κ. 规定完全图 $K_n(n \geq 1)$ 的点连通度为 $n-1$，非连通图的点连通度为 0. 又若 $\kappa(G) \geq k$，则称 G 为 k-连通图，k 为非负整数.

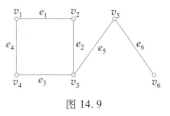

图 14.9

图 14.9 中图的点连通度为 1，此图为 1-连通图，K_5 的点连通度 $\kappa = 4$，所以 K_5 是 1-连通图、2-连通图、3-连通图、4-连通图. 图 14.7 中，(a)图的点连通度 $\kappa = 2$，所以它是 1-连通图，也是 2-连通图. 若 G 是 k-连通图($k \geq 1$)，则在 G 中删除任何 $k-1$ 个顶点后，所得的图一定还是连通的.

定义 14.18 设 G 是无向连通图，称

$$\lambda(G) = \min\{|E'| \mid E' \text{为 } G \text{ 的边割集}\}$$

为 G 的**边连通度**. $\lambda(G)$ 有时简记为 λ. 规定非连通图的边连通度为 0. 又若 $\lambda(G) \geq r$，则称 G 是 r 边-连通图.

若 G 是 r 边-连通图，则在 G 中任意删除 $r-1$ 条边后，所得的图依然是连通的. 完全图 K_n 的边连通度为 $n-1$，因而 K_n 是 r 边-连通图，$0 \leq r \leq n-1$. 图 14.9 中图的边连通度 $\lambda = 1$，它只能是 1 边-连通图.

设 G_1，G_2 都是 n 阶无向简单图，若 $\kappa(G_1) > \kappa(G_2)$，则称 G_1 比 G_2 的点连通程度高. 若 $\lambda(G_1) > \lambda(G_2)$ 则称 G_1 比 G_2 的边连通程度高.

例 14.6 求图 14.10 所示各图的点连通度和边连通度，并指出它们各是几连通图及几边连通图，最后将它们按照点连通程度及边连通程度排序.

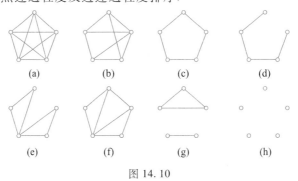

图 14.10

解 设第 i 个图的点连通度为 κ_i，边连通度为 λ_i，$i = 1,2,\cdots,8$. 容易看出，$\kappa_1 = \lambda_1 = 4$，$\kappa_2 = \lambda_2 = 3$，$\kappa_3 = \lambda_3 = 2$，$\kappa_4 = \lambda_4 = 1$，$\kappa_5 = 1$，$\lambda_5 = 2$，$\kappa_6 = \lambda_6 = 2$，$\kappa_7 = \lambda_7 = 0$，$\kappa_8 = \lambda_8 = 0$.

（a）是 $k-$连通图，k 边-连通图，$k=1,2,3,4$.

（b）是 $k-$连通图，k 边-连通图，$k=1,2,3$.

（c）是 $k-$连通图，k 边-连通图，$k=1,2$.

（d）是 $1-$连通图，1 边-连通图.

（e）是 $1-$连通图，k 边-连通图，$k=1,2$.

（f）是 $k-$连通图，k 边-连通图，$k=1,2$.

（g）是 $0-$连通图，0 边-连通图.

（h）是 $0-$连通图，0 边-连通图.

点连通程度为：（a）>（b）>（c）=（f）>（d）=（e）>（g）=（h）.

边连通程度为：（a）>（b）>（c）=（e）=（f）>（d）>（g）=（h）.

可以证明点连通度和边连通度有下列性质.

定理 14.7 对于任何无向图 G，有

$$\kappa(G) \leqslant \lambda(G) \leqslant \delta(G)$$

例 14.7 （1）给出 $\kappa=\lambda=\delta$ 的无向简单图.

（2）给出 $\kappa<\lambda<\delta$ 的无向简单图.

解 （1）n 阶无向完全图 K_n 和 n 阶零图 N_n 都满足 $\kappa=\lambda=\delta$.

（2）在两个 $K_n(n \geqslant 4)$ 之间放置一个顶点 v，并连接 v 与每一个 K_n 的两个顶点. 所得的简单图有一个割点，$\kappa=1$. 它没有桥，但有两条边组成的边割集，所以 $\lambda=2$. 当 $n=4$ 时，$\delta=3$；当 $n \geqslant 5$ 时，$\delta=4$. 图 14.11 给出了 $n=4$ 和 $n=5$ 的情况.

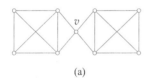

图 14.11

下面讨论有向图的连通性.

定义 14.19 设 $D=<V,E>$ 为一个有向图，$\forall v_i, v_j \in V$，若从 v_i 到 v_j 存在通路，则称 v_i 可达 v_j，记作 $v_i \rightarrow v_j$. 规定 v_i 总是可达自身的，即 $v_i \rightarrow v_i$. 若 $v_i \rightarrow v_j$ 且 $v_j \rightarrow v_i$，则称 v_i 与 v_j 是相互可达的，记作 $v_i \leftrightarrow v_j$. 规定 $v_i \leftrightarrow v_i$.

$\rightarrow$ 与 $\leftrightarrow$ 都是 V 上的二元关系，并且不难看出 $\leftrightarrow$ 是 V 上的等价关系.

定义 14.20 设有向图 $D=<V,E>$，$\forall v_i, v_j \in V$，若 $v_i \rightarrow v_j$，则称 v_i 到 v_j 长度最短的通路为 v_i 到 v_j 的**短程线**，短程线的长度为 v_i 到 v_j 的**距离**，记作 $d<v_i, v_j>$.

与无向图中顶点 v_i 与 v_j 之间的距离 $d(v_i, v_j)$ 相比，除无对称性外，$d<v_i, v_j>$ 具有 $d(v_i, v_j)$ 所具有的一切性质.

定义 14.21 若有向图 $D=<V,E>$ 的基图是连通图，则称 D 为**弱连通图**，简称为**连通图**. 若

$\forall v_i, v_j \in V, v_i \to v_j$ 与 $v_j \to v_i$ 至少成立其一,则称 D 为单向连通图.若 $\forall v_i, v_j \in V$,均有 $v_i \leftrightarrow v_j$,则称 D 为强连通图.

由定义可知,强连通图一定是单向连通图,单向连通图一定是弱连通图.在图 14.12 中,(a) 为强连通图,(b) 为单向连通图,(c) 是弱连通图.

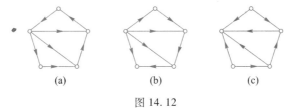

$$(a) \qquad\qquad (b) \qquad\qquad (c)$$

图 14.12

下面给出强连通图与单向连通图的判别定理.

定理 14.8　有向图 $D = \langle V, E \rangle$ 是强连通图当且仅当 D 中存在经过每个顶点至少一次的回路.

证　充分性显然.下面证明必要性.设 $V = \{v_1, v_2, \cdots, v_n\}$,由 D 的强连通性,$v_i \to v_{i+1}$,$i = 1$,$2, \cdots, n-1$.设 Γ_i 为 v_i 到 v_{i+1} 的通路,$i = 1, 2, \cdots, n-1$.又因为 $v_n \to v_1$,设 Γ_n 为 v_n 到 v_1 的通路.于是,依次连接 $\Gamma_1, \Gamma_2, \cdots, \Gamma_{n-1}, \Gamma_n$ 所得到的回路经过 D 中每个顶点至少一次.

定理 14.9　有向图 D 是单向连通图当且仅当 D 中存在经过每个顶点至少一次的通路.

证明略.

下面介绍一种在涉及路径和圈的构造性证明中常用的方法.设 $G = \langle V, E \rangle$ 为 n 阶无向图,Γ 为一条路径.若 Γ 的始点和终点都不与 Γ 外的顶点相邻,则称 Γ 为一条*极大路径*."极大"的意思是这条路径不能再向外延长了.任给一条路径,如果它的始点或终点与路径外的某个顶点相邻,就把它延伸到这个顶点.继续这一过程,直到最后不能向外延伸为止,最后总能得到一条极大路径.称如此构造一条极大路径的方法为*扩大路径法*.在有向图中可以同样定义极大路径的概念和用扩大路径法构造图中的一条极大路径.

例 14.8　设 G 为 $n(n \geq 4)$ 阶无向简单图,$\delta(G) \geq 3$,证明 G 中存在长度大于等于 4 的圈.

证　不妨设 G 是连通图,否则,因为 G 的各连通分支的最小度也都大于等于 3,因而可对它的某个连通分支进行讨论.设 u, v 为 G 中任意两个顶点,由于 G 是连通图,因而 u, v 之间存在通路.由定理 14.5 的推论可知,u, v 之间存在一条路径.用扩大路径法扩大这条路径,设最后得到的极大路径为 $\Gamma = v_0 v_1 \cdots v_l$.由于 $\delta(G) \geq 3$,必有 $l \geq 3$.若 v_0 与 v_l 相邻,则 $\Gamma \cup (v_0, v_l)$ 为长度大于等于 4 的圈.否则,由于 $d(v_0) \geq \delta(G) \geq 3$,因而 v_0 除与 Γ 上的 v_1 相邻外,还存在 Γ 上的顶点 v_k 和 $v_t(1 < k < t < l)$ 与 v_0 相邻.于是,$v_0 v_1 \cdots v_k \cdots v_t v_0$ 为一个圈且长度大于等于 4,如图 14.13 所示.

图 14.13

在本节的最后,给出二部图的概念.

定义 14.22　设无向图 $G = <V, E>$,若能将 V 划分成 V_1 和 V_2(即 $V_1 \cup V_2 = V, V_1 \cap V_2 = \varnothing$ 且 $V_1 \neq \varnothing, V_2 \neq \varnothing$),使得 G 中的每条边的两个端点都是一个属于 V_1,另一个属于 V_2,则称 G 为二部图(或二分图、偶图),称 V_1 和 V_2 为互补顶点子集,常将二部图 G 记作 $<V_1, V_2, E>$.又若 G 是简单二部图,V_1 中的每个顶点均与 V_2 中的所有顶点相邻,则称 G 为完全二部图,记为 $K_{r,s}$,其中 $r = |V_1|, s = |V_2|$.

注意,$n(n \geqslant 2)$ 阶零图为二部图.

图 14.14 所示的各图都是二部图,其中,(a),(b),(c)为 K_6 的子图,(c)为完全二部图 $K_{3,3}$. 常将 $K_{3,3}$ 画成与其同构的形式(e).(d)是 K_5 的子图,它是完全二部图 $K_{2,3}$,$K_{2,3}$ 常画成(f)的形式.

画二部图时,人们习惯于将互补顶点子集 V_1, V_2 分开画成两排,如图 14.14(e)和(f)所示的形式.请读者将图 14.14(a)和(b)也画成这种形式.

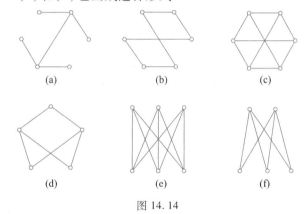

图 14.14

一个图是否为二部图,可以由下面的定理判别.

定理 14.10　$n(n \geqslant 2)$ 阶无向图 G 是二部图当且仅当 G 中无奇圈.

证　必要性. 若 G 中无圈,则结论显然成立. 若 G 中有圈,设 C 为 G 中的一个圈,要证 C 是偶圈. 令 $C = v_{i_1} v_{i_2} \cdots v_{i_l} v_{i_1}, l \geqslant 2$. 不妨设 $v_{i_1} \in V_1$,则 $v_{i_1}, v_{i_2}, \cdots, v_{i_l}$ 依次交替属于 V_1, V_2 且 $v_{i_l} \in V_2$,因而 l 为偶数,得证 C 为偶圈.

充分性. 不妨设 G 为连通图,否则可以对每个连通分支进行讨论,孤立点可以根据需要分属 V_1 和 V_2. 设 v_0 为 G 中的任意一个顶点,令

$$V_1 = \{v \mid v \in V(G) \wedge d(v_0, v) \text{ 为偶数}\}$$

$$V_2 = \{v \mid v \in V(G) \wedge d(v_0, v) \text{ 为奇数}\}$$

易知,$V_1 \neq \varnothing, V_2 \neq \varnothing, V_1 \cap V_2 = \varnothing, V_1 \cup V_2 = V(G)$. 下面只要证明 V_1 中任意两顶点不相邻,V_2 中任意两顶点也不相邻. 若存在 $v_i, v_j \in V_1$ 相邻,令 $e = (v_i, v_j)$,设 v_0 到 v_i, v_j 的短程线分别为 Γ_i, Γ_j,则它们的长度 $d(v_0, v_i), d(v_0, v_j)$ 都是偶数. 于是,由 Γ_i, Γ_j 和 e 构成一条长度为奇数的回路. 这

条回路可能是一条复杂回路,可以分解成若干由 Γ_i,Γ_j 共有的边构成的回路(实际上是每条边重复一次的路径)和由 Γ_i,Γ_j 不共有的边及 e 构成的圈. 由 Γ_i,Γ_j 共有的边构成的回路的长度为偶数,故在由 Γ_i,Γ_j 不共有的边(可以还包括 e)构成的圈中一定有奇圈,这与已知条件矛盾. 类似可证,V_2 中也不存在相邻的顶点,得证 G 为二部图.

14.4   图的矩阵表示

图可以用集合来定义,但多半用图形来表示,还可以用矩阵来表示. 用矩阵表示图便于用代数方法研究图的性质. 为了用矩阵表示图,必须指定顶点或边的顺序,使其成为标定图. 本节中讨论无向图和有向图的关联矩阵及有向图的邻接矩阵和可达矩阵.

定义 14.23   设无向图 $G=\langle V,E\rangle$,$V=\{v_1,v_2,\cdots,v_n\}$,$E=\{e_1,e_2,\cdots,e_m\}$,令 m_{ij} 为顶点 v_i 与边 e_j 的关联次数,则称 $(m_{ij})_{n\times m}$ 为 G 的**关联矩阵**,记作 $\boldsymbol{M}(G)$.

图 14.15 所示的无向图的关联矩阵为

$$\boldsymbol{M}(G)=\begin{pmatrix}2 & 1 & 1 & 1 & 0\\ 0 & 1 & 1 & 0 & 0\\ 0 & 0 & 0 & 1 & 1\\ 0 & 0 & 0 & 0 & 1\end{pmatrix}$$

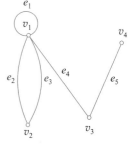

图 14.15

不难看出,关联矩阵 $\boldsymbol{M}(G)$ 有以下性质.

1. $\sum\limits_{i=1}^{n}m_{ij}=2\,(j=1,2,\cdots,m)$,即 $M(G)$ 每列元素之和均为 2,这是因为每条边恰好关联两个顶点(环所关联的两个顶点重合).

2. $\sum\limits_{j=1}^{m}m_{ij}=d(v_i)$,即 $M(G)$ 第 i 行元素之和为 v_i 的度数,$i=1,2,\cdots,n$.

3. $\sum\limits_{i=1}^{n}d(v_i)=\sum\limits_{i=1}^{n}\sum\limits_{j=1}^{m}m_{ij}=\sum\limits_{j=1}^{m}\sum\limits_{i=1}^{n}m_{ij}=\sum\limits_{j=1}^{m}2=2m$,这个结果正是握手定理的内容,即各顶点的度数之和等于边数的 2 倍.

4. 第 j 列与第 k 列相同当且仅当边 e_j 与 e_k 是平行边.

5. $\sum\limits_{j=1}^{m}m_{ij}=0$ 当且仅当 v_i 是孤立点.

定义 14.24   设有向图 $D=\langle V,E\rangle$ 中无环,$V=\{v_1,v_2,\cdots,v_n\}$,$E=\{e_1,e_2,\cdots,e_m\}$,令

$$m_{ij}=\begin{cases}1, & v_i \text{ 为 } e_j \text{ 的始点}\\ 0, & v_i \text{ 与 } e_j \text{ 不关联}\\ -1, & v_i \text{ 是 } e_j \text{ 的终点}\end{cases}$$

则称 $(m_{ij})_{n\times m}$ 为 D 的**关联矩阵**,记作 $\boldsymbol{M}(D)$.

图 14.16 所示的图 D 的关联矩阵为

$$
\boldsymbol{M}(D) = \begin{pmatrix}
-1 & 1 & 0 & 0 & 0 \\
1 & -1 & 1 & 0 & 0 \\
0 & 0 & 0 & 1 & 1 \\
0 & 0 & -1 & -1 & -1
\end{pmatrix}
$$

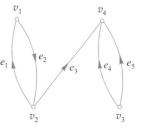

$M(D)$ 有下列各条性质.

1. 每一列恰好有一个 $+1$ 和一个 -1.

2. -1 的个数等于 $+1$ 的个数, 都等于边数 m, 这正是有向图握手定理的内容.

3. 第 i 行中, $+1$ 的个数等于 $d^+(v_i)$, -1 的个数等于 $d^-(v_i)$.

4. 平行边所对应的列相同.

图 14.16

定义 14.25　设有向图 $D = \langle V, E \rangle$, $V = \{v_1, v_2, \cdots, v_n\}$, 令 $a_{ij}^{(1)}$ 为顶点 v_i 邻接到顶点 v_j 的边的条数, 称 $(a_{ij}^{(1)})_{n \times n}$ 为 D 的**邻接矩阵**, 记作 $\boldsymbol{A}(D)$, 或简记为 $\boldsymbol{A}$.

图 14.17 所示的有向图 D 的邻接矩阵为

$$
\boldsymbol{A} = \begin{pmatrix}
0 & 2 & 1 & 0 \\
0 & 0 & 1 & 0 \\
0 & 0 & 0 & 1 \\
0 & 0 & 1 & 1
\end{pmatrix}
$$

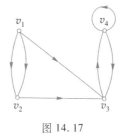

图 14.17

有向图的邻接矩阵有以下性质.

$$
\sum_{j=1}^{n} a_{ij}^{(1)} = d^+(v_i), i = 1, 2, \cdots, n; \quad \sum_{i=1}^{n} a_{ij}^{(1)} = d^-(v_j), j = 1, 2, \cdots, n
$$

于是, $\displaystyle\sum_{i=1}^{n}\sum_{j=1}^{n} a_{ij}^{(1)} = \sum_{i=1}^{n} d^+(v_i) = m$, $\displaystyle\sum_{j=1}^{n}\sum_{j=1}^{n} a_{ij}^{(1)} = \sum_{j=1}^{n} d^-(v_j) = m$, 即 $A(D)$ 中所有元素之和等于边数, 这也正是有向图的握手定理.

定理 14.11　设 $\boldsymbol{A}$ 为有向图 D 的邻接矩阵, D 的顶点集 $V = \{v_1, v_2, \cdots, v_n\}$, 则 $\boldsymbol{A}$ 的 l 次幂 $\boldsymbol{A}^l$ ($l \geq 1$) 中元素 $a_{ij}^{(l)}$ 为 D 中 v_i 到 v_j 长度为 l 的通路数, 其中 $a_{ii}^{(l)}$ 为 v_i 到自身长度为 l 的回路数, 而 $\displaystyle\sum_{i=1}^{n}\sum_{j=1}^{n} a_{ij}^{(l)}$ 为 D 中长度为 l 的通路(含回路)总数, 其中 $\displaystyle\sum_{i=1}^{n} a_{ii}^{(l)}$ 为 D 中长度为 l 的回路总数.

这里的通路和回路可以是复杂通路和复杂回路, 而且是在定义意义下计算通路数和回路数, 即只要两个顶点和边的标记序列不同就认为它们表示的通路和回路不同.

证　只需证明 $a_{ij}^{(l)}$ 等于 v_i 到 v_j 长度为 l 的通路数. 对 l 作归纳证明.

当 $l=1$ 时,根据邻接矩阵的定义, $a_{ij}^{(1)}$ 等于 v_i 到 v_j 的边数,即 v_i 到 v_j 长度为 1 的通路数,结论成立.

假设对 l 结论成立,即 $a_{ij}^{(l)}$ 等于 v_i 到 v_j 长度为 l 的通路数,要证对 $l+1$ 结论成立,即 $a_{ij}^{(l+1)}$ 等于 v_i 到 v_j 长度为 $l+1$ 的通路数.

因为 v_i 到 v_j 长度为 $l+1$ 的一条通路由 v_i 到某一点 v_k 长度为 l 的一条通路加 v_k 到 v_j 的一条边组成,根据归纳假设, v_i 到 v_k 长度为 l 的通路数等于 $a_{ik}^{(l)}$,所以 v_i 到 v_j 长度为 $l+1$ 的通路数等于

$$\sum_{k=1}^{n} a_{ik}^{(l)} \cdot a_{kj}^{(1)} = a_{ij}^{(l+1)}$$

得证对 $l+1$ 结论成立.

推论　设 $\boldsymbol{B}_l = \boldsymbol{A} + \boldsymbol{A}^2 + \cdots + \boldsymbol{A}^l (l \geq 1)$,则 $\boldsymbol{B}_l$ 中元素之和 $\sum_{i=1}^{n} \sum_{j=1}^{n} b_{ij}^{(l)}$ 为 D 中长度小于等于 l 的通路数,其中 $\sum_{i=1}^{n} b_{ii}^{(l)}$ 为 D 中长度小于等于 l 的回路数.

前面已经计算出图 14.17 所示的有向图 D 的邻接矩阵 $\boldsymbol{A}$,下面给出 $\boldsymbol{A}^2, \boldsymbol{A}^3, \boldsymbol{A}^4$.

$$\boldsymbol{A}^2 = \begin{pmatrix} 0 & 0 & 2 & 1 \\ 0 & 0 & 0 & 1 \\ 0 & 0 & 1 & 1 \\ 0 & 0 & 1 & 2 \end{pmatrix}, \boldsymbol{A}^3 = \begin{pmatrix} 0 & 0 & 1 & 3 \\ 0 & 0 & 1 & 1 \\ 0 & 0 & 1 & 2 \\ 0 & 0 & 2 & 3 \end{pmatrix}, \boldsymbol{A}^4 = \begin{pmatrix} 0 & 0 & 3 & 4 \\ 0 & 0 & 1 & 2 \\ 0 & 0 & 2 & 3 \\ 0 & 0 & 3 & 5 \end{pmatrix}$$

从 $\boldsymbol{A}^1 \sim \boldsymbol{A}^4$ 不难看出, D 中 v_2 到 v_4 长度为 1,2,3,4 的通路分别为 0,1,1,2 条. v_4 到自身长度为 1,2,3,4 的回路分别为 1,2,3,5 条,其中有复杂回路. D 中长度小于等于 4 的通路有 53 条,其中有 15 条回路.

定义 14.26　设 $D = \langle V, E \rangle$ 为有向图, $V = \{v_1, v_2, \cdots, v_n\}$,令

$$p_{ij} = \begin{cases} 1, & v_i \text{ 可达 } v_j \\ 0, & \text{否则} \end{cases}$$

称 $(p_{ij})_{n \times n}$ 为 D 的**可达矩阵**,记作 $\boldsymbol{P}(D)$,简记为 $\boldsymbol{P}$.

由于 $\forall v_i \in V, v_i \rightarrow v_i$,所以 $\boldsymbol{P}(D)$ 主对角线上的元素全为 1.

图 14.16,图 14.17 所示的有向图的可达矩阵分别为

$$\boldsymbol{P}_1 = \begin{pmatrix} 1 & 1 & 0 & 1 \\ 1 & 1 & 0 & 1 \\ 0 & 0 & 1 & 1 \\ 0 & 0 & 0 & 1 \end{pmatrix}, \boldsymbol{P}_2 = \begin{pmatrix} 1 & 1 & 1 & 1 \\ 0 & 1 & 1 & 1 \\ 0 & 0 & 1 & 1 \\ 0 & 0 & 1 & 1 \end{pmatrix}$$

由定理 14.5 和定理 14.11 的推论可知,只要计算出 $\boldsymbol{B}_{n-1}$,由 $\boldsymbol{B}_{n-1}$ 的元素 $b_{ij}^{(n-1)} (i, j = 1, 2, \cdots, n$ 且 $i \neq j)$ 是否为 0 就可以写出有向图 D 的可达矩阵.不过 p_{ii} 总为 1 $(i = 1, 2, \cdots, n)$,它与 $\boldsymbol{B}_{n-1}$ 无关.

对无向图可以同样定义邻接矩阵和可达矩阵,实际上只要把每一条无向边 (u, v) 看作一对

方向相反的有向边 $<u,v>$ 和 $<v,u>$ 即可. 定理 14.11 及推论对无向图同样成立. 与有向图的区别是, 无向图的邻接矩阵和可达矩阵都是对称的.

14.5　图 的 运 算

本节给出几种图的运算.

定义 14.27　设图 $G_1 = <V_1, E_1>$, $G_2 = <V_2, E_2>$, 若 $V_1 \cap V_2 = \varnothing$, 则称 G_1 与 G_2 是不交的. 若 $E_1 \cap E_2 = \varnothing$, 则称 G_1 与 G_2 是边不交的或边不重的.

由 14.27 定义可知, 不交的图必然是边不交的, 但反之不真.

定义 14.28　设 $G_1 = <V_1, E_1>$, $G_2 = <V_2, E_2>$ 为不含孤立点的两个图 (它们同为无向图或同为有向图).

(1) 称以 $V_1 \cup V_2$ 为顶点集, 以 $E_1 \cup E_2$ 为边集的图为 G_1 与 G_2 的并图, 记作 $G_1 \cup G_2$, 即 $G_1 \cup G_2 = <V_1 \cup V_2, E_1 \cup E_2>$.

(2) 称以 $E_1 - E_2$ 为边集, 以 $E_1 - E_2$ 中边关联的顶点组成的集合为顶点集的图为 G_1 与 G_2 的差图, 记作 $G_1 - G_2$.

(3) 称以 $E_1 \cap E_2$ 为边集, 以 $E_1 \cap E_2$ 中边关联的顶点组成的集合为顶点集的图为 G_1 与 G_2 的交图, 记作 $G_1 \cap G_2$.

(4) 称以 $E_1 \oplus E_2$ 为边集, 以 $E_1 \oplus E_2$ 中边关联的顶点组成的集合为顶点集的图为 G_1 与 G_2 的环和, 记作 $G_1 \oplus G_2$.

在定义 14.28 中应注意以下几点.

1. 若 $G_1 = G_2$, 则 $G_1 \cup G_2 = G_1 \cap G_2 = G_1(G_2)$, 而 $G_1 - G_2 = G_2 - G_1 = \varnothing$, 这就是在图的定义中给出空图概念的原因.

2. 当 G_1 与 G_2 边不重时, $G_1 \cap G_2 = \varnothing$, $G_1 - G_2 = G_1$, $G_2 - G_1 = G_2$, $G_1 \oplus G_2 = G_1 \cup G_2$.

3. 两个图的环和可以用并、交、差给出: $G_1 \oplus G_2 = (G_1 \cup G_2) - (G_1 \cap G_2)$.

习　题　14

1. 给定下列 4 个图 (前两个为无向图, 后两个为有向图) 的集合表示, 画出它们的图形表示.

$G_1 = <V_1, E_1>$, 其中 $V_1 = \{v_1, v_2, v_3, v_4, v_5\}$, $E_1 = \{(v_1, v_2), (v_2, v_3), (v_3, v_4), (v_3, v_3), (v_4, v_5)\}$

$G_2 = <V_2, E_2>$, 其中 $V_2 = V_1$, $E_2 = \{(v_1, v_2), (v_2, v_3), (v_3, v_4), (v_4, v_5), (v_5, v_1)\}$

$D_1 = <V_3, E_3>$, 其中 $V_3 = V_1$, $E_3 = \{<v_1, v_2>, <v_2, v_3>, <v_3, v_2>, <v_4, v_5>, <v_5, v_1>\}$

$D_2 = <V_4, E_4>$, 其中 $V_4 = V_1$, $E_4 = \{<v_1, v_2>, <v_2, v_5>, <v_5, v_2>, <v_3, v_4>, <v_4, v_3>\}$

2. 先将图 14.18 中各图的顶点标定顺序, 然后写出各图的集合表示.

3. 写出图 14.18 中各图的度数列, 对有向图还要写出出度列和入度列.

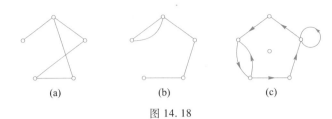

图 14.18

4. （1）写出图 14.19（a）中顶点 v_1 的邻域 $N(v_1)$ 与闭邻域 $\overline{N}(v_1)$.

（2）写出图 14.19（b）中顶点 u_1 的先驱元集 $\Gamma^-(u_1)$、后继元集 $\Gamma^+(u_1)$、邻域 $N(u_1)$ 及闭邻域 $\overline{N}(u_1)$.

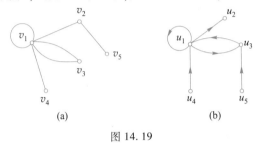

图 14.19

5. 设无向图 G 有 10 条边，3 度与 4 度顶点各 2 个，其余顶点的度数均小于 3，问：G 中至少有几个顶点？在最少顶点的情况下，写出 G 的度数列及 $\Delta(G)$, $\delta(G)$.

6. （1）设 n 阶图 G 中有 m 条边，证明：

$$\delta(G) \leqslant 2m/n \leqslant \Delta(G)$$

（2）n 阶非连通的简单图的边数最多可以为多少？最少呢？

7. 已知有向图 D 的度数列为 $(2,3,2,3)$，出度列为 $(1,2,1,1)$，求 D 的入度列及 $\Delta(D)$, $\delta(D)$, $\Delta^+(D)$, $\delta^+(D)$, $\Delta^-(D)$, $\delta^-(D)$.

8. 设无向图中有 6 条边，3 度与 5 度顶点各 1 个，其余的都是 2 度顶点，问：该图有几个顶点？

9. 画以 $(1,2,2,3)$ 为度数列的简单图和非简单图各一个.

10. 设 9 阶无向图 G 中，每个顶点的度数不是 5 就是 6，证明 G 中至少有 5 个 6 度顶点或至少有 6 个 5 度顶点.

11. 证明 3 维空间中不存在有奇数个面且每个面都有奇数条棱的多面体.

12. 设 G 是 $n(n \geqslant 2)$ 阶无向简单图，$\overline{G}$ 为它的补图，已知 $\Delta(G) = k_1$, $\delta(G) = k_2$，求 $\Delta(\overline{G})$ 和 $\delta(\overline{G})$.

13. 最大度 Δ 等于最小度 δ 且都等于 2 的 6 阶无向图有几种非同构的情况？其中有几种是简单图？

14. 下面给出的两个正整数列中哪个是可图化的？对于可图化的数列，试给出 3 种非同构的无向图，其中至少有 2 种是简单图.

（1）$(2,2,3,3,4,4,5)$

（2）$(2,2,2,2,3,3,4,4)$

15. 下列各数列中哪些是可简单图化的？对于可简单图化的数列试给出两个非同构的简单图.

（1）$(2,3,3,5,5,6,6)$

（2）$(1,1,2,2,3,3,5,5)$

（3）$(2,2,2,2,3,3)$

16. 画出无向完全图 K_4 的所有非同构的子图,指出哪些是生成子图,哪些是自补图.

17. 画出 3 阶有向完全图的所有非同构的子图,指出哪些是生成子图,并指出哪些是 3 阶竞赛图.

18. 现有 3 个 4 阶 4 条边的无向简单图 G_1, G_2, G_3,证明它们中至少有两个是同构的.

19. 设 G 是 n 阶自补图,证明 $n = 4k$ 或 $n = 4k+1$,其中 k 为正整数.

20. 已知 n 阶无向简单图 G 有 m 条边,试求 G 的补图 $\bar{G}$ 的边数 m'.

21. 无向图 G 如图 14.20 所示.

(1) 求 G 的全部点割集和边割集,并指出其中的割点和桥(割边).

(2) 求 G 的点连通度 $\kappa(G)$ 和边连通度 $\lambda(G)$.

22. 无向图 G 如图 14.21 所示,先将该图顶点和边标定,然后求图中的全部割点和桥,以及该图的点连通度和边连通度.

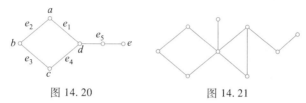

图 14.20　　　　　图 14.21

23. 求图 14.22 所示的图 G 的 $\kappa(G), \lambda(G), \delta(G)$.

图 14.22

24. 设 G_1 与 G_2 均为无向简单图.$\bar{G}_1$ 与 $\bar{G}_2$ 分别为 G_1 与 G_2 的补图.证明: $G_1 \cong G_2$ 当且仅当 $\bar{G}_1 \cong \bar{G}_2$.

25. 画出 5 阶 3 条边的所有非同构的无向简单图.

26. 画出 5 阶 7 条边的所有非同构的无向简单图.

27. 6 阶 2-正则图有几种非同构的情况?

28. 设 n 阶无向简单图为 3-正则图,且边数 m 与 n 满足

$$2n - 3 = m$$

问:这样的无向图有几种非同构的情况?

29. 设 G 是 n 阶 $n+1$ 条边的无向图,证明: G 中存在顶点 v,使得 $d(v) \geq 3$.

30. 设 $e = (u, v)$ 为无向图 G 中的一条边,证明: e 为桥当且仅当 e 不在任何圈中.

31. 设 G 与它的补图 $\bar{G}$ 的边数分别为 m_1 和 m_2,试确定 G 的阶数 n.

32. 试求彼得松图的点连通度 κ 和边连通度 λ.

33. 设 $e = (u, v)$ 为无向图 G 中的桥,证明: u 是割点当且仅当 u 不是悬挂顶点.

34. 证明: $n(n \geq 2)$ 阶简单连通图 G 中至少有两个顶点不是割点.

35. 设 G 是 n 阶无向简单图,$n \geqslant 3$ 且为奇数,证明:G 与 $\bar{G}$ 中奇度顶点的个数相等.

36. 无向完全图 $K_n(n \geqslant 4)$ 中有几种非同构的偶圈?其长度分别为多少?

37. $n(n \geqslant 2)$ 阶有向完全图中有几种非同构的圈,其长度分别为多少?

38. $n(n \geqslant 3)$ 阶竞赛图中至多有几种非同构的圈?

39. 若无向图 G 中恰有两个奇度顶点,证明这两个奇度顶点必然连通.

40. (1) 设 u,v 为无向完全图 K_n 中的任意两个不同的顶点,问:$d(u,v)$ 等于多少?

(2) 设 u,v 为 n 阶有向完全图中的任意两个不同的顶点,问:$d<u,v>$ 等于多少?

(3) n 阶竞赛图中的任意两个不同的顶点之间的距离也为常数吗?为什么?

41. 设 G 是无向简单图,$\delta(G) \geqslant 2$,证明:G 中存在长度大于等于 $\delta(G)+1$ 的圈.

42. 设 $D=<V,E>$ 是有向简单图,$\delta(D) \geqslant 2,\delta^-(D)>0,\delta^+(D)>0$,证明:$D$ 中存在长度大于等于 $\max\{\delta^-(D),\delta^+(D)\}+1$ 的圈.

43. 有向图 D 如图 14.23 所示.

(1) D 中有多少种非同构的圈?有多少种非同构的简单回路?

(2) 求 a 到 d 的短程线和距离 $d<a,d>$.

(3) 求 d 到 a 的短程线和距离 $d<d,a>$.

(4) 判断 D 是哪类连通图.

(5) 对 D 的基图求解 (1),(2),(3).

44. 有向图 D 如图 14.24 所示.

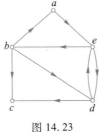
图 14.23

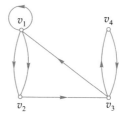
图 14.24

(1) D 中 v_1 到 v_4 长度为 1,2,3,4 的通路各为几条?

(2) D 中 v_1 到 v_1 长度为 1,2,3,4 的回路各为几条?

(3) D 中长度为 4 的通路有多少条?其中长度为 4 的回路为多少条?

(4) D 中长度小于等于 4 的通路为多少条?其中有多少条为回路?

(5) 写出 D 的可达矩阵.

45. 有向图 D 如图 14.25 所示.求:

(1) v_2 到 v_5 长度为 1,2,3,4 的通路数.

(2) v_5 到 v_5 长度为 1,2,3,4 的回路数.

(3) D 中长度为 4 的通路数(含回路).

(4) D 中长度小于等于 4 的回路数.

(5) 写出 D 的可达矩阵.

图 14.25

46. 设有向图 $D=<V,E>$,其中 $V=\{v_1,v_2,v_3,v_4\}$,其邻接矩阵为

$$A = \begin{pmatrix} 0 & 2 & 1 & 0 \\ 0 & 0 & 1 & 0 \\ 0 & 0 & 0 & 1 \\ 0 & 0 & 1 & 1 \end{pmatrix}$$

试求 D 中各顶点的入度与出度.

47. 设无向图 $G = <V, E>$,其中 $V = \{v_1, v_2, v_3, v_4\}$,$E = \{e_1, e_2, e_3, e_4, e_5\}$,其关联矩阵为

$$M(G) = \begin{pmatrix} 2 & 1 & 1 & 1 & 0 \\ 0 & 1 & 1 & 0 & 0 \\ 0 & 0 & 0 & 1 & 1 \\ 0 & 0 & 0 & 0 & 1 \end{pmatrix}$$

试在同构意义下画出 G 的图形.

48. 写出习题 47 无向图 G 的邻接矩阵和可达矩阵,并求:

(1) v_1 到 v_4 长度为 $1,2,3,4$ 的通路数.

(2) v_1 到 v_1 长度为 $1,2,3,4$ 的回路数.

49. 设 $2 \leqslant r \leqslant s$,完全二部图 $K_{r,s}$ 中,

(1) 含多少种非同构的圈?

(2) 至多有多少个顶点彼此不相邻?

(3) 至多有多少条边彼此不相邻?

(4) 点连通度 κ 为几? 边连通度 λ 为几?

50. 设 G 是 n 阶 m 条边的无向连通图,证明 $m \geqslant n-1$.

51. 设 G 是 6 阶无向简单图,证明:G 或它的补图 $\overline{G}$ 中存在 3 个顶点彼此相邻.

52. 有 3 个油瓶,分别是 1 斤装,7 两装和 3 两装,1 斤装油瓶内装满了油,另两个油瓶是空瓶,如何用这 3 个油瓶把这 1 斤油分成 2 个 5 两? 至少要倒多少次?

第 15 章
欧拉图与哈密顿图

15.1 欧 拉 图

定义 15.1 通过图(无向图或有向图)中所有边一次且仅一次行遍所有顶点的通路称作欧拉通路.通过图中所有边一次且仅一次行遍所有顶点的回路称作欧拉回路.具有欧拉回路的图称作欧拉图.具有欧拉通路而无欧拉回路的图称作半欧拉图.

规定平凡图是欧拉图.

在图 15.1 所示各图中,$e_1e_2e_3e_4e_5$ 为(a)中的一条欧拉回路,(a)为欧拉图.$e_1e_2e_3e_4e_5$ 为(b)中的一条欧拉通路,但图中不存在欧拉回路,(b)为半欧拉图.(c)中既没有欧拉回路,也没有欧拉通路,(c)不是欧拉图,也不是半欧拉图.$e_1e_2e_3e_4$ 为(d)中的欧拉回路,(d)为欧拉图.(e)、(f)中都既没有欧拉回路,又没有欧拉通路.

定理 15.1 无向图 G 是欧拉图当且仅当 G 是连通图且没有奇度顶点.

证 若 G 为平凡图,结论显然成立.下面设 G 为非平凡图,设 G 是 m 条边的 n 阶无向图,其顶点集 $V=\{v_1,v_2,\cdots,v_n\}$.

必要性.因为 G 为欧拉图,所以 G 中存在欧拉回路,设 C 为 G 中任意一条欧拉回路.$\forall v_i,v_j\in V,v_i,v_j$ 都在 C 上,因而 v_i,v_j 连通,所以 G 为连通图.又 $\forall v_i\in V,v_i$ 在 C 上每出现一次获得 2 度,若出现 k 次就获得 $2k$ 度,即 $d(v_i)=2k$,所以 G 中无奇度顶点.

充分性.由于 G 为非平凡的连通图,边数 $m\geq 1$.对 m 作归纳证明.

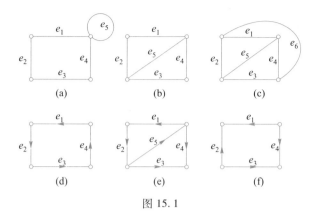

图 15.1

当 $m=1$ 时, 由 G 的连通性及无奇度顶点可知, G 只能是一个环, 因而 G 为欧拉图.

设 $m \leqslant k (k \geqslant 1)$ 时结论成立, 要证明当 $m = k+1$ 时, 结论也成立. 由 G 的连通性及无奇度顶点, $\delta(G) \geqslant 2$. 可以证明 G 中必含圈, 设 C 为 G 中一个圈. 删除 C 上的全部边, 得 G 的生成子图 G'. 设 G' 有 s 个连通分支 $G'_1, G'_2, \cdots, G'_s$, 每个连通分支至多有 k 条边, 且无奇度顶点. 设 G'_i 与 C 的公共顶点为 $v^*_{j_i}$, $i = 1, 2, \cdots, s$. 由归纳假设可知, $G'_1, G'_2, \cdots, G'_s$ 都是欧拉图, 因而都存在欧拉回路. 设 C_i 是 G'_i 中一条欧拉回路, $i = 1, 2, \cdots, s$. 从某个顶点 v_r 开始沿 C 行走, 每遇到 $v^*_{j_i}$, 就行遍 C_i, 回到 $v^*_{j_i}$ 再继续沿 C 行走, 最后回到 v_r, 得到一条回路 $v_r \cdots v^*_{j_1} \cdots v^*_{j_1} \cdots v^*_{j_2} \cdots v^*_{j_2} \cdots v^*_{j_s} \cdots v^*_{j_s} \cdots v_r$, 此回路经过 G 中每条边一次且仅一次并行遍 G 中所有顶点, 它是 G 中的一条欧拉回路 (见示意图 15.2), 得证 G 为欧拉图.

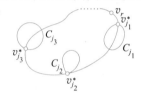

图 15.2

由定理 15.1, 图 15.1 中的 3 个无向图中, 只有 (a) 中无奇度顶点, 因而 (a) 是欧拉图, 而 (b), (c) 都有奇度顶点, 因而它们都不是欧拉图.

18 世纪中叶在欧洲普鲁士的哥尼斯堡城内有一条贯穿全市的普雷格尔河, 河中有两个小岛, 由七座桥相连接 (如图 15.3(a) 所示). 当时该城市中的人们热衷于一个难题: 一个人怎样不重复地走完七座桥, 最后回到出发地点? 这就是所谓的哥尼斯堡七桥问题. 很长时间没有人能解决这个难题. 1736 年, 瑞士数学家欧拉 (Euler) 发表论文, 他用 4 个点分别表示两个小岛和两岸, 用连接两点的线段表示桥, 如图 15.3(b) 所示. 于是, 用现在的语言, 哥尼斯堡七桥问题就是要求在这个图中走一条欧拉回路. 欧拉在这篇论文中证明了定理 15.1. 由于 4 个顶点都是奇度顶点, 故该问题无解. 这篇论文现在被公认为是第一篇关于图论的论文. 这也正是欧拉回路和欧拉图这个名字的来源.

定理 15.2　无向图 G 是半欧拉图当且仅当 G 是连通的且恰有两个奇度顶点.

证　必要性. 设 G 是 m 条边的 n 阶无向图, 因为 G 为半欧拉图, 因而 G 中存在欧拉通路 (但不存在欧拉回路). 设 $\Gamma = v_{i_0} e_{j_1} v_{i_1} \cdots v_{i_{m-1}} e_{j_m} v_{i_m}$ 为 G 中一条欧拉通路, $v_{i_0} \neq v_{i_m}$. G 的连通性是显然的. $\forall v \in V(G)$, 若 v 不是 Γ 的端点, 设它在 Γ 中出现 $k (k \geqslant 1)$ 次, 每次获得 2 度, 故 $d(v) = 2k$; 若 v 是

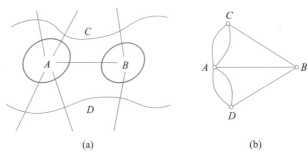

图 15.3

Γ 的端点,由于 2 个端点是不同的且不相邻,v 作为端点只能出现一次,获得 1 度,它还可能作为非端点出现若干次,每次获得 2 度,故 $d(v)$ 为奇数.

充分性. 设 G 的两个奇度顶点分别为 u_0 和 v_0,对 G 加新边 (u_0, v_0),得 $G' = G \cup (u_0, v_0)$,则 G' 连通且无奇度顶点. 由定理 15.1,G' 为欧拉图,因而存在欧拉回路 C',而 $C = C' - (u_0, v_0)$ 为 G 中一条欧拉通路,得证 G 为半欧拉图.

由定理 15.2,图 15.1 中(b)是半欧拉图,但(c)不是半欧拉图.

关于有向图,可类似证明下述定理.

定理 15.3   有向图 D 是欧拉图当且仅当 D 是强连通的且每个顶点的入度等于出度.

定理 15.4   有向图 D 是半欧拉图当且仅当 D 是单向连通的且恰有两个奇度顶点,其中一个顶点的入度比出度大 1,另一个顶点的出度比入度大 1,而其余顶点的入度等于出度.

由定理 15.3 和 15.4,图 15.1 中所示的 3 个有向图中只有(d)是欧拉图,没有半欧拉图.

由定理 15.1,图 15.4(a)为欧拉图,该图既可以看成圈 $v_1 v_2 v_8 v_1$,$v_2 v_3 v_4 v_2$,$v_4 v_5 v_6 v_4$,$v_6 v_7 v_8 v_6$ 之并(为清晰起见,将 4 个圈画在(b)中),也可看成圈 $v_1 v_2 v_3 v_4 v_5 v_6 v_7 v_8 v_1$ 与圈 $v_2 v_4 v_6 v_8 v_2$ 之并(两个圈画在(c)中). 将(a)分解成若干个边不重的圈的并不是(a)所特有的性质,任何欧拉图都有这个性质.

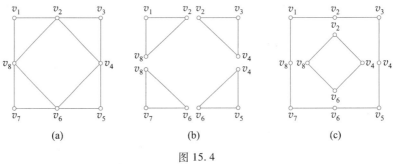

图 15.4

定理 15.5 G 是非平凡的欧拉图当且仅当 G 是连通的且是若干个边不重的圈的并.

本定理可以用归纳法证明.

例 15.1   设 G 是非平凡的欧拉图,证明:$\lambda(G) \geqslant 2$.

证　只需证明 G 不是 1 边-连通图,即证明 G 的任意一条边 e 都不是桥.设 C 是一条欧拉回路,e 在 C 上,因而 $p(G-e)=p(G)$,故 e 不是桥.

定理 15.1 充分性证明是构造性证明,它提供了一种求欧拉回路的算法——*逐步插入回路法*.下面介绍另一种更简单的求欧拉回路的算法——Fleury 算法,它的基本思想是能不走桥就不走桥.

Fleury 算法

输入:欧拉图 G.

1. 任取 $v_0 \in V(G)$,令 $P_0 = v_0, i = 0$.

2. 设 $P_i = v_0 e_1 v_1 e_2 \cdots e_i v_i$,

    如果 $E(G)-\{e_1,e_2,\cdots,e_i\}$ 中没有与 v_i 关联的边,则计算停止;否则按下述条件从 $E(G)-\{e_1,e_2,\cdots,e_i\}$ 中任取一条边 e_{i+1}:

    (a) e_{i+1} 与 v_i 相关联;

    (b) 除非无别的边可供选择,否则 e_{i+1} 不应该为 $G_i = G-\{e_1,e_2,\cdots,e_i\}$ 中的桥.

    设 $e_{i+1}=(v_i,v_{i+1})$,把 $e_{i+1}v_{i+1}$ 加入 P_i 得到 P_{i+1}.

3. 令 $i=i+1$,返回 2.

可以证明,若 G 是欧拉图,当算法停止时所得的简单回路 $P_m=v_0 e_1 v_1 e_2 \cdots e_m v_m (v_m = v_0)$ 为 G 中的一条欧拉回路.

例 15.2　图 15.5(a) 是一个欧拉图.某人用 Fleury 算法求这个图中的欧拉回路时,走了简单回路 $v_2 e_2 v_3 e_3 v_4 e_{14} v_9 e_{10} v_2 e_1 v_1 e_8 v_8 e_9 v_2$ 之后,无法进行下去,试分析他在哪步犯了错误?

解　记这个图为 G.当他走到 v_8 时,$G-\{e_2,e_3,e_{14},e_{10},e_1,e_8\}$ 为图 15.5(b) 所示.此时 e_9 为该图中的桥,而 e_7,e_{11} 均不是桥.他不应该走 e_9,应该走 e_7 或 e_{11}.而他选择了 e_9,这一步违反了算法中 2 的条件(b),即能不走桥就不走桥的规定.正确的走法是 $v_2 e_2 v_3 e_3 v_4 e_{14} v_9 e_{10} v_2 e_1 v_1 e_8 v_8 e_{11} v_9 e_{12} v_6 e_{13} v_4 e_4 v_5 e_5 v_6 e_6 v_7 e_7 v_8 e_9 v_2$.注意,在 v_3 处选择 e_3,在 v_1 处选择 e_8 等,当时 e_3, e_8 都是桥,但当时除这些桥外无别的边可走.按照算法,只有在这种情况下才可以选择桥.同样的道理,当第一次走到 v_6 时必须选择 e_{13} 或 e_5,而不能选择 e_6.

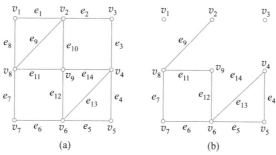

图 15.5

Fleury 算法给出在欧拉图中"一笔画出"欧拉回路的方法. 所谓一个图能一笔画出,是指从图的某一点出发,不间断地画完整个图,最后回到起点."一笔画"问题就是问一个图是否能一笔画出和如何一笔画出. 定理 15.1 和 Fleury 算法回答了这个问题.

15.2　哈 密 顿 图

定义 15.2　经过图(有向图或无向图)中所有顶点一次且仅一次的通路称作哈密顿通路. 经过图中所有顶点一次且仅一次的回路称作哈密顿回路. 具有哈密顿回路的图称作哈密顿图,具有哈密顿通路但不具有哈密顿回路的图称作半哈密顿图.

规定:平凡图是哈密顿图.

图 15.1 中所示的 3 个无向图都有哈密顿回路,都是哈密顿图. 在图 15.1 所示的有向图中,(d)有哈密顿回路,是哈密顿图.(e)只有哈密顿通路,但无哈密顿回路,是半哈密顿图,而(f)中既无哈密顿回路,也没有哈密顿通路,因而不是哈密顿图,也不是半哈密顿图.

与判断一个图是否为欧拉图不一样,到目前为止,人们还没有找到哈密顿图便于判断的充分必要条件. 下面给出的定理都是哈密顿图和半哈密顿图的必要条件或充分条件.

定理 15.6　设无向图 $G = <V,E>$ 是哈密顿图,则对于任意 $V_1 \subset V$ 且 $V_1 \neq \varnothing$,均有

$$p(G-V_1) \leq |V_1|$$

证　设 C 为 G 中的任意一条哈密顿回路. 易知,当 V_1 中的顶点在 C 上均不相邻时,$p(C-V_1)$ 达到最大值 $|V_1|$,而当 V_1 中的顶点在 C 上有彼此相邻的情况时,均有 $p(C-V_1) < |V_1|$,所以有 $p(C-V_1) \leq |V_1|$. 而 C 是 G 的生成子图,所以有 $p(G-V_1) \leq p(C-V_1) \leq |V_1|$.

本定理给出哈密顿图的必要条件,但不是充分条件. 可以验证彼得松图(图 14.3(a))满足定理中的条件,但它不是哈密顿图.

推论　设无向图 $G = <V,E>$ 是半哈密顿图,则对于任意的 $V_1 \subset V$ 且 $V_1 \neq \varnothing$,均有

$$p(G-V_1) \leq |V_1|+1$$

证　设 P 是 G 中起于 u 终于 v 的哈密顿通路,令 G' 为在 u,v 之间加新边 e 所得到的图,易知 G' 为哈密顿图. 由定理 15.6 可知,$p(G'-V_1) \leq |V_1|$. 而 $p(G-V_1) = p(G'-V_1-e) \leq p(G'-V_1)+1 \leq |V_1|+1$.

例 15.3　图 15.6 所示的 3 个图都是二部图,它们中的哪些是哈密顿图? 哪些是半哈密顿图? 为什么?

解　在图 15.6(a)中,互补顶点子集 $V_1 = \{a,f\}$,$V_2 = \{b,c,d,e\}$. 设此二部图为 $G_1 = <V_1,V_2,E>$. $p(G-V_1) = |V_2| = 4 > |V_1| = 2$. 由定理 15.6 及其推论可知,$G_1$ 不是哈密顿图,也不是半哈密顿图.

设图 15.6(b)为 $G_2 = <V_1,V_2,E>$,其中 $V_1 = \{a,g,h,i,c\}$,$V_2 = \{b,e,f,j,k,d\}$. $p(G_2-V_1) = |V_2| = 6 > |V_1| = 5$. 由定理 15.6 可知,$G_2$ 不是哈密顿图. 而 $baegjckhfid$ 是一条哈密顿通路,故 G_2

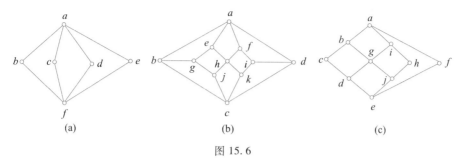

图 15.6

是半哈密顿图.

在图 15.6(c)中,$abcdgihjefa$ 是一条哈密顿回路,所以它是哈密顿图.设这个图为 $G_3 = <V_1, V_2,$ $E>$,其中 $V_1 = \{a, c, g, h, e\}$,$V_2 = \{b, i, f, d, j\}$.此处有 $|V_1| = |V_2|$.

一般情况下,设二部图 $G = <V_1, V_2, E>$,$|V_1| \leqslant |V_2|$,且 $|V_1| \geqslant 2$,$|V_2| \geqslant 2$.由定理 15.6 及其推论可以得出以下结论.

(1) 若 G 是哈密顿图,则 $|V_1| = |V_2|$.

(2) 若 G 是半哈密顿图,则 $|V_2| = |V_1| + 1$.

(3) 若 $|V_2| \geqslant |V_1| + 2$,则 G 不是哈密顿图,也不是半哈密顿图.

下面给出哈密顿图和半哈密顿图的几个充分条件.

定理 15.7　设 G 是 n 阶无向简单图,若对于 G 中任意不相邻的顶点 u, v,均有

$$d(u) + d(v) \geqslant n - 1 \tag{15.1}$$

则 G 中存在哈密顿通路.

证　首先证明 G 是连通图.假设 G 不是连通的,则 G 至少有两个连通分支,设 G_1, G_2 是阶数分别为 n_1, n_2 的两个连通分支.设 $u \in V(G_1)$,$v \in V(G_2)$.因为 G 是简单图,所以

$$d_G(u) + d_G(v) = d_{G_1}(u) + d_{G_2}(v) \leqslant n_1 - 1 + n_2 - 1 \leqslant n - 2$$

这与(15.1)矛盾,所以 G 必为连通图.

下面证 G 中存在哈密顿通路.设 $\Gamma = v_1 v_2 \cdots v_l$ 为 G 中的一条极大路径,即 Γ 的始点 v_1 与终点 v_l 不与 Γ 外的顶点相邻,$l \leqslant n$.

(1) 若 $l = n$,则 Γ 为 G 中的哈密顿通路,定理成立.

(2) 若 $l < n$,则 G 中存在 Γ 外的顶点.要证明 G 中存在过 Γ 上所有顶点的圈.

(a) 若 v_1 与 v_l 相邻,即 $(v_1, v_l) \in E(G)$,则 $\Gamma \cup (v_1, v_l)$ 为满足要求的圈.

(b) 若 v_1 与 v_l 不相邻,设 v_1 与 Γ 上的 $v_{i_1} = v_2, v_{i_2}, \cdots, v_{i_k}$ 相邻$(k \geqslant 2$,否则 $d(v_1) + d(v_l) \leqslant 1 + l - 2 = l - 1 < n - 1$,与(15.1)矛盾).$v_l$ 至少与 $v_{i_2}, v_{i_3}, \cdots, v_{i_k}$ 相邻的顶点 $v_{i_2-1}, v_{i_3-1}, \cdots, v_{i_k-1}$ 之一相邻(否则,$d(v_1) + d(v_l) \leqslant k + l - 2 - (k - 1) = l - 1 < n - 1$,与(15.1)矛盾).设 v_l 与 v_{i_r-1} 相邻$(2 \leqslant r \leqslant k)$,如图 15.7(a)所示.于是,回路 $C = v_1 v_2 \cdots v_{i_r-1} v_l v_{l-1} \cdots v_{i_r} v_1$ 过 Γ 上的所有顶点.

(c) 下面证明存在比 Γ 更长的路径.因为 $l < n$,所以 C 外还有顶点,由 G 的连通性可知,存在 $v_{l+1} \in V(G) - V(C)$ 与 C 上的某顶点 v_t 相邻,当 $t < i_r - 1$ 时,如图 15.7(b)所示.删除边 (v_{t-1}, v_t) 得路

径 $\Gamma' = v_{t-1}\cdots v_1 v_{i_r}\cdots v_l v_{i_r-1}\cdots v_t v_{l+1}$ 比 Γ 的长度大 1. 当 $t>i_r-1$ 和 $t=i_r$ 时,可以类似地构造出比 Γ 的长度大 1 的路径 Γ'. 重复(a)~(c),在有限步内一定得到 G 的一条哈密顿通路.

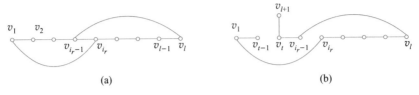

图 15.7

推论　设 G 为 $n(n \geqslant 3)$ 阶无向简单图,若对于 G 中任意两个不相邻的顶点 u,v 均有

$$d(u)+d(v) \geqslant n \tag{15.2}$$

则 G 中存在哈密顿回路.

　　证　由定理 15.7 可知,G 中存在哈密顿通路,设 $\Gamma = v_1 v_2 \cdots v_n$ 为 G 中的一条哈密顿通路,若 v_1 与 v_n 相邻,设边 $e=(v_1,v_n)$,则 $\Gamma \cup e$ 为 G 中的哈密顿回路.若 v_1 与 v_n 不相邻,应用(15.2),同定理 15.7 证明中的(2)类似,可以证明存在过 Γ 上各顶点的圈,此圈即为 G 中的哈密顿回路.

　　定理 15.8　设 u,v 为 n 阶无向简单图 G 中两个不相邻的顶点,且 $d(u)+d(v) \geqslant n$,则 G 为哈密顿图当且仅当 $G \cup (u,v)$ 为哈密顿图((u,v) 是加的新边).

　　本定理的证明留作习题.

　　例 15.4　在某次国际会议的预备会中,共有 8 人参加,他们来自不同的国家.已知他们中任何两个不会说同一种语言的人,与其余会说同一种语言的人数之和大于等于 8,试证明能将这 8 个人排在圆桌旁,使其任何人都能与两边的人交谈.

　　解　设 8 个人分别为 $v_1,v_2,\cdots,v_8$,作无向简单图 $G=\langle V,E \rangle$,其中 $V=\{v_1,v_2,\cdots,v_8\}$,$E=\{(v_i,v_j)|v_i$ 与 v_j 会说同一种语言,$1 \leqslant i<j \leqslant 8\}$. G 为 8 阶无向简单图,$d(v_i)$ 为与 v_i 会说同一种语言的人数.由已知条件,$\forall v_i, v_j \in V$ 且 $(v_i,v_j) \notin E$,均有 $d(v_i)+d(v_j) \geqslant 8$. 由定理 15.7 的推论可知,$G$ 中存在哈密顿回路,设 $C=v_{i_1} v_{i_2} \cdots v_{i_8} v_{i_1}$ 为 G 中的一条哈密顿回路,按照这条回路的顺序安排座次即可.

　　定理 15.9　$n(n \geqslant 2)$ 阶竞赛图中都有哈密顿通路.

　　证　设 D 为 $n(n \geqslant 2)$ 阶竞赛图,对 n 作归纳证明.

　　当 $n=2$ 时,D 的基图为 K_2,结论成立.

　　设 $n=k(k \geqslant 2)$ 时结论成立.现在设 $n=k+1$. 设 $V(D)=\{v_1,v_2,\cdots,v_k,v_{k+1}\}$. 令 $D_1=D-v_{k+1}$,易知 D_1 为 k 阶竞赛图.由归纳假设,D_1 存在哈密顿通路 $\Gamma_1 = v_1' v_2' \cdots v_k'$. 下面证明 v_{k+1} 可以扩到 Γ_1 中去.若存在 $v_r'(1 \leqslant r \leqslant k)$ 使得 $\langle v_i', v_{k+1} \rangle \in E(D)$,$i=1,2,\cdots,r-1$,且 $\langle v_{k+1}, v_r' \rangle \in E(D)$,如图 15.8(a)所示,则 $\Gamma = v_1' v_2' \cdots v_{r-1}' v_{k+1} v_r' \cdots v_k'$ 为 D 中的哈密顿通路.否则 $\forall i \in \{1,2,\cdots,k\}$,均有 $\langle v_i', v_{k+1} \rangle \in E(D)$,如图 15.8(b)所示,则 $\Gamma = v_1' v_2' \cdots v_k' v_{k+1}$ 为 D 中哈密顿通路.

　　例 15.5　图 15.9 所示的 3 个图中哪些是哈密顿图?哪些是半哈密顿图?

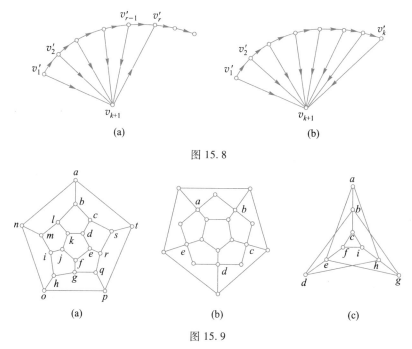

图 15.8

图 15.9

解　在图 15.9(a)中,按照字母顺序经过各顶点走出一条哈密顿回路 $abc\cdots rsta$,所以它为哈密顿图.在图 15.9(b)中,取 $V_1=\{a,b,c,d,e\}$,从图中删除 V_1,得 7 个连通分支,由定理 15.6 及推论可知,它不是哈密顿图,也不是半哈密顿图.在图 15.9(c)中取 $V_1=\{b,e,h\}$,从图中删除 V_1 得 4 个连通分支,由定理 15.6 可知,它不是哈密顿图.但图 15.9(c)中 $abcifedhg$ 为哈密顿通路,所以它是半哈密顿图.

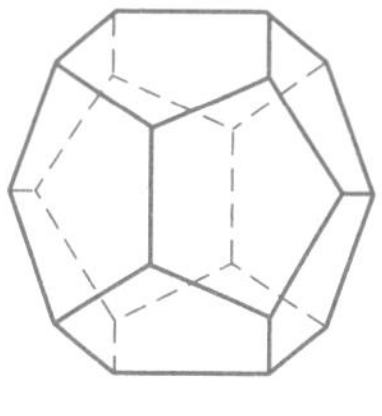

1859 年爱尔兰数学家威廉·哈密顿(William Hamilton)设计出一个在正十二面体(如图 15.10 所示)上的游戏——周游世界问题.他将 20 个顶点看作 20 个城市,每一条棱看作一条公路,要求从一个城市出发,沿着公路经过每一个城市一次且仅一次,最后回到出发的城市.可以把正十二面体的一个面撕开,平摊到平面上,如图 15.9(a)所示.问题变成要在图 15.9(a)中找一条经过每一个顶点恰好一次的回路.这就是哈密顿回路的来源.例 15.5 中给出这个游戏的一个答案,实际上它还有好几种其他的走法.

图 15.10

15.3　最短路问题、中国邮递员问题与货郎担问题

定义 15.3　设图 $G=<V,E>$(无向图或有向图),给定 $W:E\to\mathbf{R}$,对 G 的每一条边 e,称 $W(e)$ 为边 e 的**权**.把这样的图称作**带权图**,记作 $G=<V,E,W>$.当 $e=(u,v)$($<u,v>$)时,把 $W(e)$ 记作 $W(u,v)$.

设 P 是 G 中的一条通路,P 中所有边的权之和称作 P 的 长度,记作 $W(P)$,即 $W(P)$ $= \sum\limits_{e \in E(P)} W(e)$. 类似地,可以定义回路 C 的长度 $W(C)$.

本节考虑带权图上的 3 个问题——最短路问题、中国邮递员问题和货郎担问题.

设带权图 $G = \langle V, E, W \rangle$(无向图或有向图),其中每一条边 e 的权 $W(e)$ 为非负实数. $\forall u, v \in V$,当 u 和 v 连通(v 可达 v)时,称从 u 到 v 长度最短的路径为从 u 到 v 的 最短路径,称其长度为从 u 到 v 的 距离,记作 $d(u,v)$. 约定:$d(u,u) = 0$;当 u 和 v 不连通(u 不可达 v)时,$d(u,v) = +\infty$.

最短路问题:给定带权图 $G = \langle V, E, W \rangle$ 及顶点 u 和 v,其中每一条边 e 的权 $W(e)$ 为非负实数,求从 u 到 v 的最短路径.

不难看出,如果 $uv_{i_1}v_{i_2}\cdots v_{i_k}v$ 是从 u 到 v 的最短路径,则对每一个 $t(1 \leqslant t \leqslant k)$,$uv_{i_1}v_{i_2}\cdots v_{i_t}$ 是从 u 到 v_{i_t} 的最短路径. 根据这条性质,E. W. Dijkstra 于 1959 年给出下述最短路径算法.

算法给出从给定的起点 s 到每一点的最短路径. 在计算过程中,赋予每一个顶点 v 一个标号 $l(v) = (l_1(v), l_2(v))$. 标号分永久标号和临时标号. 在 v 的永久标号 $l(v)$ 中,$l_2(v)$ 是从 s 到 v 的距离,$l_1(v)$ 是 s 到 v 的最短路径上 v 的前一个顶点. 当 $l(v)$ 是临时标号时,$l_1(v)$ 和 $l_2(v)$ 分别是当前从 s 经过永久标号的顶点到 v 的长度最短的路径上 v 的前一个顶点和这条路径的长度.

Dijkstra 标号法

输入:带权图 $G = \langle V, E, W \rangle$ 和 $s \in V$,其中 $|V| = n$,$\forall e \in E, W(e) \geqslant 0$

输出:s 到 G 中每一点的最短路径及距离

1. 令 $l(s) \leftarrow (s, 0)$,$l(v) \leftarrow (s, +\infty)$ $(v \in V - \{s\})$,$i \leftarrow 1$,
   $l(s)$ 是永久标号,其余标号均为临时标号,$u \leftarrow s$

2. for 与 u 关联的临时标号的顶点 v

3. 　　if $l_2(u) + W(u,v) < l_2(v)$ then 令 $l(v) \leftarrow (u, l_2(u) + W(u,v))$

4. 计算 $l_2(t) = \min\{l_2(v) \mid v \in V$ 且有临时标号$\}$,
   把 $l(t)$ 改为永久标号

5. if $i < n$ then 令 $u \leftarrow t$,$i \leftarrow i + 1$,转 2

计算结束时,对每一个顶点 u,$d(s,u) = l_2(u)$,利用 $l_1(v)$ 从 u 开始回溯找到从 s 到 u 的最短路径.

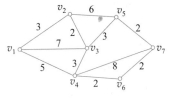

图 15.11

例 15.6 带权图 G 如图 15.11 所示,求从 v_1 到其余各点的最短路径和距离.

解 用 Dijkstra 标号法求解,计算过程如表 15.1 所示. 表中 $*$ 表示永久标号,$**$ 表示这一步选中的永久标号,其余均是临时标号.

表 15.1

步骤	v_1	v_2	v_3	v_4	v_5	v_6	v_7
1	$(v_1, 0)^{**}$	$(v_1, +\infty)$	$(v_1, +\infty)$	$(v_1, +\infty)$	$(v_1, +\infty)$	$(v_1, +\infty)$	$(v_1, +\infty)$
2	$(v_1, 0)^{*}$	$(v_1, 3)^{**}$	$(v_1, 7)$	$(v_1, 5)$	$(v_1, +\infty)$	$(v_1, +\infty)$	$(v_1, +\infty)$
3	$(v_1, 0)^{*}$	$(v_1, 3)^{*}$	$(v_2, 5)^{**}$	$(v_1, 5)$	$(v_2, 9)$	$(v_1, +\infty)$	$(v_1, +\infty)$

步骤	v_1	v_2	v_3	v_4	v_5	v_6	v_7
4	$(v_1,0)^*$	$(v_1,3)^*$	$(v_2,5)^*$	$(v_1,5)^{**}$	$(v_3,8)$	$(v_1,+\infty)$	$(v_1,+\infty)$
5	$(v_1,0)^*$	$(v_1,3)^*$	$(v_2,5)^*$	$(v_1,5)^*$	$(v_3,8)$	$(v_4,7)^{**}$	$(v_4,13)$
6	$(v_1,0)^*$	$(v_1,3)^*$	$(v_2,5)^*$	$(v_1,5)^*$	$(v_3,8)^{**}$	$(v_4,7)^*$	$(v_6,9)$
7	$(v_1,0)^*$	$(v_1,3)^*$	$(v_2,5)^*$	$(v_1,5)^*$	$(v_3,8)^*$	$(v_4,7)^*$	$(v_6,9)^{**}$

根据表 15.1 的最后一行,从 v_1 到其余各点的最短路径和距离如下.

$v_1v_2,\qquad d(v_1,v_2)=3$

$v_1v_2v_3,\qquad d(v_1,v_3)=5$

$v_1v_4,\qquad d(v_1,v_4)=5$

$v_1v_2v_3v_5,\qquad d(v_1,v_3)=8$

$v_1v_4v_6,\qquad d(v_1,v_6)=7$

$v_1v_4v_6v_7,\qquad d(v_1,v_7)=9$

中国邮递员问题:邮递员从邮局出发,走遍他负责的街区投递邮件,最后回到邮局.问:如何走才能使他走的路最短?

这个问题的图论提法如下:给定一个带权无向图,其中每条边的权为非负实数,求每一条边至少经过一次的最短回路.这个问题是我国管梅谷教授于 1962 年提出的,故称为中国邮递员问题.

例 15.7　邮递员负责的街区如图 15.12(a)所示,长度单位是百米,邮局位于 a 处.试设计邮递员的最短投递路线.

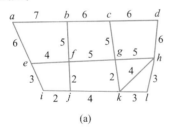
(a)

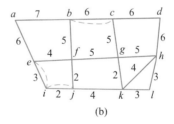
(b)

图 15.12

解　如果图中有欧拉回路,显然欧拉回路就是最短的投递路线.图 15.12(a)中有 4 个奇度顶点 b,c,e,j,不存在欧拉回路,因此投递路线必须重复走某些边.为此,只需要把 4 个奇度顶点分成 2 对,在每对之间沿着最短路重复走一遍.为了使投递路线最短,应使重复的路线最短.把图 15.12(a)中 4 个奇度顶点分成 2 对:b 和 c,e 和 j.需要重复的路线是:(b,c),(e,i) 和 (i,j).如图 15.12(b)所示,其中重复的路线用虚线表示.最短投递路线为 $abcdhlkhgkjieijfgcbfea$.总长度为街道的总长度+重复路线的长度,等于

$$(7+6+6+6+5+5+6+4+5+5+3+2+2+4+3+2+4+3)+(6+3+2)=89(百米)$$

　　货郎担问题(旅行商问题):有 n 个城市,给定城市之间道路的长度(长度可以为 ∞ ,对应这两个城市之间无交通线).一个旅行商从某个城市出发,要经过每个城市一次且仅一次,最后回到出发的城市,问:如何走才能使他走的路线最短?

　　这个问题可以用图论方法描述如下:设 $G = <V, E, W>$ 为一个 n 阶完全带权图,各边的权 $W(e)$ 非负且可以为 ∞ .求 G 中一条最短的哈密顿回路.

　　例如,图 15.13(a)给出一个 4 阶完全带权图 K_4 .不计起点、也不计顺时针和逆时针,只有 3 条不同的哈密顿回路.

$$C_1 = a \quad b \quad c \quad d \quad a$$
$$C_2 = a \quad b \quad d \quad c \quad a$$
$$C_3 = a \quad c \quad b \quad d \quad a$$

分别如图 15.13(b),(c),(d)所示,其长度分别为 8,10,12.因此, C_1 是所求的最短路线.

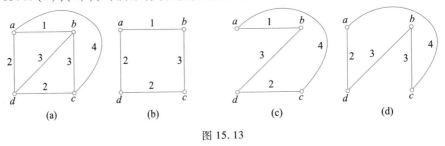

图 15.13

　　至今还没有找到解决货郎担问题的有效算法,它是众多 NP 难问题中的一个.

习　题　15

1. 判断图 15.14 中哪些是欧拉图? 对不是欧拉图的至少要加多少条边才能使其成为欧拉图?

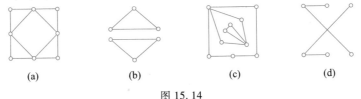

图 15.14

2. 判断下列命题是真是假.

(1) 完全图 $K_n (n \geq 3)$ 是欧拉图.

(2) $n(n \geq 2)$ 阶有向完全图是欧拉图.

(3) 当 r, s 为正偶数时,完全二部图 $K_{r,s}$ 是欧拉图.

3. 画一个无向欧拉图,使它具有:

(1) 偶数个顶点,偶数条边.

（2）奇数个顶点,奇数条边.

（3）偶数个顶点,奇数条边.

（4）奇数个顶点,偶数条边.

4. 画一个有向欧拉图,要求同第 3 题.

5. 在 $k(k \geqslant 2)$ 个长度大于等于 3 的彼此分离的圈(全为无向的或全为有向的)之间至少加多少条新边(有向的加有向边),才能使所得的图为欧拉图?

6. 证明:若有向图 D 是欧拉图,则 D 是强连通的.

7. 设 G 是恰含 $2k(k \geqslant 1)$ 个奇度顶点的无向连通图.证明:G 所有的边均可以划分成 k 条边不重的简单通路 $\Gamma_1, \Gamma_2, \cdots, \Gamma_k$,使得 $E(G) = \bigcup\limits_{i=1}^{k} E(\Gamma_i)$.

8. 完全图 $K_n(n \geqslant 1)$ 都是哈密顿图吗?

9. 设 G 是无向连通图,证明:若 G 中有桥或割点,则 G 不是哈密顿图.

10. 证明定理 15.8.

11. 彼得松图既不是欧拉图,也不是哈密顿图.至少加几条新边才能使它成为欧拉图? 又至少加几条新边才能使它变成哈密顿图?

12. 证明图 15.15(a)不是哈密顿图,但是半哈密顿图.而图 15.15(b)是哈密顿图.

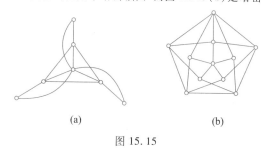

　　　　　　(a)　　　　　　　　　　　(b)

图 15.15

13. 今有 $2k(k \geqslant 2)$ 个人去完成 k 项任务.已知每个人均能与另外 k 个人中的任何人组成一组(每组 2 个人)去完成他们共同熟悉的任务,问:这 $2k$ 个人能否分成 k 组(每组 2 人),每组完成一项他们共同熟悉的任务?

14. 今有 n 个人,已知他们中的任何二人合起来认识其余的 $n-2$ 个人.证明:当 $n \geqslant 3$ 时,这 n 个人能排成一列,使得任何两个相邻的人都相互认识.而当 $n \geqslant 4$ 时,这 n 个人能排成一个圆圈,使得每个人都认识两旁的人.

15. 某工厂生产由 6 种颜色的纱织成的双色布.已知在一批双色布中,每种颜色至少与其他 3 种颜色相搭配.证明:可以从这批双色布中挑出 3 种,它们由 6 种不同颜色的纱织成.

16. 设完全图 $K_n(n \geqslant 3)$ 的顶点分别为 $v_1, v_2, \cdots, v_n$.问:K_n 中有多少条不同的哈密顿回路(在这里,若顶点的排列顺序不同,就认为是不同的回路)?

17. 国际象棋中的马走日字,即在 (x, y) 格子的马可以走到 $(x \pm 2, y \pm 1), (x \pm 1, y \pm 2)$ 中的任何一个,只要棋盘中有这个格子.马从某个格子,开始走遍所有的格子且每个格子只走一次称作马的周游.证明:

（1）在 3×4 的棋盘上存在马的周游.

（2）在 3×3 的棋盘上不存在马的周游.

18. 设 G 为 $n(n \geqslant 3)$ 阶无向简单图,边数 $m = \dfrac{1}{2}(n-1)(n-2)+2$,证明:$G$ 是哈密顿图.再举例说明当 $m =$

$\dfrac{1}{2}(n-1)(n-2)+1$ 时,G 不一定是哈密顿图.

19. 设 $G=\langle V,E\rangle$ 为一无向图. 若对于任意的 $V_1\subset V$ 且 $V_1\neq\varnothing$,均有
$$P(G-V_1)\leqslant |V_1|$$
则 G 是哈密顿图. 以上结论成立吗? 为什么?

20. 设 G 是 $n(n\geqslant3)$ 阶无向简单哈密顿图,则对于任意不相邻的顶点 v_i,v_j,均有
$$d(v_i)+d(v_j)\geqslant n$$
以上结论成立吗? 为什么?

21. 用 Dijkstra 标号法求图 15.16 所示的各图中从顶点 v_1 到其余各顶点的最短路径和距离.

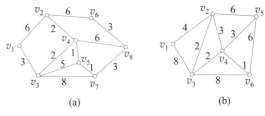

(a)　　　　　　　　　　(b)

图 15.16

22. 某工厂使用一台设备,每年年初要决定是继续使用,还是购买新的.预计该设备第 1 年的价格为 11 万元,以后每年涨 1 万元.使用的第 1 年,第 2 年,……,第 5 年的维修费分别为 5,6,8,11,18 万元.使用 1 年后的残值为 4 万元,以后每使用 1 年残值减少 1 万元.试制定购买维修该设备的 5 年计划,使总支出最小.

23. 某地区的街道分布如图 15.17 所示,图 15.17 中的数字表示街道的长度(单位:百米).派出所位于 G 处.一巡逻车从派出所出发,每条街道至少经过一次,最后回到派出所.试设计一条总长度最短的巡逻路线.

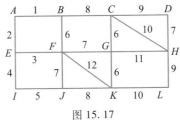

图 15.17

第 16 章
树

树是图论的重要内容,在计算机科学技术,特别是数据结构中有广泛的应用.

16.1 无向树及其性质

定义 16.1 连通无回路的无向图称作**无向树**,或简称为**树**.每个连通分支都是树的无向图称作**森林**.平凡图称作**平凡树**.在无向树中,悬挂顶点称作**树叶**,度数大于等于 2 的顶点称作**分支点**.

说明:定义中的回路是指初级回路或简单回路.本章均如此约定,以后不再重复说明.

下面给出树的一些重要性质,其中定理 16.1 给出树的几个充分必要条件.

定理 16.1 设 $G = <V, E>$ 是 n 阶 m 条边的无向图,则下列各命题是等价的.

(1) G 是树.

(2) G 中任意两个顶点之间存在唯一的路径.

(3) G 中无回路且 $m = n - 1$.

(4) G 是连通的且 $m = n - 1$.

(5) G 是连通的且任何边均为桥.

(6) G 中没有回路,但在任何两个不同的顶点之间加一条新边后所得的图中有唯一的一个含新边的圈.

证 (1)⇒(2).由 G 的连通性及定理 14.5 的推论可知,$\forall u, v \in V, u$ 与 v 之间存在一条路

径. 若路径不是唯一的, 设 Γ_1 和 Γ_2 都是 u 到 v 的路径, 则必存在由 Γ_1 和 Γ_2 上的边构成的回路, 这与 G 中无回路矛盾.

（2）$\Rightarrow$（3）. 首先证明 G 中无回路. 若 G 中存在关联某顶点 v 的环, 则 v 到 v 存在长为 0 和 1 的两条路径（注意初级回路是路径的特殊情况）, 这与已知条件矛盾. 若 G 中存在长度大于等于 2 的圈, 则圈上任何两个顶点之间都存在两条不同的路径, 这也引出矛盾, 下面用归纳法证明 $m=n-1$.

当 $n=1$ 时, G 为平凡图, 结论显然成立. 设 $n\le k(k\ge 1)$ 时结论成立. 当 $n=k+1$ 时, 设 $e=(u,v)$ 为 G 中的一条边, 由于 G 中无回路, 所以 $G-e$ 为两个连通分支 G_1,G_2. 设 n_i,m_i 分别为 G_i 中的顶点数和边数, 则 $n_i\le k$. 由归纳假设, $m_i=n_i-1, i=1,2$. 于是, $m=m_1+m_2+1=n_1+n_2-2+1=n-1$. 得证当 $n=k+1$ 时结论也成立.

（3）$\Rightarrow$（4）. 只要证明 G 是连通的. 假设不然, 设 G 有 $s(s\ge 2)$ 个连通分支 $G_1,G_2,\cdots,G_s$. 每个 G_i 中均无回路, 因而 G_i 全为树. 由（1）$\Rightarrow$（2）$\Rightarrow$（3）可知, $m_i=n_i-1$. 于是 $m=\sum_{i=1}^{s}m_i=\sum_{i=1}^{s}n_i-s=n-s$. 由于 $s\ge 2$, 这与 $m=n-1$ 矛盾.

（4）$\Rightarrow$（5）. 只要证明 G 中每条边均为桥. $\forall e\in E$, 均有 $|E(G-e)|=n-1-1=n-2$. 由第 14 章习题 50 可知, $G-e$ 不是连通图, 故 e 为桥.

（5）$\Rightarrow$（6）. 由于 G 中每条边均为桥, 因而 G 中无圈. 又由于 G 连通, 所以 G 为树. 由（1）$\Rightarrow$（2）可知, G 中任意两个不同的顶点 u,v 之间存在唯一的路径 Γ. 设 e 是在 u,v 之间添加的新边, 则 $\Gamma\cup e$ 是一个圈, 且显然是唯一的.

（6）$\Rightarrow$（1）. 只要证明 G 是连通的. 对任意两个不同的顶点 u 和 v, 在 u,v 之间添加一条新边 e 后产生唯一的一个含 e 的圈 C. 显然, $C-e$ 为 G 中 u 到 v 的通路, 故 $u\sim v$. 由 u,v 的任意性可知, G 是连通的.

定理 16.2　设 T 是 n 阶非平凡的无向树, 则 T 中至少有两片树叶.

证　设 T 有 x 片树叶, 由握手定理及定理 16.1 可知,
$$2(n-1)=\sum d(v_i)\ge x+2(n-x)$$
由上式解得 $x\ge 2$.

例 16.1　画出所有 6 阶非同构的无向树.

解　设 T 是 6 阶无向树. 由定理 16.1 可知, T 的边数 $m=5$. 由握手定理可知, T 的 6 个顶点的度数之和等于 10. 又有 $\delta(T)\ge 1,\Delta(T)\le 5$. 于是, T 的度数列必为以下情况之一.

（1）1,1,1,1,1,5

（2）1,1,1,1,2,4

（3）1,1,1,1,3,3

（4）1,1,1,2,2,3

（5）1,1,2,2,2,2

它们对应的树如图 16.1 所示, 其中 T_1 对应于（1）, T_2 对应于（2）, T_3 对应于（3）, T_4,T_5 对应于

(4), T_6 对应于 (5). (4) 对应两棵非同构的树, 在一棵树中两个 2 度顶点相邻, 在另一棵树中不相邻; 其他情况均对应一棵非同构的树.

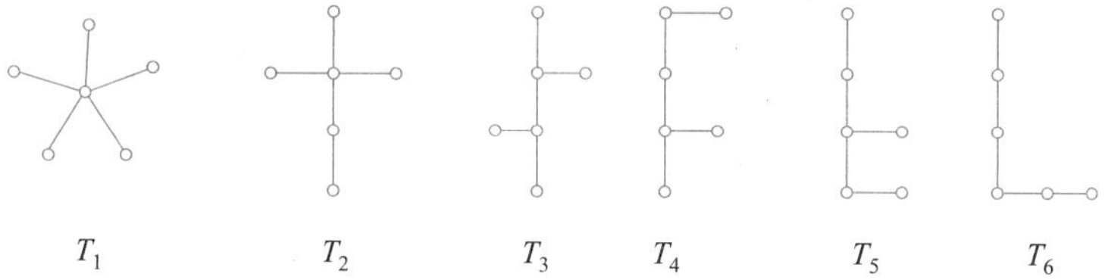

图 16.1

常称只有一个分支点, 且分支点的度数为 $n-1$ 的 $n(n \geqslant 3)$ 阶无向树为*星形图*, 称其唯一的分支点为*星心*. 图 16.1 中的 T_1 是 6 阶星形图.

例 16.2　饱和碳氢化合物的同分异构体. 饱和碳氢化合物 $C_n H_{2n+2}$ 由 n 个碳原子和 $2n+2$ 个氢原子组成, 碳原子是 4 价键, 氢原子是 1 价键. 当 $n = 1, 2, 3, 4$ 时, 各有多少种可能的饱和碳氢化合物?

解　用 4 度顶点代表碳原子, 1 度顶点代表氢原子, 表示 $C_n H_{2n+2}$ 的图的度数列由 n 个 4 和 $2n+2$ 个 1 组成. 它有 $3n+2$ 个顶点, 度数之和等于 $4n+(2n+2) = 2(3n+1)$, 因此是一棵树. 当 $n = 1, 2, 3$ 时, 都只有一棵非同构的树; 当 $n = 4$ 时, 有 2 棵不同构的树, 如图 16.2 所示. 这说明含有 1 个、2 个和 3 个碳原子的饱和碳氢化合物都只有一个, 而含有 4 个碳原子的饱和碳氢化合物可能有 2 个. 事实上, 含有 1 个、2 个和 3 个碳原子的饱和碳氢化合物分别是甲烷、乙烷和丙烷, 而含有 4 个碳原子的饱和碳氢化合物有 2 个同分异构体, 分别是丁烷和异丁烷.

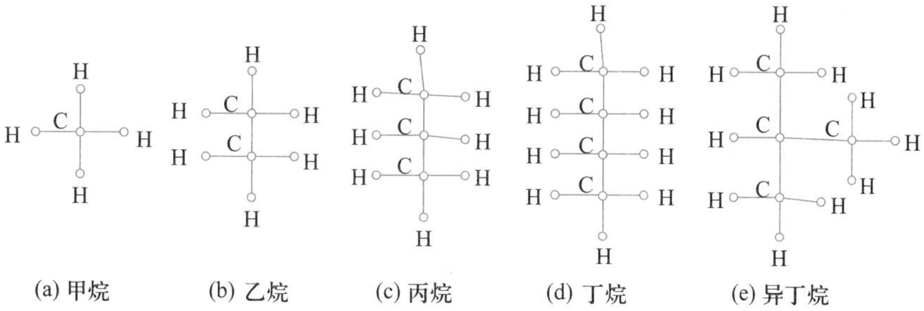

(a) 甲烷　　　(b) 乙烷　　　(c) 丙烷　　　(d) 丁烷　　　(e) 异丁烷

图 16.2

16.2　生　成　树

定义 16.2　如果无向图 G 的生成子图 T 是树, 则称 T 是 G 的*生成树*. 设 T 是 G 的生成树, G 的在 T 中的边称作 T 的*树枝*, 不在 T 中的边称作 T 的*弦*. 称 T 的所有弦的导出子图为 T 的*余树*, 记作 $\overline{T}$.

注意 $\overline{T}$ 不一定连通,也不一定不含回路. 在图 16.3 所示的图中,实边图为该图的一棵生成树 T,余树 $\overline{T}$ 为虚边所示,它不连通,同时含有回路.

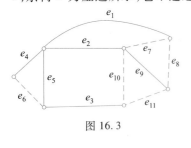

图 16.3

定理 16.3 无向图 G 有生成树当且仅当 G 是连通图.

证 必要性显然. 下面证明充分性. 若 G 中无回路,则 G 为自己的生成树. 若 G 中含圈,任取一圈,随意地删除圈上的一条边;若仍有圈,再任取一个圈并删去这个圈上的一条边,重复进行,直到最后无圈为止. 最后得到的图无圈(当然无回路)、连通且是 G 的生成子图,因而是 G 的生成树.

定理 16.3 的证明是构造性证明,这个产生生成树的方法称作*破圈法*.

由定理 16.3 和树的边数等于顶点数减 1 可以立即得到下述推论.

推论 设 G 为 n 阶 m 条边的无向连通图,则 $m \geqslant n-1$.(习题 14 第 50 题)

定理 16.4 设 T 为无向连通图 G 中的一棵生成树,e 为 T 的任意一条弦,则 $T \cup e$ 中含 G 中只含一条弦 e,其余边均为树枝的圈,而且不同的弦对应的圈也不同.

证 设 $e = (u,v)$,由定理 16.1 可知,在 T 中,u,v 之间存在唯一的路径 $\Gamma_{(u,v)}$,则 $\Gamma_{(u,v)} \cup e$ 满足要求. 不同的弦对应的圈也不同是显然的.

由定理 16.4,可以给出下面的定义.

定义 16.3 设 T 是 n 阶 m 条边的无向连通图 G 的一棵生成树,设 e_1',e_2',$\cdots$,e_{m-n+1}' 为 T 的弦,$C_r(r=1,2,\cdots,m-n+1)$ 为 T 添加弦 e_r' 产生的 G 中由弦 e_r' 和树枝构成的圈,称 C_r 为 G 的对应弦 e_r' 的*基本回路*或*基本圈*. 称 $\{C_1,C_2,\cdots,C_{m-n+1}\}$ 为 G 对应 T 的*基本回路系统*,称 $m-n+1$ 为 G 的圈秩,记作 $\xi(G)$.

在图 16.3 中,对应生成树的弦 e_6,e_7,e_8,e_{10},e_{11} 的基本回路为

$$C_1 = e_6 e_4 e_5$$
$$C_2 = e_7 e_2 e_1$$
$$C_3 = e_8 e_9 e_2 e_1$$
$$C_4 = e_{10} e_3 e_5 e_2$$
$$C_5 = e_{11} e_3 e_5 e_2 e_9$$

此图的圈秩为 5,基本回路系统为 $\{C_1,C_2,C_3,C_4,C_5\}$.

不难看出,无向连通图 G 的圈秩与生成树的选取无关,但不同生成树对应的基本回路系统可能不同.

可以证明:任一简单回路都可以表示成基本回路的环和. 例如,在图 16.3 中,

$$e_1 e_4 e_6 e_5 e_2 e_7 = C_1 \oplus C_2$$
$$e_1 e_4 e_6 e_3 e_{11} e_8 = C_1 \oplus C_3 \oplus C_5$$

更进一步地,有下述事实:无向图中的圈或若干个边不重的圈的并称作*广义回路*. 规定 $\varnothing$ 为

广义回路.圈和简单回路都是广义回路.记无向图 G 的广义回路的全体(含$\varnothing$)为 C^*.两个广义回路的环和仍是广义回路,即 C^* 对环和运算是封闭的.在 C^* 上定义数乘运算:$0 \cdot C = \varnothing, 1 \cdot C = C$.$C^*$ 对环和运算与数乘运算构成数域 $F = \{0,1\}$ 上的 $m-n+1$ 维线性空间,称作*广义回路空间*,任一基本回路系统是它的一个基.

基本回路系统是克希霍夫在研究电网络的设计时提出的.电网络是由电阻、电容、电感等元件组成的网络系统,克希霍夫发现设计电网络不需要考虑电网络中的所有圈,而只需要考虑任一生成树的基本回路.这个方法现在已经成为设计电网络的标准方法.

定理 16.5 设 T 是连通图 G 的一棵生成树,e 为 T 的树枝,则 G 中存在只含树枝 e,其余边都是弦的割集,且不同的树枝对应的割集也不同.

证 由定理 16.1 可知,e 是 T 的桥,因而 $T-e$ 有两个连通分支 T_1 和 T_2,令 $S_e = \{e' \mid e' \in E(G)$ 且 e' 的两个端点分别属于 $V(T_1)$ 和 $V(T_2)\}$.显然,S_e 为 G 的割集,$e \in S_e$ 且 S_e 中除 e 外都是弦.因为每个割集只含一条树枝,故不同树枝对应的割集是不同的.

定义 16.4 设 T 是 n 阶连通图 G 的一棵生成树,$e_1, e_2, \cdots, e_{n-1}$ 为 T 的树枝,$S_i (i=1,2,\cdots, n-1)$ 是由树枝 e_i 和弦构成的割集,则称 S_i 为 G 的对应树枝 e_i 的*基本割集*.称 $\{S_1, S_2, \cdots, S_{n-1}\}$ 为 G 对应 T 的*基本割集系统*,称 $n-1$ 为 G 的*割集秩*,记作 $\eta(G)$.

在图 16.3 中,对应树枝 $e_1, e_2, e_3, e_4, e_5, e_9$ 基本割集分别为

$$S_1 = \{e_1, e_7, e_8\}$$
$$S_2 = \{e_2, e_7, e_8, e_{10}, e_{11}\}$$
$$S_3 = \{e_3, e_{10}, e_{11}\}$$
$$S_4 = \{e_4, e_6\}$$
$$S_5 = \{e_5, e_6, e_{10}, e_{11}\}$$
$$S_6 = \{e_9, e_8, e_{11}\}$$

基本割集系统为 $\{S_1, S_2, S_3, S_4, S_5, S_6\}$.割集秩为 6.

连通图 G 的割集秩 $\eta(G)$ 不因生成树的不同而改变,但不同生成树对应的基本割集系统可能不同.

设无向图 $G = \langle V, E \rangle$,$V_1 \subset V$ 且 $V_1 \neq \varnothing$,记 $\overline{V_1}$,称 $(V_1, \overline{V_1}) = \{(u,v) \mid u \in V_1 \wedge v \in \overline{V_1}\}$ 为*广义割集*.规定 $\varnothing$ 为广义割集.显然,割集是广义割集,但广义割集不一定是割集.可以证明:任一广义割集都可以表示成基本割集的对称差.例如,在图 16.3 中,

$$\{e_1, e_2, e_3\} = S_1 \oplus S_2 \oplus S_3$$
$$\{e_1, e_7, e_9, e_{11}\} = S_1 \oplus S_6$$

记 G 的广义割集的全体(含$\varnothing$)为 S^*.在 S^* 上定义数乘:$0 \cdot S = \varnothing, 1 \cdot S = S$,则 S^* 对对称差运算和数乘运算构成数域 $F = \{0,1\}$ 上的 $n-1$ 维线性空间,称作*广义割集空间*,任一基本割集系统是它的一个基.

下面讨论连通带权图中的最小生成树.

定义 16.5   设无向连通带权图 $G=\langle V,E,W \rangle$，T 是 G 的一棵生成树，T 的各边权之和称为 T 的**权**，记作 $W(T)$。G 的所有生成树中权最小的生成树称为 G 的**最小生成树**。

求最小生成树已经有许多种算法，这里介绍避圈法（Kruskal 算法）。

设 n 阶无向连通带权图 $G=\langle V,E,W \rangle$ 有 m 条边。不妨设 G 中没有环（否则，可以将所有的环先删去），将 m 条边按权从小到大顺序排列，设为 $e_1,e_2,\cdots,e_m$。

取 e_1 在 T 中，然后依次检查 $e_2,e_3,\cdots,e_m$。若 $e_j(j\geqslant 2)$ 与已在 T 中的边不能构成回路，则取 e_j 在 T 中，否则弃去 e_j。

算法停止时得到的 T 为 G 的最小生成树（证明略）。

例 16.3   求图 16.4 所示的两个图中的最小生成树。

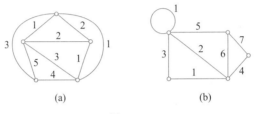

(a)   (b)

图 16.4

解   用避圈法，求出的最小生成树如图 16.5 中实线所示，它们的权分别为 6 和 12。

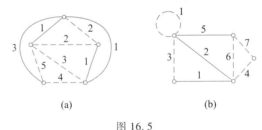

(a)   (b)

图 16.5

例 16.4   数据分析中的**单链聚类**。在数据分析中经常用到各种不同的聚类操作，所谓聚类操作，就是把数据集 D 中的数据按照它们之间的相似程度聚集成若干个子类。这种操作在数据挖掘、图像处理、电路设计、系统划分中经常用到。下面考虑一种最简单的单链聚类。

设有一组离散数据 $D=\{a_1,a_2,\cdots,a_n\}$，D 上定义了一个相似度函数 d。对于任何两个数据 $a_i,a_j\in D$，a_i 与 a_j 的相似度函数的值为 $d(i,j)$，通常取 $0\leqslant d(i,j)\leqslant 1$，并且 d 具有对称性质，即 $d(i,j)=d(j,i)$。

给定正整数 $k(1<k<n)$，D 的一个 k 聚类是 D 的一个 k 划分 $\pi=\{C_1,C_2,\cdots,C_k\}$。我们希望同一子类中的数据尽可能地"接近"，而不同子类中的数据尽可能地"远离"。为此如下定义划分 π 的最小间隔 $D(\pi)$。

对任何两个不同的子类 C_s,C_t，定义它们之间的距离 $D(C_s,C_t)$ 是 C_s 中的数据与 C_t 中的数

据的相似度的最小值,即

$$D(C_s, C_t) = \min\{ d(i,j) \mid a_i \in C_s, a_j \in C_t \}$$

k 聚类 $\pi = \{ C_1, C_2, \cdots, C_k \}$ 的最小间隔

$$D(\pi) = \min\{ D(C_s, C_t) \mid C_s, C_t \in \pi, 1 \leqslant i < j \leqslant k \}$$

我们问题是:给定数据集 D 和 D 上的相似度函数 d 以及正整数 k,如何求使得 $D(\pi)$ 达到最大值的 k 聚类 π?

可以利用最小生成树的 Kruskal 算法解决这个问题.定义带权完全图 $G = <V, E, W>$,其中 $V = \{1, 2, \cdots, n\}$,对于任意 $i, j \in V, i \neq j$,边 (i,j) 的权为 $d(i,j)$.根据 Kruskal 算法,先将边按照权从小到大的顺序排序为 $e_1, e_2, \cdots, e_{n(n-1)/2}$.初始 T 中没有边,是由 n 个孤立顶点构成的森林.换句话说,T 有 n 个连通分支.接着,依次按照权从小到大的顺序考察 G 的每条边,只要不构成圈就把它加到 T 中.在加入边的过程中计数 T 的连通分支个数.直到 T 恰好含有 k 个连通分支时算法停止.这时所得到的 k 个连通分支恰好就是所求聚类的 k 个子类 $C_1, C_2, \cdots, C_k$,它的最小间隔达到最大.

16.3　根树及其应用

定义 16.6　若有向图的基图是无向树,则称这个有向图为有向树.一个顶点的入度为 0、其余顶点的入度为 1 的有向树称作根树.入度为 0 的顶点称作树根,入度为 1 出度为 0 的顶点称作树叶,入度为 1 出度不为 0 的顶点称作内点,内点和树根统称作分支点.从树根到任意顶点 v 的路径的长度(即路径中的边数)称作 v 的层数,所有顶点的最大层数称作树高.

在画根树时通常将树根画在最上方,有向边的方向向下或斜下方,并省去各边上的箭头,如图 16.6 所示.在这棵根树中,有 8 片树叶、6 个内点、7 个分支点,高度为 5,在树叶 u 和 v 处达到.

常将根树看成家族树,家族中成员之间的关系由下面的定义给出.

定义 16.7　设 T 为一棵非平凡的根树,$\forall v_i, v_j \in V(T)$,若 v_i 可达 v_j,则称 v_i 为 v_j 的祖先,v_j 为 v_i 的后代;若 v_i 邻接到 v_j(即 $<v_i, v_j> \in E(T)$),则称 v_i 为 v_j 的父亲,而 v_j 为 v_i 的儿子.若 v_j, v_k 的父亲相同,则称 v_j 与 v_k 是兄弟.

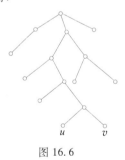

图 16.6

设 T 为根树,若将 T 中层数相同的顶点都标定次序,则称 T 为有序树.

根据根树 T 中每个分支点儿子数以及是否有序,可以将根树分成下列各类.

(1) 若 T 的每个分支点至多有 r 个儿子,则称 T 为 r 叉树;又若 r 叉树是有序的,则称它为 r 叉有序树.

(2) 若 T 的每个分支点都恰好有 r 个儿子,则称 T 为 r 叉正则树;又若 T 是有序的,则称它为 r 叉正则有序树.

(3) 若 T 是 r 叉正则树,且每个树叶的层数均为树高,则称 T 为 r 叉完全正则树;又若 T 是

有序的,则称它为 r 叉完全正则有序树.

定义 16.8　设 T 为一棵根树, $\forall v \in V(T)$, 称 v 及其后代的导出子图 T_v 为 T 的以 v 为根的根子树.

2 叉正则有序树的每个分支点的两个儿子导出的根子树分别称作该分支点的左子树和右子树.

在所有的 r 叉树中,最常用的是 2 叉树.下面介绍 2 叉树的应用.

定义 16.9　设 2 叉树 T 有 t 片树叶 $v_1, v_2, \cdots, v_t$, 权分别为 $w_1, w_2, \cdots, w_t$, 称 $W(T) = \sum_{i=1}^{t} w_i l(v_i)$ 为 T 的权,其中 $l(v_i)$ 是 v_i 的层数.在所有有 t 片树叶,带权 $w_1, w_2, \cdots, w_t$ 的 2 叉树中,权最小的 2 叉树称作最优 2 叉树.

图 16.7 所示的 3 棵树 T_1, T_2, T_3 都是带权为 2,2,3,3,5 的 2 叉树.它们的权分别为

$$W(T_1) = 2 \times 2 + 2 \times 2 + 3 \times 3 + 5 \times 3 + 3 \times 2 = 38$$

$$W(T_2) = 3 \times 4 + 5 \times 4 + 3 \times 3 + 2 \times 2 + 2 \times 1 = 47$$

$$W(T_3) = 3 \times 3 + 3 \times 3 + 5 \times 2 + 2 \times 2 + 2 \times 2 = 36$$

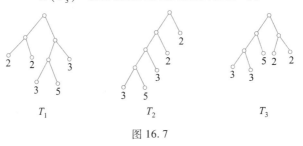

图 16.7

下面介绍求最优 2 叉树的算法——Huffman 算法.

Huffman 算法:

给定实数 $w_1, w_2, \cdots, w_t$.

1. 作 t 片树叶,分别以 $w_1, w_2, \cdots, w_t$ 为权.

2. 在所有入度为 0 的顶点(不一定是树叶)中选出两个权最小的顶点,添加一个新分支点,它以这 2 个顶点为儿子,其权等于这 2 个儿子的权之和.

3. 重复 2,直到只有 1 个入度为 0 的顶点为止.

$W(T)$ 等于所有分支点的权之和.

例 16.5　求带权 2,2,3,3,5 的最优 2 叉树.

解　图 16.8 给出用 Huffman 算法计算最优树的过程.(e)为最优树, $W(T) = 34$. 这表明图 16.7 所示的 3 棵树都不是最优树.

在通信中,常用二进制编码表示符号.例如,可以用长为 2 的二进制编码 00,01,10,11 分别表示 A, B, C, D. 称这种表示法为等长码表示法.若在传输中, A, B, C, D 出现的频率大体相同,用

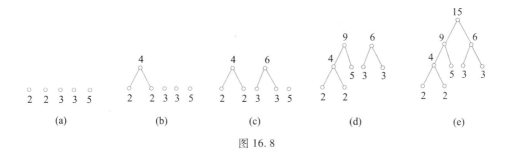

图 16.8

等长码表示是很好的方法.但当它们出现的频率相差悬殊时,为了节省二进制数位,以达到提高效率的目的,就要采用非等长的编码.

定义 16.10　设 $\alpha_1\alpha_2\cdots\alpha_{n-1}\alpha_n$ 是长为 n 的符号串,称其子串 $\alpha_1,\alpha_1\alpha_2,\cdots,\alpha_1\alpha_2\cdots\alpha_n$ 为该符号串的*前缀*.设 $A=\{\beta_1,\beta_2,\cdots,\beta_m\}$ 是一个符号串集合,若 A 的任意两个符号串都互不为前缀,则称 A 为*前缀码*.由 0-1 符号串构成的前缀码称作 *2 元前缀码*.

例如,$\{1,00,011,0101,01001,01000\}$ 为前缀码.而 $\{1,00,011,0101,0100,01001,01000\}$ 不是前缀码,因为 0100 是 01001(还有 01000)的前缀.

可以用 2 叉树产生 2 元前缀码.设 T 是具有 n 片树叶的 2 叉树,则 T 的每个分支点有 1 或 2 个儿子.设 v 为 T 的分支点,若 v 有两个儿子,在由 v 引出的两条边上,左边的标 0,右边的标 1.若 v 只有一个儿子,由它引出的边可以标 0,也可以标 1.设 v_i 是 T 的任意一片树叶,从树根到 v_i 的通路上各边的标号(0 或 1)按照通路上边的顺序组成的符号串放在 v_i 处,t 片树叶的 t 个符号串组成一个 2 元码.由做法可知,树叶 v_i 处的符号串的前缀均在从树根到 v_i 的通路上的顶点(不含 v_i)处达到,因而所得符号串集合必为前缀码.若 T 是 2 叉正则树,则由 T 产生的前缀码是唯一的.或者说,由一棵 2 叉正则树可以产生唯一的一个 2 元前缀码.

例 16.6　求图 16.9 所示的两棵 2 叉树所产生的 2 元前缀码.

解　图 16.9(a)是 2 叉树,但不是正则的.将每个分支点引出的两条边分别标 0 和 1,若将树根右儿子引出的边标 1,如图 16.10(a)所示,产生的前缀码为 $\{11,01,000,0010,0011\}$.若将树根右儿子引出的边标 0,则产生前缀码为 $\{10,01,000,0010,0011\}$.图 16.9(b)是 2 叉正则树,它只能产生唯一的前缀码,标定后的 2 叉正则树如图 16.10(b)所示,前缀码为 $\{01,10,11,000,0010,0011\}$.

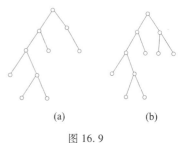

图 16.9

上面产生的任一个前缀码都可以用来传输 5 个符号,如 A,B,C,D,E.但当在文本中这些字母出现频率不同时,传输这个文本所用的二进制位数是不同的.设共有 t 个符号,用树叶 v_i 处的二进制串表示的符号出现的频率为 c_i,v_i 处的二进制串的长度等

于 v_i 的层数 $l(v_i)$，因而传输 m 个符号使用的二进制位数为 $m\sum_{i=1}^{t}c_i l(v_i)$。显然，用以各个符号出现的频率为权的最优 2 叉树产生的前缀码所用的二进制位数最少。称这个由最优 2 叉树产生的前缀码为最佳前缀码。用最佳前缀码传输的二进制位数最省。

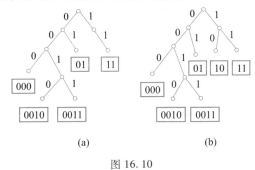

(a)　　　　　　　　　　　(b)

图 16.10

例 16.7　在通信中，八进制数字出现的频率如下。

0：	25%	1：	20%
2：	15%	3：	10%
4：	10%	5：	10%
6：	5%	7：	5%

求传输它们的最佳前缀码，并求传输 $10^n(n\geqslant 2)$ 个按上述比例出现的八进制数字需要多少个二进制数字？若是用等长的(长为 3)的码字传输需要多少个二进制数字？

解　用 100 个八进制数字中各数字出现的个数，即以 100 乘各频率为权，用 Huffman 算法求最优 2 叉树，如图 16.11(a)所示。它产生的最优前缀码为

01	传	0	11	传	1
001	传	2	100	传	3
101	传	4	0001	传	5
00000	传	6	00001	传	7

设图 10.11(a)中树为 T，传输 100 个按题中给定的频率出现的八进制数字所用二进制数字个数等于 $W(T)$，它等于各分支点权之和

$$W(T)=10+20+35+60+100+40+20=285$$

传输 10^n 个按题中给定频率出现的八进制数字需要 $10^{n-2}\times 285=2.85\times 10^n$ 个二进制数字。而用长为 3 的 0,1 组成的符号串传输 10^n 个八进制数字(如 000 传 0,001 传 1,$\cdots$,111 传 7)要用 3×10^n 个二进制数字。

最后还要说明一点，就是最佳前缀码并不唯一。由于每一步选择两个最小的权的选法可能不唯一，而且两个权对应的顶点所放的左右位置也可以不同，画出的最优树可能不同。当然，它们的权应该相等，都是最优树。

图 16.11(b)所示的 2 叉正则树也是例 16.7 对应的最优树,其权等于
$$10+20+40+100+60+35+20=285$$
与图 16.11(a)中的权相等.各数字对应的编码如下。

11	传	0	01	传	1
101	传	2	001	传	3
1000	传	4	1001	传	5
0000	传	6	0001	传	7

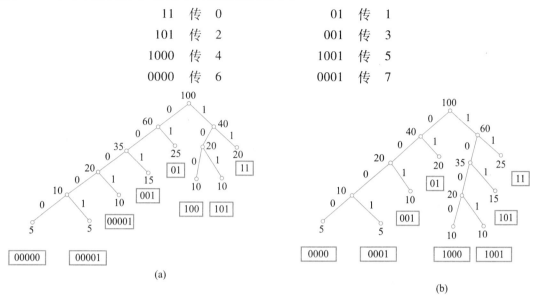

(a)

(b)

图 16.11

下面介绍 2 叉树的周游及应用.

对一棵根树的每个顶点都访问一次且仅一次称作行遍或周游一棵树.

对于 2 叉有序正则树有以下 3 种周游方式.

(1) 中序行遍法.访问的次序为:左子树、树根、右子树.

(2) 前序行遍法.访问的次序为:树根、左子树、右子树.

(3) 后序行遍法.访问的次序为:左子树、右子树、树根.

对图 16.12 所示的 2 叉有序正则树 T,按照中序、前序、后序行遍的周游结果如下.

$$((h\,\underline{d}\,i)\,\underline{b}\,e)\,\underline{a}\,(f\,\underline{c}\,g)$$
$$\underline{a}\,(\underline{b}\,(\underline{d}hi)e)\,(\underline{c}fg)$$
$$((hi\,\underline{d})e\,\underline{b})\,(fg\,\underline{c})\,\underline{a}$$

上式中 $\underline{v}$ 表示 v 为根子树的树根.

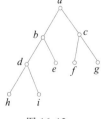

图 16.12

利用 2 叉有序正则树可以表示四则运算的算式,然后根据不同的访问方法得到不同的算法.用 2 叉有序正则树表示算式的方法如下:参加运算的数都放在树叶上,然后按照运算的顺序依次将运算符($+,-,*,\div$)放在分支点上,每个分支点表示一个运算,同时也表示这个运算的结果,它以它的两个运算对象为儿子,并规定被除数、被减数放在左边.

例 16.8 （1）用 2 叉有序正则树表示以下算式.

$$(a * (b+c) + d * e * f) \div (g + (h-i) * j)$$

（2）用 3 种行遍法访问这棵 2 叉树，写出访问结果.

解 （1）表示算式的 2 叉树如图 16.13 所示.

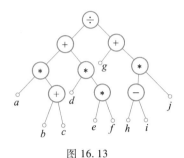

图 16.13

（2）中序行遍法访问结果为

$$((a * (b+c)) + (d * (e*f))) \div (g + ((h-i)*j)) \quad (16.1)$$

前序行遍法访问结果为

$$\div(+(* a(+bc))(* d(* ef)))(+g(*(-hi)j)) \quad (16.2)$$

后序行遍法访问结果为

$$((a(bc+)*)(d(ef*)*)+)(g((hi-)j*)+)\div \quad (16.3)$$

在式（16.1）中，利用四则运算规则省去一些括号，得到原算式，所以中序行遍法访问结果是还原算式.

消去式（16.2）中的全部括号，得

$$\div+* a+bc* d* ef+g* -hij \quad (16.4)$$

对（16.4）式的运算规则为：从右到左每个运算符对它后面紧邻的两个数进行运算. 在这种算法中，由于运算符在它的两个运算对象之前，所以称作*前缀符号法*或*波兰符号法*.

消去式（16.3）中的全部括号，得

$$abc+* def* * +ghi-j* +\div \quad (16.5)$$

对式（16.5）的运算规则为：从左到右每个运算符对它前面紧邻的两个数进行运算. 由于运算符在它的两个运算对象之后，所以称此种算法为*后缀符号法*或*逆波兰符号法*.

习 题 16

1. 画出所有 5 阶和 7 阶非同构的无向树.

2. 一棵无向树 T 有 5 片树叶、3 个 2 度分支点，其余的分支点都是 3 度顶点，问：T 有几个顶点？

3. 无向树 T 有 8 片树叶、2 个 3 度分支点，其余的分支点都是 4 度顶点，问：T 有几个 4 度分支点？请画出 4 棵非同构的这种无向树.

4. 一棵无向树 T 有 $n_i(i=2,3,\cdots,k)$ 个 i 度分支点，其余顶点都是树叶，问：T 有几片树叶？

5. $n(n\geq3)$ 阶无向树 T 的最大度 $\Delta(T)$ 至少为几？ 最多为几？

6. 若 $n(n\geq3)$ 阶无向树 T 的最大度 $\Delta(T)=2$，问：T 中最长的路径长度为几？

7. 证明：$n(n\geq2)$ 阶无向树不是欧拉图.

8. 证明：$n(n\geq2)$ 阶无向树不是哈密顿图.

9. 证明：任何无向树 T 都是二部图.

10. 什么样的无向树 T 既是欧拉图，又是哈密顿图？

11. 在什么条件下，无向树 T 为半欧拉图？

12. 在什么条件下，无向树 T 是半哈密顿图？

13. 在下面两个正整数数列中,哪个(些)能充当无向树的度数列? 若能,请画出 3 棵非同构的无向树.

(1) 1,1,1,1,2,3,3,4

(2) 1,1,1,1,2,2,3,3

14. 设 e 为无向连通图 G 中的一条边,e 在 G 的任何生成树中,问:e 应有什么性质?

15. 设 e 为无向连通图 G 中的一条边,e 不在 G 的任何生成树中,问:e 应有什么性质?

16. 设 e 为无向连通图 G 中的一条边,e 既不是环,也不是桥,证明:存在 G 的生成树含 e 作为树枝,又存在生成树以 e 为弦.

17. 设 T 为无向图 G 的生成树,$\overline{T}$ 为 T 的余树,证明:$\overline{T}$ 中不含 G 的边割集.

18. 设 S 为无向连通图 G 的一个边割集,证明 $G-S$ 不含 G 的生成树.

19. 在图 16.14 所示的无向图中,含边 e_1,e_2,e_3 作为树枝的非同构的生成树共有几棵? 画出它们.

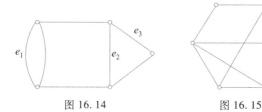

图 16.14　　　　　　　　图 16.15

20. 图 16.15 所示的无向图中有几棵非同构的生成树? 画出这些生成树(提示:从所有 6 阶非同构的树中挑选).

21. $K_n(1 \leq n \leq 7)$ 各有多少棵非同构的生成树?

22. 设 T 是 $k+1$ 阶无向树,$k \geq 1$. G 是无向简单图,已知 $\delta(G) \geq k$,证明:G 中存在与 T 同构的子图.

23. 已知 n 阶 m 条边的无向图 G 是 $k(k \geq 2)$ 棵树组成的森林,证明:$m=n-k$.

24. 在图 16.16 所示的两个图中,实边构成一棵生成树,记为 T.

(1) 指出 T 的弦,以及每条弦对应的基本回路和对应 T 的基本回路系统.

(2) 指出 T 的所有树枝,以及每条树枝对应的基本割集和对应 T 的基本割集系统.

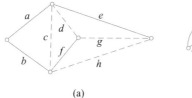
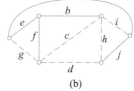

(a)　　　　　　　　　　　(b)

图 16.16

25. 求图 16.17 中两个带权图的最小生成树.

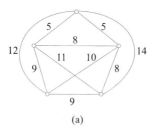
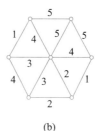

(a)　　　　　　　　　　　(b)

图 16.17

26. 设 T 为非平凡的无向树,$\Delta(T) \geqslant k$,证明:T 至少有 k 片树叶.

27. 设 C 为无向图 G 中的一个圈,$e_1, e_2 \in E(C)$,证明:G 中存在含边 e_1, e_2 的割集.

28. 设 T_1, T_2 是无向树 T 的子图,并且都是树,又已知 $E(T_1) \cap E(T_2) \neq \varnothing$,证明:导出子图 $G[E(T_1) \cap E(T_2)]$ 也是树.

29. 设 G 为 $n(n \geqslant 5)$ 阶简单图,证明:G 或 $\bar{G}$ 中必含圈.

30. 设 T_1, T_2 是无向连通图 G 的两棵生成树,已知 e_1 是 T_1 的树枝又是 T_2 的弦,证明:存在边 e_2 既是 T_1 的弦又是 T_2 的树枝,使得 $(T_1 - e_1) \cup \{e_2\}$ 和 $(T_2 - e_2) \cup \{e_1\}$ 都是 G 的生成树.

31. 根树 T 如图 16.18 所示.回答以下问题.

(1) T 是几叉树?

(2) T 的树高为几?

(3) T 有几个内点?

(4) T 有几个分支点?

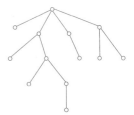

图 16.18

32. 画出 3 棵树高为 3,其基图非同构的正则 2 叉树.

33. 画一棵树高为 3 的完全正则 2 叉树.

34. 在图 16.19 所示的有向图中,存在是根树的生成子图吗? 若存在,有几棵非同构的?

35. 画出所有非同构的 $n(1 \leqslant n \leqslant 5)$ 阶根树.

36. 设 T 是有 t 片树叶的 2 叉正则树,证明:T 有 $2t-1$ 个顶点.

图 16.19

37. 画一棵权为 $3, 4, 5, 6, 7, 8, 9$ 的最优 2 叉树,并计算出它的权.

38. 下面给出的各符号串集合哪些是前缀码?

$$A_1 = \{0, 10, 110, 1111\}$$
$$A_2 = \{1, 01, 001, 000\}$$
$$A_3 = \{1, 11, 101, 001, 0011\}$$
$$A_4 = \{b, c, dd, dc, aba, abb, abc\}$$
$$A_5 = \{b, c, a, aa, ac, abc, abb, aba\}$$

39. 用图 16.20 所示的 2 叉树产生一个 2 元前缀码.

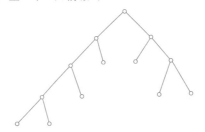

图 16.20

40. 用哪类 2 叉树能产生等长的前缀码?

41. 设 7 个字母在通信中出现的频率如下:

$$a: 35\% \qquad b: 20\%$$
$$c: 15\% \qquad d: 10\%$$

$$e:\quad 10\% \qquad\qquad f:\quad 5\%$$
$$g:\quad 5\%$$

用 Huffman 算法求传输它们的最佳前缀码. 要求画出最优树, 指出每个字母对应的编码. 并指出传输 10^n ($n \geqslant 2$) 个按上述频率出现的字母需要多少个二进制数字.

42. 图 16.21 所示的 2 叉树表达一个算式.

（1）用中序行遍法还原算式.

（2）用前序行遍法写出该算式的波兰符号法表示式.

（3）用后序行遍法写出该算式的逆波兰符号法表示式.

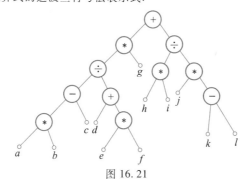

图 16.21

第 17 章
平 面 图

17.1 平面图的基本概念

定义 17.1 如果能将无向图 G 画在平面上使得除顶点处外无边相交,则称 G 为可平面图,简称为平面图.画出的无边相交的图称作 G 的平面嵌入.无平面嵌入的图称作非平面图.

K_1(平凡图),K_2,K_3,K_4 都是平面图.K_1,K_2,K_3 的通常画法就是它们的平面嵌入.K_4 的平面嵌入如图 17.1(d)所示.K_5-e(K_5 删除任意一条边)也是平面图,它的平面嵌入如图 17.1(e)所示.完全二部图 $K_{1,n}(n\geqslant 1)$,$K_{2,n}(n\geqslant 2)$ 也都是平面图,用标准画法画出的 $K_{1,n}$ 已是平面嵌入,$K_{2,3}$ 的平面嵌入如图 17.1(f)所示.图 17.1 中的(a),(b),(c)分别为 $K_4,K_5-e,K_{2,3}$ 的通常画法.

下面讨论平面图的性质,有些性质与图的画法有关,这时是针对平面嵌入的.因此,下面谈到平面图有时是指平面嵌入,有时则不是,不难根据上下文来区分.当然,有时为了强调会特别指明是平面嵌入.

在这里要提前指出并使用下述事实:在平面图理论中有两个具有特殊地位的图——K_5 和 $K_{3,3}$,它们都是非平面图(见定理 17.8 的推论).

下述两个定理是显然的.

定理 17.1 平面图的子图都是平面图,非平面图的母图都是非平面图.

由定理 17.1 立刻可知,$K_n(n\leqslant 4)$ 和 $K_{2,n}(n\geqslant 1)$ 的所有子图都是平面图;含 K_5 或 $K_{3,3}$ 作为子

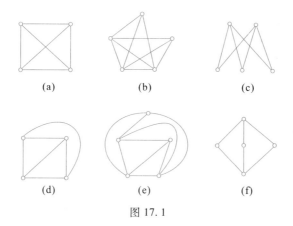

图 17.1

图的图都是非平面图,特别地 $K_n(n \geqslant 5)$ 和 $K_{s,t}(s,t \geqslant 3)$ 都是非平面图.

定理 17.2　设 G 是平面图,则在 G 中加平行边或环后所得的图还是平面图.

本定理说明平行边和环不影响图的平面性,因而在研究一个图是否为平面图时可以不考虑平行边和环.

定义 17.2　给定平面图 G 的平面嵌入,G 的边将平面划分成若干个区域,每个区域都称作 G 的一个**面**,其中有一个面的面积无限,称作**无限面**或**外部面**,其余面的面积有限,称作**有限面**或**内部面**.包围每个面的所有边组成的回路组称作该面的**边界**,边界的长度称作该面的**次数**.

常记外部面为 R_0,内部面为 $R_1, R_2, \cdots, R_k$,面 R 的次数记作 $\deg(R)$.

定义 17.2 中回路组中的回路可能是圈、简单回路,也可能是复杂回路.

图 17.2 是一个平面嵌入,它有 5 个面. R_1 的边界为圈 $abdc$,$\deg(R_1) = 4$. R_2 的边界也是圈,此圈为 efg,$\deg(R_2) = 3$. R_3 的边界为环 h,$\deg(R_3) = 1$. R_4 的边界为圈 kjl,$\deg(R_4) = 3$. 外部面 R_0 的边界由一条简单回路 $abefgdc$ 和一条复杂回路 $kjihil$ 组成,$\deg(R_0) = 13$.

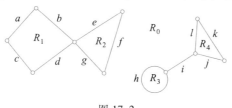

图 17.2

定理 17.3　平面图所有面的次数之和等于边数的两倍.

证　对每一条边 e,若 e 在两个面的公共边界上,则在计算这两个面的次数时,e 各提供 1. 而当 e 只在某一个面的边界上出现时,它必在该面的边界上出现两次,如图 17.2 中的边 i 所示,从而在计算该面的次数时,e 提供 2. 于是,在计算总次数时,每条边都提供 2,因而所有面的次数之和等于边数的两倍.

定义 17.3 设 G 为简单平面图,若在 G 的任意两个不相邻的顶点之间加一条边,所得图为非平面图,则称 G 为*极大平面图*.

从定义不难看出,K_1,K_2,K_3,K_4,K_5-e(K_5 删除任意一条边)都是极大平面图.

定理 17.4 极大平面图是连通的,并且当阶数大于等于 3 时没有割点和桥.

定理的证明留做作业.极大平面图的最大特点由以下定理给出.

定理 17.5 设 G 是 $n(n\geq 3)$ 阶简单连通的平面图,G 为极大平面图当且仅当 G 的每个面的次数均为 3.

证 本定理的充分性留在 17.2 节的最后证明,现在只证必要性.

因为 G 为简单平面图,所以 G 中无环和平行边.由于只有以一个环为边界的面的次数等于1,以一条边为边界的面的次数等于 2,故 G 中各面的次数都大于等于 3.

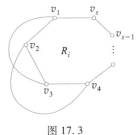

图 17.3

下面要证明 G 各面的次数不可能大于 3.假设面 R_i 的次数 $\deg(R_i)=s\geq 4$,如图 17.3 所示.若 v_1 与 v_3 不相邻,在 R_i 内加边 (v_1,v_3) 不破坏平面性,这与 G 是极大平面图矛盾,因而 v_1 与 v_3 必相邻,且边 (v_1,v_3) 必在 R_i 外部.类似地,v_2 与 v_4 也相邻,且边 (v_2,v_4) 也在 R_i 的外部.于是,(v_1,v_3) 与 (v_2,v_4) 相交于 R_i 的外部,这又与 G 是平面图矛盾.所以,必有 $s=3$,即 G 中不存在次数大于等于 4 的面.

根据定理 17.5,在图 17.4 所示的各平面图中,只有(c)是极大平面图.

定义 17.4 若在非平面图 G 中任意删除一条边,所得的图为平面图,则称 G 为*极小非平面图*.

K_5 和 $K_{3,3}$ 都是极小非平面图.

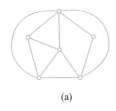
(a)

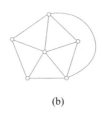
(b)

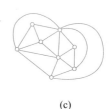
(c)

图 17.4

17.2 欧 拉 公 式

欧拉在研究多面体时发现,凸多面体的顶点数减去棱数加上面数等于 2.可以像前面把正十二面体(如图 15.10 所示)摊平在平面上那样,将凸多面体的一个面撕开,摊平在平面上成为一个平面图,其中撕开的面成为外部面,由此可以猜想到,连通的平面图的阶数、边数、面数之间也有同样的关系.

定理 17.6(欧拉公式) 设连通平面图 G 的顶点数、边数和面数分别为 n，m 和 r，则有

$$n-m+r=2$$

证 对边数 m 作归纳证明.

（1）当 $m=0$ 时，由于 G 为连通图，所以 G 只能是平凡图，此时 $n=1$，$m=0$，$r=1$，结论成立.

（2）设 $m=k(k\geqslant0)$ 时结论成立. 当 $m=k+1$ 时，对 G 进行如下讨论.

若 G 是树，则 G 是非平凡的，至少有 2 片树叶. 设 v 为树叶，令 $G'=G-v$，则 G' 仍然是连通的，且 G' 的边数 $m'=m-1=k$，由归纳假设

$$n'-m'+r'=2$$

式中 n'，m'，r' 分别为 G' 的顶点数、边数和面数. 而 $n'=n-1$，$r'=r$. 于是

$$n-m+r=(n'+1)-(m'+1)+r'=n'-m'+r'=2$$

若 G 不是树，则 G 中含圈，设边 e 在 G 中的某个圈上，令 $G'=G-e$，则 G' 仍连通且 $m'=m-1=k$. 由归纳假设有

$$n'-m'+r'=2$$

而 $n'=n$，$r'=r-1$. 于是

$$n-m+r=n'-(m'+1)+(r'+1)=n'-m'+r'=2$$

得证当 $m=k+1$ 时结论也成立.

欧拉公式中，平面图 G 的连通性是不可少的. 对于非连通的平面图有以下定理.

定理 17.7(欧拉公式的推广) 对于有 $k(k\geqslant2)$ 个连通分支的平面图 G，有

$$n-m+r=k+1$$

其中 n，m，r 分别为 G 的顶点数、边数和面数.

证 设 G 的连通分支分别为 G_1，G_2，$\cdots$，G_k，并设 G_i 的顶点数、边数和面数分别为 n_i，m_i，r_i，$i=1,2,\cdots,k$. 由欧拉公式

$$n_i-m_i+r_i=2$$

由于每个 G_i 有一个外部面，而 G 只有一个外部面，所以 G 的面数 $r=\sum\limits_{i=1}^{k}r_i-k+1$. 而 $m=\sum\limits_{i=1}^{k}m_i$，$n=\sum\limits_{i=1}^{k}n_i$. 于是，

$$
\begin{aligned}
2k &= \sum_{i=1}^{k}(n_i-m_i+r_i) \\
&= \sum_{i=1}^{k}n_i-\sum_{i=1}^{k}m_i+\sum_{i=1}^{k}r_i \\
&= n-m+r+k-1
\end{aligned}
$$

经过整理得

$$n-m+r=k+1$$

由欧拉公式及其推广可以进一步得到平面图的一些性质.

定理 17.8　设 G 是连通的平面图,且每个面的次数至少为 $l(l \geq 3)$,则 G 的边数 m 与顶点数 n 有如下关系:

$$m \leq \frac{l}{l-2}(n-2)$$

证　由定理 17.3,

$$2m = \sum_{i=1}^{r} \deg(R_i) \geq l \cdot r$$

由欧拉公式

$$r = 2 + m - n$$

代入上式得

$$2m \geq l(2 + m - n)$$

经过整理得

$$m \leq \frac{l}{l-2}(n-2)$$

推论　K_5 与 $K_{3,3}$ 都是非平面图.

证　若 K_5 是平面图,则由于 K_5 中无环和平行边,所以每个面的次数均大于等于 3,由定理 17.8 可知边数 10 应满足

$$10 \leq \frac{3}{3-2}(5-2) = 9$$

矛盾,所以 K_5 是非平面图.

类似地,若 $K_{3,3}$ 是平面图,由于 $K_{3,3}$ 中最短圈的长度为 4,从而每个面的次数均大于等于 4. 于是,边数 9 应满足

$$9 \leq \frac{4}{4-2}(6-2) = 8$$

矛盾,所以 $K_{3,3}$ 也是非平面图.

定理 17.9　设平面图 G 有 $k(k \geq 2)$ 个连通分支,各面的次数至少为 $l(l \geq 3)$,则边数 m 与顶点数 n 应有如下关系:

$$m \leq \frac{l}{l-2}(n-k-1)$$

利用欧拉公式的推广容易证明此定理.

定理 17.10　设 G 是 $n(n \geq 3)$ 阶 m 条边的极大平面图,则

$$m = 3n - 6$$

证　由于极大平面图是连通图,由欧拉公式得

$$r = 2 + m - n$$

又因为 G 是极大平面图,由定理 17.5 的必要性可知,G 的每个面的次数均为 3,所以

$$2m = 3r$$

代入上式,整理后得 $m=3n-6$.

  推论　设 G 是 $n(n\geqslant 3)$ 阶 m 条边的简单平面图,则
$$m\leqslant 3n-6$$

  定理 17.11　设 G 是简单平面图,则 G 的最小度 $\delta\leqslant 5$.

  证　若 G 的阶数 $n\leqslant 6$,结论显然成立.因而仅就 $n\geqslant 7$ 讨论.若 $\delta\geqslant 6$,由握手定理可知
$$2m\geqslant 6n$$

因而 $m\geqslant 3n$,这与定理 17.10 的推论矛盾.

  本定理在图着色理论中占重要地位.

  在本节结束之前,回过来证明定理 17.5 的充分性:如果简单连通平面图 G 的每个面的次数都等于 3,则 G 为极大平面图.

  由定理 17.3 可知
$$2m=3r$$

又因为 G 是连通的,由欧拉公式可知
$$r=2+m-n$$

代入上式,经过整理得
$$m=3n-6$$

若 G 不是极大平面图,则 G 中一定存在不相邻的顶点 u,v,使得 $G'=G\cup(u,v)$ 还是简单平面图,而 G' 的边数 $m'=m+1$,$n'=n$,故
$$m'>3n'-6$$

这与定理 17.10 相矛盾.

17.3　平面图的判断

  定义 17.5　设 $e=(u,v)$ 为图 G 的一条边,在 G 中删除 e,增加新的顶点 w,使 u,v 均与 w 相邻,称作在 G 中插入 2 度顶点 w.设 w 为 G 中的一个 2 度顶点,w 与 u,v 相邻,删除 w,增加新边 (u,v),称作在 G 中消去 2 度顶点 w.

  若两个图 G_1 与 G_2 同构,或通过反复插入、消去 2 度顶点后同构,则称 G_1 与 G_2 同胚.

  在图 17.5 中,(a) 与 K_3 同胚,(b) 与 K_4 同胚.

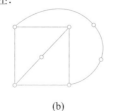

(a)　　　　　　　(b)

图 17.5

下面给出平面图的两个充分必要条件,证明都超出了本书的范围.

定理 17.12(Kuratowski 定理 1)　图 G 是平面图当且仅当 G 中既不含与 K_5 同胚的子图,也不含与 $K_{3,3}$ 同胚的子图.

定理 17.13(Kuratowski 定理 2)　图 G 是平面图当且仅当 G 中既没有可以收缩到 K_5 的子图,也没有可以收缩到 $K_{3,3}$ 的子图.

关于边的收缩见定义 14.10.

例 17.1　证明彼得松图不是平面图.

证　彼得松图见图 17.6(a).在图 17.6(a)中将边 (a,f),(b,g),(c,h),(d,i),(e,j) 收缩,得到图 17.6(b),它是 K_5.由定理 17.13,彼得松图不是平面图.

还可以这样证明:删去图 17.6(a)中的两条边 (j,g) 和 (c,d),得到图 17.6(c).不难看出,它与 $K_{3,3}$ 同胚.由定理 17.12,彼得松图是非平面图.

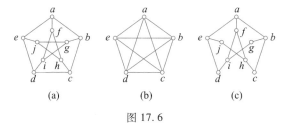

图 17.6

例 17.2　对 K_5 插入一个 2 度顶点,或在 K_5 外放置一个顶点使其与 K_5 上的若干个顶点相邻,共可以产生多少个非同构的 6 阶简单连通非平面图?

解　由于所要求的非平面图是 6 阶的,因而用插入 2 度顶点的方法只能产生一个非平面图,见图 17.7(a)所示的图.它与 K_5 同胚,所以是非平面图.在 K_5 外放置一个顶点,使其与 K_5 上的 1 个到 5 个顶点相邻,得 5 个图如图 17.7 中(b)到(f)所示,它们都含 K_5 子图,由 Kuratowski 定理可知,它们都是非平面图.

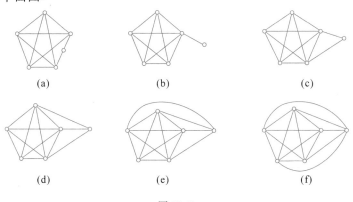

图 17.7

例 17.3　由 $K_{3,3}$ 加若干条边能生成多少个非同构的 6 阶简单连通非平面图?

解 对 $K_{3,3}$ 加 $1 \sim 6$ 条边所得图都含 $K_{3,3}$ 子图,由 Kuratowski 定理可知,它们都是非平面图. 在加 2 条,加 3 条,加 4 条边时又各产生两个非同构的非平面图,连同 $K_{3,3}$ 本身共有 10 个满足要求的非平面图,如图 17.8 所示,其中虚线边表示后加的新边.

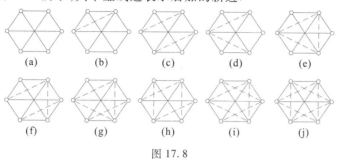

图 17.8

17.4 平面图的对偶图

定义 17.6 设 G 是一个平面图的平面嵌入,构造图 G^* 如下:在 G 的每一个面 R_i 中放置一个顶点 v_i^*. 设 e 为 G 的一条边,若 e 在 G 的面 R_i 与 R_j 的公共边界上,则作边 $e^* = (v_i^*, v_j^*)$ 与 e 相交,且不与其他任何边相交. 若 e 为 G 中的桥且在面 R_i 的边界上,则作以 v_i^* 为端点的环 $e^* = (v_i^*, v_i^*)$. 称 G^* 为 G 的对偶图.

图 17.9 给出两个平面嵌入的对偶图,实线和空心点是平面嵌入,虚线和实心点是对偶图. 实际上这两个平面嵌入是同一个平面图的平面嵌入.

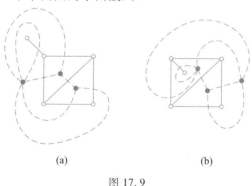

图 17.9

平面图 G 的对偶图 G^* 有以下性质.

(1) G^* 是平面图,而且是平面嵌入.

(2) G^* 是连通图.

（3）若边 e 为 G 中的环，则 G^* 与 e 对应的边 e^* 为桥；若 e 为桥，则 G^* 中与 e 对应的边 e^* 为环.

（4）在多数情况下，G^* 为多重图（含平行边的图）.

（5）同一个平面图的不同平面嵌入的对偶图不一定同构. 如图 17.9 中的两个平面嵌入的对偶图不同构.

平面图 G 与它的对偶图 G^* 的顶点数、边数和面数有如下关系.

定理 17.14 设平面图 G 是连通的，G^* 是 G 的对偶图，n^*, m^*, r^* 和 n, m, r 分别为 G^* 和 G 的顶点数、边数和面数，则

（1）$n^* = r$.

（2）$m^* = m$.

（3）$r^* = n$.

（4）设 G^* 的顶点 v_i^* 位于 G 的面 R_i 中，则 $d_{G^*}(v_i^*) = \deg(R_i)$.

证 由 G^* 的构造可知，（1），（2）是显然的.

（3）由于 G 与 G^* 都连通，因而满足欧拉公式：

$$n - m + r = 2$$
$$n^* - m^* + r^* = 2$$

由（1），（2）可以推出 $r^* = n$.

（4）设 G 的面 R_i 的边界为 C_i，设 C_i 中有 $k_1(k_1 \geqslant 0)$ 条桥、k_2 条非桥的边，于是 C_i 的长度为 $k_2 + 2k_1$，即 $\deg(R_i) = k_2 + 2k_1$. 而 k_1 条桥对应 v_i^* 处有 k_1 个环，k_2 条非桥的边对应从 v_i^* 处引出 k_2 条边，所以 $d_{G^*}(v_i) = k_2 + 2k_1 = \deg(R_i)$.

定理 17.15 设平面图 G 有 $k(k \geqslant 1)$ 个连通分支，G^* 是 G 的对偶图，n^*, m^*, r^* 和 n, m, r 分别为 G^* 和 G 的顶点数、边数和面数，则

（1）$n^* = r$.

（2）$m^* = m$.

（3）$r^* = n - k + 1$.

（4）设 v_i^* 位于 G 的面 R_i 中，则 $d_{G^*}(v_i^*) = \deg(R_i)$.

请读者自己证明.

定义 17.7 设 G^* 是平面图 G 的对偶图，若 $G^* \cong G$，则称 G 为自对偶图.

在图 17.10 中 3 个实线的图都是自对偶图，虚线的图是它们的对偶图.

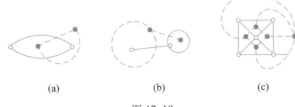

| (a) | (b) | (c) |

图 17.10

在 $n-1(n \geqslant 4)$ 边形 C_{n-1} 内放置一个顶点,连接这个顶点与 C_{n-1} 上的所有顶点.所得的 n 阶简单图称作 n 阶轮图,记作 W_n. n 为奇数的轮图称作奇阶轮图, n 为偶数的轮图称作偶阶轮图.图 17.10(c)中,实边图为 5 阶轮图 W_5.可以证明轮图都是自对偶图.

习 题 17

1. 证明图 17.11 中所示的各图都是平面图.

2. 分别求出图 17.11 所示各平面图的一个平面嵌入,并验证各面次数之和等于边数的两倍.

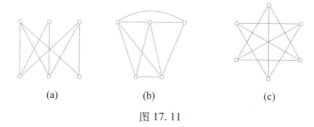

图 17.11

3. 图 17.12 所示的 3 个图都是平面嵌入,先给图中各边标定顺序,然后求出图中各面的边界及次数.

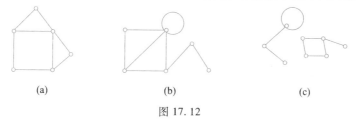

图 17.12

4. 对图 17.12(a)所示的图,重新找 2 个平面嵌入,使外部面的次数分别为 3 和 4.

5. 求图 17.13 所示的平面图的面的边界和次数.

6. 证明定理 17.4.

7. 证明图 17.14 所示的两个图都是极大平面图.

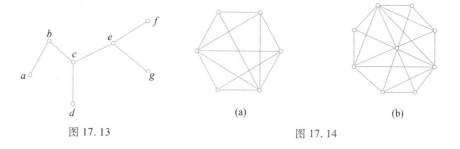

图 17.13

图 17.14

8. 验证 K_5 和 $K_{3,3}$ 都是极小非平面图.

9. 图 17.15 所示的图是极小非平面图吗？为什么？

10. 验证图 17.16 所示的平面图满足欧拉公式.

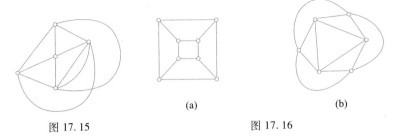

图 17.15   (a)   (b)

                                            图 17.16

11. 验证图 17.17 所示的非连通平面图满足欧拉公式的推广.

图 17.17

12. 利用定理 17.10 的推论证明 K_5 不是平面图.

13. 说明利用定理 17.10 的推论不能证明 $K_{3,3}$ 不是平面图,从而说明定理 17.10 的推论是 $n(n \geqslant 3)$ 阶简单平面的一个必要条件,而不是充分条件.

14. 设 G 是简单平面图,面数 $r<12$, $\delta(G) \geqslant 3$. 证明: G 中存在次数小于等于 4 的面. 举例说明,当 $r=12$ 时,上述结论不真.

15. 设 G 是 n 阶 m 条边的简单平面图,已知 $m<30$,证明: $\delta(G) \leqslant 4$.

16. 设 G 是 $n(n \geqslant 11)$ 阶无向简单图,证明: G 或 $\overline{G}$ 必为非平面图.

17. 证明图 17.18 所示的图全为非平面图.

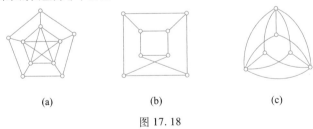

     (a)   (b)   (c)

                图 17.18

18. 图 17.18 所示的 3 个图中,哪个(些)是极小非平面图?

19. 画出 6 阶的所有非同构的连通的简单的非平面图.

20. 求图 17.19 所示的各平面图的对偶图.

21. 平面图 G_1 与 G_2 分别由图 17.20 中(a)与(b)所示,它们是同构的,它们的对偶图也同构吗？

22. 证明定理 17.15.

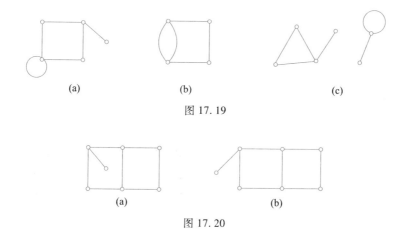

图 17.19

图 17.20

23. 验证轮图 W_6 和 W_7 是自对偶图.

24. 设 n 阶 m 条边的平面图是自对偶图,证明:$m=2n-2$.

25. 设 G 为 $n(n\geqslant4)$ 阶极大平面图,证明 G 的对偶图 G^* 是 2 边-连通的 3-正则图.

26. 证明:平面图 G 的对偶图 G^* 是欧拉图当且仅当 G 中每个面的次数均为偶数.

27. 设 G^* 为平面图 G 的对偶图,G^{**} 是 G^* 的对偶图,在什么情况下,G 与 G^{**} 一定不同构?

本章介绍图论中的几个重要问题,其中支配集、覆盖集、独立集和匹配都是对无向简单图而言的,即前 3 节所说的图都是指无向简单图.而点着色和边着色是对无环图而言的.

18.1 支配集、点覆盖集与点独立集

定义 18.1 设无向简单图 $G = <V, E>$, $V^* \subseteq V$, 若 $\forall v_i \in V - V^*$, $\exists v_j \in V^*$ 使得 $(v_i, v_j) \in E$, 则称 V^* 为 G 的一个支配集,并称 v_j 支配 v_i. 设 V^* 是 G 的支配集,且 V^* 的任何真子集都不是支配集,则称 V^* 为极小支配集. G 的顶点数最少的支配集称作 G 的最小支配集,最小支配集中顶点的个数称作 G 的支配数,记作 $\gamma_0(G)$, 简记为 γ_0.

例如,设计一个大型工作站网络,所有的工作站都需要访问一个公共的中心数据库.为了避免拥塞,提高查找速度,打算在某些工作站复制这个数据库,使得每个工作站要么自己有这个数据库的副本,要么直接链接到一个有副本的工作站.为了使复制的副本数尽可能少,应如何放置副本?用无向图 G 作这个网络的模型,G 的顶点表示各个工作站,边表示工作站之间的直接通信链路.根据要求,应该把副本放置在 G 的最小支配集上.

在图 18.1(a) 中,$\{v_1, v_5\}$, $\{v_3, v_5\}$, $\{v_3, v_6\}$, $\{v_2, v_4, v_7\}$ 都是极小支配集,其中,$\{v_1, v_5\}$, $\{v_3, v_5\}$, $\{v_3, v_6\}$ 是最小支配集,$\gamma_0 = 2$. 图 18.1(b) 为 7 阶星形图,$\{v_0\}$, $\{v_1, v_2, \cdots, v_6\}$ 为极小支配集,其中 $\{v_0\}$ 是最小支配集,$\gamma_0 = 1$. 图 18.1(c) 为轮图 W_6, $\{v_0\}$, $\{v_1, v_3\}$, $\{v_1, v_4\}$ 等都是极小支配集,$\{v_0\}$ 是最小支配集,$\gamma_0 = 1$.

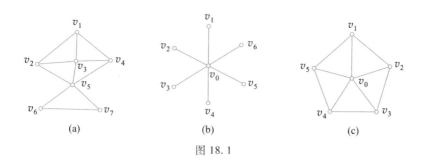

图 18.1

定义 18.2　设无向简单图 $G=<V,E>$，$V^* \subseteq V$，若 V^* 中任何两个顶点均不相邻，则称 V^* 为 G 的 点独立集，简称为 独立集．若 V^* 再加入任何其他的顶点都不是独立集，则称 V^* 为 极大点独立集，G 的顶点数最多的点独立集称作 G 的 最大点独立集，最大独立集的顶点数称作 G 的 点独立数，记作 $\beta_0(G)$，简记为 β_0．

在图 18.1(a) 中，$\{v_1,v_5\}$，$\{v_3,v_6\}$，$\{v_2,v_4,v_7\}$ 等都是极大点独立集，其中 $\{v_2,v_4,v_7\}$ 等为最大点独立集，$\beta_0=3$．图 18.1(b) 中，$\{v_0\}$，$\{v_1,v_2,\cdots,v_6\}$ 都是极大点独立集，其中 $\{v_1,v_2,\cdots,v_6\}$ 是最大点独立集，$\beta_0=6$．图 18.1(c) 中，$\{v_1,v_3\}$，$\{v_1,v_4\}$ 等都是极大点独立集，也都是最大独立集，$\beta_0=2$．

定理 18.1　无向简单图的极大点独立集都是极小支配集．

证　设无向简单图 $G=<V,E>$，V^* 为 G 的极大独立集，则 $\forall v \in V-V^*$，必 $\exists v' \in V^*$，使得 $(v,v') \in E$，否则 $\exists v_0 \in V-V^*$ 不与 V^* 中任何顶点相邻，因而 $V^* \cup \{v_0\}$ 仍为独立集，这与 V^* 是极大独立集矛盾．所以，V^* 是 G 的支配集．又由于 V^* 是点独立集，因而任何的 $V_1 \subset V^*$，V^*-V_1 中的顶点都不受 V_1 中顶点支配，即 V_1 不是支配集，所以 V^* 是极小支配集．

定理 18.1 的逆命题不成立．在图 18.1(a) 中，$\{v_3,v_5\}$ 是极小支配集，但它显然不是独立集，更不是极大独立集．

定义 18.3　设无向简单图 $G=<V,E>$，$V^* \subseteq V$，若 $\forall e \in E$，$\exists v \in V^*$，使得 v 与 e 相关联，则称 V^* 为 G 的 点覆盖集，简称为 点覆盖，并称 v 覆盖 e．设 V^* 是 G 的点覆盖，若 V^* 的任何真子集都不是点覆盖，则称 V^* 为 极小点覆盖．G 的顶点个数最少的点覆盖称为 G 的 最小点覆盖，最小点覆盖中的顶点个数称作 G 的 点覆盖数，记作 $\alpha_0(G)$，简记为 α_0．

在图 18.1(a) 中，$\{v_2,v_3,v_4,v_6,v_7\}$，$\{v_1,v_3,v_5,v_7\}$ 等都是极小点覆盖，其中 $\{v_1,v_3,v_5,v_7\}$ 等是最小点覆盖，$\alpha_0=4$．图 18.1(b) 中，$\{v_0\}$，$\{v_1,v_2,\cdots,v_6\}$ 都是极小点覆盖，其中 $\{v_0\}$ 是最小点覆盖，$\alpha_0=1$．图 18.1(c) 中，$\{v_0,v_1,v_3,v_4\}$，$\{v_0,v_1,v_3,v_5\}$ 等都是极小点覆盖，也都是最小的点覆盖，$\alpha_0=4$．

定理 18.2　设无向简单图 $G=<V,E>$，$V^* \subseteq V$，则 V^* 为 G 的点覆盖当且仅当 $\overline{V^*}=V-V^*$ 为 G 的点独立集．

证　必要性．若存在 $v_i,v_j \in \overline{V^*}$ 相邻，即 $(v_i,v_j) \in E$，则这条边的两个端点 v_i,v_j 都不在 V^* 中，

与 V^* 为点覆盖矛盾,所以 $\overline{V^*}$ 为点独立集.

充分性. 由于 $\overline{V^*} = V - V^*$ 是点独立集,因而任意一条边的两个端点至少有一个在 V^* 中,因而 V^* 是 G 的点覆盖.

由定理 18.2 可以得出以下推论.

推论 设 $G = <V,E>$ 是 n 阶无向图,$V^* \subseteq V$,则 V^* 是 G 的极小(最小)点覆盖当且仅当 $\overline{V^*} = V - V^*$ 是 G 的极大(最大)点独立集,从而有

$$\alpha_0 + \beta_0 = n$$

18.2 边覆盖集与匹配

定义 18.4 设无向简单图 $G = <V,E>$ 没有孤立点,$E^* \subseteq E$,若 $\forall v \in V$,$\exists e \in E^*$,使得 v 与 e 相关联,则称 E^* 为边覆盖集,简称为边覆盖,并称 e 覆盖 v. 设 E^* 为边覆盖,若 E^* 的任何真子集都不是边覆盖,则称 E^* 为极小边覆盖. G 的边数最少的边覆盖称为 G 的最小边覆盖,最小边覆盖中的边数称作 G 的边覆盖数,记作 $\alpha_1(G)$,或简记为 α_1.

显然当图有孤立点时不存在边覆盖. 在图 18.2(a)中,$\{e_1,e_4,e_7\}$,$\{e_2,e_5,e_6,e_7\}$ 等都是极小边覆盖,其中 $\{e_1,e_4,e_7\}$ 是最小边覆盖,$\alpha_1 = 3$. 在图 18.2(b)中,$\{e_1,e_3,e_6\}$,$\{e_2,e_4,e_8\}$ 等都是极小边覆盖,也都是最小边覆盖,$\alpha_1 = 3$.

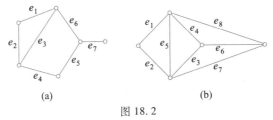

图 18.2

定义 18.5 设无向简单图 $G = <V,E>$,$E^* \subseteq E$,若 E^* 中任何两条边均不相邻,则称 E^* 为 G 的边独立集,也称作 G 的匹配. 若在 E^* 中再加任意一条边后,所得集合都不是匹配,则称 E^* 为极大匹配. G 的边数最多的匹配称作最大匹配,最大匹配中的边数称作边独立数或匹配数,记作 $\beta_1(G)$ 或简记为 β_1.

在图 18.2(a)中,$\{e_2,e_6\}$,$\{e_3,e_5,\}$,$\{e_1,e_4,e_7\}$ 等都是极大匹配,其中 $\{e_1,e_4,e_7\}$ 是最大匹配,$\beta_1 = 3$. 在图 18.2(b)中,$\{e_1,e_3\}$,$\{e_2,e_4\}$,$\{e_4,e_7\}$ 等都是极大匹配,同时也都是最大匹配,$\beta_1 = 2$.

定义 18.6 设 M 为图 $G = <V,E>$ 的一个匹配,

(1)称 M 中的边为匹配边,不在 M 中的边为非匹配边.

(2)与匹配边相关联的顶点为饱和点,不与匹配边相关联的顶点为非饱和点.

（3）若 G 中每个顶点都是饱和点,则称 M 为 G 的**完美匹配**.

（4）G 中由匹配边和非匹配边交替构成的路径称作**交错路径**,起点和终点都是非饱和点的交错路径称作**可增广的交错路径**.G 中由匹配边和非匹配边交替构成的圈称作**交错圈**.

在图 18.2(a)中,$M=\{e_1,e_4,e_7\}$ 为完美匹配,它也是最小边覆盖.而在图 18.2(b)中,$M=\{e_2,e_4\}$ 是最大匹配,但不是完美匹配,最右边的顶点是非饱和点,添加一条覆盖这个顶点的边,$M\cup\{e_6\}$,$M\cup\{e_8\}$,$M\cup\{e_7\}$ 都是图的最小边覆盖.反之,给定一个最小边覆盖,如 $W=\{e_1,e_3,e_6\}$,从中移去一条相邻的边,$\{e_1,e_3\}$,$\{e_1,e_6\}$ 都是图的最大匹配.这种由最大匹配通过增加关联非饱和点的边产生最小边覆盖,以及由最小边覆盖通过移去相邻的一条边产生最大匹配的方法具有普遍性.请看下述定理.

定理 18.3 设 n 阶图 G 中无孤立点.

（1）设 M 为 G 的一个最大匹配,对 G 中每个 M-非饱和点均取一条与其关联的边,组成边集 N,则 $W=M\cup N$ 为 G 的最小边覆盖.

（2）设 W_1 为 G 的一个最小边覆盖,若 W_1 中存在相邻的边就移去其中的一条,设移去的边集为 N_1,则 $M_1=W_1-N_1$ 为 G 的最大匹配.

（3）G 的边覆盖数 α_1 与匹配数 β_1 满足:$\alpha_1+\beta_1=n$.

证 因为 M 为最大匹配,$|M|=\beta_1$,所以 G 有 $n-2\beta_1$ 个 M-非饱和点.所做出的 $W=M\cup N$ 显然为 G 中的边覆盖,且

$$|W|=|M|+|N|=\beta_1+n-2\beta_1=n-\beta_1$$

M_1 显然是 G 的一个匹配.由 W_1 是最小边覆盖可知,W_1 中任何一条边的两个端点不可能都与 W_1 中的其他边相关联,因而在由 W_1 构造 M_1 时,每移去相邻两条边中的一条时,产生并只产生一个 M_1-非饱和点,于是

$$|N_1|=|W_1|-|M_1|=\text{“}M_1\text{ 的非饱和点数”}$$
$$=n-2|M_1|$$

整理后得

$$\alpha_1=|W_1|=n-|M_1|$$

又因为 M_1 是匹配,W 是边覆盖,有

$$|M_1|\leqslant\beta_1$$
$$|W|\geqslant\alpha_1$$

于是

$$\alpha_1=n-|M_1|\geqslant n-\beta_1=|W|\geqslant\alpha_1$$

因而上式中各项均相等.得证:（1）$|M_1|=\beta_1$,即 M_1 是最大匹配;（2）$|W|=\alpha_1$,即 W 是最小边覆盖;（3）$\alpha_1+\beta_1=n$.

推论 设图 G 无孤立点,M 是 G 的一个匹配,W 是 G 的一个边覆盖,则 $|M|\leqslant|W|$,且当等号成立时,M 是 G 的完美匹配,W 是 G 的最小边覆盖.

证 由定理 18.3(1),有 $\beta_1\leqslant\alpha_1$.于是,$|M|\leqslant\beta_1\leqslant\alpha_1\leqslant|W|$.当等号成立时,说明 M 是最大

匹配, W 是最小边覆盖. 再由定理 18.3(3), G 的顶点数 $n=\alpha_1+\beta_1=2\beta_1$, 这说明 G 中无 M-非饱和点, 故 M 是完美匹配.

在图 18.3 中, $M_1=\{e_3,e_7\}$ (如图 18.3(b) 中实线边所示) 是图 18.3(a) 所示图的一个匹配, 但不是最大匹配. $\Gamma=e_2e_3e_4e_7e_6$ 是关于 M_1 的可增广的交错路径. 将 Γ 中的匹配边变成非匹配边, 非匹配边变成匹配边, 得到 $M_2=\{e_2,e_4,e_6\}$ (图 18.3(c) 中实线边所示), 它仍是一个匹配且比 M_1 多一条边. 这就是 "可增广的" 含义. 下述定理给出最大匹配的充分必要条件.

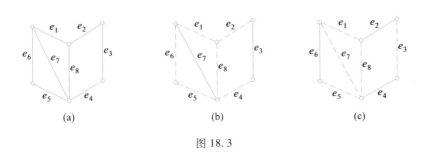

图 18.3

定理 18.4　设 M 是图 G 的一个匹配, 则 M 为 G 的最大匹配当且仅当 G 中不含关于 M 的可增广的交错路径.

证　必要性. 设 M 为 G 中最大匹配, 若 G 中存在 M 的可增广的交错路径 Γ, 在 Γ 中匹配边比非匹配边少 1, 将 Γ 中的非匹配边变成匹配边, 匹配边变成非匹配边, 得到 M', 即 $M'=(M\cup E(\Gamma))-(M\cap E(\Gamma))=M\oplus E(\Gamma)$, M' 中的边彼此不相邻且比 M 多一条边, 即 M' 是比 M 多一条边的匹配, 这与 M 是最大匹配相矛盾, 所以 M 不含可增广的交错路径.

充分性. 设 G 中不含关于 M 的可增广的交错路径, M_1 是 G 的最大匹配, 要证明 $|M|=|M_1|$. 为此, 考虑 M_1 和 M 的对称差的导出子图, 设 $H=G[M_1\oplus M]$. 当 $H=\varnothing$ (空图) 时, $M=M_1$, 于是 M 为 G 中最大匹配. 若 $H\neq\varnothing$, 由于 M,M_1 都是匹配, 所以 H 各连通分支要么是由 M 和 M_1 中的边组成的交错圈, 在交错圈上 M 和 M_1 中的边数相等, 要么为由 M 和 M_1 中的边组成的交错路径. 由已知条件可知 M 不含可增广的交错路径, M_1 是最大匹配, 由必要性可知, M_1 中也无可增广的交错路径, 于是在由 M 和 M_1 组成的交错路径上, M 和 M_1 的边数也相等, 总之 M 与 M_1 的边数相同, 所以 M 为最大匹配.

18.3　二部图中的匹配

定义 18.7　设 $G=\langle V_1,V_2,E\rangle$ 为二部图, $|V_1|\leqslant|V_2|$, M 为 G 的一个匹配且 $|M|=|V_1|$, 称 M 为 V_1 到 V_2 的*完备匹配*.

显然, 二部图的完备匹配是最大匹配. 但最大匹配不一定是完备匹配. 当 $|V_2|=|V_1|$ 时, 完备匹配是完美匹配.

在 18.4 中,(a),(b)中的实线边是完备匹配,而(c)中的实线边是最大匹配,但不是完备匹配.

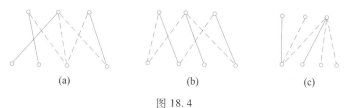

图 18.4

下述定理给出二部图有完备匹配的充分必要条件.

定理 18.5(Hall 定理)　设二部图 $G=<V_1,V_2,E>$,其中 $|V_1|\leqslant|V_2|$,则 G 中存在 V_1 到 V_2 的完备匹配当且仅当 V_1 中任意 $k(k=1,2,\cdots,|V_1|)$ 个顶点至少与 V_2 中的 k 个顶点相邻.

本定理中的条件常称作"相异性条件".

证　定理的必要性显然,下面证明充分性.设 M 为 G 的最大匹配,若 M 不是完备匹配,必存在非饱和点 $v_x\in V_1$.根据相异性条件,必存在 $e\in E_1=E-M$ 与 v_x 关联.并且 V_2 中与 v_x 相邻的顶点都是饱和点,否则与 M 是最大匹配矛盾.考虑从 v_x 出发的尽可能长的所有交错路径,由于 M 是最大匹配,又由定理 18.4 可知这些交错路径都不是可增广的,因此每条路径的另一个端点一定是饱和点,从而这些端点全在 V_1 中.令

$$S=\{v|v\in V_1\text{ 且 }v\text{ 在从 }v_x\text{ 出发的交错路径上}\}$$
$$T=\{v|v\in V_2\text{ 且 }v\text{ 在从 }v_x\text{ 出发的交错路径上}\}$$

注意到,除 v_x 外,S 和 T 中的顶点都是饱和点,且由匹配边给出两者之间的一一对应,因而 $|S|=|T|+1$.这说明 V_1 中有 $|T|+1$ 个顶点只与 V_2 中 $|T|$ 个顶点相邻,与相异性条件矛盾.因此,V_1 中不可能存在非饱和点,故 M 是完备匹配.

图 18.4(c)中,V_1 中有两个顶点只与 V_2 中的一个顶点相邻,不满足相异性条件,因而图 18.4(c)不存在完备匹配.而图 18.4(a),(b)均满足相异性条件,都有完备匹配.

定理 18.6　设二部图 $G=<V_1,V_2,E>$,如果存在正整数 t,使得 V_1 中每个顶点至少关联 t 条边,而 V_2 中每个顶点至多关联 t 条边,则 G 中存在 V_1 到 V_2 的完备匹配.

证　由定理中的条件可知,V_1 中任意 $k(1\leqslant k\leqslant|V_1|)$ 个顶点至少关联 kt 条边,而 V_2 中每个顶点至多关联 t 条边,所以这 kt 条边至少关联 V_2 中 k 个顶点.这说明 G 满足相异性条件,因而 G 中存在完备匹配.

常称定理 18.6 中的条件为 t 条件.t 条件是二部图有完备匹配的充分条件,但不是必要条件.图 18.4(a)不满足 t 条件,但有完备匹配.

例 18.1　某公司招聘了 3 名大学毕业生.公司有 5 个部门需要人,部门领导与毕业生们进行了交谈.不考虑单向的意愿,他们交谈之后的结果(毕业生愿意去这个部门,这个部门也同意接受这名毕业生)如表 18.1 所示.如果每个部门只能接收一名毕业生,问:这 3 名毕业生都能到他满意的部门工作吗?试给出分配方案.

表 18.1

	部门 1	部门 2	部门 3	部门 4	部门 5
毕业生 A	*	*	*		
毕业生 B		*		*	*
毕业生 C			*	*	*

解　表 18.1 中的关系可以用一个二部图 $G=<V_1,V_2,E>$ 表示,如图 18.5 所示,其中 $V_1=\{v_1,$ $v_2,v_3\}$ 表示 3 名大学毕业生,$V_2=\{u_1,u_2,\cdots,u_5\}$ 表示 5 个部门.一个分配方案就是 G 的一个匹配.由于 $v_1,v_2,$ v_3 都关联 3 条边,而 $u_1,u_2,\cdots,u_5$ 都至多关联 2 条边,G 满足 t 条件,其中 $t=3$.根据定理 18.6,G 有完备匹配,从而每名毕业生都能到他满意的部门工作.这样的分配方案很多.例如,A 到部门 1,B 到部门 2,C 到部门 3; A 到部门 3,B 到部门 2,C 到部门 5 等.

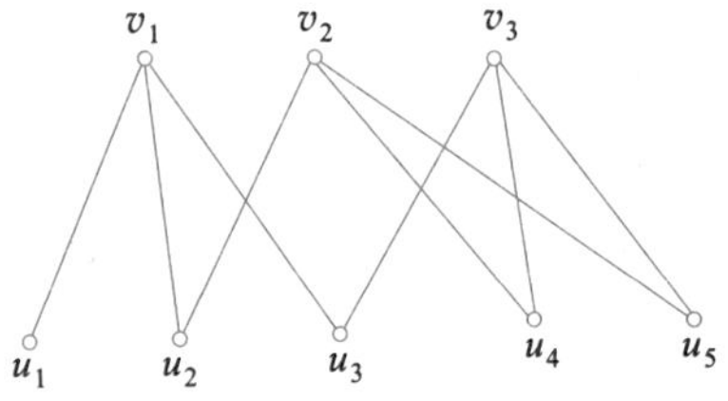

图 18.5

例 18.2　*视频检索*.一段视频通常称作"片断",每个片断由一串连续的"镜头"构成,每个镜头可以看作由若干"帧"构成的序列,而每个帧就是一幅图像.因此,视频检索从上层到下层可以分为片断检索、镜头检索与图像检索.

现在考虑镜头检索.给定镜头 X,假定它由连续的 n 个帧 $x_1,x_2,\cdots,x_n$ 构成.在视频库中存有许多镜头,假设镜头 Y 由 m 个帧 $y_1,y_2,\cdots,y_m$ 构成.对于帧 x_i 和 y_j,通过图像识别可以得到 x_i 与 y_j 的相似值 w_{ij},$0 \leq w_{ij} \leq 1$,其中 $i=1,2,\cdots,n$,$j=1,2,\cdots,m$.构造带权的完全二部图 $G=<X,Y,E,W>$,其中 $X=\{x_1,x_2,\cdots,x_n\}$,$Y=\{y_1,y_2,\cdots,y_m\}$,$W=\{w_{ij}\,|\,i=1,2,\cdots,n,j=1,2,\cdots,m\}$.设 M 是 G 的一个匹配,M 的权值定义为 $W(M)=\sum_{(i,j)\in M}w_{ij}$.定义镜头 X 与 Y 的相似度 $D(X,Y)$ 是 G 的带最大权的匹配,即

$$D(X,Y)=\max\{W(M)\,|\,M \text{ 是 } <X,Y,E,W> \text{ 的匹配}\}$$

所谓视频检索,就是在视频库中找到与给定镜头 X 具有最大相似度的镜头 Y.

求二部图的最大匹配和带权二部图的最大权匹配的有效算法可以在有关算法的教材中找到.

18.4　点　着　色

图着色问题的研究起源于四色猜想(见 18.5 节),着色问题包含点着色、边着色和地图着色等、点着色和边着色都是对无环的无向图进行的.

定义 18.8　设无向图 G 无环,对 G 的每个顶点涂一种颜色,使相邻的顶点涂不同的颜色,称作图 G 的一种*点着色*,简称为*着色*.若能用 k 种颜色给 G 的顶点着色,则称 G 为 *k-可着色的*.若

G 是 k-可着色的,但不是 $(k-1)$-可着色的,则称 G 的**色数**为 k. G 的色数记作 $\chi(G)$,简记作 χ.

图着色有着广泛的应用.当试图在有冲突的情况下分配资源时,就会自然地产生这个问题.例如,有 n 项工作,每项工作需要一天的时间完成.有些工作由于需要相同的人员或设备不能同时进行,问至少需要几天才能完成所有的工作.用图描述如下:用顶点表示工作,如果两项工作需要相同的人员或设备就用一条边连接对应的顶点.工作的时间安排对应于这个图的点着色:着同一种颜色的顶点对应的工作可以安排在同一天,所需的最少天数正好是这个图的色数.

又如,计算机有 k 个寄存器,现正在编译一个程序,要给每一个变量分配一个寄存器.如果两个变量要在同一时刻使用,则不能把它们分配给同一个寄存器.可以构造一个图,每一个变量是一个顶点,如果两个变量要在同一时刻使用,则用一条边连接这两个变量.于是,这个图的 k-着色对应给变量分配寄存器的一种安全方式:给着不同颜色的变量分配不同的寄存器.

还有一个应用是无线交换设备的波长分配.有 n 台设备和 k 个发射波长,要给每一台设备分配一个波长.如果两台设备靠得太近,则不能给它们分配相同的波长,以防止干扰.以设备为顶点构造一个图,如果两台设备靠得太近,则用一条边连接它们.用一种颜色表示一个波长,于是这个图的 k-着色给出一个波长分配方案.

不难证明下述几条关于色数的性质.

例 18.3　(1) $\chi(G)=1$ 当且仅当 G 是零图.

(2) $\chi(K_n)=n$

(3) 偶圈的色数为 2,奇圈为 3,奇阶轮图的色数为 3,偶阶轮图的色数为 4.

(4) 设 G 至少含一条边,则 $\chi(G)=2$ 当且仅当 G 为二部图.

定理 18.7　对于任意的无环图 G,均有

$$\chi(G) \leqslant \Delta(G)+1$$

证　对 G 的阶数 n 作归纳证明.

当 $n=1$ 时,结论显然为真,设 $n=k(k\geqslant1)$ 时结论成立.现考虑 $n=k+1$ 的情况.

任取 G 的一个顶点 v,令 $G'=G-v$, G' 的阶数为 k.由归纳假设,可用 $\Delta(G')+1\leqslant\Delta(G)+1$ 种颜色给 G' 的顶点着色.而 v 至多与 G' 的 $\Delta(G)$ 个顶点相邻,在 G' 的点着色中,这些顶点至多用了 $\Delta(G)$ 种颜色,因此在这 $\Delta(G)+1$ 种颜色中至少存在一种颜色可以给 v 着色,使 v 与相邻顶点着不同颜色.得证当 $n=k+1$ 时结论也成立.

定理 18.7 中色数的上界当 G 是完全图 $K_n(n\geqslant3)$ 或奇圈时达到.当不是完全图和奇圈时,色数的上界可以改进.见下述定理.

定理 18.8(Brooks 定理)　设无环图 G 不是完全图 $K_n(n\geqslant3)$,也不是奇圈,则

$$\chi(G) \leqslant \Delta(G)$$

本定理的证明略.

例 18.4　求图 18.6 所示的各图的色数.

解　图 18.6(a) 为二部图,由例 18.3(4), $\chi=2$.图 18.6(b) 为 6 阶轮图 W_6,由例 18.3(3), $\chi=4$.图 18.6(c) 是彼得松图, $\Delta=3$,由 Brooks 定理, $\chi\leqslant3$.又因为图中有奇圈,由例 18.3(3), $\chi\geqslant$

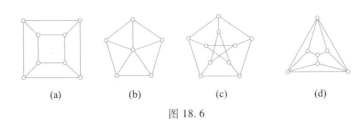

图 18.6

3，故 $\chi=3$. 对于图 18.6(d)，由 Brooks 定理，$\chi\le\Delta=4$. 又因为图中有奇圈，有 $\chi\ge3$. 因而，χ 等于 3 或 4. 但不可能用 3 种颜色给它着色. 事实上，最外面的 3 个顶点必须用 3 种颜色；中间一层的 3 个顶点中每一个都与在最外面的 2 个相关联，从而也要用 3 种颜色；最里面的顶点与中间的 3 个顶点都关联，必须用第 4 种颜色. 因此，$\chi=4$.

18.5　地图着色与平面图的点着色

连通无桥平面图的平面嵌入及其所有的面称作地图，地图的面称作"国家"，若两个国家的边界至少有一条公共边，则称这两个国家是相邻的.

定义 18.9　对地图 G 的每个国家涂上一种颜色，使相邻的国家涂不同的颜色，称作对地图 G 的面着色. 若能够用 k 种颜色给 G 的面着色，则称 G 为 k-可面着色的. 若 G 为 k-可面着色的，但不是 $(k-1)$-可面着色的，则称 G 的面色数为 k. G 的面色数记作 $\chi^*(G)$，简记作 χ^*.

地图是无桥的平面图，它的对偶图无圈. 由于地图上的国家与它的对偶图的顶点一一对应，且两个国家相邻当且仅当对应的顶点相邻，因此可以把地图的面着色转化成它的对偶图的点着色.

定理 18.9　地图 G 是 k-可面着色的当且仅当它的对偶图 G^* 是 k-可着色的.

由于平面图的对偶图是平面图，根据定理 18.9，地图着色（面着色）可以归结于平面图的点着色.

19 世纪 50 年代一个青年学生注意到可以用 4 种颜色给英格兰的郡地图着色，使得相邻的郡着不同的颜色. 在这个基础上，他猜想任何地图都可以用 4 种颜色着色. 他的弟弟是德摩根的学生，他把哥哥的这个想法告诉了德摩根. 德摩根对这个问题非常感兴趣并把它公布于众. 这就是著名的四色猜想. 由于地图着色可以归结于平面图的点着色，因而后来的提法是：任何平面图都是 4-可着色的. 1890 年希伍德证明任何平面图都是 5-可着色的，称作五色定理. 此后一直没有什么进展，直到 1976 年两位美国数学家阿佩尔和黑肯终于证明了它，从而使得四色猜想成为四色定理. 阿佩尔和黑肯的证明是根据前人的证明思路，用计算机完成的. 他们证明，如果四色猜想不成立，则存在一个反例，这个反例大约有 2000 种（后来有人简化到 600 多种）可能，然后他们用计算机分析了所有这些可能，都没有导致反例，从而证明四色猜想成立. 但是，对四色定理的研究并没有到此结束，他们的证明毕竟是用计算机完成的，寻找相对短的、能被人阅读和检查的证明仍是数学家追求的目标.

定理 18.10（四色定理） 任何平面图都是 4-可着色的.

18.6 边 着 色

本节讨论的图仍旧是无环的无向图.

定义 18.10 对图 G 的每条边着一种颜色,使相邻的边着不同的颜色,称作对图 G 的边着色. 若能用 k 种颜色给 G 的边着色,则称 G 为 k-可边着色的. 若 G 为 k-可边着色的,但不是 $(k-1)$-可边着色的,则称 G 的边色数为 k. G 的边色数记作 $\chi'(G)$,简记作 χ'.

定理 18.11（Vizing 定理） 简单图的边色数只可能取两个值: Δ 或者 $\Delta+1$.

证明略去. 虽然简单图的边色数只可能取两个值,但什么情况下取 Δ,什么情况下取 $\Delta+1$,至今还是一个没有解决的问题.

定理 18.12 二部图的边色数等于 Δ.

证明略去,可参阅参考文献 1.

由定义及 Vizing 定理不难证明下述事实.

例 18.5 长度大于等于 2 的偶圈的边色数等于 2,长度大于等于 3 的奇圈的边色数等于 3.

例 18.6 证明 $\chi'(W_n)=n-1$,其中 $n \geqslant 4$.

解 当 $n=4$ 和 $n=5$ 时,不难用 3 种颜色和 4 种颜色分别给 W_4 和 W_5 的边着色,如图 18.7 所示. 又因为它们的 Δ 分别为 3 和 4,因此由 Vizing 定理得证结论正确.

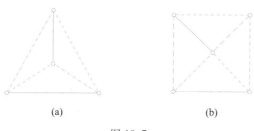

(a)   (b)

图 18.7

当 $n \geqslant 6$ 时,W_n 中间顶点关联的 $n-1$ 条边用 $n-1$ 种颜色着色,而外圈上的每一条边都与 4 条边相邻,总可以从这 $n-1 \geqslant 5$ 种颜色中找到一种颜色给它着色,所以 $\chi'(W_n) \leqslant n-1$,又由 Vizing 定理,$\chi'(W_n) \geqslant \Delta(W_n)=n-1$,得证 $\chi'(W_n)=n-1$.

例 18.7 证明:当 $n(n \neq 1)$ 为奇数时 $\chi'(K_n)=n$,而当 n 为偶数时 $\chi'(K_n)=n-1$.

证 当 n 为奇数且 $n \neq 1$ 时,由 Vizing 定理可知 $\chi'(K_n) \leqslant \Delta+1=n$. 下面证明 $\chi'(K_n) \geqslant n$.

画 K_n 如下:先画正 n 边形 C_n,将 C_n 上不相邻的顶点之间都连线段就得到 K_n. 在 K_n 中共有 n 组平行边,每组 $\frac{1}{2}(n-1)$ 条边. $\frac{1}{2}(n-1)$ 条平行边关联 $n-1$ 个顶点,因而在 K_n 的边着色中至多有

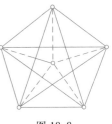

$\dfrac{1}{2}(n-1)$ 条边同色,故 $\dfrac{1}{2}(n-1)\chi'(K_n)\geqslant\dfrac{1}{2}(n-1)n$,得 $\chi'(K_n)\geqslant n$.

当 n 为偶数时,由 Vizing 定理,$\chi'(K_n)\geqslant\Delta=n-1$.下面证明 $\chi'(K_n)\leqslant n-1$.

K_n 可如下获得:先画出 K_{n-1}($n-1$ 为奇数),然后在 K_{n-1} 的中心放置一个顶点,连接中心点与 K_{n-1} 上的所有顶点.当 $n=6$ 时的情况如图 18.8 所示.用 $\chi'(K_{n-1})=n-1$ 种颜色给 K_{n-1} 的边着色,然后给与中心点关联的边着 K_{n-1} 中与它垂直的边的颜色,就完成了 K_n 的边着色.

图 18.8

习　题　18

1. 无向图 G 如图 18.9 所示,求 G 的两个极小支配集、一个最小支配集及支配数 γ_0.

2. 求图 18.9 所示的无向图 G 的两个极大点独立集、一个最大点独立集及点独立数 β_0.

3. 求图 18.9 所示的无向图 G 的两个极小点覆盖集、一个最小点覆盖集及点覆盖数 α_0.

4. 无向图 G 如图 18.10 所示,求 G 的两个极小边覆盖集、一个最小边覆盖集及边覆盖数 α_1.

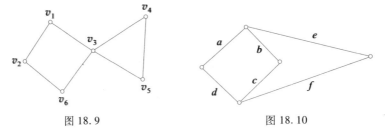

图 18.9　　　　　　　　　　图 18.10

5. 求图 18.10 所示的无向图 G 的两个极大匹配、一个最大匹配及匹配数 β_1.

6. 图 18.10 所示的无向图 G 有完美匹配吗?为什么?

7. 求彼得松图(见图 14.3(a))的最大点独立集和最小点覆盖集以及 β_0 和 α_0.

8. 给出彼得松图的一个边子集,使它既是最小边覆盖集,又是最大匹配,并求其匹配数 β_1 和边覆盖数 α_1.

9. 在图 18.11 所示的轮图 W_6 中,找出含边 e_1 的所有完美匹配.

10. 举例说明:

(1) 图的极小支配集不一定是点独立集.

(2) 图的极小支配集不一定是最小支配集.

(3) 图的极大点独立集不一定是最大点独立集.

(4) 图的极大匹配不一定是最大匹配.

11. 举例说明满足相异性条件的二部图,不一定存在正整数 t,使其满足 t 条件.

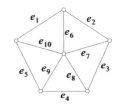

图 18.11

12. 证明:在完全图 $K_n(n\geqslant3)$ 中,$\beta_1<\alpha_0$,$\beta_0<\alpha_1$.

13. 证明:在完全二部图 $K_{r,s}$ 中,$\beta_1=\alpha_0$,$\beta_0=\alpha_1$.

14. 证明:对于任意的无向简单图 G,均有 $\alpha_0\geqslant\delta$.

15. 证明:在 8×8 的国际象棋棋盘的一条主对角线上移去两端的方格后,所得棋盘不能用 1×2 的长方形不重叠地填满.

16. 设二部图 $G=<V_1,V_2,E>$ 为 k-正则图,证明:G 中存在完美匹配,其中 $k\geq1$.

17. n 位教员教 n 门课程,已知每位教员至少能教两门课程,而每门课程至多有两位教员能教,问:能否每位教员正好教一门课?

18. 今有张、王、李、赵、陈 5 名学生,报名参加物理、化学、生物 3 个课外小组活动.已知,张报了物理和化学组,王只报了物理组,李、赵都报了化学组和生物组,陈只报了生物组.问:根据他们的报名情况,能否从这 5 名学生中选出 3 名任这 3 个小组的组长?

又若张报了物理组和化学组,而王、李、赵、陈都只报了生物组,还能选出 3 名组长吗? 为什么?

19. 现有 4 名教师:张、王、李、赵,要求他们去教 4 门课程:数学、物理、电工和计算机基础,已知张能胜任数学和计算机基础;王能胜任物理和电工;李能胜任数学、物理和电工;而赵只能胜任电工.如何安排,才能使每名教师都教一门自己能胜任的课程并且每门课都有一名教师教? 讨论有几种安排方案.

20. 给下列各图的顶点用尽量少的颜色着色.

(1) 5 阶零图 N_5.

(2) 5 阶圈 C_5.

(3) 6 阶圈 C_6.

(4) 6 阶完全图 K_6.

(5) 6 阶轮图 W_6.

(6) 7 阶轮图 W_7.

(7) 完全二部图 $K_{3,4}$.

21. 求图 18.12 所示的各图的点色数.

 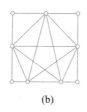

(a)　　　　　　　　(b)　　　　　　　　(c)

图 18.12

22. 设 T 是非平凡的无向树,证明:$\chi(T)=2$.

23. 设 G 是 n 阶 k-正则图,证明:

$$\chi(G)\geq\frac{n}{n-k}$$

24. 证明:任何无环平面图都是 6-可着色的.

25. 用尽量少的颜色给图 18.13 所示的地图面着色.

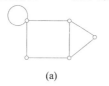

(a)　　　　　　　　(b)　　　　　　　　(c)

图 18.13

26. 通过求图 18.13 所示的各地图的对偶图的点色数,求各地图的面色数.

27. 求轮图 W_{2k} 与 $W_{2k+1}(k \geq 2)$ 所对应的地图的面色数.

28. 设 G^* 为图 18.14 所示的平面图 G 的对偶图. 画出 G^*. 通过求 $\chi(G^*)$ 求 $\chi^*(G)$.

图 18.14

29. 用尽可能少的颜色给完全图 K_4 和 K_5 的边着色.

30. 用尽可能少的颜色给 $K_{3,3}$ 的边着色.

31. 证明:彼得松图的边色数 $\chi' = 4$.

32. 某大学计算机专业三年级有 5 门选修课,其中课程 1 与 2,1 与 3,1 与 4,2 与 4,2 与 5,3 与 4,3 与 5 均有人同时选修. 问:安排这 5 门课的考试至少需要几个时间段?

33. 某中学高三年级有 5 个班,由 4 名教师(A,B,C,D)为他们授课,周一每名教师为每个班上课的节数如表 18.2 所示. 问:本年级周一至少要安排多少节课? 需要多少个教室?

表 18.2

	1 班	2 班	3 班	4 班	5 班
A	1	0	1	0	0
B	1	0	1	1	0
C	0	1	1	1	1
D	0	0	0	1	2

34. 假设当两台无线发射设备的距离小于 200 km 时不能使用相同的频率. 现有 6 台设备,表 18.3 给出它们之间的距离,问:它们至少需要几个不同的频率?

35. 有 6 名博士生要进行论文答辩,答辩委员会的成员分别为 $A_1 = \{$张教授,李教授,王教授$\}$,$A_2 = \{$李教授,赵教授,刘教授$\}$,$A_3 = \{$张教授,刘教授,王教授$\}$,$A_4 = \{$赵教授,刘教授,王教授$\}$,$A_5 = \{$张教授,李教授,孙教授$\}$,$A_6 = \{$李教授,刘教授,王教授$\}$,那么这次论文答辩必须安排在多少个不同的时间?

表 18.3

	1	2	3	4	5	6
1	0	120	250	345	160	180
2		0	125	240	150	210
3			0	160	320	380
4				0	288	321
5					0	100
6						0

第6部分　初　等　数　论

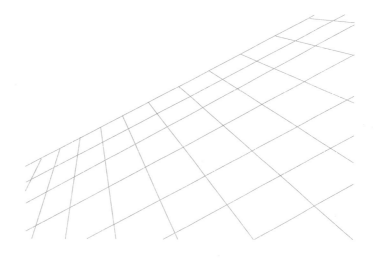

第 19 章
初 等 数 论

数论是研究数的规律,特别是整数性质的数学分支.它非常古老,又始终充满青春活力.数论中的许多著名经典问题使一代又一代数学家为之倾心,激发出无数智慧的思想火花,哥德巴赫猜想就是最典型的代表.今天,数论不仅仍然是一个活跃的数学分支,而且在其他领域内,包括计算机科学技术在内,发现了许多意想不到的应用,焕发出新的活力.

本章介绍初等数论的基本知识及在计算机科学技术中的几个应用.下面的讨论都是在整数范围内进行.

19.1 素 数

设 a, b 是两个整数,且 $b \neq 0$.如果存在整数 c 使 $a = bc$,则称 a 被 b 整除,或 b 整除 a,记作 $b \mid a$.此时,又称 a 为 b 的倍数,b 是 a 的因子.把 b 不整除 a 记作 $b \nmid a$.

例如,10 被 $\pm 1, \pm 2, \pm 5$ 和 ± 10 整除,10 有 8 个因子 $\pm 1, \pm 2, \pm 5$ 和 ± 10.由于正负因子是成对出现的,通常只考虑正因子.显然,任何正整数都有两个正因子:1 和它自己,称作它的平凡因子.除平凡因子之外的因子称作真因子.例如,2 和 5 是 10 的真因子.

设 a, b 是两个整数,且 $b \neq 0$,则存在唯一的整数 q 和 r,使得

$$a = qb + r, \qquad 0 \leqslant r < \mid b \mid$$

这个式子称作带余除法.记余数 $r = a \bmod b$.

例如,$23 = 5 \times 4 + 3, 23 \bmod 4 = 3$;$-10 = -4 \times 3 + 2, -10 \bmod 3 = 2$;$15 = 5 \times 3 + 0, 15 \bmod 3 = 0$.

显然,$b \mid a$ 当且仅当 $a \bmod b = 0$.

不难验证,整除有下述性质.

性质 19.1 如果 $a \mid b$ 且 $a \mid c$,则对任意的整数 x,y,有 $a \mid xb+yc$.

性质 19.2 如果 $a \mid b$ 且 $b \mid c$,则 $a \mid c$.

性质 19.3 设 $m \neq 0$,则 $a \mid b$ 当且仅当 $ma \mid mb$.

性质 19.4 如果 $a \mid b$ 且 $b \mid a$,则 $a = \pm b$.

性质 19.5 如果 $a \mid b$ 且 $b \neq 0$,则 $\mid a \mid \leqslant \mid b \mid$.

定义 19.1 如果正整数 a 大于 1 且只能被 1 和它自己整除,则称 a 为 素数;如果 a 大于 1 且不是素数,则称 a 为 合数. 素数也称作 质数.

例如,5 和 13 是素数,4 和 15 是合数.

素数和合数有下述性质.

性质 19.6 如果 $d>1$,p 是素数且 $d \mid p$,则 $d = p$.

性质 19.7 设 p 是素数且 $p \mid ab$,则必有 $p \mid a$ 或者 $p \mid b$.

更一般地,设 p 是一个素数且 $p \mid a_1 a_2 \cdots a_k$,则必存在 $1 \leqslant i \leqslant k$,使得 $p \mid a_i$.

注意:当 d 不是素数时,$d \mid ab$ 不一定能推出 $d \mid a$ 或 $d \mid b$. 例如,$6 \mid 4 \times 9$,但 $6 \nmid 4$ 且 $6 \nmid 9$.

性质 19.8 $a>1$ 是合数当且仅当 $a = bc$,其中 $1<b<a,1<c<a$.

性质 19.9 合数必有素数因子,即设 a 是一个合数,则存在素数 p,使得 $p \mid a$.

根据性质 19.9,任何大于 1 的整数要么是素数,要么可以分解成素数的乘积. 这样的分解是唯一的,这就是下述算术基本定理,它表明素数是构成整数的"基本元素".

定理 19.1(算术基本定理) 设 $a>1$,则

$$a = p_1^{r_1} p_2^{r_2} \cdots p_k^{r_k}$$

其中 $p_1,p_2,\cdots,p_k$ 是不相同的素数,$r_1,r_2,\cdots,r_k$ 是正整数,并且在不计顺序的情况下,该表示是唯一的.

定理中的表达式称作整数 a 的 素因子分解. 下面是几个整数的素因子分解.

$$30 = 2 \times 3 \times 5$$
$$88 = 2^3 \times 11$$
$$35\,989 = 17 \times 29 \times 73$$
$$99\,099 = 3^2 \times 7 \times 11^2 \times 13$$
$$1\,024 = 2^{10}$$

设 a 可以素因子分解成定理 19.1 中的形式,常说 a 含有 r_1 个 p_1,r_2 个 p_2,$\cdots$. 今后有时需要把表达式推广成更一般的形式:$r_1,r_2,\cdots,r_k$ 是非负整数,即 $r_1,r_2,\cdots,r_k$ 可以等于 0. 当 $r_i = 0$ 时,a 实际上不含 p_i. 1 也可以表示成这种更一般的形式:所有的 $r_i = 0$. 当然,这种推广的表达式不再有唯一性.

显然,a 的因子只能含有 a 中的素因子. 更准确地说,有下列推论.

推论 设 $a = p_1^{r_1} p_2^{r_2} \cdots p_k^{r_k}$,其中 $p_1,p_2,\cdots,p_k$ 是不相同的素数,$r_1,r_2,\cdots,r_k$ 是正整数,则正整数

d 为 a 的因子的充分必要条件是

$$d = p_1^{s_1} p_2^{s_2} \cdots p_k^{s_k},$$

其中 $0 \leqslant s_i \leqslant r_i, i = 1, 2, \cdots, k$.

例 19.1　（1）99 099 有多少个正因子？

（2）20! 的二进制表示中从最低位数起有多少个连续的 0？

解　（1）前面已有 $99\ 099 = 3^2 \times 7 \times 11^2 \times 13$. 由定理 19.1 的推论，99 099 的正因子的个数为 $3 \times 2 \times 3 \times 2 = 36$.

（2）只需求 20! 含有多少个因子 2. 不超过 20 含有因子 2 的数（即偶数）有 $2, 4 = 2^2, 6 = 2 \times 3, 8 = 2^3, 10 = 2 \times 5, 12 = 2^2 \times 3, 14 = 2 \times 7, 16 = 2^4, 18 = 2 \times 9, 20 = 2^2 \times 5$. 故 20! 含有 18 个因子 2，从而 20! 的二进制表示中从最低位数起有 18 个连续的 0.

现在要问：有无穷多个素数吗？回答是肯定的.

定理 19.2　有无穷多个素数.

证　用反证法. 假设只有有穷个素数，设为 $p_1, p_2, \cdots, p_n$，令 $m = p_1 p_2 \cdots p_n + 1$. 显然，$p_i \nmid m$，$1 \leqslant i \leqslant n$. 因此，要么 m 本身是素数，要么存在大于 p_n 的素数整除 m，矛盾.

记 $\pi(n)$ 为小于等于 n 的素数个数. 例如，$\pi(0) = \pi(1) = 0$，$\pi(2) = 1$，$\pi(3) = \pi(4) = 2$，$\pi(5) = 3$. $\pi(n)$ 描述了素数分布，表 19.1 表明 $\dfrac{n}{\ln n}$ 是 $\pi(n)$ 的很好近似. 关于 $\pi(n)$ 与 $\dfrac{n}{\ln n}$ 的关系有下述定理，定理的证明超出了本书的范围.

定理 19.3（素数定理）　$\displaystyle \lim_{n \to +\infty} \frac{\pi(n)}{n/\ln n} = 1$.

表 19.1

n	10^3	10^4	10^5	10^6	10^7
$\pi(n)$	168	1 229	9 592	78 498	664 579
$\dfrac{n}{\ln n}$	145	1 086	8 686	72 382	620 421
$\dfrac{\pi(n)}{n/\ln n}$	1.159	1.132	1.104	1.085	1.071

检查一个正整数是否是素数称作**素数测试**. 素数测试不仅有重大的理论价值，而且在密码学中有十分重要的应用. 根据性质 19.8，任给一个正整数 a，只要对所有的 $1 < b < a$，检查 $b \mid a$ 是否成立，就能判断 a 是否是素数. 下述定理可以明显地改进这个算法.

定理 19.4　如果 a 是一个合数，则 a 必有一个小于等于 $\sqrt{a}$ 的真因子.

证　由性质 19.8，$a = bc$，其中 $1 < b < a, 1 < c < a$. 显然，b 和 c 中必有一个小于等于 $\sqrt{a}$. 否则，$bc > (\sqrt{a})^2 = a$，矛盾.

推论　如果 a 是一个合数，则 a 必有一个小于等于 $\sqrt{a}$ 的素因子.

证　由定理 19.4,a 有小于等于 $\sqrt{a}$ 的真因子 b.如果 b 是素数,则结论成立.如果 b 是合数,由性质 19.9 和性质 19.5,b 有素因子 $p<b\leqslant\sqrt{a}$.根据性质 19.2,p 也是 a 的因子,结论也成立.

例 19.2　判断 127 和 133 是否是素数.

解　$\sqrt{127}$,$\sqrt{133}$ 都小于 13,根据定理 19.2 的推论,只需检查它们是否有小于 13 的素因子.小于 13 的素数有:2,3,5,7,11.检查结果如下.

$$2\nmid127,3\nmid127,5\nmid127,7\nmid127,11\nmid127.$$

结论:127 是素数.

$$2\nmid133,3\nmid133,5\nmid133,7\mid133(133=7\times19).$$

结论:133 是合数.

　　10 以内的素数是 2,3,5,7,用它们除 100 以内大于 10 的数,删去所有能被它们整除的数,剩下的(含 2,3,5,7 在内)就是 100 以内的所有素数.如表 19.2 所示,其中画有 \,∕,-,× 的数分别表示能被 2,3,5,7 整除的数.最后剩下 2,3,5,7,11,13,17,19,23,29,31,37,41,43,47,53,59,61,67,71,73,79,83,89 和 97.这 25 个数就是 100 以内的全部素数.再用这 25 个素数除 $100^2=$ 10 000 以内大于 100 的数,删去所有能被它们整除的数,可以得到 10 000 以内的所有素数.重复这个做法可以得到任意给定的正整数以内的所有素数.这个方法称作埃拉托斯特尼(Eratosthene)筛法.

表 19.2   筛   法

①	2	3	④	5	⑥	7	⑧	⑨	⑩
11	12	13	14	15	16	17	18	19	20
21	22	23	24	25	26	27	28	29	30
31	32	33	34	35	36	37	38	39	40
41	42	43	44	45	46	47	48	49	50
51	52	53	54	55	56	57	58	59	60
61	62	63	64	65	66	67	68	69	70
71	72	73	74	75	76	77	78	79	80
81	82	83	84	85	86	87	88	89	90
91	92	93	94	95	96	97	98	99	100

　　人们一直在寻找更大的素数.近代已知的最大素数差不多总是形如 2^n-1 的数.当 n 是合数时,2^n-1 一定是合数.设 $n=ab$,其中 $a>1,b>1$,有

$$2^{ab}-1=(2^b-1)(2^{a(b-1)}+2^{a(b-2)}+\cdots+2^a+1).$$

当 n 为素数时,$2^2-1=3,2^3-1=7,2^5-1=31,2^7-1=127$ 都是素数,而 $2^{11}-1=2\,047=23\times89$ 是合数.设 p 为素数,称形如 2^p-1 的数为梅森(Marin Mersenne)素数.到 2013 年初共找到 48 个梅森素数,最大的梅森素数是 $2^{57\,885\,161}-1$,这个数超过 1 700 万位.

19.2 最大公约数与最小公倍数

设 a 和 b 是两个整数,如果 $d \mid a$ 且 $d \mid b$,则称 d 为 a 与 b 的公因子,或公约数.除 0 之外,任何整数只有有限个因子.因而,两个不全为 0 的整数只有有限个公因子,其中最大的称作最大公因子,或最大公约数.记作 $\gcd(a,b)$.

例如,18 与 24 的正公约数有 1,2,3 和 6,故 $\gcd(18,24)=6$.

设 a 和 b 是两个非零整数,如果 $a \mid m$ 且 $b \mid m$,则称 m 为 a 与 b 的公倍数.a 与 b 有无穷多个公倍数,其中最小的正公倍数称作最小公倍数.记作 $\operatorname{lcm}(a,b)$.

例如,18 与 24 的正公倍数有 72,144,216 等,故 $\operatorname{lcm}(18,24)=72$.

显然,对任意的正整数 a,$\gcd(0,a)=a$,$\gcd(1,a)=1$,$\operatorname{lcm}(1,a)=a$.

根据定义,最大公约数和最小公倍数有下述性质.

定理 19.5 (1)若 $a \mid m$,$b \mid m$,则 $\operatorname{lcm}(a,b) \mid m$.

(2)若 $d \mid a$,$d \mid b$,则 $d \mid \gcd(a,b)$.

证 (1)记 $M=\operatorname{lcm}(a,b)$,设 $m=qM+r$,$0 \leqslant r<M$.

根据性质 19.1,由 $a \mid m$,$a \mid M$,及 $r=m-qM$,可以推出 $a \mid r$.同理,有 $b \mid r$.即 r 是 a 和 b 的公倍数.根据最小公倍数的定义,必有 $r=0$.得证 $M \mid m$.

(2)记 $D=\gcd(a,b)$,令 $m=\operatorname{lcm}(d,D)$.若 $m=D$,自然有 $d \mid D$,结论成立.否则 $m>D$,注意到 $d \mid a$,$D \mid a$,由(1),得 $m \mid a$.同理,$m \mid b$.即 m 是 a 和 b 的公因子,与 D 是 a 和 b 的最大公约数矛盾.

可以利用整数的素因子分解,求最大公约数和最小公倍数.设
$$a=p_1^{r_1} p_2^{r_2} \cdots p_k^{r_k}, \qquad b=p_1^{s_1} p_2^{s_2} \cdots p_k^{s_k},$$
其中 $p_1,p_2,\cdots,p_k$ 是不同的素数,$r_1,r_2,\cdots,r_k,s_1,s_2,\cdots,s_k$ 是非负整数.则
$$\gcd(a,b)=p_1^{\min(r_1,s_1)} p_2^{\min(r_2,s_2)} \cdots p_k^{\min(r_k,s_k)},$$
$$\operatorname{lcm}(a,b)=p_1^{\max(r_1,s_1)} p_2^{\max(r_2,s_2)} \cdots p_k^{\max(r_k,s_k)}.$$

例 19.3 求 168 和 300 的最大公约数和最小公倍数.

解 对 150 和 220 做素因子分解:
$$168=2^3 \times 3 \times 7, \qquad 300=2^2 \times 3 \times 5^2.$$
可把它们写成
$$168=2^3 \times 3^1 \times 5^0 \times 7^1, \qquad 300=2^2 \times 3^1 \times 5^2 \times 7^0.$$
于是,
$$\gcd(168,300)=2^2 \times 3^1 \times 5^0 \times 7^0=12$$
$$\operatorname{lcm}(168,300)=2^3 \times 3^1 \times 5^2 \times 7^1=4\ 200$$

求最大公约数的常用方法是辗转相除法.它是基于下述定理构造的.

定理 19.6 设 $a=qb+r$，其中 a,b,q,r 都是整数，则 $\gcd(a,b)=\gcd(b,r)$.

证 只需证 a 与 b 和 b 与 r 有相同的公因子. 设 d 是 a 与 b 的公因子，即 $d\mid a$ 且 $d\mid b$. 注意到，$r=a-qb$，由性质 19.1，有 $d\mid r$. 从而，$d\mid b$ 且 $d\mid r$，即 d 也是 b 与 r 的公因子. 反之一样，设 d 是 b 与 r 的公因子，即 $d\mid b$ 且 $d\mid r$. 注意到，$a=qb+r$，故有 $d\mid a$. 从而，$d\mid a$ 且 $d\mid b$，即 d 也是 a 与 b 的公因子.

设整数 a,b，且 $b\neq 0$. 做带余除法

$$a=q_1 b+r_2,\quad 0\leqslant r_2<\mid b\mid$$

若 $r_2>0$，再对 b 和 r_2 做带余除法，得

$$b=q_2 r_2+r_3,\quad 0\leqslant r_3<r_2$$

重复上述过程. 由于 $\mid b\mid>r_2>r_3>\cdots\geqslant 0$，必存在 k 使 $r_{k+1}=0$. 于是，有

$$
\begin{aligned}
a&=q_1 b+r_2, & 1\leqslant r_2<\mid b\mid\\
b&=q_2 r_2+r_3, & 1\leqslant r_3<r_2\\
r_2&=q_3 r_3+r_4, & 1\leqslant r_4<r_3\\
&\vdots\\
r_{k-2}&=q_{k-1} r_{k-1}+r_k, & 1\leqslant r_k<r_{k-1}\\
r_{k-1}&=q_k r_k.
\end{aligned}
$$

①

根据定理 19.6，有

$$\gcd(a,b)=\gcd(b,r_2)=\cdots=\gcd(r_{k-1},r_k)=r_k.$$

这就是辗转相除法，又称作欧几里得（Euclid）算法.

定理 19.7 设 a 和 b 不全为 0，则存在整数 x 和 y 使得 $\gcd(a,b)=xa+yb$.

证 记 $a=r_0$，$b=r_1$，①式可写成

$$r_i=q_{i+1} r_{i+1}+r_{i+2},\quad i=0,1,\cdots,k-2$$

$$r_{k-1}=q_k r_k$$

其中 $\gcd(a,b)=r_k$. 把上式改写成

$$r_i=r_{i-2}-q_{i-1} r_{i-1},\quad i=2,3,\cdots,k$$

从后向前逐个回代，就可以将 r_k 表示成 a 和 b 的线性组合.

记 $x_{k-1}=1$，$y_{k-1}=-q_{k-1}$，把最后一式写成

$$r_k=x_{k-1} r_{k-2}+y_{k-1} r_{k-1}$$

一般地，设 $r_k=x_i r_{i-1}+y_i r_i$，代入 r_i，

$$
\begin{aligned}
r_k&=x_i r_{i-1}+y_i(r_{i-2}-q_{i-1} r_{i-1})\\
&=y_i r_{i-2}+(x_i-q_{i-1} y_i)r_{i-1}
\end{aligned}
$$

得

$$x_{i-1}=y_i,\quad y_{i-1}=x_i-q_{i-1} y_i,\quad i=k-1,k-2,\cdots,2$$

取 $x=x_1$，$y=y_1$，得 $r_k=xa+yb$.

例 19.4　用辗转相除法求 168 与 300 的最大公因子 d,并把 d 表示成 168 和 300 的线性组合,即求整数 x 和 y 使 $d=168x+300y$.

解　做辗转相除法

$$300=168+132$$
$$168=132+36$$
$$132=3\times36+24$$
$$36=24+12$$
$$24=2\times12$$

得 $\gcd(168,300)=12$.

由上面的式子,又有

$$12=36-24$$
$$=36-(132-3\times36)$$
$$=4\times36-132$$
$$=4\times(168-132)-132$$
$$=-5\times132+4\times168$$
$$=-5\times(300-168)+4\times168$$
$$=9\times168-5\times300$$

定义 19.2　如果 $\gcd(a,b)=1$,则称 a 和 b **互素**.

如果整数 $a_1,a_2,\cdots,a_n$ 中的任意两个都互素,则称它们**两两互素**.

例如,4 和 15 互素,4,9,11,35 两两互素,而 9 和 12 不互素.

定理 19.8　整数 a 和 b 互素的充分必要条件是存在整数 x 和 y 使得 $xa+yb=1$.

证　必要性可由定理 19.7 得到.

充分性.设 $xa+yb=1$,x 和 y 是整数.又设 $d>0$ 是 a 和 b 的公因子,由性质 19.1,$d\mid xa+yb$,即 $d\mid1$.再由性质 19.5,必有 $d=1$,得证 a 和 b 互素.

例 19.5　设 $a\mid c,b\mid c$,且 a 与 b 互素,则 $ab\mid c$.

证　根据定理 19.8,存在整数 x,y,使 $xa+yb=1$.两边同乘以 c,得 $cxa+cyb=c$.又由 $a\mid xa$ 和 $b\mid c$,可得 $ab\mid cxa$.同理,$ab\mid cyb$.于是,有 $ab\mid cxa+cyb$,即 $ab\mid c$.

19.3　同　　余

定义 19.3　设 m 是正整数,a 和 b 是整数.如果 $m\mid a-b$,则称 a 模 m 同余于 b,或 a 与 b 模 m 同余,记作 $a\equiv b(\bmod m)$.如果 a 与 b 模 m 不同余,则记作 $a\not\equiv b(\bmod m)$.

不难验证,下述两条都是 a 与 b 模 m 同余的充分必要条件.

（1）a 与 b 除以 m 的余数相同,即 $a\bmod m=b\bmod m$.

（2）$a=b+km$，其中 k 是整数.

例如，$20\equiv2(\bmod 6)$，$18\equiv0(\bmod 6)$，$15\equiv-3(\bmod 6)$，$14\not\equiv21(\bmod 6)$.

同余具有下述性质.

性质 19.10 同余关系是等价关系，即同余关系具有

（1）自反性. $a\equiv a(\bmod m)$.

（2）传递性. $a\equiv b(\bmod m)$，$b\equiv c(\bmod m)\Rightarrow a\equiv c(\bmod m)$.

（3）对称性. $a\equiv b(\bmod m)\Rightarrow b\equiv a(\bmod m)$.

由传递性，常把 $a_1\equiv a_2(\bmod m)$，$a_2\equiv a_3(\bmod m)$，$\cdots$，$a_{k-1}\equiv a_k(\bmod m)$ 缩写成 $a_1\equiv a_2\equiv\cdots\equiv a_k(\bmod m)$.

性质 19.11 模算术运算. 若 $a\equiv b(\bmod m)$，$c\equiv d(\bmod m)$，则
$$a\pm c\equiv b\pm d(\bmod m)，\quad ac\equiv bd(\bmod m)，$$
$$a^k\equiv b^k(\bmod m)，\quad\text{其中 }k\text{ 是非负整数.}$$

性质 19.12 设 $d\geqslant1$，$d\mid m$，则 $a\equiv b(\bmod m)\Rightarrow a\equiv b(\bmod d)$.

性质 19.13 设 $d\geqslant1$，则 $a\equiv b(\bmod m)\Leftrightarrow da\equiv db(\bmod dm)$.

性质 19.14 设 c 与 m 互素，则 $a\equiv b(\bmod m)\Leftrightarrow ca\equiv cb(\bmod m)$.

上述性质的证明留给读者（见本章习题 31~33）.

整数 a 在模 m 同余关系下的等价类记作 $[a]_m$，称作 a 的模 m 等价类. 在不会引起混淆的情况下，可以略去下标 m，简记作 $[a]$. 把整数集 $\mathbf{Z}$ 在模 m 同余关系下的商集记作 $\mathbf{Z}_m$. 根据性质 19.11，可以在 $\mathbf{Z}_m$ 上定义加法和乘法如下：对任意的整数 a,b，
$$[a]+[b]=[a+b]，\quad[a]\cdot[b]=[ab].$$

例 19.6 写出 $\mathbf{Z}_5$ 的全部元素以及 $\mathbf{Z}_5$ 上的加法表和乘法表.

解 $\mathbf{Z}_5=\{[0],[1],[2],[3],[4]\}$，其中 $[i]=\{5k+i\mid k\in\mathbf{Z}\}$，$i=0,1,2,3,4$.

加法表和乘法表分别如表 19.3 和表 19.4 所示.

表 19.3 加 法 表

+	[0]	[1]	[2]	[3]	[4]
[0]	[0]	[1]	[2]	[3]	[4]
[1]	[1]	[2]	[3]	[4]	[0]
[2]	[2]	[3]	[4]	[0]	[1]
[3]	[3]	[4]	[0]	[1]	[2]
[4]	[4]	[0]	[1]	[2]	[3]

表 19.4　乘　法　表

·	[0]	[1]	[2]	[3]	[4]
[0]	[0]	[0]	[0]	[0]	[0]
[1]	[0]	[1]	[2]	[3]	[4]
[2]	[0]	[2]	[4]	[1]	[3]
[3]	[0]	[3]	[1]	[4]	[2]
[4]	[0]	[4]	[3]	[2]	[1]

例 19.7　3^{455} 的个位数是多少?

解　设 3^{455} 的个位数为 x,则有 $3^{455}\equiv x\,(\mathrm{mod}\,10)$. 由 $3^4\equiv 1\,(\mathrm{mod}\,10)$ 和性质 19.11,有
$$3^{455}=3^{4\times113+3}\equiv 3^3\equiv 7\,(\mathrm{mod}\,10)$$
故 3^{455} 的个位数是 7.

例 19.8　日期的星期数.

如何计算 y 年 m 月 d 日是星期几? 为方便起见,用 $0,1,\cdots,6$ 分别表示星期日,星期一,$\cdots$,星期六,称作星期数. 整百年的年份,即 $100C$ 的年份称作世纪年,C 称作该世纪年的世纪数. 如 2000 年是世纪年,其世纪数为 20.

现在世界上通用的历法(阳历)是教皇格里高利十三世于 1582 年制定的,采用下述闰年规则:除世纪年外,每 4 年一个闰年,年数能被 4 整除的年为闰年. 如 1840 年、1996 年和 2004 年是闰年. 世纪数不能被 4 整除的世纪年不是闰年,如 1700 年、1800 年、1900 年和 2100 年不是闰年. 而世纪数能被 4 整除的世纪年仍为闰年,如 1600 年、2000 年和 2400 年是闰年. 平年 365 天,2 月 28 天. 闰年 366 天,2 月 29 天.

由于 2 月有 28 天或 29 天,为计算方便,从 3 月 1 日开始算起,或者说,把 3 月看作第 1 月,把 12 月看作第 10 月,下一年的 1 月是第 11 月,2 月是第 12 月. 于是,y 年 m 月 d 日现在变成 Y 年 M 月 d 日,其中 $M=(m-3)\,\mathrm{mod}\,12+1$,$Y=y-\lfloor M/11\rfloor$.

由于 $365\equiv 1\,(\mathrm{mod}\,7)$,3 月 1 日的星期数每过一个平年加 1,每过一个闰年还要多加一个 1(都是在模 7 下运算). 设 1600 年 3 月 1 日的星期数为 w_{1600},y 年 3 月 1 日(Y 年 1 月 1 日)的星期数为 w_Y. 设 $y=Y=100C+X$,从 1600 年到 Y 年要经过 $100C+X-1600$ 年,星期数应加
$$100C+X-1600\equiv 2C+X+3\,(\mathrm{mod}\,7).$$
每 4 年一个闰年,有
$$\lfloor(100C+X-1600)/4\rfloor=25C+\lfloor X/4\rfloor-400$$
个闰年. 考虑到世纪年,应从这个数中减去 $C-16$,再加 $\lfloor(C-16)/4\rfloor=\lfloor C/4\rfloor-4$. 因此,
$$w_Y\equiv w_{1600}+(2C+X+3)+(25C+\lfloor X/4\rfloor-400)-(C-16)+(\lfloor C/4\rfloor-4)$$
$$\equiv w_{1600}-2C+X+\lfloor X/4\rfloor+\lfloor C/4\rfloor\,(\mathrm{mod}\,7)$$
已知 2004 年 3 月 1 日是星期一,代入上式,

$$1 \equiv w_{1600} - 2 \times 20 + 4 + \lfloor 4/4 \rfloor + \lfloor 20/4 \rfloor$$
$$\equiv w_{1600} + 5 \,(\bmod\ 7)$$

得 $w_{1600} = 3$，即 1600 年 3 月 1 日是星期三. 于是，得到

$$w_Y \equiv 3 - 2C + X + \lfloor X/4 \rfloor + \lfloor C/4 \rfloor \,(\bmod\ 7) \tag{①}$$

接下来计算从当年 3 月 1 日到每个月 1 号的天数. 除每个月加 30 天外，由于 3、5、7、8、10、12、1 月有 31 天，应另外加的天数 z 如下表所示.

M	1	2	3	4	5	6	7	8	9	10	11	12
z	0	1	1	2	2	3	4	4	5	5	6	7

z 可以表示成

$$z = \begin{cases} \lfloor M/2 \rfloor, & 1 \leqslant M \leqslant 6 \\ \lfloor (M+1)/2 \rfloor, & 7 \leqslant M \leqslant 11 \\ \lfloor (M+1)/2 \rfloor + 1, & M = 12 \end{cases}$$
$$= \lfloor (M + \lfloor M/7 \rfloor)/2 \rfloor + \lfloor M/12 \rfloor,$$

因此，M 月 d 日的星期数应在 w_Y 上加

$$30(M-1) + \lfloor (M + \lfloor M/7 \rfloor)/2 \rfloor + \lfloor M/12 \rfloor + d - 1$$
$$\equiv 2M + \lfloor (M + \lfloor M/7 \rfloor)/2 \rfloor + \lfloor M/12 \rfloor + d - 3 \,(\bmod\ 7), \tag{②}$$

最后，将①，②两式合并，得到 y 年 m 月 d 日星期数的计算公式:

$$w \equiv X + \lfloor X/4 \rfloor + \lfloor C/4 \rfloor - 2C + 2M + \lfloor (M + \lfloor M/7 \rfloor)/2 \rfloor + \lfloor M/12 \rfloor + d \,(\bmod\ 7)$$

其中 $M = (m-3) \bmod 12 + 1$，$Y = y - \lfloor M/11 \rfloor = 100C + X$.

例如，中华人民共和国成立日为 1949 年 10 月 1 日，$C = 19$，$X = 49$，$M = 8$，$d = 1$，

$$w \equiv 49 + \lfloor 49/4 \rfloor + \lfloor 19/4 \rfloor - 2 \times 19 + 2 \times 8 + \lfloor (8 + \lfloor 8/7 \rfloor)/2 \rfloor + \lfloor 8/12 \rfloor + 1$$
$$\equiv 6 \,(\bmod\ 7)$$

是星期六.

中国人民抗日战争胜利日为 1945 年 8 月 15 日，$C = 19$，$X = 45$，$M = 6$，$d = 15$，

$$w \equiv 45 + \lfloor 45/4 \rfloor + \lfloor 19/4 \rfloor - 2 \times 19 + 2 \times 6 + \lfloor (6 + \lfloor 6/7 \rfloor)/2 \rfloor + \lfloor 6/12 \rfloor + 15$$
$$\equiv 3 \,(\bmod\ 7)$$

是星期三.

19.4   一次同余方程

设 $m > 0$，方程

$$ax \equiv c \,(\bmod\ m) \tag{19.1}$$

称作一次同余方程，使方程(19.1)成立的整数称作方程的解.

方程(19.1)不一定有解.例如,假设方程 $10x \equiv 1 (\bmod 5)$ 有解,设解为 x_0,则 $5 \mid 10x_0 - 1$,这显然是不可能的,故方程无解.下述定理给出方程(19.1)有解的条件.

定理 19.9　方程(19.1)有解的充分必要条件是 $\gcd(a, m) \mid c$.

证　充分性.记 $d = \gcd(a, m)$,$a = da_1$,$m = dm_1$,$c = dc_1$,其中 a_1 与 m_1 互素.由定理19.8,存在 x_1 和 y_1 使得 $a_1 x_1 + m_1 y_1 = 1$.令 $x = c_1 x_1$,$y = c_1 y_1$,得 $a_1 x + m_1 y = c_1$.等式两边同乘以 d,得 $ax + my = c$.所以,$ax \equiv c (\bmod m)$,即 x 是方程(19.1)的解.

必要性.设 x 是方程的解,则存在 y 使得 $ax + my = c$.由性质 19.1,有 $d \mid c$.

设 x_0 是方程(19.1)的解,不难验证所有与 x_0 模 m 同余的数都是方程(19.1)的解,从而(19.1)的解可以写成 $x \equiv x_0 (\bmod m)$.于是,只需对模 m 的每一个等价类取一个代表,验证是否使方程成立,就能找到方程的所有解.

例 19.9　解一次同余方程 $8x \equiv 4 (\bmod 6)$.

解　$\gcd(8, 6) = 2$,$2 \mid 4$,由定理 19.9,方程有解.取模 6 等价类的代表 $x = -2, -1, 0, 1, 2, 3$,计算结果如下.

$$8 \times (-2) \equiv 8 \times 1 \equiv 2 (\bmod 6)$$

$$8 \times (-1) \equiv 8 \times 2 \equiv 4 (\bmod 6)$$

$$8 \times 0 \equiv 8 \times 3 \equiv 0 (\bmod 6)$$

得方程的解 $x = -1, 2 (\bmod 6)$,方程的最小正整数解是 2.

定义 19.4　如果 $ab \equiv 1 (\bmod m)$,则称 b 为 a 的*模 m 逆*,记作 $a^{-1} (\bmod m)$ 或 a^{-1}.

根据定义,a 的模 m 逆就是方程

$$ax \equiv 1 (\bmod m) \tag{19.2}$$

的解.

定理 19.10　(1) a 的模 m 逆存在的充分必要条件是 a 与 m 互素.

(2) 设 a 与 m 互素,则在模 m 下 a 的模 m 逆是唯一的,即 a 的任意两个模 m 逆都模 m 同余.

证　(1) 这是定理 19.9 的直接推论.

(2) 设 b_1 和 b_2 是 a 的两个模 m 逆,即 $ab_1 \equiv 1 (\bmod m)$,$ab_2 \equiv 1 (\bmod m)$.由性质 19.11,得 $a(b_1 - b_2) \equiv 0 (\bmod m)$.而 a 与 m 互素,由性质 19.14,$b_1 - b_2 \equiv 0 (\bmod m)$,得证 $b_1 \equiv b_2 (\bmod m)$.

例 19.10　求 5 的模 7 逆.

解　5 与 7 互素,故 5 的模 7 逆存在.

方法 1.直接观察或心算.当 a 和 m 都比较小时,这是行得通的,而且比较快捷.这里,$3 \times 5 - 2 \times 7 = 1$,得 $5^{-1} = 3 (\bmod 7)$.

方法 2.采用例 19.9 中的方法解同余方程(19.2).将 $x = -3, -2, -1, 0, 1, 2, 3$ 计算 $5x \bmod 7$,得到 $5^{-1} \equiv 3 (\bmod 7)$.

方法 3.做辗转相除法,求得整数 b, k 使得 $ab + km = 1$,则 b 是 a 的模 m 逆.计算如下.

$$7 = 5 + 2$$

$$5 = 2 \times 2 + 1$$

回代,

$$1 = 5 - 2 \times 2$$
$$= 5 - 2 \times (7 - 5)$$
$$= 3 \times 5 - 2 \times 7$$

得 $5^{-1} \equiv 3 \pmod 7$.

根据定理 19.10,设 b 是 a 的模 m 逆,a 的模 m 逆的全体恰好是 $[b]_m$. 今后用 $a^{-1} \pmod m$ 代表 $[b]_m$ 中的任意一个指定的数,通常是指 $[b]_m$ 中的最小正整数.

定理 19.10 表明,方程(19.2)的解在模 m 下是唯一的. 但是,在一般的情况下,一次同余方程(19.1)的解可能不止一个. 例如,例 19.9 中的方程在模 6 下有 2 个解. 实际上,设 $d = \gcd(a, m)$,当 $d \mid c$ 时,方程(19.1)在模 m 下有 d 个解.(见习题 19 第 39 题)

19.5 欧拉定理和费马小定理

对任意正整数 n,把 $\{0, 1, \cdots, n-1\}$ 中与 n 互素的个数记作 $\phi(n)$,称作欧拉(Euler)函数. 例如,$\phi(1) = \phi(2) = 1$,$\phi(3) = \phi(4) = 2$. 显然,当 n 为素数时 $\phi(n) = n - 1$;当 n 为合数时 $\phi(n) < n - 1$.

定理 19.11(欧拉定理) 设 a 与 n 互素,则

$$a^{\phi(n)} \equiv 1 \pmod n \tag{19.3}$$

证 设 $r_1, r_2, \cdots, r_{\phi(n)}$ 是 $\{0, 1, \cdots, n-1\}$ 中与 n 互素的 $\phi(n)$ 个数. 由于 a 与 n 互素,对每一个 $1 \leqslant i \leqslant \phi(n)$,$ar_i$ 也与 n 互素,故存在 $1 \leqslant \tau(i) \leqslant \phi(n)$ 使得 $ar_i \equiv r_{\tau(i)} \pmod n$. τ 是 $\{1, 2, \cdots, \phi(n)\}$ 上的一个映射. 要证 τ 是一个单射,即当 $i \neq j$ 时,$\tau(i) \neq \tau(j)$.

由定理 19.10,a 的模 n 逆 a^{-1} 存在. 显然,a^{-1} 也与 n 互素. 当 $i \neq j$ 时,假设 $\tau(i) = \tau(j)$,则有 $ar_i \equiv ar_j \pmod n$. 由性质 19.14,两边同乘 a^{-1},得 $r_i \equiv r_j \pmod n$,矛盾. 得证 τ 是 $\{1, 2, \cdots, \phi(n)\}$ 上的单射,当然它也是 $\{1, 2, \cdots, \phi(n)\}$ 上的双射. 从而,有

$$a^{\phi(n)} \prod_{i=1}^{\phi(n)} r_i \equiv \prod_{i=1}^{\phi(n)} ar_i \equiv \prod_{i=1}^{\phi(n)} r_i \pmod n.$$

而 $\prod_{i=1}^{\phi(n)} r_i$ 与 n 互素,故 $a^{\phi(n)} \equiv 1 \pmod n$.

当 p 为素数时,$\phi(n) = p - 1$. 于是,得到下述定理.

定理 19.12(费马小定理[①]) 设 p 是素数,a 与 p 互素,则

$$a^{p-1} \equiv 1 \pmod p. \tag{19.4}$$

---

① 为了区别于著名的费马大定理,通常将此定理冠名为费马小定理. 费马(Pirre de Fermat)是 17 世纪著名的数学家,他提出了许多未加证明的定理,其中最著名的当数费马大定理:对所有的正整数 a, b, c 和 n,当 $n > 2$ 时,$a^n + b^n \neq c^n$. 费马大定理直到 1995 年才被英国数学家 Andrew Wiles 证明.

定理的另一种形式是,设 p 是素数,则对任意的整数 a,

$$a^p \equiv a(\bmod p). \tag{19.5}$$

当 a 与 p 互素时,由性质 19.14,式(19.4)与式(19.5)等价.当 a 与 p 不互素时,必有 $p \mid a$,从而 $a \equiv 0(\bmod p)$,式(19.5)自然成立.

费马小定理提供了一种不用因子分解就能肯定一个数是合数的新途径.例如,考虑 9(假设不知道它是合数),取 $a = 2$,计算

$$2^{9-1} \equiv 4 \ (\bmod 9)$$

由费马小定理,可以断定 9 是合数.但是,这里没有提供对 9 如何进行因子分解的任何信息.在 19.6 节将介绍欧拉定理和费马小定理在 RSA 公钥密码中的应用.

19.6　初等数论在计算机科学技术中的几个应用

19.6.1　产生均匀伪随机数的方法

计算机模拟是一种常用的有效方法,进行计算机模拟需要大量的随机数.真正的随机数需要用专门的物理装置产生,如放射性粒子计数器、电子管随机数发生器等,成本高且使用不方便,因此通常是用伪随机数.伪随机数不是真正的随机数,不过它们具有类似随机数的性质,可以当作随机数使用,伪随机数的性能可以用数理统计方法加以检验.最基本的伪随机数是服从 $(0,1)$ 上均匀分布的伪随机数,服从其他分布的伪随机数可以利用 $(0,1)$ 上均匀分布的伪随机数产生.很多软件都能产生 $(0,1)$ 上均匀分布的伪随机数,如各种高级语言的编译程序.

最常用的产生 $(0,1)$ 上均匀分布伪随机数的方法是线性同余法.选择 4 个非负整数:模数 m、乘数 a、常数 c 和种子数 x_0,其中 $2 \leqslant a < m, 0 \leqslant c < m, 0 \leqslant x_0 < m$,按照下述递推公式产生伪随机数序列:

$$x_n = (ax_{n-1} + c) \bmod m, \quad n = 1, 2, \cdots \tag{19.6}$$

为了得到 $(0,1)$ 上均匀分布伪随机数,取

$$u_n = x_n / m, \qquad n = 1, 2, \cdots \tag{19.7}$$

种子数 x_0 在计算时随机给出,其他 3 个参数 m, a 和 c 是固定不变的,它们的取值决定了所产生的伪随机数的质量.

式(19.6)至多能产生 m 个不同的数,因此得到的序列一定会出现循环,即存在正整数 n_0 和 l,使得所有的 $n \geqslant n_0$ 都有 $x_{n+l} = x_n$.使得上式成立的最小正整数 l 称作该序列的周期.例如,取 $m = 8, a = 3, c = 1, x_0 = 2$,由式(19.6)得到 $7, 6, 3, 2, 7, 6, \cdots$.这个序列的周期等于 4.若保持 $m = 8, c = 1, x_0 = 2$ 不变,把 a 改为 $a = 5$,则得到 $3, 0, 1, 6, 7, 4, 5, 2, 3, 0, 1, \cdots$,周期为 8.显然,伪随机数序列的周期越长越好.

此外,若取 $a = 0$ 和 $a = 1$,则分别得到序列 $c, c, c, \cdots$ 和 $x_0 + c, x_0 + 2c, x_0 + 3c, \cdots$.这 2 个序列根本无随机性可言,因而总限定 $a \geqslant 2$.实际上,采用不同的参数得到的伪随机数序列的随机性是不同

的,因此要想得到满意的伪随机数,必须选取一组好的参数 m, a 和 c.

取 $c=0$,式(19.6)简化为

$$x_n = ax_{n-1} \bmod m, \quad n = 1,2,\cdots. \tag{19.8}$$

称作乘同余法.采用乘同余法时,显然不能取 $x_0 = 0$.取 $m = 2^{31}-1$, $a = 7^5$ 的乘同余法是最常用的均匀伪随机数发生器,它的周期是 $2^{31}-2$.取种子数 $x_0 = 1$,得到伪随机数如下.

x_n	u_n
16 807	0.000 007 826
282 475 249	0.131 537 788
1 622 650 073	0.755 605 322
984 943 658	0.458 650 131
1 144 108 930	0.532 767 237
470 211 272	0.218 959 186
101 027 544	0.047 044 616
1 457 850 878	0.678 864 716
⋮	⋮

19.6.2　密码学

数论在密码学中起着重要的作用.早在公元前罗马皇帝恺撒(J. Caesar)就已经使用密码传递作战命令.他的加密方法是把每个字母按照字母表的顺序向后移动 3 位,最后 3 个字母依次变成前 3 个字母.例如,"take action at middle night",经过加密变成"wdnhdfwlrqdwplqqohqljkw"(忽略掉空格).

所谓密码,简单地说就是一组含有参数 k 的变换 E.信息 m 通过变换 E 得到 $c = E(m)$.原始信息 m 称作明文,经过变换得到的信息 c 称作密文.从明文得到密文的过程称作加密,变换 E 称作加密算法,参数 k 称作密钥.同一个加密算法,可以取不同密钥,给出不同的加密结果.

恺撒的加密算法是把字母按照字母表的顺序循环移动 k 位.取 $k=3$ 就是前面所说的加密算法.用数字 $0 \sim 25$ 分别表示 26 个字母,这个算法可表示成

$$E(i) = (i+k) \bmod 26, \quad i = 0,1,\cdots,25$$

其中密钥 k 是任意的整数.仍用前面的例子,"take action at middle night"数字化后为

19　0　10　4　0　2　19　8　14　13　0　19　12　8　3　3　11　4　13　8　6　7　19

取 $k=3$,加密后得到密文

22　3　13　7　3　5　22　11　17　16　3　22　15　11　6　6　14　7　16　11　9　10　22

从密文 c 恢复明文 m 的过程称作解密.解密算法 D 是加密算法 E 的逆运算.解密算法也含有参数,称作解密算法的密钥.解密算法的密钥与加密算法的密钥有关,传统密码的解密算法的密钥可以由加密算法的密钥推出.恺撒密码的解密算法是

$$D(i) = (i-k) \bmod 26, \quad i = 0,1,\cdots,25$$

它的解密算法的密钥与加密算法的密钥相同.

密码要求加密算法 E 是容易计算的. 只要知道密钥, 解密算法 D 的计算也是容易的. 关键之处是, 如果不知道密钥, 就不可能(至少是很难)从密文 c 恢复明文 m. 万一密文落入第三者手中, 只要第三者得不到密钥就无法知道明文的内容. 可见保证密钥的安全是至关重要的.

恺撒密码的加密算法太简单. 如果有足够长的密文, 通过统计各个字母以及字母之间关联出现的频率就可以破解出密钥, 因此恺撒密码是不安全的. 这种类型的稍微复杂一点的加密算法是

$$E(i) = (ai+b) \bmod 26, \qquad i = 0, 1, \cdots, 25$$

其中 a 和 b 是整数. 为了保证 E 是双射, a 应满足一定的条件(见习题 19 第 48 题).

用一个字母代替另一个字母的密码很容易被分析字母频率的方法破译. 更复杂一些的加密算法是用一段字母代替另一段字母. 例如, 维吉利亚(Vigenere)密码先把明文分成若干段, 每一段有 n 个数字, 密钥 $k = k_1 k_2 \cdots k_n$, 加密算法

$$E(m_1 m_2 \cdots m_n) = c_1 c_2 \cdots c_n,$$

其中 $c_i = (m_i + k_i) \bmod 26, m_i = 0, 1, \cdots, 25, i = 1, 2, \cdots, n$.

传统密码的密钥是对称的, 只要知道加密密钥就能推算出解密密钥. 通信双方分别持有加密密钥和解密密钥, 密钥对外是绝对保密的, 必须通过秘密渠道传送. 这种密码称作私钥密码.

随着计算机网络的迅速发展, 私钥密码已不能适应计算机网络通信的保密需要. 第一, 私钥密码的密钥不能用网络传送. 为了确保安全, 应定期更新密钥, 密钥的传送需要使用另外的秘密渠道, 极不方便. 第二, 一对密钥只能供一对通信的双方使用, 而不能多方共用. 即使是一个集团内部(假设无须保密)也不能共用密钥, 因为这样是极不安全的. 只要有一个人不慎或故意泄密, 就会使整个保密系统崩溃, 造成灾难性的后果. 假设某人要与 n 个用户进行保密通信, 就需要保存 n 个加密密钥和 n 个解密密钥. n 个用户之间进行保密通信需要 $\binom{n}{2}$ 对密钥, 保管如此多的密钥是一件很麻烦和很不安全的事情, 何况还要经常更新.

迪菲(W. Diffie)和赫尔曼(M. Hellman)于 1976 年提出公钥密码的思想. 这种密码的密钥是非对称的, 也就是说, 不能从加密密钥推算出解密密钥, 因而加密密钥不需要保密, 可以公开, 而只需保守解密密钥的秘密. 甲将他的加密密钥公布, 任何想与甲通信的人都可以使用这个加密密钥将要传送的信息(明文)加密成密文发送给甲. 只有甲自己知道解密密钥, 能够把密文还原为明文. 任何第三方即使截获到密文也不可能知道密文所传送的信息.

RSA 公钥密码是瑞弗斯特(Ron Rivest)、沙米尔(Adi Shamir)和阿德米门(Len Adleeman)于 1978 年提出的, 也是最有希望的一种公钥密码. 它的基础是欧拉定理(定理 19.11), 它的安全性依赖于大数因子分解的困难性.

取两个大素数 p 和 $q(p \neq q)$, 记 $n = pq, \phi(n) = (p-1)(q-1)$ (见习题 19 第 44 题). 选择正整数 w, w 与 $\phi(n)$ 互素, 设 d 是 w 的模 $\phi(n)$ 逆, 即 $dw \equiv 1 (\bmod \phi(n))$.

RSA 密码算法如下: 首先将明文数字化, 然后把明文分成若干段, 每一个明文段的值小于 n. 对每一个明文段 m,

加密算法 $c = E(m) = m^w \bmod n$,

解密算法　　　　$D(c) = c^d \bmod n$,

其中加密密钥 w 和 n 是公开的, p、q、$\phi(n)$ 和 d 是保密的.

下面证明解密算法是正确的, 即 $m = c^d \bmod n$. 由于 $m < n$, 故只需证明 $c^d \equiv m \pmod{n}$, 亦即 $m^{dw} \equiv m \pmod{n}$. 因为 $dw \equiv 1 \pmod{\phi(n)}$, 所以存在整数 k 使得 $dw = k\phi(n)+1$. 分两种可能讨论如下.

（1）m 与 n 互素. 由欧拉定理

$$m^{\phi(n)} \equiv 1 \pmod{n}$$

即可得到

$$m^{dw} \equiv m^{k\phi(n)+1} \equiv m \pmod{n}$$

（2）m 与 n 不互素. 由于 $m < n, n = pq, p$ 和 q 是素数且 $p \neq q$, 故 m 必含 p 和 q 中的一个为因子, 且只含其中的一个为因子. 不妨设 $m = cp$ 且 $q \nmid m$. 由费马小定理

$$m^{q-1} \equiv 1 \pmod{q}$$

于是,

$$m^{k\phi(n)} \equiv m^{k(p-1)(q-1)} \equiv 1^{k(p-1)} \equiv 1 \pmod{q}$$

从而存在整数 h 使得

$$m^{k\phi(n)} = hq+1$$

两边同乘以 m, 并注意到 $m = cp$,

$$m^{k\phi(n)+1} = hcpq+m = hcn+m$$

得证

$$m^{k\phi(n)+1} \equiv m \pmod{n}$$

即

$$m^{dw} \equiv m \pmod{n}$$

RSA 公钥密码的加密算法和解密算法都要做模幂乘运算 $a^b \pmod{n}$. 设 b 的二进制表示为 $b_{r-1}\cdots b_1 b_0$, 即

$$b = b_0 + b_1 \times 2 + \cdots + b_{r-1} \times 2^{r-1}$$

于是,

$$a^b \equiv a^{b_0} \times (a^2)^{b_1} \times \cdots \times (a^{2^{r-1}})^{b_{r-1}} \pmod{n}$$

令 $A_0 = a, A_i \equiv (A_{i-1})^2 \pmod{n}, i = 1, 2, \cdots, r-1$, 则有

$$a^b \equiv A_0^{b_0} \times A_1^{b_1} \times \cdots \times A_{r-1}^{b_{r-1}} \pmod{n}$$

这里

$$A_i^{b_i} = \begin{cases} A_i, & 若\ b_i = 1, \\ 1, & 若\ b_i = 0, \end{cases} \qquad i = 0, 1, \cdots, r-1.$$

例 19.11　取 $p = 43, q = 59, n = 43 \times 59 = 2\,537, \phi(n) = 42 \times 58 = 2436, w = 13$. a,b,$\cdots$,z 依次用 $00, 01, \cdots, 25$ 表示, 各占 2 位. 设明文段 $m = 2\,106$, 即 vg. 密文 $c = 2\,106^{13} \bmod 2\,537$. 计算如下:13

的二进制表示为 1101, 即 $13 = 1 + 2^2 + 2^3$.

$A_0 = 2\ 106 \equiv -431 (\bmod\ 2\ 537)$

$A_1 \equiv (-431)^2 \equiv 560 (\bmod\ 2\ 537)$

$A_2 \equiv 560^2 \equiv -988 (\bmod\ 2\ 537)$

$A_3 \equiv (-988)^2 \equiv -601 (\bmod\ 2\ 537)$

$2106^{13} \equiv (-431) \times (-988) \times (-601) \equiv 2\ 321 (\bmod\ 2\ 537)$,

得密文 $c = 2\ 321$.

又设收到密文 0981, 要把它恢复成明文. 计算 $13^{-1} \equiv 937 (\bmod\ 2\ 436)$, 得 $d = 937$. 明文 $m' = 981^{937} (\bmod\ 2\ 537)$. 计算如下: 937 的二进制表示为 1110101001, 即 $937 = 1 + 2^3 + 2^5 + 2^7 + 2^8 + 2^9$.

$A_0 = 981$

$A_1 \equiv 981^2 \equiv 838 (\bmod\ 2\ 537)$

$A_2 \equiv 838^2 \equiv -505 (\bmod\ 2\ 537)$

$A_3 \equiv (-505)^2 \equiv 1\ 325 (\bmod\ 2\ 537)$

$A_4 \equiv 1\ 325^2 \equiv 21 (\bmod\ 2\ 537)$

$A_5 \equiv 21^2 \equiv 441 (\bmod\ 2\ 537)$

$A_6 \equiv 441^2 \equiv -868 (\bmod\ 2\ 537)$

$A_7 \equiv (-868)^2 \equiv -65 (\bmod\ 2\ 537)$

$A_8 \equiv (-65)^2 \equiv -849 (\bmod\ 2\ 537)$

$A_9 \equiv (-849)^2 \equiv 293 (\bmod\ 2\ 537)$

$981^{937} \equiv 981 \times 1\ 325 \times 441 \times (-65) \times (-849) \times 293 \equiv 704 (\bmod\ 2\ 537)$

得明文 $m' = 0704$, 即 he.

RSA 公钥密码的安全性依赖于大整数分解的困难性. 如果已知分解式 $n = pq$, 容易计算出 w 的模 $\phi(n) = (p-1)(q-1)$ 逆 d. 现在还没有在不知道分解式 $n = pq$ 的情况下解密的方法. 按照现在的能力分解一个 400 位的整数需要上亿年的时间, 因此当 p 和 q 是 200 位的素数时, 就目前的水平而言, RSA 密码是安全的. 随着因子分解能力的提高, 可能需要使用更大的素数.

习 题 19

1. 判断下列命题是否为真.

$3 \mid 7,\ 5 \mid -35, -7 \mid -21,\ 12 \mid 4,\ 2 \mid 0,\ 0 \mid 2,\ 0 \mid 0$.

2. 给出 24 的全部因子.

3. 对下列每一对数做带余除法, 第一个数是被除数, 第二个是除数.

(1) 35,4.　(2) 5,8.　(3) 12,3.　(4) -4,3.　(5) -28,7.　(6) -6,-4.

4. 设 a, b, c, d 均为正整数, 下列命题是否为真? 若为真, 请给出证明; 否则, 请给出反例.

(1) 若 $a \mid c, b \mid c$, 则 $ab \mid c$.

（2）若 $a\mid c, b\mid d$，则 $ab\mid cd$.

（3）若 $ab\mid c$，则 $a\mid c$.

（4）若 $a\mid bc$，则 $a\mid b$ 或 $a\mid c$.

5. 给出下列正整数的素因子分解.

   126, 256, 1 092, 6 325, 20!.

6. 判断下列正整数是素数,还是合数.

   113, 221, 527, $2^{13}-1$.

7. 设计用埃拉托斯特尼筛法求正整数 N 以内的所有素数的算法.

8. 证明:对任意的整数 n,

（1）$6\mid n(n+1)(n+2)$.

（2）$\dfrac{1}{5}n^5+\dfrac{1}{3}n^3+\dfrac{7}{15}n$ 是整数.

9. 证明:对任意的整数 $n>1, 1+\dfrac{1}{2}+\cdots+\dfrac{1}{n}$ 不是整数.

10. （1）设全体素数从小到大顺序排列为 $p_1=2, p_2=3, p_3, p_4, \cdots$. 试证明:

$$p_n\leqslant 2^{2^{n-1}}, \quad n=1,2,\cdots$$

（2）证明:$\pi(x)>\log_2\log_2 x, x\geqslant 2$.

11. 如果整系数代数方程 $a_0x^n+a_1x^{n-1}+\cdots+a_{n-1}x+a_n=0$ 有非零整数解 u,则 $u\mid a_n$.

12. 下列方程是否有整数解? 若有整数解,试求出所有的整数解.

（1）$x^2-x+1=0$

（2）$x^3+x^2-4x-4=0$

（3）$x^4+5x^3-2x^2+7x+2=0$

（4）$2x^4+5x^3+9x=0$

13. 利用素因子分解,求下列每一对数的最大公约数和最小公倍数.

（1）175,140   （2）72,108   （3）315,2 200

14. 求满足 $\gcd(a,b)=10$ 且 $\mathrm{lcm}(a,b)=100$ 的所有正整数对 a,b.

15. 设 p 是素数,a 是整数,证明:当 $p\mid a$ 时,$\gcd(p,a)=p$;当 $p\nmid a$ 时,$\gcd(p,a)=1$.

16. 证明:对任意的整数 x,y,u,v,有 $\gcd(a,b)\leqslant\gcd(xa+yb,ua+vb)$.

17. 用辗转相除法求下列每一对数的最大公约数.

（1）85,125   （2）231,72   （3）45,56   （4）154,64

18. 下列每一对数 a,b 是否互素? 若互素,试给出整数 x 和 y 使 $xa+yb=1$.

（1）24,35   （2）63,91   （3）450,539   （4）1 024,729

19. 求下列每一对数的最大公约数,其中 n 是整数,k 是正整数.

（1）$2n-1,2n+1$ （2）$2n,2(n+1)$ （3）$kn,k(n+2)$

20. 设 a,b 是两个不为 0 的整数,d 为正整数,则 $d=\gcd(a,b)$ 当且仅当存在整数 x 和 y 使 $a=dx, b=dy$,且 x 与 y 互素.

21. 证明:对任意的正整数 a 和 b,$ab=\gcd(a,b)\cdot\mathrm{lcm}(a,b)$.

22. 证明:如果 $a\mid bc$,且 a,b 互素,则 $a\mid c$.

23. 设 a,b 互素, 证明:

(1) 对任意的整数 m, $\gcd(m,ab)=\gcd(m,a)\gcd(m,b)$.

(2) 当 $d>0$ 时, $d\mid ab$ 当且仅当存在正整数 d_1,d_2, 使 $d=d_1 d_2$, $d_1\mid a$, $d_2\mid b$, 并且 d 的这种表示是唯一的.

24. 设 a,b 是整数, 证明: $11\mid a^2+5b^2$ 当且仅当 $11\mid a$ 且 $11\mid b$.

25. 下列命题是否为真.

(1) $758\equiv246(\bmod 18)$ (2) $365\equiv-3(\bmod 7)$

(3) $-29\equiv1(\bmod 5)$ (4) $352\equiv0(\bmod 11)$

26. 给出使下列同余式成立且大于 1 的正整数 m.

(1) $35\equiv14(\bmod m)$ (2) $10\equiv-1(\bmod m)$

(3) $-7\equiv21(\bmod m)$ (4) $37^2\equiv30^2(\bmod m)$

(5) $8\equiv2(\bmod m)$ 且 $7\equiv-2(\bmod m)$

27. 写出 $\mathbf{Z}_7$ 的全部元素以及 $\mathbf{Z}_7$ 上的加法表和乘法表.

28. 写出 $\mathbf{Z}_6$ 的全部元素以及 $\mathbf{Z}_6$ 上的加法表和乘法表.

29. 利用例 19.8 中给出的计算公式, 计算珍珠港日 1941 年 12 月 7 日是星期几.

30. 验证 M 月 1 号的星期数与当年 3 月 1 日的星期数 w_Y 之差为 $\lfloor(13M-11)/5\rfloor(\bmod 7)$. 从而得到 y 年 m 月 d 日星期数的另一个更简便的计算公式.
$$w\equiv2-2C+X+\lfloor X/4\rfloor+\lfloor C/4\rfloor+\lfloor(13M-11)/5\rfloor+d(\bmod 7)$$
其中 $M=(m-3)\bmod 12+1$, $Y=y-\lfloor M/11\rfloor=100C+X$.

31. 证明同余关系是等价关系, 即同余关系具有

(1) 自反性. $a\equiv a(\bmod m)$.

(2) 传递性. $a\equiv b(\bmod m)$, $b\equiv c(\bmod m)\Rightarrow a\equiv c(\bmod m)$.

(3) 对称性. $a\equiv b(\bmod m)\Rightarrow b\equiv a(\bmod m)$.

32. 模算术运算. 设 $a\equiv b(\bmod m)$, $c\equiv d(\bmod m)$, 则
$$a\pm c\equiv b\pm d(\bmod m),\quad ac\equiv bd(\bmod m).$$

33. 证明: (1) 设 $d\geqslant1$, $d\mid m$, 则 $a\equiv b(\bmod m)\Rightarrow a\equiv b(\bmod d)$.

(2) 设 $d\geqslant1$, 则 $a\equiv b(\bmod m)\Leftrightarrow da\equiv db(\bmod dm)$.

(3) 设 c 与 m 互素, 则 $a\equiv b(\bmod m)\Leftrightarrow ca\equiv cb(\bmod m)$.

34. 下列命题是否为真? 若为真, 试证明之. 若为假, 试给出反例.

(1) 若 $a^2\equiv b^2(\bmod m)$, 则 $a\equiv b(\bmod m)$ 或 $a\equiv-b(\bmod m)$.

(2) 若 $a\equiv b(\bmod m)$, 则 $a^2\equiv b^2(\bmod m)$.

(3) 若 $a^2\equiv b^2(\bmod m^2)$, 则 $a\equiv b(\bmod m)$.

(4) 若 $a\equiv b(\bmod mn)$, 则 $a\equiv b(\bmod m)$ 且 $a\equiv b(\bmod n)$.

(5) 若 $a\equiv b(\bmod m)$ 且 $a\equiv b(\bmod n)$, 则 $a\equiv b(\bmod mn)$.

35. 下列一次同余方程是否有解? 若有解, 试给出它的全部解.

(1) $9x\equiv3(\bmod 6)$

(2) $4x\equiv3(\bmod 6)$

(3) $3x\equiv-1(\bmod 5)$

(4) $8x\equiv2(\bmod 4)$

（5）$20\,x \equiv 12 \pmod 8$

36. 对下列每一组 a,b,m，验证 b 是 a 的模 m 逆.

（1）5,3,7　　（2）8,7,11　　（3）11,11,12　　（4）6,11,13

37. 对下列每一对数 a 和 m，是否有 a 的模 m 逆？若有，试给出.

（1）2,3　　（2）8,12　　（3）18,7　　（4）12,21　　（5）5,9　　（6）$-1,9$

38. 下列方程是否有整数解？若有，试给出所有的整数解.

（1）$3x+2y=6$

（2）$12x-9y=8$

39. 设 $m>0$，$d=\gcd(a,m)$ 且 $d\mid c$，则一次同余方程 $ax\equiv c\pmod m$ 在模 m 下有 d 个解.

40. 设 $m>1$，$ac\equiv bc\pmod m$，$d=\gcd(c,m)$，则 $a\equiv b\pmod{m/d}$.

41. 设 p 是素数，若 $x^2\equiv 1\pmod p$，则 $x\equiv 1\pmod p$ 或 $x\equiv -1\pmod p$.

42. 设 $F_n=2^{2^n}+1$，$n=0,1,2,\cdots$. 证明：对任意的 $n\neq m$，F_n 与 F_m 互素.

43. 证明：存在无穷多个 n 使得 $\phi(n)>\phi(n+1)$.

44. 证明：若 m 和 n 互素，则 $\phi(mn)=\phi(m)\phi(n)$.

45. 利用费马小定理计算.

（1）$2^{325}\bmod 5$　　（2）$3^{516}\bmod 7$　　（3）$8^{1003}\bmod 11$

46. 设 m 与 n 互素，则 $m^{\phi(n)}+n^{\phi(m)}\equiv 1\pmod{mn}$.

47. 设 $f(x)$ 是整系数多项式，p 是素数. 证明：$(f(x))^p\equiv f(x^p)\pmod p$.

48. 设整数 a,b,m，其中 $m\geq 2$. 证明：线性同余变换
$$E(i)=(ai+b)\bmod m,\quad i=0,1,\cdots,m-1$$
是 $\{0,1,\cdots,m-1\}$ 上的双射函数当且仅当 a 与 m 互素.

49. 对下列参数给出用线性同余法产生的伪随机数序列，并指出序列的周期.

（1）$m=16$，$a=7$，$c=1$，$x_0=0$

（2）$m=9$，$a=7$，$c=4$，$x_0=3$

（3）$m=15$，$a=3$，$c=0$，$x_0=1$

（4）$m=17$，$a=2$，$c=0$，$x_0=4$

（5）$m=17$，$a=5$，$c=0$，$x_0=1$

50. 用下列加密算法把"XINGDONGZAIZIYE"译成密文，用 0~25 分别表示 A~Z，密文仍用字母表示.

（1）$E(i)=(i+3)\bmod 26$

（2）$E(i)=7i\bmod 26$

（3）$E(i)=(5i-2)\bmod 26$

51. 用维吉利亚密码将"XINGDONGZAIZIYE"译成密文，每个字段含 3 个字母，密钥 $k=k_1k_2k_3$，$k_1=3$，$k_2=-2$，$k_3=7$.

52. 写出第 50 题中 3 个加密算法的解密算法，并将你在第 50 题中得到的密文恢复成明文.

53. RSA 密码取 $p=5$，$q=7$，$n=35$，$\phi(n)=24$，$w=7$. 以 00~25 表示 A~Z，每个字段是 2 位数字.

（1）把 STOP 译成密文.

（2）收到密文 32　14　32，把它译成明文.

名词与术语索引

十画

十三画

符号注释

$\wedge$	合取,最大下界运算		$\mathbf{Q}^*$	非零有理数集
$\vee$	析取,最小上界运算		$\mathbf{R}$	实数集
$\neg$	否定联结词		$\mathbf{R}^+$	正实数集
$\rightarrow$	蕴涵联结词		$\mathbf{R}^*$	非零实数集
$\leftrightarrow$	等价联结词		$\mathbf{C}$	复数集
$\Rightarrow$	推出		$\varnothing$	空集
$\Leftrightarrow$	当且仅当		E	全集
$\in$	属于		e	单位元
$\notin$	不属于		θ	零元
$\subseteq$	包含		x^{-1}	x 的逆元
$\subset$	真包含		$-x$	x 的负元
$\prec$	偏序的小于		x'	x 的补元
$\preccurlyeq$	偏序		f^*	f 的对偶命题
$\mathbf{N}$	自然数集		a^+	a 的后继
$\mathbf{Z}$	整数集		$\overline{G}$	G 的补图
$\mathbf{Z}^+$	正整数集		$\overline{T}$	生成树 T 的余树
$\mathbf{Z}^*$	非零整数集		$\overline{A}$	集合 A 的补集
$\mathbf{Z}_n$	集合 $\{0,1,\cdots,n-1\}$ 或整数集模 n 的剩余类集合		$\aleph_0$	自然数集的基数
$\mathbf{Q}$	有理数集		$\aleph$	实数集的基数
$\mathbf{Q}^+$	正有理数集		h_n	Catalan 数

f_n	Fibonacci 数
$\mid A \mid$	有穷集 A 的基数
$\mid x \mid$	x 的绝对值
M'	矩阵 M 的转置
$\lfloor x \rfloor$	小于等于 x 的最大整数
$\lceil x \rceil$	大于等于 x 的最小整数
$[x]$	x 的等价类
$[x]_m$	x 的模 m 等价类
I_A	A 上的恒等关系
E_A	A 上的全域关系
M_R	R 的关系矩阵
G_R	R 的关系图
N_n	n 阶零图
W_n	n 阶轮图
K_n	n 阶无向完全图
$K_{r,s}$	互补顶点子集基数为 r,s 的完全二部图
$\exists$	存在量词
$\forall$	全称量词
$\exists-$	存在量词消去规则
$\exists+$	存在量词引入规则
$\forall-$	全称量词消去规则
$\forall+$	全称量词引入规则
$\det M$	矩阵 M 的行列式
$P(A)$	A 的幂集
$\cup A$	A 的广义并
$\cap B$	B 的广义交
$<x,y>$	有序对, 序偶
$A \cup B$	集合 A 与 B 的并
$G_1 \cup G_2$	图 G_1 和 G_2 的并
$G \cup (u,v)$	在 G 中加边 (u,v)
$A \cap B$	集合 A 与 B 的交
$G_1 \cap G_2$	图 G_1 与 G_2 的交
$A-B$	集合 B 对 A 的相对补
G_1-G_2	图 G_1 与 G_2 的差图
$G-v$	从 G 中删除顶点 v
$G-V$	从 G 中删除 V 中所有顶点
$G-e$	从 G 中删除边 e

$G-E$	从 G 中删除 E 中全部边
$G \backslash e$	G 中边 e 的收缩
$G+(u,v)$	同 $G \cup (u,v)$
$A \times B$	A 与 B 的笛卡儿积
$A \oplus B$	A 与 B 的对称差
$x \oplus y$	x 与 y 的模 n 加
$G_1 \oplus G_2$	图 G_1 与 G_2 的环和
$x \otimes y$	x 与 y 的模 n 乘
$\sim A$	A 的绝对补
$x \sim y$	x 等价于 y
$V_1 \sim V_2$	V_2 是 V_1 的同态像
$A \approx B$	A 与 B 等势
$A \leqslant \cdot B$	B 优势于 A
$A < \cdot B$	B 真优势于 A
$G_1 \cong G_2$	图 G_1 同构于 G_2
$V_1 \cong V_2$	代数系统 V_1 同构于 V_2
$\mathrm{card}A$	A 的基数
$\mathrm{dom}R$	关系 R 的定义域
$\mathrm{ran}R$	关系 R 的值域
$\mathrm{fld}R$	关系 R 的域
R^{-1}	R 的逆关系
R^n	R 的 n 次幂
$r(R)$	R 的自反闭包
$s(R)$	R 的对称闭包
$t(R)$	R 的传递闭包
$F \circ G$	F 与 G 的右复合
$R \upharpoonright A$	R 限制在 A 上
$R[A]$	A 在 R 下的像
$G[V_1]$	以 V_1 为顶点集的导出子图
$G[E_1]$	以 E_1 为边集的导出子图
$f:A \to B$	从 A 到 B 的函数
$f:x \mapsto y$	$f(x)=y$
$f(x)$	f 在 x 的值, 集合 x 在 f 下的像
$f^{-1}(x)$	集合 x 在 f 下的完全原像
$V(G)$	图 G 的顶点集
$E(G)$	图 G 的边集
$\xi(G)$	G 的圈秩
$\eta(G)$	G 的割集秩
$\kappa(G)$	G 的点连通度

$\lambda(G)$	G 的边连通度	$<B>$	集合 B 生成的子群
$\chi(G)$	G 的点色数	$\chi_{A'}$	集合 A' 的特征函数
$\chi'(G)$	G 的边色数	B^A	B 上 A
$\chi^*(G)$	G 的面色数	$H \leqslant G$	H 是 G 的子群
$d_D^+(v)$	有向图 D 中 v 的出度	$H < G$	H 是 G 的真子群
$d_D^-(v)$	有向图 D 中 v 的入度	$[G:H]$	H 在 G 中的指数
$d_D(v)$	有向图 D 中 v 的度数	$\max(x,y)$	x 与 y 中较大的数
$d_G(v)$	无向图 G 中 v 的度数	$\min(x,y)$	x 与 y 中较小的数
$I_G(v)$	G 中顶点 v 关联的边集	$d(u,v)$	无向图中 u 到 v 的距离
$N_D(v)$	有向图 D 中顶点 v 的邻域	$d<u,v>$	有向图中 u 到 v 的距离
$\overline{N}_D(v)$	有向图 D 中顶点 v 的闭邻域	$\mathrm{lcm}(x_1,\cdots,x_n)$	$x_1,\cdots,x_n$ 的最小公倍数
$\Gamma_D^-(v)$	有向图 D 中顶点 v 的先驱元集	$\gcd(x_1,\cdots,x_n)$	$x_1,\cdots,x_n$ 的最大公约数
$\Gamma_D^+(v)$	有向图 D 中顶点 v 的后继元集	$a\mid b$	a 整除 b
$N_G(v)$	无向图 G 中顶点 v 的邻域	$a \nmid b$	a 不整除 b
$\overline{N}_G(v)$	无向图 G 中顶点 v 的闭邻域	$x \equiv y(\bmod\ n)$	x 与 y 模 n 相等（同余）
$\alpha_0(G)$	G 的点覆盖数	$x \not\equiv y(\bmod\ m)$	x 与 y 模 n 不相等（不同余）
$\alpha_1(G)$	G 的边覆盖数	$x^{-1}(\bmod\ m)$	x 的模 m 逆
$\beta_0(G)$	G 的点独立数	$x \bmod n$	x 除以 n 的余数
$\beta_1(G)$	G 的匹配数或 G 的边独立数	$(i_1 i_2 \cdots i_k)$	k 阶轮换
$\gamma(G)$	G 的支配数	$P(n,r)$	n 元集的 r 排列数
$\Delta(G)$	G 的最大度	$C(n,r)$ 或 $\binom{n}{r}$	n 元集的 r 组合数,二项式系数
$\Delta(D)$	有向图 D 的最大度		
$\Delta^+(D)$	有向图 D 的最大出度	$\binom{n}{n_1 n_2 \cdots n_k}$	多重集 $\{n_1 \cdot a_1, n_2 \cdot a_2, \cdots, n_k \cdot a_k\}$
$\Delta^-(D)$	有向图 D 的最大入度		的全排列数,多项式系数
$\delta(G)$	G 的最小度		
$\delta(D)$	有向图 D 的最小度	$\begin{bmatrix} n \\ k \end{bmatrix}$	第一类 Stirling 数
$\delta^+(D)$	有向图 D 的最小出度		
$\delta^-(D)$	有向图 D 的最小入度	$\begin{Bmatrix} n \\ k \end{Bmatrix}$	第二类 Stirling 数
$\phi(n)$	欧拉函数		
A/R	A 的商集		
$M_n(R)$	n 阶实矩阵的集合		
$<a>$	a 生成的子群		

参考文献

［1］耿素云,屈婉玲,王捍贫.离散数学教程［M］.北京:北京大学出版社,2002.

［2］屈婉玲,耿素云,王捍贫,等.离散数学习题解析［M］.北京:北京大学出版社,2008.

［3］Woodcock J, Loomes M. Software Engineering Mathematics［M］. London:Pitman Publishing,1988.

［4］Cormen T H, Leiserson C E, Rivest R L,et al. Introduction to Algorithms［M］. 2nd ed. 影印版.北京:高等教育出版社,2002.

［5］Kleinberg J,Tardos E. Algorithm Design［M］.影印版.北京:清华大学出版社,2006.

［6］Rosen K H. Discrete Mathmatics and Its Applications［M］.影印版. 北京:机械工业出版社,2004.